DE SCHAT VAN KHAN

Clive Cussler

en

Dirk Cussler

DE SCHAT VAN KHAN

the house of books

Oorspronkelijke titel
Treasure of Khan
Uitgave
G.P. Putnam's Sons, New York
Copyright © 2006 by Sandecker, RLLLP
Copyright voor het Nederlandse taalgebied © 2008 by The House of Books, Vianen/Antwerpen

Vertaling
Pieter Cramer
Omslagontwerp
Jan Weijman
Omslagillustratie
Craig White
Foto auteur
John DeBry
Opmaak binnenwerk
ZetSpiegel, Best

ISBN 978 90 443 2072 5
D/2008/8899/57
NUR 332

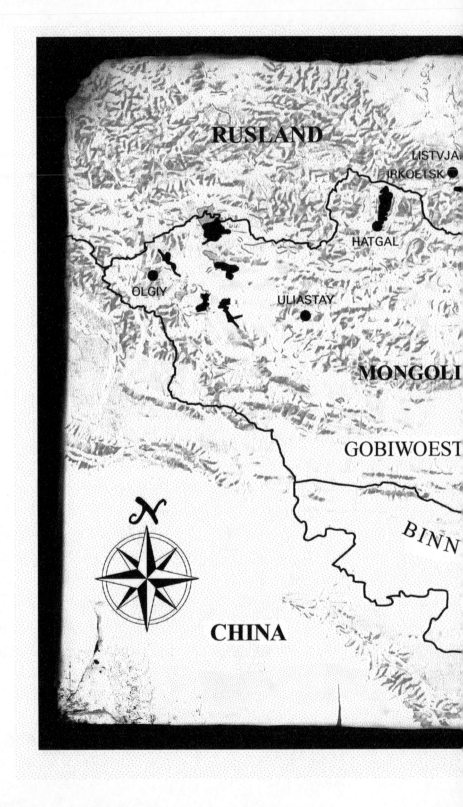

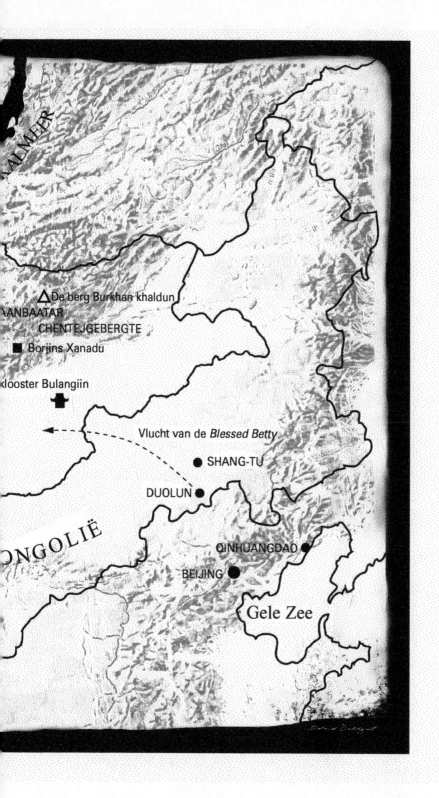

DE STORM VAN
DE GODEN

Mongools schip op drift

10 augustus 1281 A.D.
Baai van Hakata, Japan

Arik Temur tuurde in de duisternis, draaide zijn hoofd naar het zijboord en hoorde dat het klieven van roeispanen door het water luider werd. Toen het geluid tot op enkele meters genaderd was, trok hij zich terug in het donker en liet zijn hoofd zakken. Deze keer kunnen de insluipers een warm onthaal verwachten, dacht hij grimmig.

De slagen van de riemen stopten, maar uit een doffe bonk van hout tegen hout leidde hij af dat het bootje nu langszij de achtersteven van zijn veel grotere schip lag. De maan van die nacht was slechts een smalle sikkel, maar de kristalblauwe lucht versterkte het licht van de sterren, waardoor het schip in een donzig schijnsel baadde. Temur zat geknield weggedoken en keek rustig toe hoe een donkere figuur over het achterboord klom, gevolgd door een tweede en een derde, tot er zo'n twaalf man op het dek stonden. De indringers droegen felgekleurde gewaden onder een soort pantserhemd van gelaagd leer die ritselden als ze zich bewogen. Maar het was de schittering van hun vlijmscherpe *katana's*, eenzijdig geslepen duelleerzwaarden, die zijn aandacht trok toen ze zich verzamelden.

Nu de val was gezet en de prooi had toegehapt, draaide de Mongoolse aanvoerder zich naar de jongen die naast hem zat en knikte. De jongen begon onmiddellijk de zware bronzen klok te luiden die hij in zijn hand hield, en het metaalachtige geluid verscheurde de nachtelijke stilte. De indringers verstijfden van schrik door het plotselinge alarmsignaal. In een onwezenlijke stilte sprong uit de duisternis een tot dan toe verborgen groep van ruim dertig gewapende soldaten tevoorschijn. Met hun speren stortten ze zich op de indringers en regen hun slachtoffers met een dodelijke tref-

11

zekerheid aan de ijzeren punten van hun wapens. De helft van de indringers was op slag dood, getroffen door meerdere speerpunten die dwars door de pantserhemden drongen. De overige insluipers maaiden met hun zwaarden om zich heen en probeerden nog terug te vechten, maar werden al snel overmeesterd door de overmacht aan verdedigers. Binnen enkele seconden lagen alle enteraars dood of stervend op het dek. Dat wil zeggen, er stond er nog één, een derwisjachtige figuur.

Hij was gekleed in een met borduurwerk versierd roodzijden gewaad boven een wijde broek waarvan de onderkanten in laarzen van berenhuid waren gestoken, en was dus duidelijk geen boerensoldaat. Met een verbijsterende snelheid en behendigheid verraste hij de aanvallende verdedigers door met een plotse draai recht op hen af te snellen, waarbij hij de stoten van hun speren met razendsnelle zwaaibewegingen van zijn zwaard afweerde. Als een bliksemschicht wierp hij zich op een groep van drie verdedigers en werkte hen met flitsende uitvallen van zijn zwaard tegen de grond. Een van de mannen hakte hij met één houw van de scherpe kling vrijwel door midden.

Toen Temur zag hoe deze wervelwind zijn soldaten afslachtte, sprong hij overeind, trok zijn zwaard uit de schede en snelde eropaf. De zwaardvechter zag Temur op zich afkomen en weerde geroutineerd een toestotende speer af, waarna hij om zijn as wervelde en zijn bebloede zwaard in de richting van de aanstormende strijder hief. De Mongoolse aanvoerder had in zijn leven al minstens twintig mensen gedood en ontweek met een gedecideerd stapje opzij de maaiende kling. De punt van het zwaard schoot langs zijn borst en miste de huid op een haar na. Terwijl het zwaard van zijn tegenstander langs zwiepte, hief Temur zijn eigen wapen op en stootte de punt in de zij van de aanvaller. De indringer verstijfde toen de speerpunt door zijn ribbenkast drong en zijn hart trof. Hij boog zwakjes naar de Mongool, terwijl zijn ogen wegdraaiden en hij voorover dood neerviel.

De verdedigers slaakten luide juichkreten die over het water van de haven galmden, waardoor de overige opvarenden van de Mongoolse invasievloot wisten dat de guerrilla-aanval die nacht was afgeslagen.

'Jullie hebben dapper gevochten,' complimenteerde Temur zijn soldaten, voornamelijk Chinezen, die om hem heen stonden. 'Gooi de lijken van de Japanners maar in zee en spoel hun bloed van het dek. We kunnen trots zijn en met een gerust hart gaan slapen.' Terwijl er opnieuw gejuich opsteeg, knielde Temur naast de samoerai en wrikte het met bloed besmeurde zwaard uit de handen van de dode man. In het zwakke licht van de scheepslantaarns bekeek hij het Japanse wapen aandachtig en bewonderde het knappe vakmanschap en de scherpte van de kling, waarna hij het met een tevreden hoofdknikje in de schede aan zijn eigen gordel schoof.

Terwijl de doden zonder veel omhaal overboord werden gegooid, werd Temur benaderd door de kapitein van het schip, Yon, een norse Koreaan.

'Een mooi gevecht,' zei Yon zonder enig medeleven, 'maar hoeveel van dit soort aanvallen op mijn schip moet ik nog voor lief nemen?'

'We gaan aan land zodra de zuidelijke Yangtzevloot zich bij ons heeft gevoegd. De vijand hebben we binnen de kortste keren verpletterd en dan zullen deze verrassingsaanvallen vanzelf ophouden. En misschien werkt de val waar de vijand vannacht is ingelopen, wel als een doeltreffend afschrikmiddel.'

Yon gromde sceptisch. 'Mijn schip en de bemanning hadden nu zo'n beetje in Pusan terug moeten zijn. Die invasie wordt één groot debacle.'

'De aankomst hier van de beide vloten had beter gecoördineerd moeten zijn, maar er bestaat echt geen twijfel aan het uiteindelijke resultaat. Niets staat een overwinning in de weg,' antwoordde Temur kregelig.

Terwijl de kapitein hoofdschuddend wegliep, vloekte Temur stilletjes. Nu hij bij de aanval op een Koreaans schip met een Koreaanse bemanning en een leger van Chinese infanteristen moest vertrouwen, voelde hij zich aan handen en voeten gebonden. Als hij voor de invasie een divisie Mongoolse ruiters ter beschikking had gehad, had hij de hele eilandbevolking binnen een week op de knieën, daar was hij van overtuigd.

Dat was een wens waar hij nu weinig aan had en met tegenzin moest hij toegeven dat er wel enige waarheid stak in de woorden van de kapitein. De invasie was in feite op een nogal wankel fundament gebouwd en als hij bijgelovig was geweest, had hij zelfs kunnen denken dat er een vloek op hen rustte. Toen Kublai, keizer van China en khan van de khans van het Mongoolse rijk, belasting van Japan had geëist en dat grofweg was afgewezen, was het een natuurlijke reactie geweest om er een invasievloot naar toe te sturen om deze schaamteloze arrogantie af te straffen. Maar de invasievloot die er in 1274 op af werd gestuurd, was veel te klein. Voordat er een veilige landingsstrook kon worden ingenomen, werden de Mongoolse oorlogsschepen door een hevige storm overvallen, waardoor de vloot nog op volle zee drastisch werd uitgedund.

Nu, zeven jaar later, zouden ze dezelfde fout niet nog eens maken. Kublai Khan had een enorm invasieleger bijeengebracht, bestaande uit delen van de Koreaanse Oostelijke Vloot en de belangrijkste aanvalseenheid van

China, het zuidelijke deel van de Yangtzevloot. Meer dan 150.000 Chinese en Mongoolse strijders zouden van verschillende kanten het zuidelijke Japanse eiland Kyushu binnenvallen en er de plaatselijke krijgsheren die het land verdedigden onder de voet lopen. Maar het invasieleger had zich nog altijd niet gegroepeerd. De Oostelijke Vloot uit Korea was er als eerste aangekomen. In hun verlangen naar een snelle overwinning hadden landingstroepen aanvallen ten noorden van de Baai van Hakata uitgevoerd die meteen werden afgeslagen. Geconfronteerd met de bezielende inzet van de Japanse verdediging werden ze gedwongen zich terug te trekken en te wachten tot de tweede vloot ter plaatse was gearriveerd.

Met groeiend vertrouwen gingen de Japanse krijgers de strijd aan met de Mongoolse vloot. Onverschrokken aanvalseenheden glipten 's nachts in kleine bootjes de haven in en vielen de Mongoolse schepen aan die daar voor anker lagen. De onthoofde lichamen die men aantrof, waren de gruwelijke bewijzen van een nieuwe overval van samoeraikrijgers, die de hoofden van hun overwonnen vijand als trofee meenamen. Na een reeks van dergelijke guerrilla-aanvallen legde men de schepen van de invasievloot zij aan zij tegen elkaar aan, wat voor een betere bescherming moest zorgen. Temurs plan om zijn schip als lokmiddel los van de andere schepen aan de rand van de baai af te meren had het verwachte resultaat gehad en een Japanse entergroep het leven gekost.

Hoewel de nachtelijke aanvallen nauwelijks strategische schade aanrichtten, temperden ze het toch al tanende moreel van de invasietroepen. De soldaten zaten sinds het vertrek uit Pusan nu al bijna drie maanden op de krap bemeten Koreaanse schepen. Het proviand raakte op, de schepen vertoonden steeds meer gebreken en in de hele vloot nam het aantal gevallen van dysenterie zienderogen toe. Maar Temur wist dat de komst van het zuidelijke deel van Yangtzeschepen de rollen radicaal zou omdraaien. De ervaren en gedisciplineerde troepen uit China zouden de nauwelijks georganiseerde samoeraikrijgers gemakkelijk verslaan zodra ze massaal aan land gingen. Maar dan moesten ze nu wel komen.

De volgende ochtend was zonnig en helder, en er blies een straffe wind uit het zuiden. Op de achtersteven van zijn *mugun*-ondersteuningsschip inspecteerde kapitein Yon de drukte op het water van de Baai van Hakata. De vloot van Koreaanse schepen op zich bood een imposante aanblik. Verspreid over de gehele baai lagen er zo'n negenhonderd schepen in alle mogelijke vormen en formaten. Voor het grootste deel waren het brede, robuuste jonken, waarvan sommige nog geen zes meter lang waren en andere bijna vijfentwintig meter, zoals het schip van Yon zelf. Vrijwel allemaal waren ze speciaal gebouwd voor de invasie. Maar de Oostelijke Vloot, zoals die werd genoemd, zou in het niet verdwijnen bij de zeemacht die nog zou komen.

Om half vier in de middag klonk er een kreet van een van de uitkijkposten en even later galmde er opgewonden geschreeuw en donderend tromgeroffel door de haven. Op zee verschenen de eerste zwarte puntjes van de zuidelijke invasievloot aan de horizon die traag in de richting van de Japanse kust kropen. Met het uur werden de puntjes talrijker en groter tot de hele zee met een enorme deken van donkere houten schepen met bloedrode zeilen bedekt leek. Uit de Korea Straat doken zo'n drieduizend schepen met ruim honderdduizend extra soldaten aan boord op; het was een vloot die zijn gelijke niet zou kennen tot de invasie van Normandië bijna zevenhonderd jaar later.

De rode zijden zeilen van de oorlogsvloot flapperden als een enorme karmozijnrode windvlaag langs de horizon. Die hele nacht tot ver in de ochtend naderde het ene eskader Chinese jonken na het andere de kust, waar ze zich in en rond de Baai van Hakata groepeerden, terwijl de legeraanvoerders zich op een landing voorbereidden. Op de vlaggenschepen werden op bevel van Mongoolse en Chinese generaals seinvlaggen in top gehesen die een hernieuwde invasie aankondigden.

Achter de verdediging van hun stenen zeewering keken de Japanners geschrokken toe hoe de reusachtige vloot zich formeerde. De overweldigende overmacht scheen de vastberadenheid van sommige verdedigers alleen maar te versterken. Anderen keken in wanhoop omhoog en smeekten de goden om hemelse hulp. Zelfs de meest onverschrokken samoerai zagen in dat er weinig kans was dat ze deze aanval zouden overleven.

Maar zo'n 1600 kilometer naar het zuiden was een geheel andere macht aan het werk die nog vele malen krachtiger was dan de invasievloot van Kublai Khan. Een in elkaar malende mengeling van wind, zeewater en regen wrong zich samen tot een gevaarlijk samengebalde knoop van energie. De storm was ontstaan zoals de meeste tyfoons boven de warme wateren van de westelijke Stille Oceaan rond de Filippijnen. Een op zich onschuldige onweersbui veroorzaakte turbulentie in het omringende hogedrukgebied door de vermenging van warme met koude lucht. De warme lucht werd in een trechtervormige wervelwind van het wateroppervlak omhooggezogen waarbij de windvlagen geleidelijk tot stormachtig aanwakkerden. Terwijl hij zich over de zee verplaatste, nam de storm alleen nog maar in hevigheid toe waarbij de windvlagen een vernietigende kracht ontwikkelden. De oppervlaktewinden werden steeds krachtiger tot ze snelheden van meer dan 250 kilometer per uur bereikten. De 'supertyfoon', zoals ze tegenwoordig genoemd worden, bewoog zich vrijwel recht naar het noorden tot hij zonder aanwijsbare reden naar het noordoosten afboog. Hierdoor stevende hij recht op de zuidelijke eilanden van Japan en de Mongoolse vloot af.

Voor de kust van Kyushu concentreerde de invasievloot zich uitsluitend op de aanval. Zich niet bewust van de naderende storm groepeerden de beide vloten zich voor een gezamenlijke invasie.

'We hebben het bevel gekregen ons bij de schepen aan het zuidelijk front aan te sluiten,' zei Yon tegen Temur naar aanleiding van de signalen die door middel van de seinvlagen binnen zijn eskader werden uitgewisseld. 'Er zijn al voorbereidende grondtroepen geland die een haven hebben vrijgemaakt waar we soldaten aan land kunnen zetten. Wij moeten delen van de Yangtzevloot volgen die de Baai van Hakata zullen verlaten, en ons erop voorbereiden onze manschappen elders als versterkingen aan land te brengen.'

'Ik zal blij zijn als mijn soldaten eindelijk weer vaste grond onder de voeten hebben,' antwoordde Temur. Net als alle Mongolen was Temur een landrot die gewend was op de rug van een paard ten strijde te trekken. Een aanval vanuit zee was een betrekkelijk nieuwe strategie voor de Mongolen, die de keizer pas sinds enkele jaren noodzakelijk achtte voor de onderwerping van Korea en Zuid-China.

'Je zult nu gauw genoeg de kans krijgen aan land te gaan vechten,' antwoordde Yon, terwijl hij het binnenhalen van het stenen anker van het schip inspecteerde.

Ze volgden de hoofdmacht de Baai van Hakata uit, waarna ze langs de kust naar het zuiden voeren. Yon wierp een zorgelijke blik op de lucht waar zich aan de horizon een donker wolkendek samenpakte. Eén enkele wolk leek almaar groter en groter te worden tot hij uiteindelijk de hele lucht verduisterde. Toen het steeds donkerder werd, trok de wind aan en wierp het water steeds woestere golven op, terwijl er felle regenvlagen tegen het dek kletterden. De meeste Koreaanse kapiteins herkenden de tekenen van een naderende storm en hergroepeerden hun schepen op een grotere afstand van de kust. De Chinese zeelieden, die geen ervaring hadden met de weersomstandigheden op open zee, waren zo dom om dicht in de buurt van de landingsplaats te blijven.

16

Omdat Temur in zijn hevig schommelende kooi de slaap niet kon vatten, begaf hij zich aan dek, waar hij acht van zijn mannen misselijk van zeeziekte over de reling zag hangen. Het duister van de pikzwarte nacht werd doorbroken door tientallen lichtjes die vlak boven de golven dansten, de kaarslantaarns die de andere schepen van de vloot markeerden. Veel schepen lagen nog aan elkaar vastgebonden en Temur zag een samenklontering van deze kaarslichtjes op de hoog opgezweepte golven op- en neergaan.

'Ik zal je mannen nu niet aan land kunnen zetten,' riep Yon in de gierende wind naar Temur. 'De storm trekt nog steeds aan. We moeten verder de zee op om te voorkomen dat we op de rotsen te pletter slaan.'

Temur ondernam geen poging hier tegen in te gaan en reageerde met een hoofdknikje. Hoewel hij niets liever wilde dan dat zijn mannen en hijzelf zo snel mogelijk van dit schip af waren, begreep hij dat iedere poging daartoe gekkenwerk zou zijn. Yon had gelijk. Hoe vervelend het ook was, er zat niets anders op dan te wachten tot de storm ging liggen.

Yon gaf bevel het emmerzeil aan de voorste mast te strijken en manoeuvreerde de boeg van het schip naar het westen. Het robuuste, door de steeds hogere golven woest heen en weer slingerende schip verwijderde zich moeizaam voortzwoegend steeds verder van de kust.

Rond Yons schip heerste een geweldige chaos onder de overige schepen van de vloot. Diverse Chinese schepen probeerden in de onstuimige zeegang nog manschappen aan land te zetten, hoewel de meeste op korte afstand voor anker bleven liggen. Een kleine groep vaartuigen, voornamelijk van de Oostelijke Vloot, volgden Yons voorbeeld en begonnen zich van de kust te verwijderen. Een enkeling leek te beseffen dat er weer een tyfoon zou kunnen toeslaan, met net als in 1274 desastreuze gevolgen voor de vloot. En al spoedig zou blijken dat degenen die dat betwijfelden ongelijk hadden.

De supertyfoon won nog aan kracht en naderde met striemende windvlagen en felle slagregens. Direct na zonsondergang werd de lucht pikzwart en zwol de storm in alle hevigheid aan. Zware stortregens zwiepten horizontaal door de lucht en de golven sloegen met zoveel kracht over de schepen dat de zeilen scheurden. De branding beukte met zulke dreunende klappen op de kust dat ze tot kilometers ver in de omtrek hoorbaar waren. Met een windsterkte die tot die van een orkaan van de vierde categorie was aangewakkerd, bereikte de supertyfoon uiteindelijk het vasteland van Kyushu.

Aan de wal kregen de Japanse verdedigers een drie meter hoge muur van water te verwerken die over de kust sloeg en daar alle huizen, dorpen en verdedigingswerken overspoelde, een stormvloed waarin duizenden mensen verdronken. Verwoestende windstoten ontwortelden oude bomen en joegen losgeslagen wrakstukken als projectielen door de lucht. Een ware zondvloed aan slagregens teisterde het binnenland, waar in een uur tijd dertig centimeter regen viel. Rivieren traden buiten hun oevers en kolkende watermassa's overstroomden de dalen. Het plotseling opzwellende water en modderlawines overspoelden in enkele seconden hele dorpen en steden, wat nog eens talloze mensen het leven kostte.

Maar de verwoestende kracht waarmee de storm boven land woedde, verbleekte bij de ongekende razernij waaraan de Mongoolse vloot op zee blootstond. De gierende windstoten en ondoordringbare regengordijnen gingen daar gepaard met door de stormkracht huizenhoog opgestuwde mammoetgolven. Deze aanrollende muren van water geselden de invasievloot, waarbij veel schepen kapseisden of aan barrels werden geslagen. De schepen die dicht voor de kust voor anker lagen werden vrijwel onmiddellijk naar ondiepe wateren gestuwd, waar ze meedogenloos tegen de klippen te pletter sloegen. Spanten knapten en balken versplinterden door de kracht van de golven, waardoor tientallen schepen in de kolkende zee gewoonweg uiteenvielen. In de Baai van Hakata beukte het water met een onvoorstelbare kracht op de aan elkaar vastgebonden schepen in. Zodra een van de schepen verging, sleurde het de andere vaartuigen als een rij dominostenen met zich mee de diepte in. Opgesloten in de rap zinkende schepen stierven de soldaten en de bemanning een snelle dood. Degenen die nog uit het schip wisten te ontsnappen wachtte in het ziedende water de verdrinkingsdood, want vrijwel niemand kon zwemmen.

Aan boord van de Koreaanse *mugun* klampten Temur en zijn mannen zich met de moed der wanhoop aan het schip vast, dat als een kurk in een wasmachine heen en weer slingerde. Yon hield zijn vaartuig deskundig met de kop in de wind en wist met inzet van al zijn krachten de boeg dwars op de aanstormende golven te houden. Diverse keren helde het houten schip zo ver over dat Temur vreesde dat ze zouden kapseizen. Maar terwijl het schip weer recht draaide, hield Yon zich met een vastberaden grijns op zijn gezicht overeind aan het roer alsof hij in een persoonlijke strijd met de elementen verwikkeld was. Pas toen er plotseling een monsterlijke twaalf meter hoge golf uit het duister voor hem oprees, trok de stoere kapitein lijkbleek weg.

De reusachtige muur van water sloeg met donderend kabaal op hen neer. Als een lawine stortte de golf over het schip en dompelde het in een kolkende vloed van water en schuim. Een aantal seconden was het Koreaanse schip volledig onder de ziedende zee verdwenen. De mannen die zich benedendeks bevonden, voelden hun maag door de druk van de onverwachte duik in hun keel en merkten tot hun verbazing dat het gieren van de wind was verdwenen, terwijl alles op datzelfde moment in een diepe duisternis was gehuld. Het had voor de hand gelegen dat het houten schip door het geweld van de golf in stukken was gebroken. Maar het taaie schip hield stand. Nadat de golf was doorgerold, rees het als een geestverschijning weer uit de diepten op en hernam haar positie op het onstuimige water.

Temur werd tijdens de duik over het dek geslingerd en wist zich nog juist aan een ladder vast te grijpen. Hij hapte naar lucht toen het schip weer uit het water opdook en zag tot zijn schrik dat de masten van het schip waren weggerukt. Achter hem schalde een scherpe kreet uit het water langs de achtersteven. Na een vluchtige blik op het dek kwam hij tot de afschuwelijke conclusie dat Yon en vijf Koreaanse zeelieden plus een aantal van zijn eigen mannen van het schip waren geslagen. Een koor van angstkreten sneed door de lucht waarna het door het gieren van de wind werd overstemd. Temur zag de kapitein en een paar mannen vlakbij in een verwoede worsteling het hoofd boven water te houden. Machteloos moest hij toezien hoe ze opgeworpen door een enorme golf uit zijn blikveld verdwenen.

Zonder masten en bemanning was het schip volledig aan de genade van de storm overgeleverd. Zoals het op de toppen van de golven stuurloos heen en weer werd gesmeten en steeds werd overspoeld door beukende watermassa's, leek het onvermijdelijk dat het schip roemloos ten onder zou gaan. Maar dankzij haar eenvoudige doch robuuste bouw hield het Koreaanse schip stand, terwijl de Chinese schepen met tientallen tegelijk in de diepten verdwenen.

Na nog enkele slopende uren zwakten de windvlagen geleidelijk af en hield het op met regenen. Heel even brak de zon zelfs door en Temur dacht dat de tyfoon voorbij was. Maar ze bevonden zich slechts in het oog van de orkaan en na een korte pauze zou de hel weer in alle hevigheid losbarsten. Benedendeks trof Temur nog twee Koreaanse zeelieden aan en dwong hen hem te helpen het schip onder controle te krijgen. Toen de wind opnieuw aanwakkerde en het ook weer begon te regenen, bonden Temur en de beide Koreanen zich om beurten vast aan het roer en streden zo tegen de vernietigende kracht van de golven.

Zonder ook maar enige notie van waar ze zich bevonden of in welke richting ze voeren, concentreerden de mannen zich hardnekkig op het drijvend houden van het schip. Daarbij waren ze zich niet bewust dat de wind nu tegen de wijzers van de klok in wervelend uit het noorden kwam, waardoor ze in hoog tempo op volle zee steeds verder naar het zuiden afdreven. De tyfoon had boven het vasteland van Kyushu het grootste deel van zijn kracht verloren, waardoor ook de verwoestende werking van de windvlagen sterk was afgenomen. Maar nog altijd kreeg het schip windstoten met snelheden van zo'n 150 kilometer per uur te verduren en werd het woest over het onstuimige wateroppervlak heen en weer gesmeten. Verblind door het dichte regengordijn had Temur geen flauw benul waar ze zich bevonden. Verschillende keren was het schip vlak bij land geweest, waren ze in het ondoordringbare waas van de storm ongemerkt rakelings langs eilanden, rotspunten en ondiepe wateren gevaren. Op wonderbaarlijke wijze bleef het schip gespaard zonder dat de mannen aan boord ook maar enig idee hadden hoezeer ze op het randje van de dood hadden gebalanceerd.

De tyfoon woedde een dag en nacht voort voordat hij geleidelijk aan kracht inboette en de regenbuien en windvlagen tot een lichte storm afzwakten. De Koreaanse *mugun* was zwaar beschadigd en lek, maar had het niet begeven en kleefde met ongebroken trots aan het wateroppervlak. Hoewel de kapitein en de bemanning verloren waren gegaan en er van het schip nog slechts een lamgeslagen wrak over was, hadden ze alles wat deze dodelijke storm hun had kunnen aandoen overleefd. En toen ook de zee ten slotte tot rust kwam, koesterden ze het gelukzalige besef dat het noodlot hun gunstig gestemd was geweest.

Zoveel geluk had de rest van de Mongoolse invasievloot niet gehad, de verwoestende kracht van de tyfoon had er weinig van heel gelaten. Vrijwel de gehele Yangtzevloot was vernietigd, aan stukken geslagen tegen de rotsachtige kust of gezonken door de woeste kracht van het water. De zee langs de kust was bedekt met een gevarieerd tapijt van wrakstukken van de grote Chinese jonken, Koreaanse oorlogsschepen en met roeispanen voortbewogen boten. In het water was het wanhopige gegil van de stervenden allang door de huilende windvlagen weggevoerd. De meeste soldaten waren door hun zware wapenrusting vrijwel onmiddellijk nadat ze in het water raakten naar de bodem gesleurd. Anderen slaagden er met inzet van hun laatste krachten in zich drijvende te houden met geen ander resultaat dan dat ze uiteindelijk in hun panische strijd tegen de eindeloos beukende golven ten onder gingen. De paar gelukkigen die levend het land wisten te bereiken, werden daar al snel afgeslacht door de bloeddorstige bendes van samoerai die de kust afstruinden. Na de storm lagen de talloze lijken als stapels bijeengesprokkeld wrakhout verspreid over de stranden. Aan de horizon tegenover Kyushu waren de silhouetten van half gezonken wrakken zo talrijk dat er zelfs werd gezegd dat je de Golf van Imari kon oversteken zonder nat te worden.

De restanten van de invasievloot keerden gedesillusioneerd terug naar Korea en China in de onvoorstelbare wetenschap dat Moeder Natuur opnieuw de Mongoolse veroveringsplannen had gedwarsboomd. Het was een verpletterende nederlaag voor Kublai Khan. Deze ramp was de ergste nederlaag die de Mongolen sinds de dagen van Dzjengis Khan hadden geleden en toonde de wereld dat de macht van het grote rijk allesbehalve onoverwinnelijk was.

Voor de Japanners was de komst van de tyfoon niets minder dan een wonder. Ondanks de verwoestingen die de storm op het land had aangericht, was het eiland een bezetting bespaard gebleven en was het invasieleger verslagen. De meeste mensen geloofden dat ze dit uitsluitend te danken hadden aan gebeden die ze te elfder ure aan de Zonnegodin bij het heiligdom Ise hadden gericht. Er was sprake van goddelijk ingrijpen, een duidelijk signaal dat Japan hemelse bescherming genoot tegen vijandelijke indringers. Het geloof in de Kami-Kaze, ofwel 'goddelijke wind', was zo groot dat het nog eeuwenlang de Japanse geschiedenis beheerste en in de Tweede Wereldoorlog weer opdook als benaming voor de zelfmoordpiloten.

Aan boord van het Koreaanse troepenschip hadden Temur en de overlevende bemanningsleden geen idee van de deplorabele toestand waarin de invasievloot verkeerde. Ze waren zo ver op open zee afgedreven dat ze er alleen maar van uit konden gaan dat het invasieleger zich na de storm zou hergroeperen om de aanval voort te zetten.

'We moeten terug naar de vloot,' zei Temur tegen de mannen. 'De keizer verwacht een overwinning en we moeten onze plicht doen.'

Maar er was wel een probleem. Na drie dagen en nachten zwaar weer waarin ze zonder masten en zeilen stuurloos waren voortgestuwd, wisten ze absoluut niet waar ze zich bevonden. De lucht klaarde op, maar er was geen schip te zien. Erger nog, er was niemand aan boord die een schip op zee kon besturen. De twee Koreaanse zeelieden die de storm hadden overleefd, waren een kok en een bejaarde scheepstimmerman, beiden zonder enig benul van navigatie.

'Het vasteland van Japan moet ten oosten van ons liggen,' overlegde Temur met de Koreaanse timmerman. 'Maak een nieuwe mast en zeilen, dan kunnen we met behulp van de zon en de sterren naar het oosten varen tot we land bereiken waar we de invasievloot moeten kunnen terugvinden.'

De oude timmerman bracht hier tegenin dat het schip niet zeewaardig meer was. 'Ze is zwaar beschadigd en lekt. We moeten naar het noordwesten, naar Korea, dat is onze enige redding,' riep hij uit.

Maar Temur wilde daar niets van weten. Haastig werd er een nieuwe mast gemaakt en werden er geïmproviseerde zeilen gehesen. Met frisse vastberadenheid leidde de Mongoolse militair annex zeeman het aangeslagen schip naar de oostelijke horizon.

Na twee dagen zagen Temur en zijn mannen nog altijd niets anders dan een blauw wateroppervlak. Het Japanse vasteland kwam niet in zicht. Overwegingen om van koers te veranderen werden uit het hoofd gezet toen er uit het zuidwesten een nieuwe storm op hen afkwam. Hoewel hij minder hevig was dan de tyfoon, bestreek deze tropische storm een groot gebied en verplaatste zich maar traag. Vijf dagen lang werd het troepenschip opnieuw door hevige windstoten en zware regenval geteisterd; weer werd het woest over het oceaanoppervlak heen en weer geslingerd. Het gemaltraiteerde schip leek aan het einde van haar Latijn. De geïmproviseerde mast en zeilen sloegen ook nu door de stormvlagen overboord en de timmerman kwam handen te kort bij de reparatie van de steeds weer nieuwe lekken in de romp. Zorgelijker was dat het complete roer van het schip werd weggeslagen, waarbij het twee van Temurs soldaten mee sleurde die zich er vechtend voor hun leven aan vastklampten.

Juist toen het ernaar uitzag dat het schip het definitief zou begeven, ging ook deze tweede storm liggen. Maar toen het rustiger werd, greep de angst de mannen nog altijd bij de keel. Ze hadden al in ruim een week geen spoortje land gezien en het proviand begon op te raken. De mannen smeekten Temur met het schip naar China terug te varen, maar de heersende wind en de stroming, plus het ontbreken van een roer, maakten dat onmogelijk. Het eenzame schip was op volle zee hopeloos op drift, zonder oriëntatiepunten en navigatiemiddelen.

Temur verloor ieder gevoel van tijd, uren werden dagen en dagen werden weken. Toen de voedselvoorraad opraakte, moest de verzwakte bemanning vis vangen om iets te eten te krijgen en was opgevangen regenwater het enig drinkbare water. Het grijze, stormachtige weer maakte geleidelijk plaats voor een heldere lucht met een stralende zon. De wind ging liggen en de temperatuur steeg. Het schip leek even bewegingloos als de bemanning en dreef, voortgestuwd door een licht briesje, stuurloos op de gladde zee. Al spoedig nam de dood het schip in zijn greep. Bij iedere zonsopgang vonden de hongerende bemanningsleden een nieuw lijk aan hun zijde. Temur voelde zich vernederd als hij zijn uitgemergelde soldaten zo zag liggen. In plaats van een dappere dood in het gevecht waren zij gedoemd te sterven op een lege zee ver van huis.

Terwijl de mannen om hen heen in de zon lagen te doezelen, klonk er aan bakboordzijde van het schip opeens een opgewonden kreet.

'Een vogel!' schreeuwde iemand. 'Probeer hem te vangen!'

Temur sprong overeind en zag hoe een drietal mannen een grote zeemeeuw met een donkere snavel probeerden te omsingelen. De vogel hupte schrikachtig heen en weer. Een van de mannen greep met een knokige zonverbrande hand een houten hamer die hij met een snelle zwaai naar de vogel smeet in de hoop hem te raken of te doden. De meeuw ontweek de vliegende hamer met een lenig stapje opzij, sloeg met een luide roep van verontwaardiging zijn vleugels uit en verhief zich loom in de lucht. Terwijl de verbolgen mannen vloekten, keek Temur rustig toe hoe de meeuw opsteeg. Met zijn ogen volgde hij de witte vogel tot deze aan de zuidelijke horizon uit het zicht verdween. Turend naar de blauwe lijn die de scheiding tussen zee en de lucht vormde, trok hij plotseling een wenkbrauw op. Na even flink met zijn ogen te hebben geknipperd, keek hij nogmaals en stelde met een lichte spanning vast dat hij daar aan de horizon inderdaad een groen streepje zag. Vervolgens prikkelde ook zijn neus zijn verbeelding. Temur rook een verandering van lucht. De vochtige zoutgeur waar zijn longen aan gewend waren geraakt, had nu een ander aroma. Zijn neus ving iets van een zoetige bloemige geur op. Hij ademde diep in, schraapte zijn keel en richtte zich grommend tot de mannen op het dek.

'Daar voor ons ligt land,' zei hij met een schorre stem en wijzend in de richting waarin de meeuw verdwenen was. 'Laat iedereen die daar nog toe in staat is meehelpen. Daar moeten we naar toe.'

Op deze woorden kwamen de uitgeputte en vermagerde mannen tot leven. Na een gespannen blik op het verre streepje aan de horizon schraapten de mannen hun laatste krachten bijeen en gingen aan het werk. Ze zaagden een dikke dekbalk los, die ze vervolgens voorzichtig over het achterboord lieten zakken, waar hij met touwen vastgebonden als een grof roer dienst kon doen. Terwijl drie mannen het schip met de balk worstelend probeerden te sturen, gingen de overige mannen het water te lijf. Bezems, luiken en zelfs sabels werden door de mannen als roeispanen ingezet in een laatste wanhopige worsteling het gehavende schip naar land te roeien.

Langzaam werd het streepje groter tot het ten slotte de wazige vormen van een groen eiland aannam, voorzien van een brede, overal bovenuit torenende bergtop. Toen ze de kust naderden, zagen ze dat er een woeste branding tegen de haast loodrecht uit het water oprijzende rotswand beukte. Er volgde een angstig moment waarin het schip door een stroming werd meegesleurd die hen naar een met scherpe rotspunten omgeven inham stuwde.

'Pas op, rotsen!' schreeuwde de oude scheepstimmerman die de uitsteeksels voor de boeg zag opdoemen.

'Iedereen naar de linkerkant van het schip,' riep Temur, terwijl ze recht op een donkere rotswand afstevenden. Het zestal mannen aan stuurboordzijde van het schip rende glijdend en struikelend naar bakboord, waar ze uit alle macht met hun geïmproviseerde riemen door het water maaiden. Op het allerlaatste nippertje boog de voorsteven weg van de rotsen en de adem stokte de mannen in de keel toen de romp aan bakboord langs een rij scherpe rotspunten schraapte. Het schurende geluid hield op en de mannen beseften dat de scheepshuid ook nu weer had standgehouden.

'Hier is geen plek om aan land te gaan,' gilde de timmerman. 'We moeten terug de zee op.'

Temur tuurde naar de steile klippen die langs de kust oprezen. Een poreuze zwartgrijze rotswand strekte zich als een scherp getande muur voor hen uit, die alleen onderbroken werd door een kleine donkere ovale holte die hun boeg daar op de waterlijn had ingehakt.

'Gooi de boeg maar om, mannen, en rustig doorroeien.'

Met krachtige slagen manoeuvreerden de drijfnatte mannen de boot weg van de rotsen terug in de landafwaartse stroming. Langs de kust drijvend zagen ze dat de hoge rotswand geleidelijk lager werd tot de timmerman uiteindelijk de woorden uitgilde waar de bemanning zo verlangend op had gewacht.

'Dáár kunnen we aan land gaan,' zei hij wijzend naar een grote sikkelvormige inham.

Temur knikte en de mannen stuurden het schip met de laatste krachtsinspanning die ze nog uit hun lijf peurden naar de kust. Door de inham peddelend stuurden de uitgeputte mannen het schip naar een strand tot de met zeepokken begroeide romp op een paar meter voor de kust met een schrapend geluid over zand tot stilstand kwam.

De dodelijk vermoeide mannen waren nauwelijks nog in staat van het schip te klauteren. Temur greep zijn zwaard en begaf zich moeizaam strompelend aan land om met vijf van zijn mannen op zoek te gaan naar voedsel en drinkwater. Afgaande op het geluid van klaterend water hakten ze zich een weg door dicht struikgewas van manshoge varens en stuitten op een zoetwaterlagune die gevoed werd door een uit een rotsspleet kletterende waterval. Luid jubelend sprongen Temur en zijn mannen in de lagune, waar ze dolgelukkig met grote teugen van het koele water dronken.

Hun vreugde was echter van korte duur. Op datzelfde moment galmde er een trommelslag door de lucht. Het was een slag op de seintrommel van het Koreaanse schip, het signaal dat het begin van de strijd aankondigde. Temur sprong in één beweging het water uit en riep zijn mannen bijeen.

'Terug naar het schip. Rennen!'

Hij wachtte niet tot zijn mannen zich bij hem hadden gevoegd, maar snelde vooruit in de richting van het schip. Alle pijn en slapte in zijn benen waren op slag verdwenen door de verfrissende werking van het koele water en de adrenalinestoot die nu door zijn lichaam joeg. Terwijl hij door de jungle rende, hoorde hij de trommelslagen steeds luider worden tot hij uiteindelijk tussen een groepje palmen door het zandstrand oprende.

Met de scherpe blik van een ervaren militair speurde hij de omgeving af en ontdekte vrijwel onmiddellijk de reden voor het alarmsignaal. Halverwege de inham voer een smalle kano op het gestrande schip af. In de boot hanteerden zes mannen met gespierde blote bovenlichamen schepvormige houten peddels, waarmee ze de kano in hoog tempo naar de kust stuurden. Temur zag dat de mannen een donkerbruin gebronsde huid hadden en zwart krulhaar dat korter was dan het zijne. Een aantal van hen had een ketting om de hals waaraan een haakvormig bot bungelde.

'Wat doen we?' vroeg de magere soldaat die op de trommel had geslagen en daar nu mee was gestopt.

Temur aarzelde, want hij besefte dat zijn uitgemergelde mannen zelfs tegen een harem van oude wijven het onderspit zouden delven.

'Pak de speren,' beval hij kalm. 'Opstellen in een rij hier achter me op het strand.'

De overgebleven leden van zijn commandogroep werkten zich moeizaam uit de boot en liepen met onvaste tred naar het strand waar ze zich met de paar speren die ze nog hadden achter Temur opstelden. De aangeslagen eenheid had weinig kracht meer, maar Temur wist dat ze zich voor hem als het moest zouden dood vechten. Hij legde zijn hand om de greep van het Japanse samoeraizwaard dat hij aan zijn riem droeg en vroeg zich af of hij met dit wapen in de hand zou sterven.

De kano voer recht op de mannen af. De roeiers peddelden hun boot zwijgend naar het strand. Toen de boeg vlak voor de waterlijn over het zand schraapte, sprongen de inzittenden de kano uit en sleepten hem een stuk het strand op, daarna bleven ze plechtstatig naast hun boot staan. Een aantal seconden bestudeerden beide kampen elkaar wantrouwend. Ten slotte stak een van de mannen bij de kano het stuk strand over en stelde zich voor Temur op. Hij was klein, nauwelijks anderhalve meter lang, en met zijn lange witte haardos, die met een strook schors tot een paardenstaart bijeen was gebonden, leek hij ouder dan de anderen. Hij droeg een ketting van haaientanden om zijn nek en hield een houten staf gemaakt van een kronkelig stuk drijfhout in zijn hand. Zijn bruine ogen straalden vitaliteit uit en hij bekeek de Mongool met een brede glimlach waarbij hij een onregelmatige rij spierwitte tanden ontblootte. Hij sprak snel in een melodieuze taal en maakte de indruk dat hij hen op een niet vijandige wijze begroette. Temur beperkte zich tot een vluchtig knikje, terwijl hij de andere mannen bij de kano angstvallig in de gaten hield. De oude man ratelde nog een paar minuten door tot hij opeens naar de kano terugliep om er iets uit op te pakken.

Temur verstevigde zijn greep op het Japanse zwaard en liet zijn mannen met een korte blik weten dat ze op hun hoede moesten zijn. Maar hij ontspande toen de oude man zich weer oprichtte en een flinke geelvintonijn van zo'n vijftien kilo ophield. De andere inboorlingen grepen nu ook in de kano en tilden er rieten manden met andere vissen en schelpdieren uit, die ze vervolgens voor de voeten van Temurs mannen neerzetten. De uitgehongerde soldaten wachtten watertandend op toestemming van hun Mongoolse aanvoerder voordat ze dankbaar glimlachend naar hun inheemse gastheren op het eten aanvielen. De oude man liep terug naar Temur en bood hem een slok water uit een varkensleren zak aan.

Nadat men elkaars vertrouwen had gewonnen, wezen de inboorlingen naar de jungle en gebaarden dat de schipbreukelingen hen moesten volgen. Met enige tegenzin hun schip achterlatend volgden Temur en zijn mannen de inlanders de jungle in, waar ze na een kilometer of drie een kleine open plek bereikten. Er stond een twaalftal hutten met rieten daken rond een omheinde veekraal, waarin kleine kinderen met een groepje varkens speelden. Aan de andere kant van de open plek stond een grotere hut met een verhoogd dak, de woning van het dorpshoofd, en dat bleek tot Temurs niet geringe verbazing de oude witharige man te zijn.

Nadat de inwoners van het dorp de vreemdelingen enige tijd verwonderd hadden aangegaapt, organiseerden ze haastig een feest waarmee ze de Aziatische strijders met veel eerbetoon in hun midden welkom heetten. Het schip, hun kleding en wapens gaven blijk van een hoge ontwikkeling en de mannen werden al heimelijk gezien als nieuwe bondgenoten tegen eventuele vijandige aanvallers. De Chinese en Koreaanse krijgers waren alleen maar blij dat ze nog leefden en door de vriendelijke dorpelingen hartelijk werden ontvangen met voedsel, onderdak en vrouwelijk gezelschap. Alleen Temur accepteerde de gastvrijheid met enige terughoudendheid. Terwijl hij op een plakje gebakken zeeoor kauwend naast het dorpshoofd zat en zijn mannen voor het eerst sinds weken weer eens plezier hadden, vroeg hij zich af of hij zijn geliefde Mongolië ooit nog terug zou zien.

In de weken daarna verbleven de mannen van de Mongoolse invasievloot in het dorp, waar ze geleidelijk in de gemeenschap integreerden. Aanvankelijk weigerde Temur zich in het dorp te vestigen en sliep hij iedere nacht op het haveloze schip. Pas toen de door de storm zwaar beschadigde spanten van de romp uiteenvielen en de murw gebeukte overblijfselen van het schip naar de bodem van de inham wegzakten, verhuisde hij met tegenzin naar het dorp.

Zijn vrouw en kinderen waren geen moment uit zijn gedachten, maar nu het schip weg was, verloor Temur de hoop op een terugkeer naar huis. Zijn mannen hadden zich maar al te graag bij hun nieuwe leven in deze tropische uithoek neergelegd. Zij verkeerden in omstandigheden die verre te verkiezen waren boven het saaie leven in China als soldaten van de Mongoolse keizer. Dit was een houding die Temur niet kon accepteren. De strijdlustige Mongoolse legeraanvoerder was een trouwe dienaar van de khan en hij zag het als zijn plicht om zodra de mogelijkheid zich voordeed naar het leger terug te keren. Maar met een schip dat in wrakstukken op de bodem van de inham lag, was er wat dat betreft weinig hoop. Op den duur moest Temur zich wel gewonnen geven en berustte hij uiteindelijk in het schipbreukelingenleventje op dit grote eiland.

De jaren verstreken en zwakten uiteindelijk ook de vastberadenheid van de oude krijger af. Temur en zijn mannen hadden de lyrische inheemse taal van de eilandbevolking geleerd en de Mongoolse legeraanvoerder had regelmatig avontuurlijke verhalen met het witharige dorpshoofd uitgewisseld. Mahu, zo heette hij, vertelde trots hoe zijn voorouders een aantal generaties geleden in reusachtige schepen heldhaftige reizen over de oceanen maakten. Het eiland had hen geroepen, zo vertelde hij, met donderend gerommel en een dikke rookzuil uit de bergtop, wat ze als een teken van de goden interpreteerden dat hun er een vruchtbaar leven wachtte. De goden waren hun sindsdien altijd gunstig gezind geweest, ze hadden hun een land met een gematigd klimaat en voldoende voedsel en water gewezen.

Temur hoorde het gniffelend aan en vroeg zich af hoe deze primitieve inboorlingen, die in hun kleine kano's ternauwernood de oversteek naar de naburige eilanden waagden, ooit hun weg over de grote oceaan hadden gevonden.

'Die majestueuze zeilschepen van jullie zou ik wel eens willen zien,' zei hij gekscherend tegen de oude man.

'Ik zal je er een laten zien,' antwoordde Mahu gepikeerd. 'Dan zie je het met eigen ogen.'

Temur zag geamuseerd dat de oude baas het meende en ging op het aanbod in. Toen hij na een twee dagen durende voettocht over het eiland juist spijt begon te krijgen van zijn nieuwsgierigheid, kwam het overwoekerde pad dat ze volgden opeens uit op een klein zandstrand. Temur bleef staan toen hij het zand onder zijn voeten voelde en de oude man wees naar het verste uiteinde van het strand.

Temur herkende het aanvankelijk niet. Over het strand turend zag hij alleen een stel enorme boomstammen loodrecht op de waterlijn liggen. De rest van het strand leek volkomen leeg. Toen hij zijn blik weer op de liggende boomstammen richtte, besefte hij opeens dat het niet zomaar omgevallen stukken dood hout waren. Het waren de steunbalken van een enorm vaartuig dat daar half begraven onder het zand lag.

De Mongoolse krijger kon zijn ogen niet geloven en zette het op een rennen. Met iedere stap die hij dichterbij kwam, groeide zijn fascinatie voor wat hij zag. Hoewel het duidelijk al vele jaren, misschien zelfs al meerdere decennia, op het strand lag, was het oude zeilschip nog grotendeels intact. Temur zag dat het een dubbele romp had met één plat dek dat op twee dikke stammen steunde. Het schip was bijna twintig meter lang, maar had slechts één grote mast, die was weggerot. Hoewel er ook van het planken-dek weinig over was, zag Temur dat de massieve steunbalken nog net zo sterk leken als toen ze werden geveld. Temur twijfelde er niet aan dat dit schip ooit zeewaardig was geweest. Mahu's bizarre verhaal bleek uiteinde-lijk toch waar te zijn. Opgewonden staarde Temur naar de overblijfselen van het schip: dit was een kans om van het eiland weg te komen.

'Jij brengt me terug naar mijn huis en keizer,' mompelde hij zachtjes te-gen de houten constructie.

Met een inheemse bouwploeg onder leiding van de Koreaanse scheeps-timmerman zette Temur zich aan de restauratie van het oude zeilschip. Van de stammen van in de omgeving groeiende bomen werden dekplanken ge-maakt. De vezels van kokosnootschillen werden tot plattings samenge-vlochten die rond de balken en spanten van de romp werden gebonden. Er werd een reusachtig rieten zeil geweven en aan de nieuwe mast bevestigd, die ze uit de stam van een jonge boom hadden gehakt. In een paar weken tijd werd de bijna vergeten oceaanvaarder uit het zand opgedolven en klaargemaakt voor een hernieuwd leven op zee.

Als bemanning had hij zijn mannen kunnen bevelen met hem mee te gaan, maar hij wist dat de meesten bang waren om hun leven opnieuw met een gevaarlijke zeereis op het spel te zetten. Veel van hen hadden inmiddels een vrouw en kinderen op het eiland. Toen hij om vrijwilligers vroeg stap-ten samen met de oude Mahu maar drie mannen naar voren. Meer kon Temur niet verlangen. Het was een wel erg krappe bemanning voor het oude vaartuig, maar de Mongoolse aanvoerder legde zich zonder weer-woord neer bij het besluit van de anderen om op het eiland te blijven.

Er werden voedselvoorraden opgeslagen en daarna was het wachten tot Mahu verklaarde dat het juiste moment voor het vertrek gekomen was.

'Godin Hina schenkt ons nu een veilige oversteek naar het westen,' liet hij Temur een week later plechtig weten toen de wind van richting veran-derde. 'Laten we gaan.'

'Ik zal de keizer kond doen van zijn nieuwe kolonie in dit verre land,' riep hij naar de mannen die zich op het strand hadden verzameld toen de dubbele kanoromp door de branding schoot en met een stevige zeebries in het zeil de zee op voer. Volgeladen met een flinke voorraad drinkwater, ge-droogde vis en vruchten van het eiland vertrok het schip met voldoende proviand aan boord voor een wekenlang verblijf op volle zee.

Toen het weelderig begroeide eiland aan de horizon achter hen verdwe-nen was, voelden de mannen op de catamaran zich toch enigszins onzeker en vroegen ze zich af of dit geen gekkenwerk was. De verschrikkingen op zee van meer dan tien jaar geleden stonden hen opeens weer helder voor de geest: zouden de natuurkrachten hen ook deze keer weer sparen? Maar Temur was vol goede moed. Hij vertrouwde de oude Mahu. Hoewel het dorpshoofd zo goed als niets van zeilen wist, had hij geen moeite met het lezen van de sterren en de stand van de zon, terwijl ook de wolkenvorming en de zeegang geen geheimen voor hem hadden. Mahu wist dat de wind ten zuiden van het eiland in de herfstmaanden naar het westen draaide, wat betekende dat zij op weg naar huis op een aanhoudende stevige bries in de zeilen konden rekenen. Ook wist Mahu hoe je met een stuk touw, een benen haak en een vliegende vis als aas tonijn kon vangen en daarmee zorgde hij tijdens de lange reis voor een aantrekkelijke aanvulling van hun menu.

Nadat al het land uit het zicht verdwenen was, bleek het zeilen verrassend eenvoudig voor de onervaren bemanning. Voor de wind varend bracht iedere ochtend hun twee weken lang weer een heldere hemel en een kalme zee. Slechts een enkele keer stelde een onweersbui de robuustheid van de boot op de proef en was de bemanning in de gelegenheid wat vers drinkwater op te vangen. Al die tijd gaf Mahu rustig alle vaarinstructies, waarbij hij zich voortdurend op de stand van de zon en de sterren oriënteerde. Toen hij een paar dagen later de wolken aan de horizon bestudeerde, viel hem in het zuidwesten een ongebruikelijke formatie op.

'Land in het zuiden, twee dagen varen,' zei hij.

De bemanning reageerde opgelucht op het vooruitzicht dat ze land naderden. Maar waar waren ze en welk land lag daar achter de horizon?

De volgende morgen verscheen er een stipje aan de horizon, dat uur na uur groter werd. Maar het bleek geen land. Het was een ander zeilschip dat hun route kruiste. Toen het schip voldoende was genaderd, zag Temur dat het een lage achtersteven had en witte driehoekige zeilen. Het was geen Chinese boot, wist hij, maar een Arabisch koopvaardijschip. De vrachtvaarder stuurde langszij de catamaran en streek de zeilen, terwijl een magere, donkere man in een bontgekleurd gewaad hen vanaf de reling een groet toeriep. Temur nam de man een ogenblik aandachtig op, waarna hij, omdat hij geen gevaren zag, aan boord van het kleine zeilschip overstapte.

De vrachtvaarder kwam uit Zanzibar en de kapitein was een joviale mohammedaanse koopman met een geweldige ervaring in de handel met het keizerlijke hof van de Grote Khan. Het schip was op weg naar Shanghai met een lading ivoor, goud en specerijen, die geruild zouden worden voor

Chinees porselein en zijde. Temurs kleine bemanning werd hartelijk aan boord verwelkomd. Weemoedig keken ze toe hoe hun robuuste dubbele kano werd losgesneden en eenzaam dobberend op de Grote Oceaan achterbleef.

De mohammedaanse kapitein was wel zo gehaaid om te beseffen dat het redden van een Mongoolse legeraanvoerder zijn handelspositie geen windeieren zou leggen en daar werd hij ook niet in teleurgesteld. Hun aankomst in de havenstad van Shanghai bracht onmiddellijk veel commotie met zich mee. Het nieuws van de terugkeer van de soldaten, dertien jaar na de mislukte invasie van Japan, verspreidde zich als een lopend vuurtje door de stad. Ze werden door vertegenwoordigers van de regering opgevangen en ijlings overgebracht naar de Keizerlijke Stad bij Ta-tu voor een audiëntie bij de keizer. Onderweg hoorde Temur zijn begeleiders uit over wat er op politiek gebied gedurende zijn afwezigheid was gebeurd.

Het meeste wat hij te horen kreeg was weinig opwekkend. De invasie van Japan was rampzalig verlopen, de tyfoon had ruim tweeduizend schepen vernietigd en bijna honderdduizend man het leven gekost. Tot zijn leedwezen hoorde Temur dat zijn commandant en veel van zijn kameraden niet tot de overlevenden behoorden die met de karige restanten van de vloot waren teruggekeerd. Eveneens schokkend was het nieuws dat ze de Japanse eilanden nog altijd niet veroverd hadden. Hoewel Kublai Khan een derde invasie wilde, hadden zijn raadsheren hem daarvan kunnen weerhouden.

In nog geen tien jaar tijd was er van de dominantie van het grote rijk niets meer over. Na de nederlaag in Japan was een expeditie om een opstand in Vietnam te onderdrukken mislukt, terwijl de uitgaven voor het doortrekken van het Grote Kanaal naar Chung-tu bijna tot een economische crisis hadden geleid. Op vragen naar de gezondheid van de keizer reageerde men met bezorgdheid over wie hem zou moeten opvolgen. Onder het volk heerste al een sluimerende ontevredenheid over het feit dat het Yuan-rijk door een Mongoliër werd geregeerd. Er leek weinig twijfel over te bestaan. Sinds China na de overwinning op de Song-dynastie in 1279 onder het bewind van één heerser kwam, raakte het rijk van Kublai Khan langzaam in verval.

Na aankomst in de hoofdstad Ta-tu werden Temur en zijn mannen naar de Keizerlijke Stad gebracht, waar men hen naar de keizerlijke vertrekken leidde. Hoewel Temur Kublai Khan in het verleden vaak had ontmoet, schrok hij toen hij de man voor zich zag. Uitgestrekt op een dik gestoffeerde chaise longue en gekleed in een meterswijde robe lag een dikke, afgetobde man die hem met holle donkere ogen aanstaarde. In zijn radeloosheid na de recente dood van zijn favoriete vrouw en het verlies van zijn tweede zoon zocht hij troost in het consumeren van buitensporige hoeveelheden voedsel en drank. Hoewel hij de respectabele leeftijd van tachtig jaar had bereikt, begon zijn overdadig eetgedrag zich nu te wreken en ondermijnde die de gezondheid van de eerbiedwaardige leider. Temur zag dat een met bloedblaren bevlekte voet van de corpulente Khan op een kussen rustte en dat er kruiken met gegiste merriemelk binnen handbereik stonden.

'Aanvoerder Temur, u bent na een lange afwezigheid teruggekeerd om uw plichten weer op te nemen,' sprak de Khan met een krassende stem.

'In dienst van de keizer,' antwoordde Temur, terwijl hij een diepe buiging maakte.

'Vertel over uw avonturen, Temur, en het geheimzinnige land waar u schipbreuk hebt geleden.'

Er werden met houtsnijwerk versierde stoelen voor Temur en zijn mannen aangedragen en de Mongoolse aanvoerder vertelde over de verwoestende tyfoon die zijn schip van het Japanse vasteland had weggedreven, en de benarde toestand waarin ze zich daarna op volle zee bevonden. Terwijl er bekers met een alcoholische drank werden rondgedeeld, beschreef hij hun gelukkige landing op het weelderig begroeide eiland en de warme ontvangst van de plaatselijke bevolking. Nadat hij Mahu had voorgesteld, benadrukte hij de hulp die de oude man had geboden bij de tocht met de catamaran over zee tot ze de mohammedaanse koopman waren tegengekomen.

'Een opmerkelijk verhaal,' zei Kublai. 'Het land waar u terechtkwam, was dat rijk en vruchtbaar?'

'Uitermate. De grond is er vet en door het gematigde klimaat met veel regen groeit en bloeit er een overvloed aan wilde en gecultiveerde gewassen.'

'Gefeliciteerd, keizer,' zei een man met een rimpelig gelaat en een lange witte baard die naast de Khan stond. De confuciaanse raadsheer was duidelijk niet onder de indruk van het relaas of het publiek dat voor hem stond. 'U hebt weer een nieuw land aan uw rijk toegevoegd.'

'Is het waar dat u daar een garnizoen hebt achtergelaten?' vroeg Kublai. 'Verkeert het land nu onder Mongoolse heerschappij?'

Temur vervloekte stilletjes de listige manoeuvre waarmee de confuciaanse raadsheer de keizer alle glorie toebedeelde. Hij wist dat de mannen die waren achtergebleven, hun zwaarden allang voor een burgerleven hadden ingeruild. Hun trouw aan de khan was al ver voor hun schipbreuk aanzienlijk aangetast.

'Ja,' loog Temur. 'Een klein contingent heerst in uw naam over het land.' Hij wierp een schaamtevolle blik op Mahu, het dorpshoofd, maar de oude man gaf met een knikje te kennen dat hij de politiek van het keizerrijk begreep.

Kublai staarde langs de mannen in de lege ruimte waar hij een beeld voor zich zag dat zich ver buiten de muren van het paleis bevond. Temur vroeg zich af of de Mongoolse heerser zich in een alcoholische roes bevond.

'Ik zou die wondere wereld wel eens willen zien, het land waar de zon zijn eerste stralen op mijn rijk werpt,' fluisterde Kublai ten slotte dromerig voor zich uit.

'Ja, het is haast een paradijs op aarde. Net zo mooi als al het land onder uw heerschappij.'

'Weet u hoe je er moet komen, Temur?'

'Ik weet niets van navigatie op zee, maar Mahu kan de zon en de sterren lezen. Ik denk dat hij in een stevig schip de weg terug zal weten te vinden.'

'U hebt het keizerrijk goed gediend, Temur. Uw trouw zal rijkelijk worden beloond,' bracht Kublai naar adem happend uit, waarbij hij slijm ophoestte dat op zijn zijden tunica spatte.

'Dank u, mijn keizer,' antwoordde hij nogmaals diep buigend. Opeens doken er een paar paleiswachten op die Temur en zijn mannen uit het keizerlijke vertrek wegleidden.

De Mongoolse aanvoerder voelde medelijden toen hij het paleis verliet. De grote Kublai Khan was nog maar een schaduw van de machtige leider die over een van de grootste rijken uit de wereldgeschiedenis had geheerst. Veel krachtiger dan de bloeddorstige veroveraar die zijn grootvader was geweest, had Kublai met een tot dan toe ongekend verlicht inzicht geregeerd. Hij ontving handelaren en ontdekkers uit verre landen, vaardigde wetten uit die religieuze tolerantie voorstonden en stimuleerde wetenschappelijk onderzoek in de geografie, astronomie en geneeskunde. Hij was nu bijna dood en onvermijdelijk boette het rijk zonder zijn visionaire leiderschap aan bezielende invloed in.

Bij het verlaten van het terrein rond het grote paleis merkte Temur opeens dat Mahu niet meer bij hen was. Bevreemd concludeerde hij dat de oude dorpeling in het keizerlijk vertrek was achtergebleven. Temur wachtte tot hij alsnog zou opduiken, maar na een paar uur gaf hij het op en vertrok uit de hoofdstad naar zijn eigen dorp en familie. Hij zag de oude man, die hem naar huis had gebracht, nooit meer terug en vroeg zich later nog regelmatig af wat er van zijn buitenlandse vriend geworden was.

Nog geen twee maanden later werd het trieste nieuws bekendgemaakt dat de grote keizer was gestorven. Kublai Khan was uiteindelijk bezweken aan de verwoestende werking van zijn ouderdom en alcoholisme. Ter ere van de keizer vond er een groots opgezette uitvaartceremonie plaats in Ta-tu, de stad die hij tot hoofdstad van zijn rijk had gemaakt. Later zou er ten zuiden van de stad, die we nu als Beijing kennen, te zijner ere een altaar worden opgericht, een monument dat er nog altijd staat. Na de openbare plechtigheden verliet een begrafenisstoet met de kist van de Grote Khan in een versierde koets de stad. Gevolgd door ruim duizend paarden en soldaten trok de plechtige processie langzaam noordwaarts naar Mongolië en de geboortegrond van Kublai. Op een geheime plaats in het Chentejgebergte vond het lichaam van Kublai Khan een laatste rustplaats, omringd door een gevolg van dieren, concubines en rijkdommen uit het hele rijk. Opdat zijn vredige hiernamaals niet gestoord zou worden, doorkruiste men de gehele omgeving met paardensporen. De arbeiders die het graf gedolven hadden werden zonder pardon geëxecuteerd en de leiders van de processie wachtte de doodstraf als zij hun geheimhoudingsplicht schonden. Binnen enkele jaren was de begraafplaats van de Mongoolse leider in de vergetelheid geraakt en de herinneringen aan Kublai Khan gingen verloren in de wind die onvermoeibaar rond de groen beboste hellingen van de bergrug waait.

Zo'n vijftienhonderd kilometer zuidelijker verliet vlak voor zonsopgang een grote Chinese jonk de haven van Shanghai en voer over de Gele Rivier naar de Stille Oceaan. Als een van de weinige zeewaardige handelsschepen van de keizerlijke vloot was de enorme jonk ruim zestig meter lang en had in totaal twaalf zeilen aan vier hoge masten. Omdat het Yuan-rijk nog in de rouw verkeerde, voerde het schip niet de gebruikelijke staatsvlag; er wapperden zelfs helemaal geen vlaggen in het want.

Een enkeling aan de wal verbaasde zich over dit vroege vertrek van het grote schip, dat normaal gesproken met veel bombarie uitgeleide werd gedaan. Slechts een handjevol toeschouwers zag dat zich aan boord slechts de helft van de normale bemanning bevond. En het merkwaardige tafereel bij het roer van het schip werd door vrijwel niemand waargenomen. Naast de kapitein wees een oude, donker gekleurde man met een wapperende witte haardos naar de wolken en de opkomende zon. In een vreemde taal bepaalde hij de koers van het majestueuze schip dat de beschaafde wereld achter zich liet en de eindeloze uitgestrektheid van de blauwe oceaan opvoer op weg naar een verre en voor de meeste opvarenden onbekende bestemming.

SPOREN VAN EEN DYNASTIE

4 augustus 1937
Shang-tu, China

De gedempte slagen in de verte klonken als het trage trommelen van een stam in oorlog. In de wind verwaaide eerst een zachte tik, een paar seconden later gevolgd door een luide, niet te missen galmende klap. Door de lome pauze tussen beide slagen werd de valse indruk gewekt dat er aan het akoestische geweld ten slotte een einde was gekomen. Dan klonk er weer een nieuwe klap door de lucht, een zenuwslopende ontnuchtering voor iedereen binnen gehoorsafstand in afwachting van wat dit brengen zou.

Leigh Hunt stapte uit een in de bodem pas gegraven geul en rekte geeuwend zijn armen uit, waarna hij voorzichtig een troffel op het zandstenen muurtje naast hem legde. De in Oxford opgeleide veldarcheoloog in dienst van het British Museum was passend gekleed in een lange kaki broek en een overhemd met twee borstzakken van dezelfde stof, beide bedekt met een laagje stof en zweet. In plaats van de klassieke tropenhelm, droeg hij een gedeukte gleufhoed ter bescherming tegen de stralen van de zomerzon. Door vermoeide lichtbruine ogen tuurde hij in oostelijke richting naar een breed dal waaruit het donderende kabaal oprees. Voor het eerst waren er in de trillende hitte van de ochtendzon aan de horizon nu ook rookwolkjes zichtbaar.

'Tsendyn, zo te zien komt de artillerie dichterbij,' zei hij achteloos in de richting van de geul.

Zwijgend klom er een kleine man in een dun wollen hemd met een rode sjerp om zijn middel uit de kuil. Achter hem werkte een ploeg Chinese arbeiders met spades en troffels door aan het in de droge grond uitgraven van

39

de geul. In tegenstelling tot de Chinese arbeiders had de kleine, maar breedgeschouderde man vrij ronde ogen in een gebruind, verweerd gezicht. Het waren de gelaatstrekken van iemand die de plaatselijke Chinezen onmiddellijk als een Mongoliër zouden herkennen.

'Peking is gevallen. Er zijn al mensen op de vlucht geslagen,' zei hij wijzend naar een smalle landweg op zo'n anderhalve kilometer van hen vandaan. Omgeven door stofwolken reden er een stuk of zes door ossen getrokken karren volgeladen met de bezittingen van diverse Chinese families in westelijke richting. 'We zullen hier bij de opgraving weg moeten voordat de Japanners ons te pakken krijgen.'

Hunt voelde instinctief even aan zijn automatische revolver, een .455 kaliber Webley Fosbery die in een holster aan zijn riem hing. Twee nachten eerder had hij ermee op een groepje plunderende bandieten geschoten die een krat opgegraven artefacten probeerden te stelen. Overal waar de Chinese infrastructuur instortte, schuimden dievenbendes de omgeving af. De meesten waren ongewapend en onervaren, maar een confrontatie met het Japanse Keizerlijke Leger was duidelijk heel andere koek.

China werd in hoog tempo onder de voet gelopen door de moloch van de Japanse legermacht. Sinds het Japanse Kwantoeng-leger in 1931 Mantsjoerije had bezet, waren de ogen van de Japanse militaire leiders gericht op een verdere kolonisatie van China, zoals ze dat ook in Korea hadden gedaan. Een zes jaar durend steekspel van provocerende incidenten kwam in de zomer van 1937 tot uitbarsting toen het Japanse Keizerlijke Leger uit angst voor de toenemende kracht van Tjiang K'ai-sjeks nationalisten Noord-China binnenviel.

Hoewel de Chinese troepen vele malen talrijker waren dan het Japanse leger, waren ze niet opgewassen tegen de superieure bewapening, training en discipline van de troepenmacht die de Japanners op de been wisten te brengen. Met een optimale inzet van al zijn mogelijkheden bestreed Tjiang K'ai-sjek de Japanners overdag om zich 's nachts terug te trekken in een poging de Japanse opmars in een uitputtingsslag te vertragen.

Hunt luisterde naar het schieten van de naderende Japanse artillerie, wat erop wees dat Peking inderdaad was gevallen en dat de Chinezen nu serieus in moeilijkheden verkeerden. De hoofdstad Nanking zou het volgende doel zijn, waardoor het leger van Tjiang K'ai-sjek steeds verder naar het westen werd gedreven. In het besef dat hij er nu ook zelf aan moest geloven, keek hij op zijn horloge en richtte zich tot Tsendyn.

'Laat de koelies al het graafwerk voor het middaguur beëindigen. Wij

40

brengen de artefacten in veiligheid en rondden vanmiddag de documentatie van de opgraving af, waarna we ons aansluiten bij al die mensen die naar het westen trekken.' Naar de weg turend zag hij dat ongeregelde groepjes Chinese nationalistische strijders zich in de vluchtende stoet hadden gemengd.

'Gaat u morgen met het vliegtuig naar Nanking?' vroeg Tsendyn.

'Als er een vliegtuig is tenminste. Maar in deze omstandigheden is het niet handig om naar Nanking te vliegen. Ik ben van plan om met de belangrijkste artefacten naar het noorden te vliegen, naar Ulaanbaatar. Ik vrees dat u me met de overige vondsten, de werktuigen en voorraden met de goederentrein zult moeten volgen. U moet dan over een paar weken ook in Ulaanbaatar kunnen zijn. Daar wacht ik op u en daarna neem ik de Transsiberië Expres naar het westen.'

'Heel verstandig. Het is duidelijk dat het plaatselijke verzet breekt.'

'Binnen-Mongolië is van weinig strategische waarde voor de Japanners. Waarschijnlijk verdrijven ze nu de restanten van het verzet uit Peking,' zei hij met een zwaaibeweging naar het artilleriekabaal in de verte. 'Ik denk dat ze tijdelijk even gas terugnemen en Peking een paar dagen of zelfs weken onveilig gaan maken voordat ze hun opmars voortzetten. Tijd genoeg voor ons om te zorgen dat we wegkomen.'

'Het is wel jammer dat we nu weg moeten. We zijn haast klaar met de opgraving van het Paviljoen van de Grote Harmonie,' zei Tsendyn, terwijl hij zijn ogen over het netwerk aan uitgegraven geulen liet gaan dat zich als een slagveld uit de Eerste Wereldoorlog om hem heen uitstrekte.

'Het is een schande!' reageerde Hunt hoofdschuddend van kwaadheid. 'Hoewel we hebben bewezen dat de opgraving al van tevoren behoorlijk was leeggeroofd.'

Hunt schopte tegen wat opgegraven stukjes marmer en steen die op een hoopje voor zijn voeten lagen en keek hoe het opdwarrelende stof zich verspreidde over de restanten van wat ooit een imposant keizerlijk bouwwerk was geweest. Terwijl de meesten van zijn archeologische collega's in China op jacht waren naar met bronzen artefacten gevulde grafmonumenten, ging Hunts interesse vooral naar de jongere Yuan-dynastie uit. Dit was zijn derde zomer op het grondgebied van Shang-tu, waar ze aan het opgraven van de overblijfselen van het in 1260 gebouwde keizerlijke zomerpaleis werkten. Als je de kale helling bespikkeld met vers opgegraven hoopjes aarde zo zag liggen, was het moeilijk om je de vroegere pracht en praal voor te stellen van het paleis dat daar een kleine achthonderd jaar geleden had gestaan.

41

Hoewel de overgeleverde Chinese historische verslagen geen gedetailleerde beschrijvingen bevatten, berichtte Marco Polo, de Venetiaanse avonturier die in zijn boek *De reizen* een levendig beeld schetste van de Zijderoute en het dertiende-eeuwse China, uitvoerig over Shang-tu in de hoogtijdagen. Het oorspronkelijke, op een hoge heuvel in het centrum van de ommuurde stad gebouwde paleis was omgeven door een bos van aangeplante bomen, doorkruist door paden van lazuursteen, die het bouwwerk in een magische blauwe gloed hulden. Schitterend aangelegde tuinen met fonteinen sierden de open ruimtes tussen de regeringsgebouwen en ambtswoningen die rond de Ta-an Ko lagen, ofwel het Paviljoen van de Grote Harmonie, zoals het keizerlijke paleis werd genoemd. Het enorme, uit groen marmer en andere met verguldsel versierde steensoorten opgetrokken gebouw was met glazen tegels ingelegd en versierd met adembenemend fraaie muurschilderingen en beeldhouwwerken van de beste Chinese kunstenaars uit die tijd. Terwijl de keizer het in eerste instantie als een zomerpaleis gebruikte waar hij de hitte van Peking ontvluchtte, ontwikkelde Shang-tu zich al snel tot een wetenschappelijk en cultureel centrum. Er werden een ziekenhuis en een sterrenwacht gebouwd en de stad werd een toevluchtsoord voor studenten uit binnen- en buitenland. Het altijd waaiende briesje op de heuveltop bracht de keizer en zijn gasten verkoeling, terwijl hij regeerde over een rijk dat zich uitstrekte van de Middellandse Zee tot aan Korea.

Maar het zomerpaleis dankte zijn roem waarschijnlijk hoofdzakelijk aan het aangrenzende keizerlijke jachtgebied. Het was een omvangrijk, geheel omheind park vol bomen, beken en weidevelden met een totale oppervlakte van ruim veertig vierkante kilometer. In het park leefden grote aantallen herten, everzwijnen en ander wild voor het jachtplezier van de keizer en zijn gasten. De paden waren opgehoogd opdat de voeten van de jagers droog bleven. Op wandkleden uit die tijd is te zien hoe de keizer tijdens de jacht in het park op zijn lievelingspaard rijdt met een gedresseerd jachtluipaard aan zijn zijde.

Na eeuwenlange leegstand, verwaarlozing en plundering was er van het paleis niet veel meer over dan wat verspreid liggende puinhopen. Voor Hunt was het welhaast onmogelijk zich een voorstelling te maken van hoe de weelderig begroeide tuinen er met de fonteinen, bronnen en bomen eeuwen geleden hadden bijgelegen. Het landschap was nu kaal. Tot aan de bruine heuvels in de verte strekte zich een lege grasvlakte uit. Het hele gebied was ontvolkt en de vergane glorie van de stad nog slechts een fluistering in de wind die door de wuivende hoge grashalmen blies. Xanadu, de romantische naam van Shang-tu, bekend geworden door het beroemde gedicht van Samuel Taylor Coleridge, bestond alleen nog in de verbeelding. Met toestemming van de nationalistische regering was Hunt drie jaar eerder met de opgravingen begonnen. Stug doorwerkend had hij troffel na troffel de fundamenten van het Paleis van Grote Harmonie kunnen blootleggen, waardoor de contouren van een grote zaal, een keuken en een eetzaal zichtbaar werden. Een heel assortiment aan bronzen en porseleinen voorwerpen illustreerde het dagelijks leven in het paleis. Maar tot Hunts teleurstelling hadden ze geen opzienbarende artefacten gevonden, geen terracotta leger of Ming-vazen die hem van eeuwige roem hadden verzekerd. De opgraving was zo goed als voltooid, alleen de overblijfselen van de keizerlijke slaapkamer moesten nog worden uitgegraven. Het merendeel van zijn collega's was het oostelijk deel van China al ontvlucht, omdat ze niet bij een burgeroorlog of een bezetting door een vreemde mogendheid betrokken wilden raken. Hunt leek een haast pervers genoegen te beleven aan de opschudding en het dreigende gevaar rond de opgraving in Noordwest-China, niet ver van Mantsjoerije. Met zijn voorliefde voor oudheden en een diep gevoel voor drama besefte hij dat hij zich op een plek bevond waar geschiedenis werd geschreven.

Hunt wist ook dat het British Museum dolblij zou zijn met alle voorwerpen die hij hun kon leveren voor hun geplande tentoonstelling over Xanadu. De door de Japanse inval ontstane chaos en risico's waren in feite een voordeel. Niet alleen versterkten ze de aantrekkingskracht van de voorwerpen die hij naar het Westen bracht, ze maakten het hele proces ook aanzienlijk eenvoudiger. De plaatselijke autoriteiten waren al uit de naburige dorpen weggevlucht en de staatsambtenaren die zich met de uitvoer van oudheden bezighielden, lieten zich al weken niet meer zien. Het uit het land smokkelen van de artefacten was een peulenschil geworden. Dat wil zeggen, dan moest hij wel zichzelf ook in veiligheid kunnen brengen.

'Ik geloof dat ik u nu wel lang genoeg bij uw gezin heb weggehouden, Tsendyn. Ik denk niet dat de Russen zullen toestaan dat de Japanners een kijkje in Mongolië nemen, dus daar zult u voor deze gekte wel veilig zijn.'

'Mijn vrouw verheugt zich zeker op mijn thuiskomst.' De Mongoliër toonde glimlachend een gele rij scherp gepunte tanden.

Het zachte brommen van een naderend vliegtuig maakte een einde aan het gesprek. In het zuiden werd hoog in de lucht een grijs stipje snel groter tot het naar het oosten afboog.

'Een Japans verkenningsvliegtuig,' zei Hunt peinzend. 'Geen goed teken voor de nationalisten als de Japanners de lucht al in handen hebben.' De archeoloog diepte een pakje Red Lion-sigaretten uit zijn zak op en stak een van de ongefilterde saffies op, terwijl Tsendyn het vager wordende stipje bezorgd nakeek.

'Hoe sneller we hier weg zijn, hoe beter,' zei hij.

Achter hen klonk opeens uit een van de geulen luid rumoer op. Het hoofd van een van de Chinese arbeiders dook boven de rand op en zijn magere kaken klepperden een snelle riedel Aziatische klanken.

'Wat is er?' vroeg Hunt, terwijl hij zijn theekopje neerzette.

'Hij zegt dat ze een stuk gelakt hout hebben gevonden,' antwoordde Tsendyn, waarna hij op de geul afstapte.

Beide mannen liepen naar de rand en keken omlaag. De ratelende arbeider wees opgewonden met zijn troffel naar de grond, waar de andere gravers gehurkt omheen zaten. Half verscholen in de aarde schemerde een geel, plat vierkant voorwerp, ongeveer zo groot als een dienblad.

'Tsendyn, dit moet u doen,' riep Hunt, terwijl hij de anderen gebaarde opzij te gaan. De Mongoliër sprong de geul in en begon voorzichtig met een troffel en een borsteltje de aarde weg te vegen. Hunt pakte een notitieboekje en een potlood. Op een met de hand getekende plattegrond van de opgraving noteerde hij in de betreffende geul de exacte locatie en vorm van de vondst. Vervolgens sloeg hij een blanco pagina op en begon het artefact zo getrouw mogelijk na te tekenen, terwijl Tsendyn het behoedzaam uitgroef.

Toen er meer zand en aarde van het voorwerp was verwijderd, zag Hunt dat het een geel, gelakt houten kistje was. Iedere vierkante centimeter was met verfijnde afbeeldingen van dieren en bomen beschilderd en de randen waren met paarlemoer ingelegd. Hunt stelde met verbazing vast dat er op het deksel een olifant stond afgebeeld. Nadat Tsendyn alle aarde geduldig rond het voorwerp had verwijderd, tilde hij het kistje voorzichtig van de bodem op en zette het op een platte steen naast de geul.

Alle Chinese arbeiders stopten met graven en verdrongen zich rond het versierde kistje. Hun vondsten waren tot dan toe over het algemeen niet veel meer geweest dan scherven van porseleinen aardewerk en af en toe een beeldje van jade. Dit was zonder meer het meest indrukwekkende voorwerp dat ze in die drie jaar hadden opgegraven.

Hunt bestudeerde het kistje aandachtig voordat hij het in zijn handen nam en optilde. Er zat iets zwaars in wat verschoof als hij het kistje bewoog. Met zijn duimen voelde hij een naad halverwege de platte zijkanten en met zachte druk probeerde hij het deksel op te lichten. Het kistje, dat bijna achthonderd jaar dicht had gezeten, bood eerst nog enige weerstand, maar gaf daarna mee. Hunt zette het kistje op de grond en ging met zijn vingers drukkend de hele naad rond, daarna trok hij aan het deksel tot het krakend openging. Tsendyn en de arbeiders leunden allemaal naar voren alsof ze in een rugbyscrum stonden, nieuwsgierig om te zien wat er inzat.

Er lagen twee voorwerpen in het kistje en Hunt pakte ze op zodat iedereen ze kon zien. Het eerste was een als een perkamentrol opgerolde en aan de uiteinden met leren linten bijeengebonden, gevlekte dierenhuid met het zwartgele camouflagepatroon van een luipaard of een panter. Het andere voorwerp was een gepatineerde bronzen buis met een dichte onderkant en een soort dop op de bovenkant. De Chinese arbeiders grinnikten en giechelden verlegen bij het zien van de voorwerpen. Wat het precies was, wisten ze niet, maar ze gingen er terecht van uit dat het iets belangrijks was.

Hunt legde de luipaardhuid terug en bestudeerde de zware bronzen buis. Door de ouderdom was hij donkergroen uitgeslagen, wat de verfijnde afbeelding versterkte van een draak die zich over de hele lengte van de buis uitstrekte, terwijl de staart van het fantasiedier als een stuk touw rond de dop van de buis krulde.

'Kom, maak 'm open,' drong Tsendyn ongeduldig aan.

Hunt wrikte de dop moeiteloos los, hield de buis voor zijn oog en keek erin. Vervolgens draaide hij de buis om, met de opening naar beneden, en ving de inhoud die eruit gleed behoedzaam in de palm van zijn linkerhand op.

Het was een opgerolde lap, lichtblauw geverfde zijde. Tsendyn schudde een vlakbij liggende deken uit en spreidde deze voor de voeten van Hunt op de grond uit. De archeoloog wachtte tot het stof was gaan liggen, zakte daarna voor de deken op zijn knieën en rolde de lap zijde in de volle lengte van bijna anderhalve meter uit. Tsendyn zag dat de handen van de altijd zo onverstoorbare archeoloog lichtjes trilden bij het gladstrijken van de vouwen in de zijde.

Op de lap was een pittoresk landschap geschilderd rond een berg met gedetailleerd weergegeven diepe dalen, kloven en beekjes. Maar de zijden doek was duidelijk veel meer dan zomaar een decoratief kunstwerk. Langs de linkerrand bevond zich een brede rij lettertekens die Hunt herkende als Oejgoers, de oudste geschreven Mongoolse taal die was overgenomen van Turkse kolonisten die zich in de Aziatische steppen hadden gevestigd.

Langs de rechterrand was een rij kleinere tekeningetjes, afbeeldingen van een vrouwenharem, kuddes paarden, kamelen en andere dieren, en een contingent gewapende soldaten rond een aantal houten kisten. In het geschilderde landschap waren geen levende wezens afgebeeld, behalve een eenzame figuur in het midden van de zijden doek. Op een heuvelachtige verhoging stond een huiskameel voorzien van een zadeldoek waarop twee woorden geborduurd waren. Merkwaardig genoeg was de kameel huilend afgebeeld met veel te grote tranen die op de grond druppelden.

Terwijl hij de schildering bestudeerde, parelden er zweetdruppels op Hunts voorhoofd. Zijn hart ging opeens heftig in zijn borstkas tekeer en hij moest zichzelf dwingen even diep adem te halen. Dit kan niet waar zijn, dacht hij.

'Tsendyn... Tsendyn,' mompelde hij en hij durfde het haast niet te vragen. 'Het is Oejgoers. Kunt u lezen wat er staat?'

De ogen van de Mongoolse assistent werden zo groot als schoteltjes toen ook tot hem doordrong wat hier was afgebeeld. Stotterend en stamelend probeerde hij de tekst voor Hunt te vertalen.

'De tekst aan de linkerkant is een beschrijving van de bergachtige streek die in de schildering is afgebeeld. "Boven op de berg Burkhan Khaldun, diep in het Chentejgebergte, rust onze keizer. De rivier de Onon lest zijn dorst in de dalen van de verdoemden".'

'En de woorden op de kameel?' fluisterde Hunt met een trillende vinger naar het midden van de schildering wijzend.

'Temujin khagan,' antwoordde Tsendyn met een van eerbied omfloerste stem.

'Temujin,' herhaalde Hunt als in trance. Hoewel de Chinese arbeiders er niets van begrepen, beseften Hunt en Tsendyn dat ze iets onvoorstelbaar belangrijks hadden ontdekt. Hunt huiverde van emotie terwijl hij de geweldige betekenis van de schildering op zich in liet werken. Hoewel hij voor zichzelf nog vraagtekens achter hun conclusie trachtte te zetten, was de afbeelding gewoon te overtuigend. De huilende kameel, de offergaven langs de rand, de plaatsbeschrijving. En dan stond er nog die naam op de rug van de kameel: Temujin. Dat was de geboortenaam van de in stamverband levende jongen die de grootste veroveraar uit de wereldgeschiedenis zou worden, algemeen bekend onder zijn keizerlijke naam: Dzjengis Khan. Het kon niet anders dan dat de schildering op de zijden doek voor hem een beschrijving was van de geheime begraafplaats van Dzjengis Khan.

Hunt liet zich op zijn knieën zakken toen de betekenis van de vondst in volle omvang tot hem doordrong. Het graf van Dzjengis Khan was in de archeologische wereld nog altijd een van de grootste mysteries waar het meest naar werd gezocht. In een verbazingwekkende reeks veroveringen had Dzjengis Khan de Mongoolse stammen van de Aziatische steppen verenigd en hun rijk vervolgens vergroot tot een omvang die sindsdien nooit meer is geëvenaard. Tussen 1206 en 1223 veroverde hij met zijn nomadische horden een grondgebied dat zich uitstrekte van Egypte in het westen tot Litouwen in het noorden. Dzjengis stierf in 1227 op het hoogtepunt van zijn macht en het was bekend dat hij in het geheim ergens in het Khentii-gebergte in Mongolië niet ver van zijn geboorteplaats was begraven. Volgens de Mongoolse traditie was hij daar begraven met veertig concubines en onvoorstelbare rijkdommen, waarna het graf door zijn onderdanen zorgvuldig onherkenbaar was gemaakt. De gewone soldaten die het gevolg hadden begeleid, waren ter dood gebracht en hun aanvoerders werden onder bedreiging met eveneens de dood tot geheimhouding verplicht.

Ook die laatste kennis over de juiste locatie van het graf verdween toen ten slotte niemand meer leefde van degenen die die kennis bezaten en hun zwijgplicht tot het einde toe waren trouw gebleven. Alleen een kameel zou volgens de legende een jaar of tien later de juiste plek hebben aangewezen. Op een afgelegen plaats in het Chentejgebergte werd een huilende huiskameel aangetroffen. Dit bleek de moeder van het dier dat samen met de grote leider was begraven. De eigenaar van de kameel begreep dat het dier huilde om haar verloren zoon die onder haar poten begraven lag in het graf waar ook Dzjengis Khan moest liggen. Verder gaat de legende niet, want de herder hield het geheim voor zichzelf en het graf van Dzjengis Khan bleef onontdekt in de Mongoolse bergstreek waar hij geboren werd.

Nu kwam de legende voor Hunts ogen tot leven op de zijden doek die voor hem lag.

'Dit is een heilige vondst,' fluisterde Tsendyn. 'Hiermee kunnen we het graf van de Grote Khan vinden.' Tsendyn sprak op een eerbiedige toon die aan angst grensde.

'Ja,' zei Hunt, terwijl hij zich de roem voorstelde die hem ten deel zou vallen als onder zijn leiding het graf van Dzjengis Khan werd ontdekt.

Door de plotselinge angst gegrepen dat een van de Chinese arbeiders de betekenis van de afbeelding zou begrijpen en doorgeven aan een hebzuchtig familielid, rolde Hunt de doek haastig op en stak hem terug in de buis, die hij bij het luipaardvel in het kistje teruglegde. Vervolgens wikkelde hij het kistje in een doek en stopte het geheel in een leren zak die hij de rest van de dag stevig in zijn linkerhand geklemd hield. Nadat hij de aarde op de plek waar het kistje was gevonden, had omgewoeld zonder verder nog iets te vinden, gaf Hunt met enige tegenzin bevel het graafwerk te beëindigen. De arbeiders deponeerden hun houwelen, troffels en borstels zwijgend in een houten kar en stelden zich in een rij op om hun karige loon in ontvangst te nemen. Hoewel ze maar een paar centen per dag verdienden, hadden verschillende mannen haast letterlijk gevochten om dit lichamelijk zware werk te mogen doen, omdat werk in de arme Chinese provincies zeldzaam was.

Nadat het gereedschap en de artefacten in een drietal houten wagens waren opgeborgen en de Chinese arbeiders waren weggezonden, trok Hunt zich na nog een snelle maaltijd met Tsendyn terug in zijn canvas tent en begon zijn boeltje te pakken. Terwijl hij de gebeurtenissen van die dag in zijn persoonlijke dagboek opschreef, voelde hij voor het eerst enige bezorgdheid opkomen. Door deze vondst op het allerlaatste moment werd hij zich meer bewust van de gevaren die hem omringden. Bandieten hadden zonder scrupules andere opgravingen in de provincie Shaanxi leeggeroofd en een collega-archeoloog was in elkaar geslagen en met een pistool bedreigd door plunderaars op zoek naar drieduizend jaar oude bronzen voorwerpen. En dan was er nog het Japanse leger. Hoewel ze een Brits onderdaan wellicht met rust zouden laten, waren ze ongetwijfeld geïnteresseerd in zijn werk en artefacten. En je wist maar nooit, misschien zou de ontdekking van Dzjengis Khans graf voor hem een vloek blijken, net zoals dat Lord Carnarvon en zijn ploeg was overkomen nadat ze het graf van Toetanchamon hadden ontdekt.

Met het houten kistje in de leren zak onder zijn veldbed viel hij in een rusteloze slaap door de honderden gedachten die als dreunende hamerslagen in zijn hoofd maalden. De nacht werd er niet rustiger op toen de wind aanwakkerde en tot zonsopkomst met gierende vlagen op het tentzeil inbeukte. Toen hij bij het eerste ochtendgloren enigszins suffig opstond, zag hij tot zijn opluchting dat de zak nog veilig en wel onder zijn veldbed lag, terwijl er buiten geen Japanse soldaten te zien waren. Tsendyn stond bij een vuur geitenvlees te koken in gezelschap van twee Chinese weesjongetjes, die de Mongoliër hielpen.

'Goedemorgen. De warme thee staat klaar.' Glimlachend gaf Tsendyn Hunt een beker met het dampende vocht. 'Al het gereedschap is ingepakt en de muilezels zijn voor de wagens gespannen. We zijn klaar om te vertrekken.'

'Uitstekend. Pak mijn tent nog even in als je wilt en wees voorzichtig met de zak die onder het veldbed ligt,' zei hij, terwijl hij op een houten krat ging zitten en genietend van zijn thee de opkomende zon bekeek.

In de verte klonken de eerste artillerieschoten toen de overgebleven expeditieleden gezeten op de drie door muilezels getrokken wagens van de Shang-tu-opgraving wegreden. Na anderhalve kilometer bereikten ze het midden op de winderige vlakte gelegen dorpje Lanqui. De stoet reed door het stoffige plaatsje en voegde zich bij een groepje vluchtelingen dat naar het westen trok. Tegen het middaguur klepperden de muilezels door de straten van het oude stadje Duolun, waar ze bij een herberg stopten om wat te eten. Nadat ze een kom smakeloze noedels en bouillon met gebakken kevers hadden verorberd, vervolgden ze hun weg naar een groot weiland aan de rand van de stad. Op een van de wagens zittend tuurde Hunt omhoog naar een halfbewolkte lucht. Exact op het juiste tijdstip klonk er een zacht gebrom in de lucht en de archeoloog ontwaarde tussen de wolken een zilveren stipje dat snel groter werd naarmate het dichterbij kwam en recht op het geïmproviseerde vliegveldje afvloog. Hunt diepte een zakdoek uit een van zijn zakken op en knoopte hem aan een stok die hij bij wijze van een primitieve windvaan in de grond stak, zodat de piloot kon zien waar de wind vandaan kwam.

Soepeltjes sturend beschreef de piloot een wijde, dalende bocht met het metaalglanzende vliegtuig en zette het lawaaierige toestel met een snelle beweging aan de grond. Hunt zag tot zijn opluchting dat het een driemotorige Fokker F.VIIb was, een veilig en wendbaar toestel dat uiterst geschikt was voor lange vluchten boven afgelegen woeste landstreken. Tot zijn verbazing zag hij dat er onder het cockpitraam de naam *Blessed Betty* geschilderd stond.

Nog voordat de motoren goed en wel met een droge tik waren afgeslagen, zwaaide de deur in de romp open en sprongen er twee in versleten leren jacks gestoken mannen naar buiten.

'Hunt? Ik ben Randy Schodt,' zei de piloot, een lange man met een doorgroefd maar vriendelijk gezicht. Hij sprak met een Amerikaans accent. 'Mijn broer Dave en ik zijn hier naartoe gekomen om u naar Nanking te vliegen. Geheel volgens dit contract hier,' vervolgde hij, terwijl hij op een opgevouwen velletje papier in zijn jaszak tikte.

'Wat doet een stel yanks in deze uithoek?' vroeg Hunt.

'Beter dan je afsloven op een scheepswerf in Erie, Pennsylvania,' antwoordde Dave Schodt grinnikend. Net als zijn broer was ook hij een vriendelijke man die wel van een grapje hield.

'We vlogen in dienst van het Chinese ministerie van Spoorwegen en werkten mee aan de uitbreiding van de lijn Peking-Shanghai. Maar dat werk is nogal abrupt gestopt door die onverkwikkelijke gebeurtenissen met de Jappen,' verklaarde Randy Schodt met een zelfgenoegzaam lachje.

'Ik heb mijn bestemming gewijzigd,' zei Hunt, het gekscherende toontje negerend. 'Ik wil dat u me naar Ulaanbaatar brengt.'

'Mongolië?' vroeg Schodt op zijn hoofd krabbend. 'Goed, zolang we maar uit de buurt van dat Nippon-leger blijven, is het wat mij betreft oké.'

'Ik zal de route uitzetten en kijken of het binnen onze actieradius ligt,' zei Dave, terwijl hij naar het vliegtuig terugliep. 'Hopelijk is het tankstation open als we er aankomen,' riep hij lachend.

Samen met Schodt keek Hunt toe bij het inladen van de belangrijkste artefacten en gereedschappen in het laadruim van de Fokker. Toen de ruimte vrijwel helemaal met houten kratten gevuld was, pakte Hunt de tas met het gelakte kistje en zette hem voorzichtig op de voorste passagiersstoel.

'Het zal zo'n 240 kilometer korter zijn dan de vlucht naar Nanking. Maar daarna moeten we dat hele stuk wel terug en dat zijn in totaal meer kilometers dan we contractueel met de mensen van het British Museum hebben afgesproken,' verklaarde Schodt, terwijl hij een kaart van de omgeving over een paar kratten uitvouwde. Ulaanbaatar, de hoofdstad van Mongolië, was iets ten noorden van het midden van het land met een ster aangegeven. De stad lag ruim 640 kilometer van de Chinese grens.

'Ik ben daartoe gemachtigd,' antwoordde Hunt en hij overhandigde de piloot een met de hand geschreven verzoek voor de bestemmingsverandering. 'Ik verzeker u dat het museum de extra kosten zal vergoeden.'

'Dat geloof ik best, want ze zien uw artefacten ook liever niet in het museum van Tokio,' reageerde Schodt lachend. Hij stak het briefje in zijn zak en vervolgde: 'Dave heeft de route naar Ulaanbaatar uitgezet en denkt dat we het in één ruk kunnen halen. We vliegen over de Gobiwoestijn, dus u hebt geluk dat de *Blessed Betty* met extra brandstoftanks is uitgerust. We kunnen gaan als u wilt.'

Hunt liep terug naar de resterende twee muilezelkarren die nog met gereedschappen en artefacten waren volgepakt. Tsendyn stond er met de teugels van de voorste muilezel in zijn hand naast en streek het dier over zijn oren.

'Tsendyn, we hebben een moeilijke maar vruchtbare zomer achter de rug. U bent van onschatbare waarde geweest voor het succes van de expeditie.'

'Het was me een eer. U hebt mijn land en ons erfgoed een grote dienst bewezen. De mensen die na mij komen zullen u daar bijzonder dankbaar voor zijn.'

'Breng de overige spullen naar Shijiazhuang, waar u de trein naar Nanking kunt nemen. Daar wordt u door een vertegenwoordiger van het British Museum opgewacht die de verscheping naar Londen zal regelen. Ik wacht in Ulaanbaatar op u, waar we ons op onze laatste vondst zullen concentreren.'

'Daar verheug ik me al bijzonder op,' antwoordde Tsendyn, terwijl hij de archeoloog stevig de hand drukte.

'Vaarwel.'

Hunt klom aan boord van de Fokker, terwijl de drie 220 pk Wright Whirlwind-stermotoren ronkend aansloegen. Tsendyn keek toe hoe Schodt het vliegtuig met de neus in de wind draaide en de gashendels opentrok. Met een oorverdovend kabaal stoof het toestel hobbelend over het weiland en bonkte een aantal keren heftig op en neer, voordat het zich langzaam in de lucht verhief. Nadat hij nog een wijde, gracieuze bocht boven het veld had gemaakt, stuurde Schodt het vliegtuig, terwijl het geleidelijk aan hoogte won, in noordwestelijke richting naar de Mongoolse grens.

Op het weiland keek Tsendyn het toestel na tot het aan de horizon verdween en het geronk van de motoren wegstierf. Pas toen het vliegtuig niet meer te zien was, tastte hij in de binnenzak van zijn jas. De zijden doek zat er nog, zoals hij die daar in de kleine uurtjes van de afgelopen nacht had weggestopt.

Ze waren twee uur onderweg toen Hunt de zak oppakte en er het gelakte kistje uithaalde. Door de saaiheid van de vlucht en zijn opwinding over de vondst hield hij het niet meer uit en moest hij de zijdeschildering nog eens in zijn handen nemen. Terwijl hij het kistje optilde, voelde hij het geruststellende heen en weer rollen van de bronzen buis die erin lag. Maar toch klopte er iets niet. Nadat hij het deksel had weggenomen, zag hij dat de luipaardhuid nog stijf opgerold tegen de zijkant lag. De bronzen buis lag er zo te zien veilig naast. Maar toen hij hem oppakte, voelde hij zwaarder aan dan hij zich herinnerde. Met een trillende hand trok hij de dop eraf, waarna er wat zand uit de buis op zijn schoot viel. Nadat hij al het zand er had uitgeschud, keek hij erin en zag dat de zijderol was verdwenen.

Zijn ogen puilden haast uit hun kassen toen het tot hem doordrong dat hij was bedrogen. Hij hapte naar adem en de schrik sloeg al snel in woede om. Zodra hij zijn stem had hervonden, gilde hij tegen de piloten: 'Omkeren! We moeten meteen terug!'

Maar zijn verzoek stuitte op dovemansoren. In de cockpit zagen de beide piloten zich plotseling voor problemen van een heel ander kaliber geplaatst.

De Mitsubishi G3M-bommenwerper, die in het Westen met de codenaam 'Nell' werd aangeduid, was absoluut niet op een bombardementsvlucht. Het tweemotorige vliegtuig vloog zorgeloos op een hoogte van ruim tweeënhalve kilometer voor een verkenningsvlucht op zoek naar Russische toestellen die volgens de geruchten boven Mongools grondgebied waren opgedoken.

Na de snelle verovering van Mantsjoerije en de voorspoedige opmars in het noorden van China, hadden de Japanners hun blik in verscherpte mate op de belangrijke zeehavens en kolenmijnen van Siberië gericht. Omdat ze de Japanse bedoelingen doorzagen, hadden de Russen hun troepenmacht in Siberië al versterkt en recentelijk een defensiepact met Mongolië gesloten dat militaire acties op de grond en in het luchtruim van dat voornamelijk onherbergzame land mogelijk maakte. De Japanners waren al hard bezig alle mogelijke informatie te verzamelen over de verdedigingslinies. Dit ter voorbereiding van een offensief in noordelijke richting dat ze halverwege 1939 vanuit Mantsjoerije wilden inzetten.

De Nell die zonder lading op deze verkenningsvlucht boven oostelijk Mongolië vloog, had niets van mogelijke troepenbewegingen of de aanleg van landingsbanen ten behoeve van de Russische luchtmacht waargenomen. Als er al van Russische militaire activiteiten in Mongolië sprake was, zou dat veel noordelijker zijn, concludeerde de Japanse piloot. Onder hem was slechts af en toe een nomadenstam te zien die met hun kamelenkuddes door de uitgestrekte woestenij van de Gobiwoestijn trokken.

'Alleen maar zand, daarbeneden,' zei de copiloot van de Nell, een jeugdige luitenant die Miyabe heette, een geeuw onderdrukkend. 'Ik zou niet weten waarom de majoor zo opgewonden is over dat gebied.'

'Dit is meer een bufferstaat voor de veel belangrijkere gebieden in het noorden, lijkt me,' zei kapitein Nobuji Negishi. 'Maar ik hoop wel dat we naar het front worden teruggeplaatst als de aanval op het noorden wordt ingezet. Zo missen we alle lol in Shanghai en Peking.'

Terwijl Miyabe de vlakte onder het toestel afspeurde, zag hij in een ooghoek een glinstering van zonlicht opflitsen. Snel speurde hij de horizon af en vond de bron van het schijnsel. Hij tuurde er met half toegeknepen ogen naar.

'Daar schuin voor ons bevindt zich een vliegtuig,' zei hij met een in een leren handschoen gestoken hand wijzend.

Negishi keek in de aangewezen richting en zag het vliegtuig. Het was de zilverkleurige Fokker op weg naar Ulaanbaatar.

'Ze kruisen onze route,' merkte de Japanse piloot op. Er klonk enige opwinding in zijn stem door. 'Kunnen we eindelijk vechten.'

'Maar dit is geen jachtvliegtuig. En volgens mij is het geen Chinees toestel,' zei Miyabe, die de herkenningstekens op de Fokker zag. 'Wij mogen alleen vliegtuigen van de Chinese luchtmacht aanvallen.'

'Iedere vlucht kan gevaarlijk zijn,' bracht Negishi ertegen in. 'Bovendien is het een prima oefening, luitenant.' Hij wist drommels goed dat in het Japanse leger niemand een reprimande hoefde te verwachten voor agressief optreden in het Chinese oorlogsgebied. Als piloot van een bommenwerper was hij zelden in de gelegenheid om een tegenstander aan te vallen en uit de lucht te halen. Dit was een uitgelezen kans op een gemakkelijke prooi die hij niet aan zich voorbij zou laten gaan.

'Boordschutters paraat,' blafte hij in de intercom. 'Gereedmaken voor luchtgevecht.'

De vijf man sterke bemanning van de bommenwerper was meteen klaarwakker terwijl ze hun gevechtsposities innamen. In plaats van nu eens niet het door kleinere en snellere gevechtstoestellen opgejaagde wild te zijn, wat hun lot nu eenmaal was, waren ze opeens de jager. Kapitein Negishi berekende met dodelijke zekerheid de route die het driemotorige toestel zou volgen, daarna nam hij gas terug en liet de bommenwerper in een wijde boog naar rechts overhellen. De Fokker gleed onder hen door, waarna Negishi de bommenwerper weer recht trok tot ze achter het zilverkleurige toestel vlogen.

Negishi nam weer wat gas terug toen ze de Fokker te dicht naderden. Met een topsnelheid van 350 kilometer per uur was de Mitsubishi bijna twee keer zo snel als de Fokker.

'Boordschutters voor paraat,' beval Negishi, terwijl het ongewapende toestel in de schuttersvizieren snel groter werd.

Maar het driemotorige vliegtuig was niet van plan zich als een weerloos doelwit af te laten schieten. Randy Schodt had de bommenwerper het eerst gezien toen hij in een wijde boog van koers veranderde. Zijn hoop dat het Japanse vliegtuig zonder meer door zou vliegen, vervloog toen de Mitsubishi recht achter hen opdook en daar bleef in plaats van langszij te komen. Omdat wegvluchten van het snellere vliegtuig zinloos was, deed hij het beste wat hij kon doen.

De Japanse boordschutter in de geschutskoepel loste met zijn 7,7mm-mitrailleur juist een eerste salvo toen het driemotorige toestel scherp naar links uitweek en in de lucht leek stil te staan. De kogels misten ratelend doel, terwijl de bommenwerper over de Fokker heen vloog.

Negishi werd compleet verrast door de plotselinge manoeuvre en vloekte terwijl hij de bommenwerper zo snel mogelijk weer in de buurt van het kleinere vliegtuig probeerde te krijgen. Het geratel van machinegeweervuur galmde door de cabine toen een andere boordschutter de Fokker in zijn vizier kreeg en een lang salvo in die richting afvuurde.

In de Fokker schold Hunt de piloten de huid vol toen de kratten met artefacten in de laadruimte begonnen te schuiven. Uit een luide bons leidde hij af dat er door de wilde bewegingen van het vliegtuig een krat met porseleinen vazen was omgevallen. Pas toen de Fokker scherp naar rechts zwenkte en hij door het zijraampje een glimp van de bommenwerper opving, begreep Hunt wat er aan de hand was.

In de cockpit werkte Schodt alle bekende trucjes af om de Mitsubishi af te schudden in de hoop dat de bommenwerper de achtervolging uiteindelijk op zou geven. Maar de Japanse piloot werd alleen maar kwader en bleef de Fokker hardnekkig volgen. Steeds had Schodt weer een nieuwe stunt paraat en was hij de bommenwerper te vlug af, waarna het Japanse toestel in een boog terugvloog om de Fokker weer in het vizier van de boordschutters te krijgen. De jager zou de jacht niet opgeven en Schodt zou de Mitsubishi steeds weer aan zijn staart zien hangen tot een van de boordschutters ten slotte het genadeschot zou lossen.

Eerst was het het richtingsvoer van de Fokker die door een lading lood aan flarden werd geschoten. Negishi likte zijn lippen, want hij wist dat het toestel zonder richtingsvoer niet meer scherp naar links of rechts kon wegdraaien. Grijnzend als een wolf bracht hij de bommenwerper weer binnen schootsafstand voor de nekslag. Toen de boordschutter opnieuw een salvo loste, zag hij tot zijn verbijstering dat de Fokker ook nu weer naar rechts wegzwenkte en in een overtrokken vlucht optrok.

Schodt was nog niet uitgeteld. Terwijl Dave de gashendels van de beide motoren aan de vleugels bediende, lukte het Randy nog altijd om van de Mitsubishi weg te zwenken en te duiken. Weer sloeg er een salvo machinegeweervuur zonder ernstige schade aan te richten in de romp, hoewel Hunts gezicht vertrok toen hij hoorde dat er een krat artefacten aan barrels ging.

Nu hij de tactiek van zijn tegenstander kende, legde Negishi de bommenwerper in een wijde bocht en benaderde de Fokker van opzij. Ditmaal was er geen ontkomen meer aan en de motor aan de rechtervleugel van de

Fokker spatte na een voltreffer uit elkaar. Er walmde een rookpluim uit de motor op terwijl Schodt snel de brandstoftoevoer afsloot voordat de motor vlam vatte. Met de overgebleven motoren manoeuvrerend deed hij zijn uiterste best de Fokker in de lucht te houden, maar hij was aan het einde van zijn Latijn. Een goed gericht schot van de boordschutter boven op de Mitsubishi trof het hoogteroer en maakte een definitief einde aan de vlucht van de *Blessed Betty*.

Omdat het aangeschoten driemotorige vliegtuig geen hoogte meer kon houden, zakte het in een glijvlucht naar de grond. Schodt moest machteloos toezien hoe de Fokker op de zandwoestijn afdook. Verbazingwekkend genoeg bleef het toestel in balans en zakte de neus niet verder omlaag. Nadat hij de overgebleven motoren vlak voor de landing had uitgezet, voelde hij dat de rechtervleugelpunt de grond het eerst raakte, waardoor het vliegtuig een dwaze radslag maakte.

De bemanning van het Japanse toestel zag met een lichte teleurstelling dat de Fokker op de grond uitrolde en niet ontplofte of in brand vloog. In plaats daarvan sloeg het zilverkleurige vliegtuig twee keer over de kop en gleed ondersteboven een zanderig ravijn in.

Ondanks de moeite die het had gekost om het burgervliegtuig uit de lucht te halen, steeg er gejuich op in de Mitsubishi.

'Goed gedaan, mannen, maar de volgende keer moet 't wel beter,' zei Negishi, waarna hij de bommenwerper weer op koers legde naar de basis in Mantsjoerije.

Aan boord van de Fokker waren Schodt en zijn broer op slag dood toen de cockpit door de eerste radslag werd verbrijzeld. Hunt overleefde de klap, maar zijn rug was gebroken en zijn linkerbeen was vrijwel volledig verbrijzeld. Vertwijfeld vocht hij nog twee dagen tegen de dood, voordat hij in de wrakstukken van de romp het loodje legde. Met een allerlaatste krachtsinspanning trok hij het gelakte kistje tegen zijn borst en vervloekte de plotselinge wending van zijn geluk. Toen hij zijn laatste adem uitblies, was hij zich niet bewust dat hij in zijn armen nog altijd de sleutel tot de meest verbluffende schat geklemd hield die de wereld ooit onder ogen zou krijgen.

Deel een

DE VLOEDGOLF

Vloedgolf op het Bajkalmeer

1

Bajkalmeer, Siberië
2 juni 2007

Het stille water van het diepste meer ter wereld heeft de donkere door-schijnende blauwe glans van een geslepen saffier. Doordat de koude rivieren die het Bajkalmeer voeden, geen slib of andere sedimenten aan-voeren, is het water kristalhelder. Een piepklein schaaldiertje, de *Bajkal epishura*, draagt daar toe bij door al de algen en het plankton te verorberen die de meeste zoetwatermeren vertroebelen. Deze combinatie maakt dat het water zo verbazingwekkend helder blijft dat je op een mooie dag een zilveren munt op een diepte van dertig meter kunt zien schitteren.

Omgeven door woeste, met sneeuw bedekte bergtoppen in het noorden en dichte taigabossen met berken, lariksen en dennen in het zuiden, schit-tert de 'Blauwe Parel van Siberië' als een toonbeeld van schoonheid in het verder onherbergzame landschap. Het 640 kilometer lange maansikkelvor-mige meer kromt zich in het zuiden van Siberië net boven de grens met Mongolië van zuid naar noord. Het Bajkalmeer is op sommige plekken zo'n vijftienhonderd meter diep en bevat een vijfde deel van al het zoet-water op onze planeet, meer dan de totale inhoud van de Grote Meren in Noord-Amerika. Aan de oever liggen maar enkele vissersdorpjes, waardoor het reusachtige meer een vrijwel lege zee van rust is gebleven. Alleen aan de zuidpunt bevinden zich een paar dichter bevolkte centra, zoals Irkoetsk, een redelijk moderne stad met een half miljoen inwoners zo'n zeventig ki-lometer ten westen, en de oude stad Ulan-Ude niet al te ver van de ooste-lijke oever.

Theresa Hollema keek op van haar laptop en wierp een korte blik op de

59

wattenachtige wolken rond de toppen van de paarse bergen langs de rand van het meer. De Nederlandse geofysica genoot van de helderblauwe lucht die zich boven haar huis in een buitenwijk van Amsterdam maar zo zelden liet zien. Ze zoog de frisse lucht diep in haar longen in een onbewuste poging de omgeving met al haar zintuigen in zich op te nemen.

'Het is aangenaam hier aan het meer vandaag, vind je ook niet?' vroeg Tatjana Borjin. Ze sprak met een lage stem op de emotieloze manier die zo kenmerkend is voor Engelssprekende Russen. Toch kwamen de norse toon en haar zakelijke manier van doen absoluut niet overeen met haar uiterlijk. Hoewel ze er eerder uitzag als de Burjat, de oorspronkelijke locale bevolking, was ze een geboren Mongoolse. Met haar lange zwarte haren, goudbruine huid en amandelvormige ogen straalde ze een natuurlijke en robuuste schoonheid uit. Maar in haar donkere ogen school een intense blik waarmee ze alles in het leven even onvermurwbaar serieus leek te nemen.

'Ik had geen idee dat Siberië zo mooi kon zijn,' antwoordde Theresa. 'Het meer is wonderschoon. Zo kalm en vredig.'

'Nu is ze inderdaad een kalm juweel, maar dat kan in een oogwenk omslaan. De Sarma, een plotseling vanuit het noordwesten opstekende wind, kan als een orkaan op het meer tekeergaan. De begraafplaatsen hier liggen vol met vissers die de krachten van Bajkal hebben onderschat.'

Er liep een lichte rilling over Theresa's rug. De plaatselijke bevolking had het voortdurend over de geest van het meer. Bajkals zuivere water was een culturele schat waar de Siberiërs trots op waren en de bescherming tegen verontreinigende industrieën had een milieubeweging op de been gebracht die wereldwijde bekendheid genoot. Zelfs de Russische regering was verrast door de omvangrijke protesten toen zo'n vijftig jaar geleden het besluit werd genomen om aan de zuidoever een fabriek voor de productie van houtcellulose te bouwen. Theresa hoopte alleen maar dat Greenpeace haar aanwezigheid op het meer niet met een armada van rubberboten onmogelijk zou maken.

Haar bezigheden waren ten slotte relatief onschuldig, hield ze zichzelf voor. Haar werkgever, de Koninklijke Shell, had de opdracht gekregen een deel van het meer te onderzoeken op mogelijk wegsijpelende olie. Er was nooit sprake van boringen of oliewinning geweest en ze had er alle vertrouwen in dat dat op het meer ook nooit zou gebeuren. Het bedrijf probeerde zich hoogstens in te likken bij de eigenaren van een aantal Siberische olievelden in de hoop op een meer profijtelijke samenwerking in een latere fase. Theresa had voordat ze naar Siberië kwam nooit van het Avarga Oil Consortium gehoord, maar ze wist wel dat er een keur aan oliemaatschappijen op de Russische markt actief was. Een aantal met regeringssteun opererende bedrijven, zoals Yukos en Gazprom, trokken alle media-aandacht, maar zoals overal in de wereld waren er ook hier diverse speculanten die van een kleiner deel van de taart snoepten. Voor zover zij het tot dusver kon overzien had het Avarga Oil Consortium nog niet eens een hap van de korst.

'Het is duidelijk dat ze hun inkomsten nog niet in onderzoek en ontwikkeling pompen,' grapte ze tegen de twee Shell-technici die haar vergezelden toen ze aan boord van de gehuurde onderzoeksboot stapten.

'Best slim om dit schip zo te bouwen dat het net een aftandse vissersboot lijkt,' reageerde Jim Wofford, een lange, vriendelijke geofysicus uit Arkansas met een ferme snor en een eeuwige glimlach om zijn lippen.

De zwarte vissersboot met verhoogde voorsteven zag eruit alsof hij al jaren geleden uit de vaart had moeten worden genomen. Overal bladderde de verf en het hele schip stonk naar rottend hout en dode vis. De metalen delen waren al in geen tien jaar meer geboend en alleen regenbuien hadden het dek zo nu en dan schoongespoeld. Theresa merkte bezorgd op dat de lenspomp constant in werking was.

'We hebben zelf geen schepen in eigendom,' zei Tatjana zonder zich te verontschuldigen. Als werkneemster van Avarga Oil was zij de enige contactpersoon met het onderzoeksteam van Shell.

'Geeft niet, het tekort aan ruimte wordt ruimschoots goedgemaakt door het gebrek aan comfort,' zei Wofford lachend.

'Klopt, maar ik wed dat er ergens aan boord wel een portie kaviaar klaarstaat,' reageerde Woffords metgezel Dave Roy, eveneens een seismisch ingenieur, die met een licht Bostons accent sprak. Roy wist dat er in het Bajkalmeer reusachtige steuren zwommen met soms wel twintig pond kaviaar in hun lijf.

Theresa hielp Roy en Wofford bij het aan boord brengen van hun seismische instrumenten, kabels en meetvissen, waarna ze de spullen op het krappe achterdek van de achtenhalve meter lange vissersboot verstouwden.

'Kaviaar? Jij als bierdrinker?' zei Theresa.

'Weet je dat dat een heel goede combinatie is?' antwoordde Roy gespeeld ernstig. 'Het natrium in de kaviaar veroorzaakt een verlangen naar vocht dat een gegiste moutdrank uitstekend bevredigt.'

'Met andere woorden, een goed excuus om meer bier te drinken.'

'Daar heb je toch helemaal geen excuus voor nodig?' vroeg Wofford quasi-gepikeerd.

'Ik geef 't op.' Theresa schoot in de lach. 'Met een alcoholist ga ik niet in discussie. En met twee al helemaal niet.'

Tatjana hoorde het zonder een lachje aan en knikte naar de kapitein van de boot toen alle spullen aan boord waren. Het meest opvallende aan de vanonder een hoed van jacquardtweed streng kijkende man was een enorme, door overmatige wodkaconsumptie knalrood glanzende knolneus. Weggedoken in de kleine stuurhut startte hij de rokende dieselmotor, waarna hij de trossen losgooide. Door het kalme water tuften ze weg van hun ligplaats in het kleine vissers- en toeristendorp Listvjanka aan de zuidwestelijke oever van het meer.

Tatjana ontvouwde een kaart van het meer en wees op een gedeelte zo'n 65 kilometer ten noorden van het plaatsje.

'Hier doen we het onderzoek, bij de Baai van Peschanaja,' zei ze tegen de geologen. 'Er zijn meldingen van vissers dat ze daar regelmatig grote olievlekken aan de oppervlakte hebben waargenomen, wat erop wijst dat daar koolwaterstof weglekt.'

'U wilt ons toch niet op al te grote diepte laten rondneuzen, hè?' vroeg Wofford.

'Ik ken de beperkingen van de apparatuur die we ter beschikking hebben. Hoewel in het midden van het meer vermoedelijk wat olie vrijkomt, weet ik dat het daar voor ons te diep is om er onderzoek naar te doen. Ons onderzoeksterrein is beperkt tot vier locaties in het zuiden van het Bajkalmeer, alle drie vrij dicht langs de oever, waar het dus waarschijnlijk ondiep is.'

'Dat merken we snel genoeg,' antwoordde Roy, terwijl hij een waterbestendige computerkabel aan een 90 centimeter lange gele meetvis vastklikte. Naast het met akoestische apparatuur verkregen beeld van de bodem gaf de sensor van de sidescan-sonar de relatieve bodemdiepte aan zodra hij in het water hing.

'Bevinden alle locaties zich aan de westoever?' vroeg Theresa.

'Alleen het doelgebied in de Baai van Peschanaja. Voor de andere drie plaatsen moeten we het meer oversteken naar de oostelijke oever.'

De oude vissersboot voer langs de kades van Listvjanka en passeerde een draagvleugelboot van de veerdienst die de haven ingleed na een overtocht vanuit de haven van Bajkal aan de andere kant van de rivier de Angara. De slanke, volledig dichte veerboot stak nogal af tussen de kleine vloot van oude vissersschepen die de wateren rond Listvjanka bevolkten. Nadat de vissersboot het haventje was uitgevaren, richtte ze haar steven naar het noorden en bleef dicht onder de rotsachtige westelijke oever van het koude meer. Als een wollig groen tapijt strekte de taiga zich uit tot aan de oever, hier en daar onderbroken door golvende weilanden begroeid met een dikke graslaag. Door de felle groentinten van het landschap die zo sterk afstaken tegen het kristalblauwe meer kon Theresa zich nauwelijks voorstellen hoe bar en boos het hier in de winter zou zijn als het meer met een één meter twintig dikke ijslaag was bedekt. Ze huiverde bij de gedachte en ze was blij dat ze hier was in de tijd dat de dagen het langst waren.

Maar erg veel maakte het Theresa ook niet uit. Reizen was nu eenmaal haar grote passie en alleen al voor de ervaring zou ze het meer ook best in januari willen bezoeken. Zo slim en analytisch als ze was, was het niet zozeer de intellectuele uitdaging geweest die haar beroepskeuze had bepaald dan wel de mogelijkheid naar de meest afgelegen uithoeken van onze aardbol te reizen. Langer durende projecten in Indonesië, Venezuela en de Baltische staten werden afgewisseld door opdrachten van een week of twee zoals deze, een onderzoek naar de mogelijke aanwezigheid van oliereserves. Het werken in een mannenwereld bleek geen probleem voor haar, omdat ze met haar opgewekte karakter en humoristische kijk op het leven moeiteloos het voorbehoud doorbrak van de mannen die niet al meteen voor haar atletische lichaam met de donkere haardos en grote bruine ogen waren gevallen.

Vijfenzestig kilometer ten noorden van Listvjanka vormde de ondiepe Baai van Peschanaja met een smal zandstrand een landinwaartse kromming in de westelijke oever. Terwijl de kapitein de steven van de boot de baai indraaide, wendde Tatjana zich tot Theresa en verklaarde: 'Hier beginnen we.'

Toen het schip met stationair draaiende motor vrijwel stillag, lieten Roy en Wofford langs de achtersteven de meetvis van de sidescan-sonar in het water zakken, terwijl Theresa een gps-antenne aan de reling bevestigde en met een kabel op de computer van de sonar aansloot. Tatjana keek op de dieptemeter in de stuurhut en riep: 'Diepte dertig meter.'

'Dat is oké, niet te diep,' zei Theresa, terwijl de boot weer vaart maakte en de sonarvis op een meter of dertig achter zich aan sleepte. De door de meetvis uitgezonden geluidsgolven werden na reflectie op de bodem door de sensor weer opgevangen en in de computer verwerkt tot een digitale weergave van de bodem, die op een kleurenmonitor verscheen.

'Deze gegevens zijn bruikbaar zolang we maar niet dieper gaan dan vijftig meter,' zei Wofford. 'Als het dieper wordt hebben we een langere kabel en een grotere boot nodig.'

'En meer kaviaar,' vulde Roy hongerig aan.

Traag voer het vissersschip in de baai op en neer. De norse kapitein hanteerde losjes het stuurrad, terwijl de vier passagiers op het achterschip over hun computer gebogen stonden. Alle posities van afwijkende geologische formaties werden gemarkeerd, waarbij de ervaren oliedeskundigen naar kenmerken zochten die op vrijkomende koolwaterstof wezen. Voor de vaststelling of er daadwerkelijk van een oliesijpeling sprake was, zou verder onderzoek aan de hand van boormonsters en een geochemische analyse van watermonsters noodzakelijk zijn, maar de sidescan-sonar stelde de onderzoekers in staat vast te stellen op welke plekken toekomstig onderzoek zich moest richten.

Toen ze de noordkant van de baai bereikten, rechtte Theresa haar rug, terwijl de kapitein het schip draaide en in positie bracht voor het onderzoek van de laatste strook. Ongeveer midden op het meer zag Theresa een groot vuilgrijs schip in noordelijke richting varen. Het leek een soort onderzoeksschip met een ouderwets ogende helikopter op het achterdek. De rotorbladen draaiden, alsof het toestel klaarstond om op te stijgen. Turend naar de mast op de brug viel het haar op dat er behalve de Russische ook een Amerikaanse vlag wapperde. Waarschijnlijk een gezamenlijk wetenschappelijk project, peinsde ze. Na alles wat ze over het Bajkalmeer had gelezen, was het haar opgevallen dat de westerse wetenschappers een opmerkelijke belangstelling vertoonden voor het pittoreske meer en de unieke flora en fauna. Vanuit de hele wereld waren geofysici, microbiologen en milieuwetenschappers hier naar toe getrokken om er het meer en het zuivere water te bestuderen.

'We kunnen weer,' riep Roy naar de anderen op het dek. Twintig minuten later bereikten ze de zuidkant van de baai, waarmee hun onderzoek was voltooid. Theresa stelde vast dat ze met de sonar drie formaties hadden waargenomen die nader onderzoek vereisten.

'Daarmee zit de eerste taak van vandaag erop,' zei Wofford. 'Waar gaan we nu heen?'

'We steken het meer over naar deze plek hier,' antwoordde Tatjana met een slanke vinger op de kaart tikkend. 'Vijfendertig kilometer ten zuidoosten van onze huidige positie.'

'Dan kunnen we de sonarvis wel in het water laten. Ik denk niet dat deze boot veel sneller kan dan onze onderzoekssnelheid en dan kunnen wij tijdens de oversteek nog wat onder water kijken,' zei Theresa.

'Geen probleem,' reageerde Wofford, waarna hij op een dekstoel ging zitten en zijn benen languit op de reling legde. Toen hij een terloopse blik op de monitor van de sonar wierp, verscheen er opeens een verwonderde trek op zijn gezicht. 'Dat is raar,' mompelde hij.

Roy boog zich voorover en bestudeerde de monitor. Het schimmige beeld van de bodem was opeens gaan vervormen en had plaatsgemaakt voor een scherm vol op en neer bewegende kartellijnen.

'Sleept de meetvis over de bodem?' vroeg hij.

'Nee,' antwoordde Wofford, die op de dieptemeter keek. 'We varen veertig meter boven de bodem.'

De storing hield nog een paar seconden aan en verdween toen, even abrupt als hij begonnen was. De contouren van de bodem gleden weer even scherp als daarvoor over het scherm.

'Misschien heeft zo'n reuzensteur onze meetvis voor aas aangezien en toegehapt,' grapte Wofford, opgelucht dat de apparatuur weer naar behoren functioneerde. Maar zijn woorden werden gevolgd door een laag donderend geluid dat over het water rolde.

Het was lager en hield langer aan dan de donderslagen van een onweersbui, het klonk ook een stuk doffer. Het merkwaardige gerommel weerkaatste nog bijna een halve minuut boven het meer. Alle ogen tuurden naar het noorden in de richting waar het geluid vandaan kwam, maar daar was niets te zien.

'Zijn ze iets aan het bouwen?' vroeg Theresa.

'Kan zijn,' antwoordde Roy. 'Het is in ieder geval ver weg.' Hij keek op de monitor en zag een trilling die het beeld heel even stoorde, waarna de contouren van de bodem weer duidelijk zichtbaar waren.

'Ik vind alles best,' zei Wofford verongelijkt, 'als onze apparatuur er maar niet onder lijdt.'

2

Zestien kilometer noordelijker liep Rudi Gunn naar de brugvleugel van het Russische onderzoeksvaartuig *Vereshchagin* en keek omhoog naar de azuurblauwe lucht. Hij zette zijn dikke hoornen bril af, maakte zorgvuldig de glazen schoon en tuurde daarna weer omhoog. Hoofdschuddend liep hij terug naar de brug en mompelde: 'Het klonk als onweer, maar er is geen wolkje aan de lucht.'

Hierop barstte een gezette man met zwart haar en bijpassende baard in een schaterlach uit. Dr. Alexander Sarghov had wel iets weg van een circusbeer. De dreiging die van zijn enorme gestalte uitging werd afgezwakt door zijn joviale manier van doen en zijn warme donkere ogen die schitterden van levenslust. De geofysicus van het Limnologisch Instituut van de Russische Academie van Wetenschappen hield wel van een goede grap, vooral als die ten koste ging van zijn nieuwe Amerikaanse vrienden.

'Jullie westerlingen zijn echt heel amusant,' zei hij grinnikend met een zwaar accent.

'Alexander, dat mag je Rudi niet kwalijk nemen,' antwoordde een warme, lage stem van de andere kant van de brug. 'Hij heeft nooit in een aardbevingsgebied gewoond.'

De groenblauw glanzende ogen van Dirk Pitt flonkerden van plezier toen hij zijn plaatsvervanger in bescherming naam. Het hoofd van de National Underwater and Marine Agency stond voor een rij videoschermen en rekte zijn een meter negentig lange lijf uit waarbij zijn handen het plafond raakten. Hoewel ruim twintig jaar avonturen onder zee de nodige tol van zijn sterke lichaam had geëist, verkeerde hij nog altijd in een prima conditie. Alleen een paar rimpels meer rond de ogen en oprukkend grijs in zijn haar bij de slapen duidden op een aarzelende invloed van de ouderdom.

'Een aardbeving?' mijmerde Gunn. De hyperintelligente man, die na een opleiding aan de Naval Academy van Annapolis en een carrière als marine-officier nu alweer vele jaren onderdirecteur van de NUMA was, staarde verwonderd door de panoramaruit van de brug. 'Ik heb er een stuk of twee meegemaakt, maar die hoorde je niet, die voelde je.'

'Bij een zwakke beving rammelt het serviesgoed, maar bij een echte zware lijkt het soms of er een hele rij locomotieven voorbijdendert,' zei Pitt.

'Er is nogal wat tektonische activiteit onder het Bajkalmeer,' voegde Sarghov eraan toe. 'In deze streek komen regelmatig aardbevingen voor.'

'Persoonlijk kan ik heel goed zonder,' zei Gunn met een schaapachtig lachje, terwijl hij weer op zijn stoel voor de beeldschermen ging zitten. 'Hopelijk halen ze onze onderzoeksresultaten van de stromingen in het meer niet al te veel overhoop.'

De *Vereshchagin* was ingezet voor een gezamenlijk Russisch-Amerikaans wetenschappelijk onderzoek naar niet eerder in kaart gebrachte stromingen. Pitt, die er niet de man naar was om zijn werkzaamheden te beperken tot kantoorwerk in het hoofdkwartier van de NUMA in Washington, leidde een klein team van de overheidsinstelling in samenwerking met plaatselijke wetenschappers van het Limnologisch Instituut in Irkoetsk. De Russen waren verantwoordelijk voor het schip en de bemanning, en de Amerikanen zorgden voor de ultramoderne geluidsboeien en andere hightechapparatuur, geschikt voor het maken van een driedimensionale weergave van het meer en de stromingen. Het Bajkalmeer stond bekend om de unieke patronen die door de uitzonderlijke diepte in de watercirculatie ontstonden en regelmatig aan onvoorspelbare veranderingen onderhevig waren. Onder de plaatselijke bevolking deden allerlei verhalen de ronde over onverhoedse draaikolken en vissersboten die door hun netten onder water werden getrokken.

Nadat ze in de noordpunt van het meer waren begonnen, hadden de wetenschappers tientallen piepkleine sensoren uitgezet die verpakt in oranje houders zodanig waren uitgebalanceerd dat ze op een bepaalde diepte bleven zweven. De sensoren stelden voortdurend de temperatuur, waterdruk en positie vast, gegevens die door een zendertje in de houder onafgebroken naar grotere, op vaste plaatsen onder water bevestigde transponders werden doorgezonden. De computers aan boord van de *Vereshchagin* verwerkten de van de transponders ontvangen gegevens tot een driedimensionale weergave van de waterbewegingen. Gunn keek naar de rij monitoren die voor hem stonden en richtte zijn aandacht op het scherm waarop het middelste deel van het meer werd weergegeven. Het beeld op de monitor had veel weg van een stel oranje knikkers die in een met blauw roomijs gevulde kom dreven. Vrijwel gelijktijdig sprong een verticale rij oranje balletjes plotseling naar de bovenkant van het scherm.

'Nou nou! Of een van de transponders slaat op tilt of de bodem van het meer kreeg een behoorlijke optater,' riep hij uit.

Pitt en Sarghov draaiden zich om en bestudeerden het beeldscherm, waarop ze een hele massa oranje stippen razendsnel naar de oppervlakte zagen stijgen.

'De stroming gaat omhoog, in een opmerkelijk hoog tempo,' zei Sarghov met een opgetrokken wenkbrauw. 'Ik kan eigenlijk niet geloven dat die aardbeving zwaar genoeg was om zo'n effect te hebben.'

'Misschien niet de aardbeving zelf,' zei Pitt, 'maar komt 't door een bijeffect. Zelfs een geringe beving kan een aardverschuiving in de bodem veroorzaken waardoor een dergelijke opwaartse druk ontstaat.'

Ruim tweehonderd kilometer ten noorden van de *Vereshchagin* en zeshonderd meter onder het wateroppervlak gebeurde exact wat Pitt vermoedde. Het eerste rommelende geluid dat over het water echode werd veroorzaakt door de schokgolven van een aardbeving met een sterkte van 6,7 op de schaal van Richter. Hoewel seismologen later zouden vaststellen dat het epicentrum van de beving zich in de buurt van de noordelijke oever bevond, was het verwoestende effect het grootst ongeveer halverwege het meer bij het eiland Olchon. Vlak langs de oostkust van het eiland zakte de bodem steil als een lift omlaag naar het diepste deel van het meer.

Uit een seismisch onderzoek was gebleken dat er tientallen breuklijnen onder de bodem van het meer liepen, inclusief een kloof bij het eiland Olchon. Wanneer een in onderwaterbodems gespecialiseerde geoloog de breuklijn voor en na de beving had bestudeerd, had hij een verplaatsing van nog geen drie millimeter vastgesteld. Toch waren die drie millimeter voldoende voor wat de wetenschappers een 'verticale breukverplaatsing' noemen, ofwel een aardverschuiving onder water.

Een onzichtbaar gevolg van de beving was dat er een brok alluviale sedimenten van bijna twintig meter dik afbrak. De uiteenvallende sedimenten gleden als een lawine het onder water gelegen ravijn in, waarbij ze een enorme snelheid ontwikkelden. De berg rotsen, slik en modder denderde zo'n achthonderd meter omlaag, onderweg allerlei uitstulpingen en oneffenheden afbrekend en meevoerend tot het verzamelde puin ten slotte op een diepte van anderhalve kilometer tegen de bodem sloeg.

In enkele seconden was een miljoen kubieke meter aan sedimenten in een reusachtige, vertroebelende stofwolk op de bodem gekletterd. De dof rommelende dreun van de enorme aardverschuiving stierf snel weg, maar de hierbij vrijkomende krachten waren nog lang niet uitgeraasd. De schuivende massa had een muur van water voortgestuwd, in eerste instantie voor de verschuiving uit naar de bodem, maar vervolgens werd het water weer omhoog naar de oppervlakte gedrukt. Het was hetzelfde effect als wanneer je in het bad met een gekromde hand onder het oppervlak water wegduwt. De kracht van miljoenen liters zich verplaatsend water moest ergens een uitweg vinden.

De aardverschuiving was in zuidelijke richting van het eiland Olchon weggegleden en dat was dan ook de richting waarin het opzwellende water werd gestuwd. Ten noorden van de aardverschuiving bleef het meer relatief rustig, maar in het zuiden ontstond een enorme, voortrollende vloedgolf. Op zee wordt een dergelijke waterstuwing tsunami genoemd, maar binnen de grenzen van een zoetwatermeer spreekt men van *seiches*.

De waterstuwing verplaatste zich als een drie meter hoge golf naar het smallere zuidelijke deel van het meer. Naarmate de golf minder diepe wateren bereikte werd hij steeds verder en krachtiger omhooggeperst. De golf was een dodelijke muur geworden voor alles wat hij op zijn pad tegenkwam.

Op de brug van de *Vereshchagin* volgden Pitt en Gunn met groeiende schrik de ontwikkeling van de waterverplaatsing. Op een uitvergroting van de driedimensionale kaart van het meer ten zuiden van het eiland Olchon was te zien hoe een werveling van oranje stippen zich in hoog tempo langs een uitdijende lijn voortbewoog.

'Laat alleen de oppervlakteboeien eens zien, Rudi. Dan kunnen we precies zien wat er bovenop gebeurt,' stelde Pitt voor.

Gunn toetste een code in, waarna er op de monitor een tweedimensionale weergave verscheen van een rij oppervlakteboeien die over een lengte van acht kilometer op het meer dobberden. Op de brug waren nu alle ogen op het scherm gericht, waarop van noord naar zuid duidelijk zichtbaar het ene oranje stipje na het andere opsprong.

'Het is een voortrollende golf. De sensoren worden als hij passeert bijna vijf meter omhooggestuwd,' meldde Gunn. Hij verifieerde de metingen nog eens, waarna hij met een sombere trek op zijn gezicht naar Pitt en Sarghov knikte.

'Natuurlijk veroorzaakt een aardverschuiving zo'n vloedgolf,' zei Sarghov de elektronische beelden analyserend. De Rus wees op een kaart van het meer die aan de muur hing. 'De golf zal op weg naar het zuiden ook de ondiepe delta van de rivier de Selenga bereiken. Misschien dat hij daardoor in kracht afzwakt.'

Pitt schudde zijn hoofd. 'Als de golf in ondiep water komt, zal die daar aan de oppervlakte juist krachtiger door worden,' reageerde hij. 'Hoe snel verplaatst hij zich, Rudi?'

Met de computermuis trok Gunn een lijn tussen twee stipjes en mat de onderlinge afstand. 'Uitgaande van de gegevens van de sensoren verplaatst de golf zich met een snelheid van ongeveer tweehonderd kilometer per uur.'

'Dan is-ie dus over zo'n vijftig minuten hier,' concludeerde Pitt. Zijn brein maakte inmiddels al overuren. De *Vereshchagin* was een sterk en stabiel schip en zou de golf naar alle waarschijnlijkheid zonder al te veel schade weerstaan. Maar voor het overige hier gebruikelijke verkeer op het water, vissersboten en kleine vrachtschepen die niet op de kracht van drie meter hoge golven waren berekend, zouden de gevolgen desastreus zijn. Bovendien waren de bewoners aan de oever niet voorbereid op een onverhoedse overstroming van de lager gelegen gebieden rond het meer.

'Dr. Sarghov, ik stel voor dat u de kapitein vraagt nu onmiddellijk een alarmsignaal naar alle schepen op het meer uit te zenden. Op het moment dat je de golf kunt zien, is het te laat om er nog aan te ontsnappen. We moeten ook de autoriteiten aan de wal alarmeren dat ze alle bewoners langs de oevers evacueren. Er is geen seconde te verliezen.'

Sarghov liep naar de scheepsradio en gaf de waarschuwing persoonlijk door. Daarop stond de radio niet meer stil door alle reacties van mensen die om een bevestiging van de oproep vroegen. Hoewel Pitt geen Russisch sprak, leidde hij uit de sceptische toon in de reagerende stemmen af dat op zijn minst een aantal van hen vermoedde dat Sarghov dronken was of niet goed bij zijn hoofd. Pitt moest onwillekeurig glimlachen toen hij de normaal zo joviale wetenschapper rood zag worden en onmiskenbaar minder fraaie taal in de microfoon hoorde schreeuwen.

'Stelletje idioten! Die vissers verklaren mij voor gek!' riep hij uit.

De waarschuwing werd pas serieus genomen toen er in de beschutting van de Baai van Aya een vissersboot door de golf bijna kapseisde en de kapitein er hysterisch gillend verslag van deed. Pitt speurde met een verrekijker de horizon af en zag een stuk of zes vissersboten naar de veilige haven van Listvjanka opstomen, gevolgd door een klein vrachtschip en een draagvleugelboot.

'Volgens mij luisteren ze nu naar je, Alex,' zei Pitt.

'Ja,' antwoordde Sarghov enigszins opgelucht. 'De politie van Listvjanka heeft alle bureaus langs het meer gewaarschuwd en daar gaan ze in de risicogebieden nu alle deuren langs om de mensen te evacueren. We hebben gedaan wat we konden.'

'Misschien zou je dan ook zo vriendelijk willen zijn om de kapitein te vragen zo snel mogelijk naar Listvjanka en de westoever van het meer te varen,' vroeg Pitt glimlachend om het feit dat Sarghov hun eigen positie over het hoofd had gezien.

Toen de *Vereshchagin* de steven naar Listvjanka wendde en snel vaart won, bekeek Gunn de kaart van het Bajkalmeer en streek met zijn vinger over de zuidpunt van het meer, die sterk naar het westen afboog.

'Als de golf naar het zuiden blijft gaan, gaat het krachtigste deel aan ons voorbij,' merkte hij op.

'Daar ga ik wel vanuit, ja,' antwoordde Pitt.

'We zijn nu een kleine dertig kilometer van Listvjanka,' zei Sarghov, terwijl hij door het raam van de brug naar de westelijke oever tuurde. 'Daar varen we dan vlak langs, zoals u voorstelde.'

In Listvjanka loeide een oude luchtalarmsirene. In paniek werden de kleinere boten ijlings op het land getrokken, terwijl de grotere schepen stevig aan de kades werden vastgelegd. De schoolkinderen werden naar huis gestuurd met de opdracht hun ouders te waarschuwen en de winkels langs de kade werden haastig gesloten. En masse trok de oeverbevolking naar hoger gelegen gebieden, waar ze gelaten afwachtte tot de muur van water langs was gespoeld.

'Het lijkt de Ierse Derby wel,' zei Sarghov met een humorloze grijns vanaf de brug naar buiten kijkend. Aan de horizon voor hen bewogen de stippen van een tiental schepen als door een magneet aangetrokken op volle snelheid in de richting van Listvjanka. De kapitein van de *Vereshchagin*, Ian Kharitonov, een rustige en evenwichtige man, hield het stuurrad met beide handen stevig vast en voerde zwijgend de snelheid van het schip op. Net als de anderen op de brug wierp hij zo nu en dan een vluchtige blik op het noordelijke deel van het meer op zoek naar de eerste tekenen van de naderende golf.

Pitt bekeek het radarscherm en zag dat er een object ruim vijftien kilometer ten zuidoosten van hun positie niet bewoog.

'Kennelijk iemand die de waarschuwing nog niet heeft gehoord,' zei hij tegen Sarghov, wijzend op het radarsignaal.

'Die dwaas heeft de radio waarschijnlijk uitgezet,' mompelde Sarghov, terwijl hij een verrekijker door het openstaande raam aan bakboordzijde stak. In de verte zag hij nog net hoe een vaag stipje langzaam over het meer naar het oosten bewoog.

'Die varen er recht op af,' zei Sarghov, waarna hij de microfoon weer greep. De oproep aan het eenzame vaartuig leverde slechts stilte op.

'Deze stommiteit wordt hun dood,' zei hij hoofdschuddend, terwijl hij de microfoon terughing. Zijn angstige gedachten werden verstoord door het naderen van een bonkend geluid dat de ruiten van de brug deed rammelen.

Vlak boven het water scherend kwam er een kleine helikopter recht op de *Vereshchagin* afgestoven tot hij plotseling optrok en boven de stuurboordvleugel van de brug bleef hangen. Het was een Kamov Ka-26, een oude civiele helikopter die in de Sovjet-Unie van de jaren zestig zijn hoogtijdagen kende als een veelgebruikt licht transporttoestel. De heli was dof zilverkleurig en op de romp stond goed herkenbaar het logo van het Limnologisch Instituut. De vijfendertig jaar oude helikopter zakte nog iets dichter naar het schip toe, terwijl de op een sigaar kauwende piloot enthousiast naar de mannen op de brug zwaaide.

'Heb alle oppervlakteboeien losgemaakt. Vraag toestemming deze wentelwiek neer te zetten, zodat we hem voor de golf komt kunnen vastsjorren,' klonk de lage stem van Al Giordino krakend door de radio.

Sarghov stond op en keek naar buiten, waar hij ontsteld de bewegingen van de landende helikopter volgde.

'Dat is een kostbaar bezit van het instituut,' zei hij met een schorre stem tegen Pitt.

'Maak je geen zorgen, Alexander,' reageerde Pitt een grijns onderdrukkend. 'Giordino vliegt een 747 door het gat van een donut als 't moet.'

'Kan hij dat ding niet beter aan land neerzetten in plaats van hier het risico te lopen dat hij van het dek wordt geslingerd?' zei Gunn.

'Ja... natuurlijk,' stamelde Sarghov, die niets liever wilde dan dat de heli wegvloog van de brug.

'Als je 't niet erg vindt, vlieg ik eerst even naar die koppige vissersboot om te kijken of we ze op andere gedachten kunnen brengen,' zei Pitt.

Sarghov keek Pitt in zijn opmerkelijk kalme ogen en knikte welwillend. Meteen pakte Pitt de microfoon van de radio.

'Al, hoeveel brandstof heb je nog?' vroeg hij.

'Op het vliegveld bij de haven van Bajkal heb ik nog volgetankt. Als ik het rustig aan doe, heb ik nog drieënhalf uur vliegtijd. Maar deze pilootstoel is niet bepaald door La-Z-Boy ontworpen, als ik zo vrij mag zijn.'

Nadat hij het grootste deel van de middag bezig was geweest met het in het meer uitzetten van onderzoeksboeien, was Giordino knap moe geworden van het vliegen met het lichamelijk lastig bestuurbare toestel.

'Zet hem maar neer op het achterdek, maar hou hem stationair. We hebben nog een noodvlucht te doen.'

'Roger,' klonk het krakend door de radio. De helikopter ging meteen omhoog en zwenkte naar de achterkant van het schip, waar hij zachtjes landde op een gammel platform dat boven het achterdek uitstak.

'Rudi, hou ons via de radio op de hoogte van de vorderingen van de golf. Als we de vissersboot hebben onderschept, vliegen we door naar de kust,' zei Pitt.

'Aye, aye, sir,' antwoordde Gunn, terwijl Pitt de brug uitrende. Onderweg naar de achterkant van het schip holde Pitt een trap af naar zijn hut, waaruit hij een paar seconden later weer tevoorschijn kwam met een rode plunjezak over zijn schouder. Hij rende de trap weer op en een gang door tot hij op het open achterdek kwam, waar hij een witte bolvormige decompressiekamer passeerde. De helikopter stond luid loeiend boven hem en hij voelde de krachtige luchtstroom van de draaiende rotorbladen toen hij de smalle ladder naar het heliplatform opklom en gebukt naar de passagiersdeur van de Kamov holde.

De merkwaardig gedrongen helikopter deed Pitt aan een vlinder denken. Op het eerste gezicht leek de negen meter lange heli niet veel meer dan een hoekige romp. De kleine cockpit zag eruit alsof hij vlak achter het controlepaneel in tweeën was gehakt omdat de ontkoppelbare passagierscabine was verwijderd. De oorspronkelijke helikopter was met het oog op een ruime inzetbaarheid ontworpen en de zo ontstane lege ruimte kon gevuld worden met een tank plus sproei-installatie voor gebruik in de landbouw, een ambulance- of passagierscabine, of zoals bij dit toestel van het instituut het geval was, een open laadplatform voor het vervoer van vracht. Op het laadvlak was een groot rek met buizen bevestigd, waarin de boeien voor het stromingsonderzoek hadden gezeten. Boven op de romp, hoog boven het rek, zaten twee stervormige zuigermotoren die twee afzonderlijke, tegen elkaar in draaiende en boven elkaar geplaatste rotorbladen aandreven. Aan een korte gevorkte staart zaten een dubbel richtingsroer en een hoogteroer, maar geen staartrotor. De Ka-26, of 'Hoodlum', zoals hij in het Westen werd genoemd, was ontworpen als een multifunctioneel hefinstrument. Voor werkzaamheden boven water kon hij gemakkelijk vanaf kleine scheepsplatforms opereren.

Toen Pitt naar de rechterkant van de cockpit spurtte, zwaaide de passagiersdeur open en sprong er een jonge Russische technicus met een ZZ Top-honkbalpet op het dek. Met een knikje naar Pitt dat hij op zijn stoel plaats kon nemen, overhandigde hij de lange Amerikaan zijn koptelefoon, waarna hij maakte dat hij van het platform wegkwam. Pitt wrikte zijn plunjezak in de krappe beenruimte voor de stoel en klom naar binnen. Met een olijke blik naar zijn oude vriend op de bestuurdersstoel, trok hij de deur dicht.

Albert Giordino had niet bepaald het uiterlijk van een beminnelijke vliegenier. De gedrongen Italiaan met bootwerkersarmen was bijna dertig centimeter kleiner dan Pitt. Rond zijn hoofd krulde een zwarte woeste haardos en in zijn verweerde gezicht dat al in geen dagen een scheermes had gezien, stak zoals altijd een sigaar naar voren. Zijn kastanjebruine ogen straalden intelligentie uit en sprankelden van een sardonische humor die hem zelfs op de meest spannende momenten niet in de steek liet. Pitts vriend en directeur van de afdeling onderwatertechnologie van de NUMA voelde zich het best thuis in duikboten, maar was daarnaast ook uiterst bedreven in het besturen van de meeste soorten vliegmachines.

'Ik heb de alarmsignalen gehoord. Wil je die golf gaan bekijken voordat hij Listvjanka bereikt?' vroeg Giordino door zijn headset.

'We moeten eerst nog even op visite. Stijg op en vlieg naar het zuidoosten, dan vertel ik je wat we gaan doen.'

Giordino manoeuvreerde de Kamov onmiddellijk weg van het varende schip en bracht het toestel naar een hoogte van zo'n zestig meter, waarna hij met een boog over het meer naar het oosten zwenkte. Terwijl hij de snelheid tot een kleine 140 kilometer per uur opvoerde, vertelde Pitt over de naderende vloedgolf en de nietsvermoedende vissersboot. De zwarte romp van het schip verscheen aan de horizon en Giordino stuurde iets bij, zodat ze er recht op af vlogen, terwijl Pitt via de radio contact met de *Vereshchagin* opnam.

'Rudi, hoe staat 't met de golf?'

'Wordt met de minuut krachtiger, Dirk,' antwoordde Gunn nuchter. 'De golf heeft nu een maximale hoogte van ruim negen meter, die zich met toenemende snelheid door de delta van de Selenga perst.'

'Hoe lang duurt 't nog voordat hij hier is?'

Gunn zweeg, terwijl hij een code op de computer intoetste. 'Geschatte aankomsttijd bij de *Vereshchagin* over zo'n zevenendertig minuten. Dan bevinden we ons ongeveer acht kilometer voor de kust bij Listvjanka.'

'Bedankt, Rudi. Hou de luiken goed dicht. Als we de vissersboot hebben gewaarschuwd, komen we terug en bekijken de show vanuit onze skybox.'

'Roger,' antwoordde Gunn, die opeens wou dat hij op de stoel van Pitt zat.

De golf was nog ruim zestig kilometer van hen vandaan en de heuvels rond Listvjanka waren nu duidelijk zichtbaar voor de bemanning van de *Vereshchagin*. Het schip zou veilig buiten bereik van het grootste geweld van de golf zijn, maar voor de oever was er geen ontkomen aan. De minuten aftellend tuurde Gunn door de ruit van de brug en vroeg zich zwijgend af hoe het pittoreske oeverlandschap er over een uur uit zou zien.

3

'Zo te zien krijgen we gezelschap,' zei Wofford wijzend naar de horizon net boven het achterdek van de vissersboot.

Hoewel Theresa het toestel al eerder had opgemerkt, onderbraken de anderen nu pas hun werkzaamheden om in de aangewezen richting te kijken. De gedrongen zilverkleurige helikopter kwam uit het westen en het viel niet te ontkennen dat het regelrecht op hen afvloog.

De vissersboot voer met de onderzoeksapparatuur achter zich aan slepend naar de oostkust, terwijl de bemanning zich van geen enkel gevaar bewust was. Niemand was het plotselinge verdwijnen van al het overige scheepsverkeer opgevallen, omdat het op dit gigantische meer niet uitzonderlijk was dat er geen andere schepen in zicht waren.

Alle ogen waren omhooggericht toen de lompe helikopter met veel kabaal boven de kleine boot verscheen en met een draai net boven de bakboordzijde bleef hangen. Het onderzoeksteam zag een bruinharige figuur op de passagiersstoel zitten die met een microfoon zwaaide en overdreven gebarend op zijn headset wees.

'Hij probeert ons via de radio op te roepen,' concludeerde Wofford. 'Staat uw koptelefoon aan, kapitein?'

Tatjana vertaalde het voor de geagiteerde kapitein, die zijn hoofd schudde en indringend op de Russische vrouw insprak. Vervolgens pakte hij een microfoon uit de stuurhut en hield hem omhoog naar de helikopter, terwijl hij met zijn vrije hand een snijbeweging voor zijn keel maakte.

'De kapitein zegt dat de radio het al twee jaar niet meer doet,' zei Tatjana, maar dat was inmiddels iedereen duidelijk. 'Hij kan heel goed zonder, zegt hij, hij vindt zijn weg ook zo wel.'

'Op de een of andere manier verbaast 't me niks,' zei Roy met rollende ogen.

'Hij heeft duidelijk niet op de padvinderij gezeten,' vulde Wofford aan. 'Volgens mij willen ze dat we omkeren,' zei Theresa, die dat uit de nieuwe gebaren van de copiloot van de helikopter afleidde. 'Ze willen dat we naar Listvjanka teruggaan, geloof ik.'

'Het is een helikopter van het Limnologisch Instituut,' merkte Tatjana op. 'Zij hebben geen enkele bevoegdheid. We hoeven ons er niets van aan te trekken.'

'Volgens mij willen ze ons waarschuwen,' weersprak Theresa, terwijl de piloot de rotorbladen diverse keren op en neer liet gaan en de passagier nadrukkelijk gebaren bleef maken.

'Waarschijnlijk storen we een onbelangrijk experiment van hen,' zei Tatjana. Met haar armen maakte ze wilde wegwerpgebaren naar de helikopter en schreeuwde: '*Otbyt*', *otbyt*'... wegwezen!'

Giordino keek door de voorruit van de cockpit en schoot in de lach. De chagrijnige kapitein leek obsceniteiten naar de helikopter te schreeuwen, terwijl een vrouw woedend stond te gebaren dat ze weg moesten gaan.

'Kennelijk kopen ze niet aan de deur,' merkte Giordino op.

'Die kapitein is volgens mij niet de slimste of anders heeft-ie te veel wodka achter de kiezen,' reageerde Pitt hoofdschuddend van verontwaardiging.

'Misschien ligt 't aan die gebrekkige Marcel Marceau-imitatie van jou.'

'Moet je de waterlijn van die schuit eens zien.'

Giordino bekeek de bakboordzijde van de vissersboot en zag dat het schip behoorlijk diep lag. 'Het lijkt haast of ze nu al zinken,' zei hij.

'Ze hebben geen schijn van kans tegen een golf van negen meter,' merkte Pitt op. 'Je zult me op het dek moeten afzetten.'

Giordino vroeg zich geen moment af of het slim was wat Pitt wilde of dat het gevaarlijk voor hem zou kunnen zijn. Hij wist dat dat zinloos was. Pitt was een overjarige padvinder die geen tegenspraak duldde als hij een oude vrouw bij het oversteken wilde helpen. Als hij een ander kon helpen, deed hij dat, ongeacht de mogelijke gevaren voor hemzelf. Met zijn handen stevig om de stuurknuppel vloog hij in een krappe boog om het schip heen op zoek naar een plek waar hij kon landen om Pitt af te zetten. Maar het oude schip was weinig coöperatief. Op de stuurhut stond een drie meter hoge houten mast die als een lans alle vliegende bezoekers afweerde. Met een rotordiameter van dertien meter was er op het schip nergens een plek waar de helikopter kon landen zonder die mast te raken.

77

'Door de mast kan ik er niet dicht genoeg bij komen. Wil je zwemmen of waag je liever een sprong van zes meter zonder je benen te breken?' zei Giordino.

Pitt bekeek de wrakkige boot met de grote groep opvarenden die allemaal in verwarring omhoogkeken, nog eens aandachtig. 'In zwemmen heb ik nu nog geen zin,' zei hij denkend aan het koude water. 'Maar als je me op die mast kunt afzetten, zal ik mijn beste brandweermannenimitatie doen.'

Het idee was krankzinnig, dacht Giordino, maar hij had gelijk. Als hij de helikopter recht boven de mast kon laten zakken, kon Pitt hem grijpen en zich erlangs naar beneden laten zakken. Boven land zou dit al geen gemakkelijke manoeuvre zijn en Giordino wist dat de heli in een poging dit boven een varende en schommelende boot te doen bij het geringste foutje uit de lucht kon worden geslagen.

Nadat hij de Kamov omhoog had gebracht tot de wielen zo'n drie meter boven de mast hingen, liet Giordino de heli voorzichtig zakken tot de passagiersdeur zich recht boven de mast bevond. Spelend met de gashendel paste hij hun snelheid aan tot deze exact gelijk was aan die van de varende boot. Zodra dat het geval was, liet hij de heli behoedzaam tot een meter boven de mast zakken.

'Omdat de boot schommelt, kan ik je alleen heel snel afzetten,' zei Giordino door de headset. 'Denk je dat je terug kunt klimmen, zodat ik je weer kan oppikken?'

'Ik ben niet van plan om terug te komen,' antwoordde Pitt broodnuchter. 'Een momentje, dan zal ik je omlaag loodsen.'

Pitt zette zijn headset af, bukte zich en trok de plunjezak tevoorschijn. Hij opende de deur en in de sterke luchtstroom van de rotorbladen gooide hij de zak naar buiten, die met een plof op het dak van de stuurhut neerkwam. Vervolgens liet Pitt zijn benen naar buiten bungelen en gebaarde met één hand naar Giordino de heli zo te houden. De mast zwaaide door de schommelbeweging van het schip flink heen en weer, maar Pitt had al snel het ritme ervan te pakken. Op het moment van de vertraging tussen twee golven in, bewoog Pitt zijn hand in de richting van Giordino omlaag. Onmiddellijk liet de piloot de heli een meter zakken en in een flits was Pitt uit de deuropening verdwenen. Giordino wachtte niet om te zien of Pitt veilig aan de mast hing, maar trok direct op en zwenkte weg van het schip. Door het zijraampje zag hij tot zijn opluchting dat Pitt met zijn armen om de mast geslagen langzaam naar beneden gleed.

'*Vereshchagin* aan heli, over,' schalde de stem van Rudi Gunn in Giordino's oren.

'Wat is er, Rudi?'

'Even de laatste stand van zaken over de golf. Hij heeft nu een snelheid van 217 kilometer per uur met een maximale hoogte van tien meter dertig. Hij is de delta van de Selenga gepasseerd, dus we verwachten niet dat de snelheid nog zal toenemen voordat de zuidelijke oevers worden bereikt.'

'Dat is goed nieuws, neem ik aan. Wat is de aankomsttijd nu?'

'Op jullie positie over een minuut of achttien. De *Vereshchagin* richt zich op een confrontatie met de golf over tien minuten. Stel voor dat je paraat blijft voor bijstand.'

'Rudi, bevestig alsjeblieft: nog achttien minuten?'

'Jawel.'

Achttien minuten. Er was geen denken aan dat de wrakkige vissersboot nog bijtijds een veilige haven zou kunnen vinden. Als hij de zwarte romp zo diep in het water zag liggen, besefte hij dat het oude schip geen schijn van kans had. Met een knagend gevoel van naderend onheil realiseerde Giordino zich dat hij hoogstwaarschijnlijk zojuist het doodvonnis van zijn vriend had bezegeld door hem op het schip af te zetten.

Pitt hing op dat moment met zijn benen rond het hout geslagen aan de mast en zag een stel roestige gps- en radioantennes op een paar centimeter langs zijn gezicht strijken. Zodra Giordino met de heli was weggedraaid en de luchtstroming van de rotorbladen was afgezwakt, liet hij zich met zijn voeten afremmend doodkalm van de mast glijden. Nadat hij zijn plunjezak had opgepakt, liep hij over het dak van de stuurhut naar een ladder, waarlangs hij naar het achterdek afdaalde. Na een sprong van de laagste sport van de ladder draaide hij zich om en keek recht in de gezichten van de groep geschrokken mensen die hem met open mond stonden aan te staren.

'*Privet.*' Hij grijnsde ontwapenend. 'Spreekt hier iemand Engels?'

'Wij allemaal, afgezien van de kapitein,' antwoordde Theresa, net als de anderen verbaasd dat Pitt geen Rus bleek te zijn.

'Wat is de bedoeling van deze inval?' vroeg Tatjana kortaf. Haar donkere ogen namen Pitt met een argwanende blik op. Achter haar stond de kapitein van de vissersboot in de deuropening van de stuurhut en vuurde in zijn moedertaal een al evenzeer geringschattende tirade op de nieuwkomer af.

'Kameraad, zeg tegen uw kapitein dat hij, als hij ooit nog een slok wodka achterover wil slaan, met deze schuit maar beter rechtsomkeert kan maken, op volle snelheid terug naar Listvjanka en wel ogenblikkelijk,' sprak Pitt fel gebiedend.

'Wat is 't probleem?' vroeg Theresa in een poging de spanning te breken. 'Een aardverschuiving op de bodem van het meer heeft bij het eiland Olchon een gigantische vloedgolf veroorzaakt. Terwijl we hier staan te praten, komt er een negen meter hoge muur van water op ons af. Al het scheepsverkeer op het meer is via de radio gewaarschuwd, maar uw fijne kapitein was niet in staat om die waarschuwing op te pikken.'

Met lijkbleek weggetrokken gezicht sprak Tatjana op fluistertoon met de kapitein. De kapitein knikte zonder verder een woord te zeggen en liep de stuurhut in. Een seconde later gierde de oude motor van de boot toen de gashendel werd opengetrokken en de boeg naar opzij wegdraaide tot hij op Listvjanka was gericht. Op het achterdek waren Roy en Wofford al druk in de weer met het binnenhalen van hun onderzoeksapparatuur, terwijl de boot geleidelijk aan steeds meer vaart won.

Pitt keek op en zag tot zijn schrik dat Giordino van de vissersboot was weggevlogen en dat de zilverkleurige helikopter snel in westelijke richting verdween. Nu het zo goed als zeker niet meer zou lukken om het schip tijdig voor de golf in veiligheid te brengen, had hij Giordino toch graag paraat boven zich gehad. Hij vervloekte zichzelf dat hij er niet aan had gedacht een walkietalkie mee te nemen.

'Bedankt dat u hierheen bent gevlogen om ons te waarschuwen,' zei Theresa, terwijl ze met een nerveus glimlachje op Pitt af stapte en hem een hand gaf. 'Dat was een linke manier om aan boord te komen.' Ze straalde een hartelijke oprechtheid uit die Pitt aan zijn vrouw Loren deed denken en hij voelde onmiddellijk sympathie voor deze Nederlandse vrouw.

'Ja, we zijn u zeer dankbaar,' zei Tatjana en ze verontschuldigde zich op een iets vriendelijker toon voor haar aanvankelijke botte vraag. Nadat ze zich haastig had voorgesteld, vroeg ze: 'U bent van het onderzoeksschip van het Limnologisch Instituut, is 't niet?'

'Ja. Zij zijn nu op weg naar Listvjanka, samen met alle andere schepen op dit deel van het meer. Uw schip was het enige dat we niet via de radio konden waarschuwen.'

'Ik zei toch dat er iets niet oké was met deze boot,' fluisterde Wofford tegen Roy.

'En de kapitein is ook niet oké,' reageerde Roy hoofdschuddend.

'Meneer Pitt, zo te zien blijft u bij ons tijdens onze vlucht voor de golf.

Hoeveel tijd hebben we nog voordat hij ons heeft ingehaald?' vroeg Tatjana.

Pitt keek op zijn oranje Doxa-duikhorloge. 'Een klein kwartier, uitgaande van de snelheid die hij had toen ik van de *Vereshchagin* vertrok.'

'Dat redden we bij lange na niet tot Listvjanka,' stelde Tatjana kalm vast.

'Het meer wordt in het zuiden weer breder waardoor de golf in westelijke richting zal afzwakken. Hoe dichter we bij Listvjanka kunnen komen, hoe kleiner de golf zal zijn waarmee we te maken krijgen.'

Maar terwijl hij op het dek van de wrakkige vissersboot zo eens om zich heen keek, had Pitt heimelijk toch zijn twijfels of ze zelfs in een vijver niet zouden zinken. De oude boot leek met de minuut dieper in het water te liggen. De motor sputterde en kuchte alsof hij elk moment de geest kon geven. Het houtwerk was vrijwel overal verrot en dat was dan alleen nog maar wat aan dek zichtbaar was. Pitt moest er niet aan denken in welke abominabele staat de spanten benedendeks zouden verkeren.

'We kunnen ons maar beter voorbereiden op het ergste. Iedereen reddingsvesten aan! Alles wat je aan boord wilt behouden moet stevig aan het dek of de dolboorden worden vastgesjord.'

Haastig verankerden Roy en Wofford met hulp van Theresa hun onderzoeksapparatuur zo goed als maar enigszins mogelijk was. Tatjana was een paar minuten druk bezig in de stuurhut en kwam terug aan dek met een stel overjarige reddingsgordels in haar armen.

'Er zijn maar vier reddingsvesten aan boord,' zei ze. 'De kapitein weigert er een aan te trekken, maar dan komen we er toch nog één tekort,' vervolgde ze met een veelbetekenende blik op Pitt, als de man die er eigenlijk niet bijhoorde.

'Maak je geen zorgen, ik heb er zelf een bij me,' antwoordde Pitt. Terwijl het onderzoeksteam de reddingsvesten vastgespte, trok Pitt zijn schoenen en bovenkleding uit en stapte halfnaakt in een neopreen droogpak dat hij uit zijn plunjezak tevoorschijn haalde.

'Wat is dat voor geluid?' vroeg Theresa.

Vrijwel onhoorbaar weerkaatste er vanuit de verte een vaag gerommel over het meer. Voor Pitt klonk het als een goederentrein die door een bocht langs een ver verwijderde berghelling reed. Maar het zacht donderende geluid hield aan en werd heel geleidelijk luider.

Zonder te kijken wist Pitt dat er geen uitstel meer was. De golf had onderweg kennelijk nog aan snelheid gewonnen – en daarmee ook aan kracht – en naderde nu sneller dan Rudi had ingeschat.

'Daar is-ie!' gilde Roy op het meer wijzend.

81

'Wat gigantisch,' bracht Theresa geschrokken uit. De golf had geen witte kruin van schuim zoals de surfers het graag in de branding hebben, maar het leek meer een merkwaardig gladde buis van water die als een reusachtige deegrol tussen de beide oevers geklemd over het oppervlak rolde. Zelfs van dertig kilometer afstand zagen de mannen en vrouwen op de vissersboot dat het een gigantische golf van minstens twaalf meter hoog moest zijn. Bij het zien van dit onwerkelijke beeld van deze met een eigenaardig rommelend geluid naderende muur van water liepen bij iedereen de koude rillingen over de rug. Bij iedereen, behalve Pitt.

'Tatjana, zeg tegen de kapitein dat hij de boeg recht op de golf legt,' zei hij. De norse kapitein gaf onmiddellijk een ruk aan het stuurrad. Pitt begreep dat het oude en met water doortrokken schip er niet best voorstond. Maar zolang er hoop was, was hij vastbesloten iedereen in leven te houden.

De eerste zorg was te voorkomen dat er iemand overboord sloeg. Pitt zocht het dek af tot zijn blik op een oud visnet viel dat opgerold tegen het dolboord aan stuurboordzijde lag.

'Jim, help me eens even met dat net,' vroeg hij aan Wofford.

Samen sleepten ze het opgerolde net over het dek en legden het tegen de achterwand van de stuurhut. Terwijl Wofford het ene uiteinde aan de stuurboordreling vastmaakte, bevestigde Pitt de andere kant aan een berkoen aan bakboordzijde.

'Waarom is dat?' vroeg Theresa.

'Als de golf komt, moet iedereen hier gaan liggen en het net stevig beetpakken. Het zal als een soort stootkussen werken en hopelijk voorkomen dat er iemand tot een ongewenste duik in het meer wordt gedwongen.'

Nadat de kapitein de boeg naar de naderende golf had gewend, stelden de drie mannen en twee vrouwen zich op voor het net. Roy stond naast Pitt en fluisterde zonder dat de anderen het konden horen: 'Een dappere poging, meneer Pitt, maar we weten allebei dat dit oude wrak het echt nooit gaat redden.'

'Zeg nooit nooit,' fluisterde Pitt met een opvallend zelfverzekerde blik in zijn ogen.

Toen de golf tot op nog geen acht kilometer genaderd was, groeide het rommelende donderen van het voortrazende water aan tot een hels kabaal. Binnen enkele minuten zou de golf bij het schip zijn. Alle opvarenden zetten zich schrap voor het ergste, de een prevelde zachtjes een gebed, terwijl de ander de dood met een wanhopige vastberadenheid tegemoetzag. In het oorverdovende kabaal van het water hoorde niemand het geluid van de naderende helikopter. De Kamov hing al op nauwelijks honderd meter van de bakboordzijde toen Wofford opkeek en uitriep: 'Wat krijgen we nou!'

Alle ogen draaiden van de naderende golf naar de helikopter, weer terug en daarna toch weer naar de helikopter. Onder de heli hing aan een zes meter lange kabel een wit bolvormig voorwerp op een meter boven het wateroppervlak. Het voorwerp vergde duidelijk het uiterste hefvermogen van de helikopter en behalve Pitt dachten ze allemaal dat de piloot aan verstandsverbijstering leed. Wie haalde het in godsnaam op dit waanzinnige tijdstip in zijn hoofd om een of andere machine aan boord van de vissersboot te willen brengen?

Op Pitts gezicht verscheen een brede glimlach toen hij het lompe gevaarte dat onder de heli bungelde herkende. Hij was er nog niet zo lang geleden bijna tegenop gebotst tijdens zijn haastige vertrek van de *Vereshchagin*. Het was de decompressiekamer die op het dek van het onderzoeksschip had gestaan voor het geval er bij het duiken iets misging. Giordino had zich gerealiseerd dat het ding ook als duikboot dienst kon doen, waarin de opvarenden van de vissersboot konden schuilen. Pitt sprong overeind en zwaaide naar Giordino dat hij het ding op het achterdek moest laten zakken.

Terwijl de golf het schip nu razendsnel naderde, liet Giordino geen seconde verloren gaan en manoeuvreerde de heli boven het achterdek, waar hij wachtte tot het gevaarte enigszins stil hing. Met een plotselinge duik en dof geknars viel de één ton zware decompressiekamer uit de lucht en landde met een dreun op het dek. De vierpersoons hogedrukkamer nam het gehele achterdek in beslag en drukte de achterkant van het schip nog een centimeter of tien dieper het water in.

Pitt haakte bliksemsnel de kabel los en sprong naar de reling, waar hij met opgestoken duim het oké-teken naar de helikopter gaf. Giordino zwenkte de heli meteen weg van de boot en bleef op enige afstand hangen om te zien hoe het afliep.

'Wat moet dit ding hier?' vroeg Tatjana.

'Die grote lelijke dobber is uw redding,' antwoordde Pitt. 'Vlug, allemaal naar binnen, we hebben geen seconde te verliezen.'

Pitt keek naar voren en zag dat de snel naderende golf nog zo'n anderhalve kilometer weg was. Haastig draaide hij de grendels los en trok de zware ronde deur naar de kamer open. Theresa ging als eerste naar binnen, gevolgd door Wofford en Roy. Tatjana aarzelde en greep een leren tas voordat ze achter Roy naar binnen stapte.

'Schiet op,' drong Pitt aan. 'We kunnen geen bagage inchecken.'

Zelfs de nukkige kapitein liet na nog een angstige blik op de denderende watermuur te hebben geworpen, zijn stuurrad in de steek en klauterde na de anderen de kamer in.

'Komt u er niet bij?' vroeg Tatjana toen Pitt de deur dicht wilde doen.

'Met vijf mensen is 't al krap genoeg. Bovendien moet toch iemand dit ding afsluiten,' antwoordde hij met een knipoog. 'Achterin liggen dekens en kussens. Probeer je hoofd en lichaam daar zo goed mogelijk mee te beschermen. Zet je schrap, hij is er zo.'

Met een metaalachtige tik klapte de deur dicht en draaide Pitt de vergrendeling vast. Het was opeens merkwaardig stil in de cabine, maar dat duurde nog geen minuut.

Theresa zat naast een dikke patrijspoort en keek naar buiten naar de mysterieuze man die vanuit het niets was opgedoken om hen te redden. Ze zag dat Pitt uit zijn plunjezak een duikmasker en een draagstel met een kleine tank eraan vast opdiepte. Nadat hij de spullen haastig had omgegespt, liep hij naar het dolboord. Toen verdween alles in de neerstortende watermassa.

De gehuurde vissersboot bevond zich op zo'n vijfentwintig kilometer afstand van Listvjanka en de westelijke oever toen de golf het schip bereikte. De mensen aan boord hadden geen idee dat ze werden geraakt door de maximale kracht van een golf die op het moment van de inslag als een flat van drie verdiepingen boven hen uittorende.

Vanaf zijn veilige plek op zestig meter hoogte zag Giordino met een misselijkmakend gevoel van machteloosheid hoe de golf zich op de zwarte vissersboot stortte. De gashendel stond nog op volle kracht vooruit en Giordino keek toe hoe het bejaarde schip dapper tegen de verticale muur van water opworstelde. Maar de voortdenderende kracht van het water overspoelde de verrotte spanten van de romp en de oude houten boot leek in het niets op te lossen toen hij volledig onder het neerstortende water verdween.

Giordino speurde wanhopig het wateroppervlak af naar tekenen van Pitt of de decompressietank. Maar nadat het water in een kalme deining weer tot rust was gekomen, zag hij alleen de voorsteven van het schip op het water drijven. De oude vissersboot was in tweeën gebroken en alleen het voorste deel had de klap overleefd. Het achterdek was inclusief de decom-

pressiekamer verdwenen. Het voorste deel van de zwarte romp dobberde
met de top van de mast omhoogwijzend nog enige tijd aan de oppervlakte
tot het uiteindelijk in een kolkende wolk van luchtbelletjes naar de bodem
van het koude meer zonk.

4

'Hou je vast!' schreeuwde Theresa boven het plotselinge kabaal van neerstortend water uit.

Haar woorden weerkaatsten door de kamer waarin de inzittenden hevig heen en weer werden geslingerd. De hele tank maakte een sprong toen de golf de boot optilde. De drie mannen en twee vrouwen klampten zich krampachtig aan de ijzeren stangen langs de beide kooien vast om te voorkomen dat hun lichamen als losgeslagen projectielen door de ruimte vlogen. De tijd leek stil te staan toen de boot bleef steken in haar poging tegen de golf op te klimmen. Tot er een luid gekraak onder hun voeten klonk en de vissersboot in tweeën brak. Los van de lichtere en beter drijvende boeg zakte het achterste gedeelte langzaam recht omlaag in het golfdal terwijl de meest verwoestende kracht van de golf verder raasde.

Voor Theresa leek de hele inslag in slow motion te gaan. Het aanvankelijke gevoel dat ze rechtop zonken, verdween op het moment dat de tank door de kracht van de golf omver werd geworpen. Armen, benen en lijven vlogen door de ruimte toen de kamer onder luid gegil en gekreun omviel. Het kleine beetje licht dat nog door de patrijspoort kwam, vervaagde en verdween, waarna de kamer in een angstaanjagende duisternis was gehuld.

Onzichtbaar voor de slachtoffers had de golf het hele achterschip omgeslagen en de tank eronder klem gedrukt. De volgelopen machinekamer sleurde de omgevallen decompressietank door het gewicht van de motor en de schroefas met zich mee de diepte in. Hoewel de grootste kracht van de golf over hen heen raasde, werd het wrak met de kamer door het eigen gewicht omlaag gestuwd. De decompressietank was in plaats van een reddingsboei een doodskist geworden die de slachtoffers de koude diepten van het Siberische meer introk.

De zware stalen tank was zo gebouwd dat hij een druk van dertig atmosfeer aankon, ofwel de druk op een diepte van maximaal zo'n driehonderd meter. Maar het meer was in het gedeelte waar de vissersboot was vergaan op sommige plekken meer dan negenhonderd meter diep, wat inhield dat de kamer lang voordat hij de bodem bereikte in elkaar zou klappen. Alleen met zijn eigen gewicht was de afgesloten kamer op het wateroppervlak blijven drijven en zou zelfs met vijf inzittenden niet zinken. Maar vastgeklemd onder het omgeslagen achterschip werd de tank naar de bodem gedrukt.

Toen het licht achter de patrijspoort vervaagde, begreep Theresa dat ze dieper in het meer wegzonken. Ze herinnerde zich dat Pitt de kamer een 'dobber' had genoemd. Dan kon hij dus drijven, concludeerde ze. Er was zo te zien nergens een lekkage, dus er moest een andere oorzaak zijn waarom ze zonken.

'Allemaal naar deze kant komen als het kan,' riep ze, nadat ze zelf naar een zijkant was gekropen. 'We moeten het gewicht verleggen.'

Haar aangeslagen en bont en blauw gebeukte metgezellen klauterden haar kant op en kropen bijeen, waarbij ze elkaar in het donker met hun verwondingen probeerden te helpen. Die paar honderd kilo gewichtsverplaatsing was waarschijnlijk niet voldoende om hen vrij te krijgen, maar Theresa had het goed ingeschat toen ze iedereen naar de kant die zich het dichtst bij de achtersteven van het schip bevond, had laten komen. De motor van de boot, het zwaarste deel van het achterschip, bevond zich nu recht boven hun hoofd. Door het totale gewicht naar net iets buiten het midden te verleggen ontstond er een verandering van het evenwicht in het zinkende wrak.

Naarmate de boot dieper wegzakte, nam de waterdruk toe. Er drong luid gekraak tot in de kamer door toen de lasnaden het onder de druk begonnen te begeven. Maar de ballastverplaatsing beïnvloedde de hoek waaronder ze zonken en het achterschip zakte iets schuiner weg. In de tank voelde niemand iets van de verandering, maar ze hoorden een schurend geluid toen de kamer over het schuine dek verschoof. Door deze beweging raakte de achtersteven nog meer uit balans tot de tank ook voor de inzittenden voelbaar omhoog draaide. De hellingshoek verschoof naar bijna veertig graden tot de decompressietank uiteindelijk langs de rand van het achterschip schoot en van het zinkende wrak loskwam.

Voor de groep in de kamer was het alsof ze achterstevoren door een achtbaan raasden toen de capsule door de opwaartse druk als een kogel naar de oppervlakte schoot. Voor Giordino, die het meer vanuit zijn hoge positie in

87

de Kamov afspeurde, was het alsof een onderwater varende kernonderzeeër van de Ohio-klasse een Trident-projectiel had afgeschoten. Nadat hij de golf voorbij had zien razen en het voorschip had zien ondergaan, had hij daar vlak in de buurt een kolkende schuimmassa waargenomen. Van een diepte van zo'n vijfentwintig meter, schatte hij, kwam de witte decompressietank naar het wateroppervlak gestoven. Onder een schuine hoek doorbrak de kamer het oppervlak met de neus omhoog en vloog volledig uit het water alvorens met een geweldige smak op de waterspiegel terug te vallen. Toen hij dichterbij was gekomen, zag Giordino dat de tank waterdicht was en zonder moeite op het lichtjes deinende water bleef drijven.

Ondanks dat ze zich hard gestoten had, hield Theresa haar vreugde over het feit dat ze door de patrijspoort de blauwe lucht terugzag maar nauwelijks in bedwang. Door het raampje turend zag ze dat ze rustig op het water dreven. Er gleed een schaduw langs en tot haar geruststelling ving ze een glimp op van de zilverkleurige helikopter. Nu het weer licht was in de cabine, draaide ze zich om en bekeek de ravage aan over elkaar heen gevallen lichamen om haar heen.

Door de weinig zachtzinnig verlopen duik had iedereen kneuzingen en schaafwonden opgelopen, maar wonderlijk genoeg waren er geen ernstige verwondingen. De kapitein van de vissersboot bloedde uit een gemene snee in zijn voorhoofd en Wofford tastte met een van pijn vertrokken gezicht naar zijn rug. Roy en de beide vrouwen waren echt pijnlijke verwondingen bespaard gebleven. Theresa vroeg zich af wat ze aan hersenschuddingen en gebroken botten zouden hebben opgelopen als ze zich niet nog net voor de inslag van de golf met de matrassen en kussens hadden beschermd. Nu ze weer enigszins tot zichzelf was gekomen, moest ze aan Pitt denken en vroeg ze zich af of de man die hen had gered, het geweld van de golf ook zelf had overleefd.

De door de wol geverfde directeur van de NUMA had gemeend dat hij de golf het beste in open water kon weerstaan. Pitt, die in Newport Beach was opgegroeid en zich daar tot een ervaren surfer had ontwikkeld, wist dat hij het minste last van de golf zou hebben als hij die over zich heen liet gaan. Nadat hij het onderzoeksteam in de decompressiekamer had opgesloten, had hij snel zijn duikmasker met een Dräger-ademautomaat opgezet, waarna hij zich langs de zijkant van het schip in het water had laten zakken. Vervolgens was hij met krachtige slagen van armen en benen zo ver mogelijk van de boot weg gezwommen en vlak voordat de golf over hem heen sloeg ondergedoken. Maar hij was net een paar seconden te laat.

De golf stortte op het moment dat hij onder water wegdook over hem heen. Hij was nog niet diep genoeg en in plaats dat hij onder de golf door weg kon komen, werd hij in de golf weer opgetild. Het was alsof hij in een pijlsnelle lift omhoogging en hij voelde zijn maag tot in zijn tenen toen zijn lijf omhoog werd gezogen. In tegenstelling tot de vissersboot die boven op de golf lag toen hij doormidden brak, bevond Pitt zich midden in de watermassa en werd zo een deel van de golf zelf.

In zijn oren bulderde het helse kabaal van de mammoetgolf en het woest kolkende water belemmerde zijn zicht volledig. Met de persluchtfles op zijn rug kon hij ondanks het woedende water om hem heen door het mondstuk van de ademautomaat normaal ademen. Even leek het alsof hij gewichtloos door de lucht zweefde en hij genoot er zelfs een beetje van, ook al knaagde de angst dat de golf hem zou verpletteren. Gevangen in de opwaartse zuiging besefte hij dat het zinloos was om zich tegen de overweldigende kracht van het water te verzetten en slaagde erin zich enigszins te ontspannen. Ondanks het feit dat hij vanaf het moment dat hij het water inging al honderden meters was meegesleurd, had hij van die voorwaartse beweging niets gemerkt.

Terwijl hij omhoogschoot, voelde hij opeens dat een van zijn benen uit het water stak, waarna er een lichtstraal door zijn duikbril flitste en zijn hoofd door de waterspiegel brak. De opwaartse druk verdween en ging over in een voorwaartse stuwing. Hij begreep onmiddellijk dat hij naar de top van de golf was gezogen en nu ieder ogenblik over de kam van de golf naar voren kon worden geworpen. Op nog geen meter afstand stortte de kruin van de golf in een negen meter hoge muur van water terug naar het oppervlak. Om hem heen spatte het water wit schuimend op en naderde kolkend de brekende kop. Pitt wist dat hij, als hij over de kruin in de afgrond viel en de golf met volle kracht op hem neerkwam, de massale druk van het op hem neerstortende water waarschijnlijk niet zou overleven.

Terwijl hij zijn lichaam loodrecht op de golfkop draaide, werkte hij zich uit alle macht maaiend met zijn armen en trappend met zijn benen weg van de golfkop. Hij voelde dat hij werd weggezogen van de voorwaartse beweging van de golf en trapte nog krachtiger in het water van zich af. Met de slagfrequentie van een kortebaansprinter schoot hij langs de voortrollende kruin van de golf. Het razende water bleef aan hem trekken, probeerde hem de afgrond in te zuigen, maar hij hield wanhopig stand.

Tot plotseling de greep verslapte en de golf zich onder hem leek terug te trekken. Hij zakte met zijn hoofd naar beneden weg, wat betekende dat hij de achterkant van de golf had bereikt. De lift had nu de daling ingezet, maar wel in een beheerste vrije val. Hij zette zich schrap voor de klap, maar die kwam niet. De voortdenderende kracht van het water zwakte af en viel volledig weg. In een brede schuimlaag van helder borrelende luchtbelletjes merkte Pitt dat hij ongedeerd onder water zweefde. Toen het ergste kabaal van de golf was weggeëbd, keek hij op de dieptemeter aan het draagstel en zag dat hij zich op zes meter onder de waterspiegel bevond.

In een poging zich te oriënteren zag hij het schemerende oppervlak boven hem en drukte zich met een paar lome slagen van zijn vermoeide benen omhoog tot zijn hoofd door de waterspiegel brak. Hij richtte zijn blik in de richting van de nog steeds over het meer voortrommelende dreun en zag dat de golf nu snel op een vernietigende confrontatie met de zuidelijke oever afstevende. Het gerommel stierf langzaam weg en Pitts oren vingen het dofkloppende geluid van een helikopter op. Hij draaide zich om en zag de Kamov laag over het water scherend recht op hem afkomen. Met een snelle blik speurde hij het meer om zich heen af, maar ontdekte geen tekenen van de vissersboot aan de horizon.

Giordino manoeuvreerde de Kamov tot vlak naast Pitt en hij hing zo laag dat de golven tegen de wielen van het landingsgestel sloegen. Pitt zwom naar de cockpit, terwijl boven zijn hoofd de deur openzwaaide. Nadat hij op het landingsgestel was geklommen, hees hij zich in de deuropening op en liet zich op de passagiersstoel zakken. Terwijl Pitt zijn duikmasker afzette, trok Giordino de helikopter onmiddellijk op.

'Er zijn gasten die een moord zouden doen voor een ritje op zo'n golf,' zei Giordino grinnikend en opgelucht dat hij zijn vriend weer heelhuids binnen boord had.

'Bleek toch niet zo'n lekkere glijer,' zei Pitt hijgend van uitputting. 'De vissersboot?'

Giordino schudde zijn hoofd. 'Heeft 't niet gered. Is als een lucifer in tweeën geknakt. Ik was bang dat we ook de decompressiekamer kwijt waren, maar die is even later weer opgedoken. Ik heb iemand door de patrijspoort zien zwaaien, dus hopelijk zijn ze allemaal in orde in dat bierblik. Ik heb de *Vereshchagin* via de radio op de hoogte gesteld en ze komen eraan om ze op te vissen.'

'Goed dat je er nog aan hebt gedacht om dat ding te gaan halen. Die mensen hadden het anders nooit overleefd.'

'Sorry dat ik geen tijd meer had om je van die schuit te halen.'

'En voor mij de lol van een goede golf verpesten?' Pitt knikte, blij met het geluk dat hij die verschrikkelijke golf had overleefd, en dat deed hem aan de *Vereshchagin* denken. 'En de boot van het instituut, hoe staat het daarmee?'

'De golf was bij Listvjanka tot een meter of vier afgezwakt. De *Vereshchagin* is er zonder kleerscheuren dwars doorheen gegaan. Volgens Rudi zijn er een paar dekstoelen verschoven, maar verder is alles prima. Ze verwachten dat er in het dorp wel aanzienlijke schade is aangericht.'

Pitt keek omlaag naar het blauwe water onder de cockpit en zag nergens de decompressietank drijven.

'Hoever ben ik afgedreven?' vroeg hij eindelijk weer een beetje op adem gekomen. De afmattende toeren waren hem niet in de koude kleren gaan zitten en zijn lichaam begon op tientallen plekken pijn te doen.

'Een kilometer of vijf,' antwoordde Giordino.

'Dat had me op het WK een gouden medaille opgeleverd, lijkt me zo,' zei hij, terwijl hij een druppel water uit zijn wenkbrauw wreef.

Giordino stuurde de helikopter laag over het nu kalme meer scherend naar het noorden. Voor hen doken de contouren van een wit voorwerp op en Giordino nam gas terug toen de Kamov de dobberende tank naderde.

'De lucht in die tank zal zo onderhand wel niet zo fris meer zijn,' zei hij.

'Ze hebben nog een paar uur voordat de kans op een kooldioxidevergiftiging echt reëel wordt,' antwoordde Pitt. 'Hoe lang duurt het nog voordat de *Vereshchagin* hier is?'

'Anderhalf uur ongeveer. Maar ik ben bang dat wij hen niet al die tijd gezelschap kunnen blijven houden,' zei Giordino, terwijl hij met zijn vinger op de brandstofmeter tikte die op bijna leeg stond.

'Goed, als jij naar het schip terugvliegt, ga ik ze wel vertellen dat we ze niet in de steek laten.'

'Dat koude water schijn je wel lekker te vinden, hè?' vroeg Giordino, waarna hij de helikopter liet zakken tot ze nauwelijks een meter boven het water hingen.

'Ja, dat is net zoiets als jouw voorkeur voor puur Rocky Mountain-bronwater,' reageerde Pitt. 'Zorg jij er nou maar voor dat Alexander ons niet overvaart,' vervolgde Pitt, waarna hij het duikmasker voor zijn gezicht trok.

Met een zwaai naar Giordino sprong hij de heli uit en plonsde een paar meter voor de tank in het water. Terwijl Giordino met de helikopter wegzwenkte en het naderende onderzoeksschip tegemoet vloog, zwom Pitt naar de kamer, waar hij zich aan een rand opduwde zodat hij door de patrijspoort naar binnen kon kijken.

Theresa slaakte een gilletje toen ze Pitts duikmasker opeens achter het raampje zag opduiken.

'Hij leeft nog,' zei ze stomverbaasd toen ze zijn groene ogen herkende.

De anderen verdrongen zich rond de patrijspoort en zwaaiden naar Pitt zonder te weten dat hij bijna vijf kilometer was afgedreven voordat hij met de helikopter was teruggebracht.

Pitt wees met een in een handschoen gestoken wijsvinger naar de inzittenden, waarna hij de vinger naar zijn duim kromde en zijn hand met de zo gevormde cirkel voor de patrijspoort hield.

'Hij vraagt of alles oké met ons is,' vertaalde Roy.

Theresa, die het dichtst bij de patrijspoort zat, knikte en maakte hetzelfde gebaar. Vervolgens wees Pitt op zijn polshorloge en stak zijn wijsvinger op.

Theresa knikte nogmaals ten teken dat ze het had begrepen. 'Nog een uur,' zei ze tegen de anderen. 'Ze komen eraan.'

'Dan kunnen we het ons net zo goed wat gemakkelijker maken,' zei Wofford. Samen met Roy verlegde hij de matrassen zo op de schuine vloer dat ze allemaal lekker konden zitten.

Buiten zwom Pitt om de decompressietank heen en keek of die eventueel schade had opgelopen. Toen hij nergens een lek kon vinden, klom hij bovenop de kamer en wachtte af. In de heldere middaglucht ontwaarde Pitt de *Vereshchagin* al spoedig in de verte en zag hem geleidelijk dichterbij komen.

Giordino had al een stevige kraan langs de reling in stelling gebracht toen het onderzoeksschip iets meer dan een uur later langszij kwam. De oorspronkelijke transportkabels zaten nog aan de decompressie kamer vastgehaakt, zodat Pitt ze alleen maar bij elkaar hoefde te pakken om ze aan de haak van de kraan te schuiven. Toen de kamer op het achterdek van de *Vereshchagin* werd gehesen, zat Pitt er schrijlings bovenop alsof hij een reusachtige witte hengst bereed. Zodra de onderkant de planken van het dek raakte, sprong Pitt van de tank af en draaide de vergrendeling van het toegangsluik open. Gunn kwam aangerend en stak meteen zijn hoofd naar binnen om vervolgens Theresa en Tatjana bij het uitstappen te helpen, waarna de drie mannen volgden.

'Zo, dit is lekker, zeg,' zei Wofford terwijl hij met diepe teugen de frisse lucht opzoog.

De Russische visser, die als laatste naar buiten kwam, liep met onvaste tred naar de reling en keek over de rand, op zoek naar zijn oude vissersboot.

'Zeg maar tegen hem dat die op de bodem ligt, door de golf finaal doormidden gekraakt,' zei Pitt tegen Tatjana.

De kapitein keek Tatjana hoofdschuddend aan en snikte toen ze het nieuws voor hem vertaalde.

'We geloofden onze ogen niet toen u na de golf weer opdook,' zei Theresa tegen Pitt. 'Hoe hebt u het overleefd?'

'Soms moet je geluk hebben,' zei hij grijnzend, waarop hij zijn plunjezak opende en haar de duikuitrusting toonde.

'Nogmaals bedankt,' zei Theresa, waar de overige leden van het onderzoeksteam zich van harte bij aansloten.

'U moet mij niet bedanken,' zei Pitt, 'maar Al Giordino hier met zijn vliegende decompressiekamer.'

Giordino kwam van de kraan naar hen toegelopen en maakte een diepe buiging. 'Hopelijk is uw verblijf in dat koekblik niet al te ruw geweest,' zei hij.

'U hebt ons leven gered, meneer Giordino,' zei Theresa, terwijl ze hem dankbaar de hand schudde en maar niet los wilde laten.

'Zeg maar Al, alsjeblieft,' zei de afstandelijke Italiaan die onder de blik van de aantrekkelijke Nederlandse vrouw zichtbaar ontdooide.

'Nu weet ik hoe zo'n stalen knikker zich in een flipperkast voelt,' prevelde Roy.

'Zeg, zouden ze hier geen wodka aan boord hebben?' gromde Wofford over zijn rug wrijvend.

'Regent het in Seattle?' reageerde Gunn, die de opmerking van Wofford toevallig opving. 'Volgt u mij, dames en heren. Eerst zal de scheepsarts u onderzoeken en daarna kunt u in een hut wat uitrusten of in de kombuis iets drinken. In Listvjanka is het één grote chaos, dus we zullen u waarschijnlijk morgen pas aan land kunnen zetten.'

'Al, breng jij hen naar de ziekenboeg, ik heb nog even iets met Rudi te bespreken,' zei Pitt.

'Met alle plezier,' zei Giordino, waarop hij Theresa bij de arm nam en haar met de anderen door het gangboord aan bakboordzijde naar de eerstehulppost van het schip leidde.

Rudi liep naar Pitt toe en klopte hem op zijn schouder. 'Al vertelde me dat je een stukje hebt gezwommen. Als ik had geweten dat jij je in die golf zou wagen, had ik je nog wat stromingsdetectieapparatuur meegegeven,' zei hij grinnikend.

'Onder het genot van een glas tequila ben ik gaarne bereid mijn ervaringen in vloeistofbewegingen met je te delen,' antwoordde Pitt. 'Hoe is de toestand langs de oevers?'

'Voor zover we het vanuit de verte hebben kunnen zien heeft Listvjanka de vloed redelijk doorstaan. De aanlegsteigers zijn grondig aan puin geslagen en een aantal van de schepen ligt nu in de hoofdstraat, maar voor de rest hebben alleen de winkels langs de kade schade geleden. Over de radio zijn geen dodelijke slachtoffers gemeld; de tijdige waarschuwing heeft dus kennelijk zijn nut gehad.'

'We moeten alert blijven op eventuele naschokken,' zei Pitt.

'Ik heb voor een open satellietverbinding met het National Earthquake Information Center in Golden, Colorado, gezorgd. Ze laten het ons onmiddellijk weten zodra ze een volgende beving waarnemen.'

Toen het boven het meer begon te schemeren bereikte de *Vereshchagin* de haven van Listvjanka. Op het voordek van het onderzoeksschip stond de bemanning langs de reling om de ravage in ogenschouw te nemen. De golf had als een moker toegeslagen; bomen waren ontworteld en de kleinere gebouwen die langs de kade stonden, lagen in puin. Maar het grootste deel van het stadje en de haven waren er redelijk ongeschonden vanaf gekomen. In de invallende duisternis liet het onderzoeksschip op anderhalve kilometer voor de beschadigde aanlegsteigers, die in het felle licht van tijdelijke werklampen baadden, het anker zakken. Over het water galmde het geronk van een oude Belarus-tractor, terwijl de lokale bevolking tot diep in de nacht hard in de weer was met het opruimen van de ergste ravage.

In een hoekje van de kombuis hadden Roy, Wofford en de kapitein van de vissersboot het op een drinken gezet met een Russisch bemanningslid dat zo vriendelijk was zijn fles Altai-wodka met hen te delen. Aan een tafel ertegenover genoten Pitt, Giordino en Sarghov in gezelschap van Theresa en Tatjana van een gebakken steur. Nadat de tafel was afgeruimd kwam Sarghov met een fles zonder etiket op de proppen en schonk voor iedereen een glaasje in.

'Op jullie gezondheid,' zei Giordino, zijn glas naar de beide dames opheffend, waarop Theresa haar glas tegen het zijne tikte.

'En die is dankzij jou een stuk verbeterd,' reageerde Theresa lachend. Maar toen ze een slok nam, was haar glimlach op slag verdwenen en schoten de tranen haar in de ogen. 'Wat is dit voor bocht?' zei ze kuchend. 'Het lijkt wel bleekwater.'

Sarghov schoot in een bulderende lach. 'Dit is samogon. Die heb ik in het dorp van een oude vriend gekocht. Ik geloof dat het net zoiets is als een drank die ze in Amerika *moonshine* noemen.'

De anderen aan tafel lachten met hem mee toen Theresa het halfvolle glas van zich afschoof. 'Ik hou het bij wodka,' zei ze, nu ook grinnikend.

'Vertel eens, wat doen twee van die verrukkelijke jongedames hier tussen de oliejagers op het grote, boze Bajkalmeer?' vroeg Pitt, nadat hij zijn glas had geleegd.

'Het Avarga Oil Consortium bezit concessies voor het boren naar en het winnen van olie in het oostelijk deel van het meer,' antwoordde Tatjana. 'Het Bajkalmeer is een culturele schat. De Verenigde Naties hebben het tot beschermd cultureel erfgoed uitgeroepen en het is een toonbeeld voor milieuactivisten uit de hele wereld,' zei Sarghov, duidelijk niet blij met het vooruitzicht dat er boorplatforms in het ongerepte water van het meer zouden verschijnen. 'Hoe had u gedacht op het meer te willen boren?'

Tatjana knikte. 'U hebt gelijk. Ook voor ons is het water van Bajkal heilig en het is nooit onze bedoeling geweest om booreilanden in het meer te installeren. Als is aangetoond dat er op een bereikbare diepte inderdaad olie in de grond zit, zullen we die vanaf het land aan de oostkant onder een schuine hoek aanboren.'

'Klinkt redelijk,' stelde Giordino. 'Dat soort schuine boringen zijn in de Golf van Mexico heel gebruikelijk, daar gebeurt het zelfs ook horizontaal. Maar dat verklaart nog niet de aanwezigheid van deze lieftallige Hollandse engel uit Rotterdam,' vervolgde hij met een brede glimlach naar Theresa.

Gevleid door het compliment bloosde Theresa voor ze antwoord gaf. 'Amsterdam. Ik kom uit Amsterdam. Mijn benevelde Amerikaanse collega's en ik werken voor Shell.' Terwijl ze dit zei, gebaarde ze met haar duim naar de andere hoek, waar Roy en Wofford luidkeels schuine moppen uitwisselden met hun Russische tafelgenoten.

'We zijn hier op verzoek van Avarga Oil,' vervolgde ze. 'Zij hebben om begrijpelijke redenen niet de middelen voor onderwateronderzoek. Ons bedrijf heeft grondonderzoek gedaan in de Oostzee en ook bij de olievelden van Samotlor in West-Siberië. We onderzoeken de mogelijkheden van samenwerking met Avarga Oil in een aantal regio waar oliewinning aantrekkelijk zou kunnen zijn. Het paste perfect in ons plaatje om hiernaartoe te komen voor een gezamenlijk bodemonderzoek onder het meer.'

'Had u voor de beving al olievoorraden vastgesteld?' vroeg Pitt.

'We zochten uitsluitend naar structurele aanwijzingen voor de aanwezigheid van koolwaterstofsijpelingen en beschikten niet over de seismische apparatuur die voor het meten van potentiële voorraden nodig is. Op het moment dat het schip zonk, hadden we nog geen duidelijke kenmerken gevonden die normaal gesproken op een lekkende voorraad wijzen.'

'Oliesijpelingen?' vroeg Sarghov.

'Ja, een weliswaar ietwat primitieve, maar algemeen gangbare manier om petroleumvoorraden te lokaliseren. Olievlekken op het water duiden erop dat er uit de bodem eronder olie sijpelt. Voordat men met moderne seismische apparatuur door middel van trillingen sedimentaire bodemlagen kon onderzoeken en visueel weergeven, was het opsporen van oliesijpelingen de enige manier waarop men de aanwezigheid van koolwaterstofvoorraden kon vaststellen.'

'Er waren nogal wat vissers die olievlekken op het meer hadden gezien op plaatsen waar verder geen scheepvaartverkeer was,' verklaarde Tatjana. 'We zijn ons uiteraard bewust dat het hierbij om heel bescheiden voorraden kan gaan waarvoor boringen economisch niet lonend zijn.'

'Sowieso een nogal kostbare onderneming, gezien de diepte van het meer,' vulde Pitt aan.

'Over ondernemingen gesproken, meneer Pitt, wat doen u en uw mannen van de NUMA eigenlijk aan boord van een Russisch onderzoeksschip?' vroeg Tatjana.

'Wij zijn hier op uitnodiging van Alexander en het Limnologisch Instituut,' antwoordde Pitt, waarbij hij zijn glas samogon naar Sarghov ophief. 'Een gezamenlijk onderzoek naar stromingen in het meer en hun invloeden op de inheemse flora en fauna.'

'En hoe kwam het dat u al van tevoren op de hoogte was van de vloedgolf, al voordat er überhaupt sprake van was?'

'Door onze sensoren. We hebben honderden sensorboeien in het meer uitgezet, waarmee we de druk, de temperatuur en dergelijke van het water meten. Al heeft ze vanuit de helikopter als broodkorrels over het hele meer verstrooid. Ons onderzoek concentreerde zich toevallig net op een deel van het meer in de buurt van het eiland Olchon en we hadden daar extra veel sensoren in het water. Rudi registreerde al heel snel metingen die op een aardverschuiving onder water wezen en de vloedgolf die daardoor ontstond.'

'Tot ons geluk en dat van heel veel anderen, geloof ik,' zei Theresa.

'Al heeft een neus voor rampen,' zei Pitt grinnikend.

'Dat ik zonder een fles Jack Daniel's naar Siberië ben gegaan, dat is pas een ramp,' zei Giordino, terwijl hij met een zuur gezicht van zijn glas met samogon nipte.

'Het is doodzonde dat onze stromingsmetingen door deze onverwachte gebeurtenis zijn verstoord,' zei Sarghov, die over de wetenschappelijke gevolgen nadacht, 'maar we hebben nu wel bijzonder interessante gegevens geregistreerd over het ontstaan en de voortgang van de golf zelf.'

'Is uit de informatie van die sensorboeien ook af te leiden waar de aardbeving precies heeft plaatsgevonden?' vroeg Tatjana.

'Als dat onder het meer was, wel ja,' antwoordde Pitt.

'Rudi heeft toegezegd dat hij de computers morgen zal uitmelken om te zien of hij de exacte locatie aan de hand van de sensorgegevens kan vaststellen. De seismologen die hij heeft gesproken, plaatsten het epicentrum ergens in de noordwestelijke hoek van het meer,' zei Giordino. Toen hij om zich heen kijkend zag dat Gunn zich niet bij hen in de kombuis bevond, vervolgde hij: 'Waarschijnlijk zit hij op dit moment al op de brug achter de computer.'

Tatjana sloeg de laatste slok van haar samogon naar binnen en keek op haar horloge. 'Het is een lange dag geweest. Ik geloof dat ik me maar eens even terugtrek.'

'Daar ga ik in mee,' zei Pitt, een geeuw onderdrukkend. 'Mag ik u naar uw hut begeleiden?' vroeg hij argeloos.

'Dat zou heel vriendelijk zijn,' antwoordde ze.

Sarghov sloot zich bij hen aan toen ze opstonden en wenste iedereen welterusten.

'Ik geloof dat jullie nog even wachten tot de *omelet sibérienne* wordt opgediend,' zei Pitt met een glimlach naar Theresa en Giordino.

'Mijn oren smachten naar verhalen over Nederland,' zei Giordino grijnzend tegen Theresa.

'En krijg ik daar dan diepzeeanekdotes voor terug?' vroeg ze lachend.

'Hier hangt beslist iets heel dieps in de lucht,' zei Pitt monkelend, waarna ook hij hen een goede nacht wenste.

Beleefd vergezelde Pitt Tatjana naar haar hut in het achterschip, waarna hij zich in zijn eigen midscheeps gelegen luxehut terugtrok. De lichamelijke inspanningen van die dag eisten hun tol en hij was blij dat hij zijn pijnlijke ledematen in zijn kooi te ruste kon leggen. Hoewel hij fysiek uitgeput was, kon hij de slaap maar moeilijk vatten. De gedachten aan de gebeurtenissen van de afgelopen dag bleven lange tijd door zijn hoofd malen tot de zwarte sluier van de slaap zich uiteindelijk over hem ontvouwde.

5

Pitt had een uur of vier geslapen toen hij opeens klaarwakker recht overeind in zijn kooi zat. Hoewel alles rustig was, had hij het sterke gevoel dat er iets niet in orde was. Nadat hij een leeslampje had aangedaan, zwaaide hij zijn voeten over de rand en wilde opstaan, maar viel daarbij bijna voorover. Terwijl hij de slaap uit zijn ogen wreef, realiseerde hij zich dat het schip onder een hoek van zo'n tien graden naar de achterkant wegzakte.

Nadat hij zich snel had aangekleed, liep hij de trap op naar het hoofddek en rende door het gangboord naar het open dek. Hij kwam niemand tegen en op het hele schip was het eigenaardig stil. Terwijl hij tegen de helling op naar de boeg liep, begreep hij opeens waarom het zo stil was. De motoren van het schip waren uit en alleen het gedempte brommen van de hulpgenerator in de machinekamer klonk nog in het duister van de nacht.

Hij klom een trap op naar de brug, stapte er naar binnen en keek om zich heen. Tot zijn ergernis was de brug volkomen verlaten. Terwijl hij zich begon af te vragen of hij soms de enige op het hele schip was, bekeek hij het bedieningspaneel, waarop hij een rode schakelaar zag met het woord TREVOGA. Op hetzelfde moment dat hij de schakelaar overhaalde, barstte er een enorm kabaal van alarmbellen los dat in één klap de nachtelijke stilte verscheurde. Een paar seconden later kwam de gespierde kapitein als een kwade stier vanuit zijn lager gelegen hut naar de brug gestormd.

'Wat is hier aan de hand?' stamelde de kapitein, zo diep in de nacht moeizaam de juiste Engelse woorden uit zijn geheugen opdiepend. 'Waar is Anatoly, de wacht?'

'Het schip zinkt,' zei Pitt bedaard. 'En was geen wacht op de brug toen ik hier een minuut geleden binnenkwam.'

Zijn gezicht vertrok en met wijd opengesperde ogen merkte hij voor het eerst dat het schip slagzij maakte.

'De motoren moeten aan,' schreeuwde hij, terwijl hij naar de intercom greep om de machinekamer op te roepen. Maar op het moment dat hij de microfoon vastpakte, was het plotseling pikkedonker op de brug. De mastlichten, de hutverlichting, de displays – alles – viel weg. Op het hele schip was de elektriciteit uitgevallen, zelfs de alarmbellen vielen kort narinkelend stil.

In het donker in zichzelf vloekend zocht de kapitein tastend het bedieningspaneel af tot hij de schakelaar van de noodaccu vond, waarna er op de brug een zwakke verlichting opgloeide. Terwijl er op het schip overal weer lampen aanflitsten, kwam de hoofdmachinist van de *Vereshchagin* zwaar hijgend de brug binnengestormd. Het was een gezette man met een keurig bijgeknipte baard en staalblauwe ogen, die fonkelden van paniek.

'Kapitein, de luiken naar de machinekamer zijn met kettingsloten vergrendeld. We kunnen er niet in. Ik ben bang dat ze al half onder water staan.'

'Heeft iemand de luiken vergrendeld? Wat gebeurt hier…? Waarom zinken we terwijl we voor anker liggen?' vroeg de kapitein, terwijl hij zijn hersenen pijnigend de dufheid uit zijn hoofd trachtte te schudden.

'Het ziet ernaar uit dat de onderruimen zijn volgelopen en het benedendek maakt op het achterschip snel water,' meldde de machinist die weer enigszins op adem was.

'U kunt beter voorbereidingen treffen om het schip te verlaten,' adviseerde Pitt.

Deze woorden troffen de kapitein tot in het diepst van zijn ziel. Voor een kapitein is het bevel om het schip te verlaten zoiets als het besluit om vrijwillig je kind af te staan. Het is een hartverscheurend bevel. Het achteraf inlichten van de eigenaren van het schip, de verzekeringsmaatschappijen en de rijksdienst voor het scheepvaartverkeer zou al geen pretje zijn, maar veel moeilijker nog was met lede ogen aan te moeten zien hoe de angstige bemanning van boord ging en vervolgens de levenloze constructie van hout en staal onder de golven verdween. Net als een trouwe auto voor een gezin ontstaat er een band tussen de kapitein en de bemanning met hun schip, ze wordt een persoonlijkheid met geheel eigen hebbelijkheden en nukken. Van menig kapitein wordt gezegd dat hij verliefd is op het schip waarop hij het gezag voert en dat was met kapitein Kharitonov niet anders.

De vermoeide kapitein wist dat Pitt gelijk had, maar kreeg het simpelweg niet over zijn lippen. Met een grimmige trek op zijn gezicht knikte hij naar de hoofdmachinist dat hij het bevel moest doorgeven.

Pitt was de deur al uit en piekerde over mogelijkheden het schip drijvende te houden. Zijn eerste neiging was om zijn duikuitrusting te halen en te kijken of hij in de machinekamer kon komen, maar als hij het vergrendelde luik open kreeg, wat dan? Als het water door een lek de machinekamer binnenstroomde, zou hij daar toch niets tegen kunnen ondernemen.

Het antwoord schoot hem te binnen toen hij Giordino en Gunn op het nu drukbevolkte middendek tegenkwam.

'Zo te zien krijgen we natte voeten,' zei Giordino luchtigjes.

'De machinekamer maakt water en is afgesloten. Dit gaat het schip niet erg lang meer volhouden,' antwoordde Pitt, waarna hij naar het hellende achterdek keek. 'Hoe snel krijg jij die wentelwiek aan de praat?'

'Zo gebeurd,' antwoordde Giordino, die zonder een reactie van Pitt af te wachten wegsprintte.

'Rudi, zorg dat het onderzoeksteam dat we hebben opgepikt in de buurt van een reddingsboot klaarstaat. En probeer de kapitein zover te krijgen dat hij het anker licht,' zei Pitt tegen Gunn die in een dun jasje stond te rillen.

'Wat ben je van plan?'

'Een meesterzet, hoop ik,' antwoordde Pitt peinzend.

De Kamov steeg de nachtlucht in en bleef een ogenblik boven het aangeslagen onderzoeksschip hangen.

'Het is toch altijd: vrouwen en kinderen eerst?' vroeg Giordino aan Pitt die naast hem zat.

'Ik heb Rudi gezegd dat hij zich over de oliemensen moet ontfermen,' antwoordde Pitt, die de zorg van Giordino over Theresa wel begreep. 'Bovendien zijn we terug voordat er iemand natte voeten oploopt.'

Vanuit de cockpit bekeken ze de volledige omtrek van het schip dat meer door het schijnsel van de oeverlampen werd verlicht dan door de noodverlichting aan dek en Pitt hoopte dat hij zijn belofte gestand kon doen. Het onderzoeksschip zakte heel duidelijk bij de achtersteven weg en zonk snel. De waterlijn had al bijna het benedendek bereikt en het water zou ieder moment het open achterdek overspoelen. Giordino vloog instinctief naar Listvjanka, terwijl Pitt zijn ogen van de zinkende *Vereshchagin* wegdraaide naar de uiteengeslagen vloot vissersboten die voor het dorp lag afgemeerd.

'Zoek je iets speciaals?' vroeg Giordino.

'Het liefst een sleper met een sterke motor,' antwoordde Pitt, die wist dat die op het hele meer niet te vinden zou zijn. De schepen die onder hen dobberden waren vrijwel uitsluitend vissersbootjes van het type waarvan het onderzoeksteam van de oliemaatschappij er een had gehuurd. Er waren er verschillende gekapseisd of door de golf aan land gespoeld.

'Wat vind je van die grote jongen daar?' vroeg Giordino, terwijl hij naar een tros lampen knikte die drie kilometer verderop in de baai glinsterde.

'Die lag daar gisternacht nog niet; misschien komt-ie net aanvaren. Laten we maar even gaan kijken.'

Giordino zwenkte de heli naar de lichten, waarop al snel de omtrek van een schip herkenbaar werd. Toen de helikopter dichterbij kwam, zag Pitt dat het een vrachtschip van een meter of zestig lang was. De romp was zwart geverfd en bespikkeld met roodbruine vlekken waarvan de rooststrepen tot aan de waterlijn reikten. Midscheeps stond een vaalblauwe schoorsteen die voorzien was van een logo dat uit een gouden zwaard bestond. Het oude schip transporteerde duidelijk al ettelijke tientallen jaren kolen en half bewerkt hout van Listvjanka naar afgelegen dorpen aan de noordoever van het Bajkalmeer. Toen Giordino langs de stuurboordzijde van het schip zwenkte, zag Pitt dat er een grote zwarte stellage op het achterdek stond. Daarna richtte hij zijn blik op de schoorsteen en schudde zijn hoofd.

'Nee, dit is niet goed. Ze ligt hier afgemeerd en ik zie geen rook uit de schoorsteen komen, dus de motoren zullen wel koud zijn. Het duurt te lang om die op stoom te krijgen.' Pitt draaide zijn hoofd terug naar het dorp. 'Ik denk dat snelheid nu belangrijker is dan kracht.'

'Snelheid?' vroeg Giordino, terwijl hij de heli de richting opdraaide die Pitt met een hoofdknikje aangaf; terug naar het dorp.

'Snelheid,' bevestigde Pitt, wijzend op een verzameling felgekleurde lichtjes die in de verte dansten.

Aan boord van de *Vereshchagin* werd een gedisciplineerde evacuatie voorbereid. Twee reddingsboten waren al met de halve bemanning gevuld en stonden op het punt te water te worden gelaten. Gunn baande zich een weg langs de overgebleven bemanningsleden en de wetenschappers naar de verblijven op het achterschip, waar hij zich naar een lager gelegen dek begaf. Het binnenstromende water stond aan het einde van het gangboord al tot over de reling, maar op de hogere plek waar Gunn stond reikte het net tot aan zijn enkels. Hier bevonden zich de hutten van de passagiers en tot zijn opluchting waren die nog niet helemaal ondergelopen.

Gunn huiverde toen hij bij de eerste hut kwam, die Theresa en Tatjana hadden gedeeld. Het ijskoude water klotste tegen zijn kuiten. Luid roepend en op de deur kloppend, drukte hij de klink omlaag en duwde de deur open. De hut was leeg. Er lagen ook geen persoonlijke bezittingen, wat logisch was, want de beide dames waren met weinig meer dan de kleren die ze droegen aan boord gekomen. Alleen de omgewoelde dekens op de kooien duidden op hun eerdere aanwezigheid.

Hij sloot de deur en liep met een van kou vertrokken gezicht door het water dat nu tot aan zijn dijen kwam snel door naar de volgende hut. Opnieuw riep hij en klopte hard op de deur voordat hij hem met moeite door de weerstand van het water openduwde. Dit was de hut van Roy en Wofford herinnerde hij zich toen hij naar binnen ging. In het zwakke schijnsel van een noodlampje zag hij dat ook deze hut leeg was, hoewel de kooien eruitzagen alsof er in geslapen was.

Terwijl het bijtend koude water zijn benen met de pijn van duizenden prikkende naalden geselde stelde Gunn zich tevreden met de zekerheid dat de hutten van het onderzoeksteam leeg waren. Alleen de hut van de kapitein van de vissersboot had hij niet gecontroleerd, maar het water stond daar al tot borsthoogte. Omdat hij niet onderkoeld wilde raken, maakte Gunn rechtsomkeert en bereikte het hoofddek toen er een derde reddingsboot te water werd gelaten. Met een snelle blik om zich heen kijkend zag hij dat er nog slechts een handjevol bemanningsleden aan dek stond. Er was maar één conclusie mogelijk, dacht hij opgelucht. Het onderzoeksteam had het schip in een van de eerste twee reddingsboten verlaten.

Iwan Popovitsj was diep weggekropen in zijn kooi in een diepe slaap verzonken en droomde dat hij op de rivier de Lena aan het vliegvissen was, toen hij door een dof dreunend geluid wakker schrok. De stuurman van de draagvleugelboot *Voskhod* van de Listvjanka-veerdienst schoot een zware bontjas aan, stapte nog licht wankelend van de slaap zijn hut uit en liep de trap op naar het achterdek van de veerboot.

Daar stond hij opeens in het felle licht van een stel schijnwerpers, terwijl de kracht van een kloppende dreun een vlaag ijskoude lucht langs zijn bolle, blozende gezicht blies. De lichtbundels zwaaiden van het dek omhoog, bleven daar even hangen alvorens ze wegdraaiden en verdwenen. Terwijl het geluid van de rotorbladen van de helikopter in de duisternis van de nacht wegstierf, wreef Popovitsj in zijn ogen om de dansende sterretjes te verdrijven. Toen hij zijn ogen weer opendeed, zag hij tot zijn verbazing een man voor zich staan. Hij was lang en had een donkere haardos waaronder een rij witte tanden in een vriendelijke glimlach glansden. Met een rustige stem zei de vreemdeling: 'Goedenavond. Vindt u het erg als ik uw boot even leen?'

De pijlsnelle veerboot spoot op de beide voorvleugels gierend door de baai voor de korte oversteek naar de *Vereshchagin*. Popovitsj stuurde de veerboot recht op de boeg van het zinkende schip af, maakte daar, terwijl hij gas terugnam, een snelle draai en kwam met stationair draaiende motor op een halve meter afstand van de boeg van het onderzoeksschip tot stilstand. Pitt stond aan de reling van het achterdek van de veerboot en keek omhoog naar het grijze, zinkende schip dat onwezenlijk ver achterover helde, terwijl de boeg onder een hoek van twintig graden scherp omhoog priemde. Het snel water makende schip verkeerde in een hachelijke positie; het kon ieder moment onder het oppervlak wegzakken of kapseizen.

Opeens klonk er een metalen tik vanboven en zakte de ankerketting ratelend door het kluisgat. De zware, negen meter lange ketting sleurde schurend over het dek en door het gat, gevolgd door een touw en een boei als markering van de plek waar de ankerketting was doorgehakt. Toen de laatste schakel onder water verdween, zag Pitt dat de boeg door de weggevallen spanning en het gewicht van de ankerketting een paar decimeter omhoogging.

'Ankertros gedropt,' werd er boven geroepen.

Omhoogkijkend zag Pitt tot zijn geruststelling Giordino en Gunn aan de reling staan. Een seconde later tilden ze een zwaar meertouw over de rand en lieten het naar het water zakken.

Popovitsj reageerde onmiddellijk. De ervaren stuurman manoeuvreerde zijn boot naar het bungelende touw zodat Pitt de lus aan het uiteinde aan boord kon trekken. Nadat hij het touw razendsnel om een kaapstander had geslagen, kwam hij overeind en stak zijn duim naar Popovitsj op.

'Sleeptouw vast. Trekken, Iwan, weg hier!' gilde hij.

Popovitsj schakelde de dieselmotoren in en voer zachtjes weg tot het sleeptouw strak kwam te staan, daarna gaf hij geleidelijk meer gas. Terwijl de schroeven zich steeds krachtiger door het water werkten, nam Popovitsj niet de tijd om voorzichtig te zijn en duwde de gashendel soepeltjes door tot volle kracht vooruit.

Op het achterschip hoorde Pitt dat de beide motoren luid gierend hun maximale toerental bereikten. Achter de zwaar zwoegende motoren spatte het water hoog schuimend op, maar er was geen centimeter voorwaartse beweging voelbaar. Het was alsof er een mug aan een olifant trok, dat was Pitt zich bewust, maar dit was wel een uitzonderlijk taaie mug. De veerboot had een kruissnelheid van 32 knopen en de twee 1000 pk-motoren ontwikkelden een geweldige trekkracht.

Niemand voelde de eerste beweging, maar centimeter na centimeter en decimeter na decimeter schoof de *Vereshchagin* vooruit. Vanaf de brug keken Giordino en Gunn in gezelschap van de kapitein en een handjevol bemanningsleden met ingehouden adem toe hoe het schip in de richting van het dorp kroop. Popovitsj liet geen energie verloren gaan en koos de kortste weg naar de oever en die leidde naar het centrum van Listvjanka.

De twee schepen waren zo'n achthonderd meter gevorderd toen er een reeks knallen en luid gekraak uit de ingewanden van de *Vereshchagin* opklonken. Het ondergelopen achterschip vocht met de drijvende boeg om de controle over het schip, een gevecht dat de sterkte van de constructie zwaar op de proef stelde. Pitt stond bij de sleepkabel en keek gespannen naar de trillingen van het schip. Hij wist dat hij het touw ogenblikkelijk moest losmaken wanneer de *Vereshchagin* dieper onder de golven wegzakte. Deed hij dat niet, dan zou de veerboot onherroepelijk mee de diepte in gesleurd worden.

De minuten leken uren terwijl de *Vereshchagin* met een steeds dieper in het meer wegzakkend achterschip dichter naar de oever kroop. Opnieuw klonk er metaalachtig gekreun uit het binnenste van het schip en de hele romp trilde heftig. Tergend traag schoven de schepen de warme, gele gloed van de havenverlichting in. Popovitsj stuurde de veerboot, die een geringe diepgang had, rechtstreeks naar een rotsachtig strandje naast de beschadigde aanlegsteigers. Voor de argeloze toeschouwer leek het alsof hij zijn veerboot aan de grond wilde laten lopen, maar toch bad iedereen dat hij nog een stuk verder kwam. Terwijl het kabaal van de motoren tegen de gevels van de gebouwen van het plaatsje weerkaatste, bleef Popovitsj doorvaren tot op een paar meter voor de oever een dof schurend geluid aangaf dat de romp van de *Vereshchagin* eindelijk de bodem raakte.

In de hut van de draagvleugelboot voelde Popovitsj het aan de grond lopen van het onderzoeksschip eerder dan dat hij het hoorde, waarop hij onmiddellijk de oververhitte motoren uitschakelde. Nadat de echo van de stilvallende motoren was weggeëbd, daalde er een diepe stilte over de beide schepen neer. Maar vervolgens barstte er een luid gejuich los, eerst van de scheepsbemanning, die daar vlakbij met de reddingsboten waren aangekomen, daarna van de samengedrongen menigte dorpsbewoners die op het strand stond, en ten slotte van de overgebleven mannen aan boord van de *Vereshchagin*. Allemaal applaudisseerden ze voor de heroïsche inspanningen van Pitt en Popovitsj. De laatste antwoordde met twee krachtige stoten van de scheepshoorn, liep vervolgens naar het achterschip van de veerboot en zwaaide naar de mannen op de brug van de *Vereshchagin*.

'Mijn complimenten, kapitein. Uw hantering van het roer was zo geraffineerd als het pianospel van Rachmaninov,' zei Pitt.

'De gedachte dat mijn oude schip zou vergaan, was gewoon ondenkbaar voor mij,' antwoordde Popovitsj met een nostalgische blik op de *Vereshchagin*. 'Op die baboesjka heb ik het dek nog geschrobd,' zei hij grijnzend. 'En kapitein Kharitonov is een oude vriend van me. Ik zie hem niet graag in zo'n toestand.'

'Dankzij u zal de *Vereshchagin* de wateren van het Bajkalmeer ooit weer bevaren. En ik neem aan dat kapitein Kharitonov dan weer de gezagvoerder zal zijn.'

'Dat hoop ik ook. Hij heeft me over de radio laten weten dat er sabotage in het spel is. Misschien van zo'n milieugroep. Die doen alsof het Bajkalmeer van hen is.'

Pitt had daar nog niet eerder aan gedacht. Het leek inderdaad op sabotage, maar door wie? En waarom? Misschien zou Sarghov er meer van weten.

In Listvjanka was het even later een drukte van belang. Ondanks het late uur snelde de plaatselijke bevolking toe om hulp te bieden aan de opvarenden die aan een ramp waren ontsnapt. Diverse vissersbootjes fungeerden als pontjes en voeren heen en weer tussen het schip en de wal, terwijl anderen hielpen bij het stevig vastleggen van het aan de grond gelopen schip. Een aangrenzende visverwerkingsfabriek, waarvan de vloeren nog vochtig waren van de lichte overstroming van een paar uur daarvoor, was open voor de opvang van de wetenschappers en de bemanningsleden. Plaatselijke vissersvrouwen gingen gul met koffie en wodka rond en serveerden degenen die nog honger hadden versgerookte *omul*.

Pitt en Popovitsj werden met gejuich en applaus ontvangen toen ze het magazijn binnenkwamen. Kapitein Kharitonov dankte de beide mannen hartelijk, waarbij hij zijn oude vriend Popovitsj in een voor hem ongewoon emotionele omhelzing tegen de borst drukte.

'Je hebt de *Vereshchagin* gered. Ik ben je ontzettend dankbaar, kameraad.'

'Ik ben blij dat ik kon helpen. Maar het was meneer Pitt die zo slim was om te zien dat mijn veerboot daarbij van dienst kon zijn.'

'Maar ik hoop wel dat ik u een volgende keer niet weer midden in de nacht uit uw bed hoef te bellen.' Glimlachend keek Pitt naar de badslippers waar Popovitsj nog op liep. Daarop wendde hij zich tot kapitein Kharitonov en vroeg: 'Is de hele bemanning compleet?'

Er verscheen een bezorgde trek op het gezicht van de kapitein. 'De man die op de brug wacht had, Anatoly, is niet meer gezien. En we missen dr. Sarghov. Ik had gehoopt dat hij bij u zou zijn.'

'Alexander? Nee, die was niet bij ons. Ik heb hem nadat we na het eten zijn gaan slapen niet meer gezien.'

'Hij zat niet in een van de reddingsboten,' zei Kharitonov.

Op dat moment kwamen Giordino en Gunn met ernstige gezichten naar Pitt toegelopen.

'Hij is niet de enige die we missen,' zei Giordino, die de laatste woorden van het gesprek had opgevangen. 'Het hele onderzoeksteam van de oliemaatschappij is verdwenen. Ze hebben geen van allen in een van de reddingsboten gezeten en ze waren ook niet in hun hutten.'

'Ik heb hun hutten gecontroleerd, alleen die van hun kapitein niet,' vulde Gunn aan.

'Heeft niemand ze van het schip zien gaan?' vroeg Pitt.

'Nee,' antwoordde Giordino ongelovig zijn hoofd schuddend. 'Ze zijn spoorloos verdwenen. Alsof ze er nooit zijn geweest.'

6

Toen een aantal uren later in het noordoosten de zon aan de horizon verscheen, werd in het daglicht pas goed duidelijk hoe hachelijk de situatie voor de *Vereshchagin* was geweest. De machinekamer, het achterruim en de benedendeks gelegen hutten waren volledig ondergelopen en bijna een derde van het hoofddek lag onder de waterlijn. Hoe lang het schip nog was blijven drijven als het niet aan de grond was gezet, zou pure speculatie zijn, maar het antwoord was voor iedereen duidelijk: niet erg lang meer.

Pitt en kapitein Kharitonov stonden bij de restanten van een door de golf met de grond gelijkgemaakte souvenirkiosk en tuurden aandachtig naar het gestrande onderzoeksschip. Boven het achterschip zag Pitt een paar glanzend zwarte zoetwaterrobben opduiken. Loom zwommen ze over het ondergelopen deel van het achterdek tot ze op zoek naar voedsel weer onder water verdwenen. Terwijl Pitt wachtte tot ze weer zouden opduiken, bekeek hij de waterlijn van het schip en ontdekte ongeveer midscheeps een rode verfveeg, waarschijnlijk afgegeven door een steiger of een sloep.

'De bergingsploeg die uit Irkoetsk komt om de boel te repareren zal hier niet voor morgen zijn,' zei Kharitonov met een ernstig gezicht. 'Ik zal de bemanning opdracht geven de draagbare pompen te installeren, maar ik denk dat dat weinig zin heeft zolang we de oorzaak niet hebben gevonden.'

'De verdwijning van Alexander en de mensen van de oliemaatschappij zijn mijn eerste zorg,' antwoordde Pitt. 'Nu we ze hier aan land niet hebben kunnen vinden, moeten we ervan uitgaan dat ze het niet hebben overleefd. Het ondergelopen deel van het schip moet naar hen worden afgezocht.'

De kapitein knikte met enige aarzeling bevestigend. 'Ja, we moeten mijn vriend Alexander zoeken. Ik vrees dat we daarvoor de komst van een duikploeg van de politie moeten afwachten.'

'Ik geloof niet dat we daarop hoeven te wachten, kapitein,' zei Pitt, terwijl hij met zijn hoofd naar een naderende figuur gebaarde.

Een meter of vijftig verderop kwam Al Giordino langs de waterkant op hen af gelopen. Hij droeg een flinke draadschaar met lange rode handvatten over zijn schouder.

'Heb ik in de stad in een garage gevonden,' zei Giordino, terwijl hij het loodzware ding van zijn schouder nam. Rechtop staand kwamen de handgrepen tot aan zijn middel.

'Hiermee komen we de verboden delen van het schip wel binnen,' zei Pitt.

'U? Wilt u de schade gaan opnemen?' vroeg Kharitonov verbaasd over het Amerikaanse initiatief.

'We moeten uitzoeken of Alexander en de anderen nog aan boord zijn,' zei Giordino met een sombere blik in zijn ogen.

'Degenen die uw schip tot zinken hebben gebracht, hebben hoogstwaarschijnlijk het onderzoeksproject willen saboteren,' vulde Pitt aan. 'Als dat zo is, wil ik graag weten waarom. Onze duikuitrusting ligt in het voorste ruim opgeslagen, dus we kunnen bij al onze spullen.'

'Dat lijkt me knap link,' waarschuwde Kharitonov.

'Het zal lastiger zijn om Al ervan te overtuigen dat hij dit nog voor het ontbijt moet gaan doen,' zei Pitt in een poging de spanning wat te breken.

'Ik heb uit welingelichte bron vernomen dat men in het dorpshuis een speciaal buffet met steurpannenkoeken serveert,' antwoordde Giordino met opgetrokken wenkbrauwen.

'Dan maar hopen dat ze iets voor ons overlaten.'

Nadat Gunn zich bij Pitt en Giordino had gevoegd, voeren ze in een geleende Zodiac naar het gestrande schip, waar ze over het schuine dek naar het voorste ruim klommen. Daar hielp Gunn de beide mannen bij het aantrekken van hun zwarte droogpakken en het omsjorren van de loodgordels en de lichtgewicht persluchtapparatuur. Voordat ze hun duikmaskers opzetten, wees Gunn naar het plafond.

'Ik ga op de brug de computers controleren en kijken of ik nieuwe gegevens over de plaatselijke seismische activiteit kan vinden. Ga er niet zonder mij met zeemeerminnen vandoor,' zei hij.

'Die zijn veel te warmbloedig voor dit koude water,' gromde Giordino.

Zonder zwemvinnen schuifelden ze op de rubber zolen van hun droogpak over het hellende dek het water in. Toen het water tot aan hun schouders reikte, knipte Pitt een om zijn hoofd zittend lampje aan en dook onder water. Een paar meter voor hem aan stuurboordzijde was een trap, waar Pitt door de weerstand van het water met rare grote passen als een soort monster van Frankenstein naartoe waadde. Door de langs zijn schouder zwiepende lichtstraal wist hij dat Giordino hem op een paar meter volgde.

Met een aantal hupjes daalde Pitt de trap af naar het lager gelegen dek met de passagiershutten, waar hij zijn weg omlaag naar de koebrug en de machinekamer vervolgde. Zodra de waterspiegel uit zicht was verdwenen, werd het stikdonker om hen heen. Maar het water zelf was zo helder als in een zwembad en Pitts kleine lichtbundel sneed een duidelijk zichtbaar pad door de duisternis. Met een negatief drijfvermogen is het gemakkelijker om te lopen dan te zwemmen en met astronautenhupjes bewoog hij zich naar het luikgat aan stuurboordzijde van de machinekamer. Zoals de hoofdmachinist had gemeld, was de deur stevig vergrendeld. Er was een oude, roestige ketting rond de klink gewikkeld en met een tussenschot verbonden. Het viel Pitt op dat het goudkleurige hangslot waarmee de ketting was afgesloten, zo goed als nieuw was.

Pitt zag de lichtstraal van Giordino's hoofdlamp over het luik glijden, waarna de scharen van de draadschaar voor hem opdoken en een schakel van de ketting naast het slot omklemden. Pitt deed een stap opzij en keek toe hoe Giordino met zijn Italiaanse gespierde armen losjes de zware tang hanterend de schakel doorknipte alsof het een walnoot was. Nadat ook de andere kant van de schakel was doorgeknipt, wikkelde Pitt de ketting van de klink en trok het luik open, waarna hij naar binnen stapte.

Hoewel de *Vereshchagin* al ruim dertig jaar oud was, zag de machinekamer er vlekkeloos schoon uit, het kenmerk van een uiterst secure hoofdmachinist. De enorme, centraal opgestelde dieselgenerator nam het grootste deel van de ruimte in beslag. Pitt bewoog zich er langzaam omheen en speurde de wanden, het plafond en uiteraard ook de motor zelf af naar tekenen van schade, maar hij vond niets. Alleen een als vloerdeel fungerend stalen rooster was uit de vloer getild en stond schuin tegen een gereedschapskist geleund. In het gat turend zag Pitt dat het een doorgang was naar het onderruim: een één meter twintig hoge kruipruimte die onder het hele dek doorliep. De bodem werd gevormd door de stalen ronding van de scheepsromp.

Nadat hij zich in het gat had laten zakken, knielde hij op de stalen bodem en onderzocht het naar de achtersteven hellende deel van de ruimte af. Zover als het licht van zijn lamp reikte zagen de bodemplaten er glad en onbeschadigd uit. Toen hij zich langzaam om zijn as draaiend een stukje terug bewoog naar een metalen voorwerp, priemde de lichtstraal van de lamp op Giordino's door het gat gestoken hoofd door de kruipruimte. In dit licht zag Pitt dat er vanuit het voorwerp achter hem een dikke buis naar voren liep. Toen hij zich omdraaide om het uitsteeksel beter te bekijken, zag hij dat Giordino zijn hoofd bevestigend op en neer bewoog.

Het voorwerp was een nogal grove afsluiter die zo'n dertig centimeter boven de achterste buis uitstak. Ernaast was een rode sticker geplakt met in witte hoofdletters het woord PREDOSTEREZHENIYE!, wat naar Pitt aannam 'Voorzichtig!' betekende. Pitt legde zijn in handschoenen gestoken handen op de afsluiter en probeerde hem tegen de wijzers van de klok in dicht te draaien. Het mechanisme bewoog soepel mee tot hij volledig dicht was. Pitt keek omhoog naar Giordino die met een veelbetekenende blik terug-knikte. Zo simpel was het. Dit was een buitenboordkraan waardoor het onderruim – en uiteindelijk het hele schip – volliep als je hem tijdens het varen opendraaide. Er was iemand de machinekamer binnengegaan, had de buitenboordkraan opengezet, de pompen in het onderruim onklaar ge-maakt en ten slotte de toegang tot de machinekamer afgesloten. Een snelle en eenvoudige manier om 's nachts een schip tot zinken te brengen.

Pitt zwom van het onderruim naar de machinekamer terug, waar hij aan de andere kant eenzelfde stalen rooster vond, dat nog keurig op zijn plaats lag. Hij schoof het rooster opzij en daalde ook daar in het onderruim af, waar hij met een snelle inspectie vaststelde dat ook de buitenboordkraan aan bakboordzijde was opengezet. Nadat hij de kraan had dichtgedraaid, greep hij de uitgestoken hand van Giordino, die hem vervolgens terug de machinekamer introk.

De helft van hun voornemen hadden ze uitgevoerd. Ze waren tot in de ma-chinekamer doorgedrongen en hadden de oorzaak van het zinken ontdekt. Maar nu was er nog de vraag waar Sarghov, Anatoly en het onderzoeksteam van de oliemaatschappij waren gebleven. Pitt keek op zijn horloge en zag dat ze al bijna dertig minuten onder water waren. Hoewel ze voldoende pers-lucht en duiktijd over hadden, was de kou van het water ondanks het isole-rende droogpak tot in zijn botten doorgedrongen. In zijn jongere jaren had hij vrijwel nooit last van de kou gehad, maar vadertje tijd liet hem weer eens goed voelen dat hij geen kind meer was.

Hij schudde de gedachte van zich af, verliet met Giordino de machine-kamer en controleerde de aangrenzende ondergelopen ruimtes, waar ze verder niets bijzonders ontdekten. Daarna beklommen ze de trap naar de onderste hutten. Midscheeps was een hal vanwaar gangen naar de voor- en achtersteven liepen.

Pitt gebaarde dat Giordino de hutten aan bakboordzijde voor zijn rekening moest nemen, dan zou hij die aan stuurboordzijde doen. Hij voelde zich haast een insluiper toen hij de eerste hut binnenging, die – zo wist hij – van Sarghov was. Ondanks dat de ruimte tot aan het plafond vol water stond, lagen de spullen in de hut nog vrijwel allemaal keurig op hun plaats. Alleen een paar bedrukte vellen papier en katernen van een dagblad zweefden traag door het vertrek. Pitt zag op een bureau een opengeklapte laptop staan die uiteraard door de inwerking van het water niet meer functioneerde. Het dikke windjack dat Sarghov tijdens het eten nog bij zich had gehad, hing over de leuning van de bureaustoel. In de kleine klerenkast van de hut vond Pitt een bonte verzameling netjes aan kleerhangers opgehangen overhemden en broeken. Hier had duidelijk niet iemand gewoond die van plan was het schip te verlaten, concludeerde Pitt.

Na de hut van Sarghov doorzocht hij snel de volgende drie hutten tot hij bij de laatste van het rijtje aan stuurboordzijde kwam. Dit was de hut die Gunn niet meer had kunnen bereiken toen hij naar het onderzoeksteam zocht. Aan de andere kant van de gang zag Pitt het flakkerende licht van Giordino, die de laatste hut aan bakboordzijde al binnen was gegaan.

Pitt drukte de klink omlaag en leunde met zijn lichaam tegen de deur om hem tegen de onzichtbare kracht van het water in open te duwen. Net als in de overige ruimtes die hij had doorzocht, leek ook hier alles keurig opgeruimd zonder dat het water veel overhoop had gehaald. Toch zag Pitt vanuit de gang onmiddellijk het verschil met de andere hutten: hier was de bewoner nog aanwezig.

In het beperkte licht hadden het ook een op de kooi liggende plunjezak of een paar kussens kunnen zijn, maar Pitt voelde meteen dat dat niet zo was. Hij deed een stap naar voren en zag dat er een man op de kooi lag, een bleke en onmiskenbaar dode man.

Pitt bewoog zich naar de languit liggende figuur toe en boog zich voorzichtig voorover zodat het licht van zijn hoofdlamp op het lijk scheen. De open ogen van de barse kapitein van de vissersboot staarden hem zonder te knipperen aan. Er lag een trek van verbijstering op het dode, verstijfde gezicht. De oude visser droeg een t-shirt en zijn benen lagen warmpjes onder het beddengoed. Door de strak ingestopte deken was hij niet van zijn kooi weggedreven en was de lucht in zijn longen geleidelijk weggestroomd.

Terwijl hij zijn lamp op het hoofd van de visser richtte, wreef Pitt met een vinger over de haarlijn van de man. Vijf centimeter boven zijn oor liep een inkeping over de zijkant van zijn hoofd. Hoewel de huid er niet was opengescheurd, was het duidelijk dat de schedel van de man hier door een harde klap was gekraakt. Pitt vroeg zich af of de oude visser daardoor op slag dood was geweest of dat hij was verdronken toen hij bewusteloos in zijn kooi lag.

Toen Giordino's lamp opeens door de deuropening scheen, speurde Pitt aandachtig de vloer van de hut af. Op de vloerbedekking was niets te zien. Er lagen geen aarden kruiken, zware presse-papiers of flessen wodka die van een plank waren gevallen en daarbij de man per ongeluk hadden geraakt. Het hele vertrek was leeg. Het was een reservehut die de visser was toegewezen en die man had geen spullen van zichzelf bij zich gehad.

Pitt bekeek de man nog eens goed en begreep dat zijn intuïtie hem niet in de steek had gelaten. Vanaf het eerste moment dat hij hem zag liggen, wist hij dat de oude visser niet door een ongeluk om het leven was gekomen. Hij was vermoord.

'Trek 't je niet aan. Je hebt het er beter van afgebracht dan die oude visser.'
'Da's waar. Hij is zijn boot kwijt,' zei Gunn.
'En dat niet alleen,' vervolgde Pitt, waarna hij Gunn vertelde wat hij in de hut had aangetroffen.
'Wie vermoordt nou zo'n oude man?' zei Gunn ongelovig zijn hoofd schuddend. 'En de anderen? Zijn die ontvoerd? Of zijn ze er vrijwillig vandoor gegaan nadat ze de visser hebben gedood en onze onderzoeksgegevens hebben vernietigd?'
Die zelfde vragen maalden ook door Pitts hoofd, maar antwoorden waren er niet.

Rond het middaguur was er door het plaatselijke elektriciteitsbedrijf een kabel naar de *Vereshchagin* gespannen, zodat er op het aan de grond gelopen schip weer elektriciteit was en de pompen in het onderruim konden worden ingeschakeld. Op het achterdek werden nog extra pompen geïnstalleerd die met veel kabaal van de aangesloten generatoren meehielpen de ondergelopen hutten zo snel mogelijk leeg te pompen. Langzaam maar zeker kwam het achterschip omhoog, hoewel dat nog veel te traag was naar de zin van de paar overgebleven bemanningsleden die aan de oever stonden te kijken.
In en rond Listvjanka waren de bewoners druk in de weer met het opruimen van de chaos die de overstroming had aangericht. De beroemde openluchtvismarkt was al snel weer op orde en in diverse kramen stonden verkopers achter een geurig assortiment versgerookte vis. Op de kade werd luid getimmerd en gezaagd bij het opbouwen van een rij souvenirstalletjes, die de volle laag van de verwoestende golf over zich heen hadden gekregen.
Geleidelijk kreeg men steeds meer verhalen te horen over de verwoestingen die de aardbeving en de golf rond het meer hadden veroorzaakt. Aan de zuidelijke oevers was veel materiële schade, maar opmerkelijk genoeg werden er geen dodelijke slachtoffers gemeld. De Baikalsk-papierfabriek, een markant gebouwencomplex aan de zuidoever, had de grootste schade geleden. De productie zou zeker een paar weken stilliggen voordat al het puin was opgeruimd en de ondergelopen fabriekshallen weer bedrijfsklaar waren gemaakt. Van het andere uiteinde van het meer kwamen meldingen dat de Taishet-Nachodka-oliepijpleiding, die dicht langs de noordoever liep, door de aardbeving ernstige schade had opgelopen. Ecologen van het Limnologisch Instituut waren al onderweg om de eventuele schade vast te stellen waardoor er mogelijk olie in het meer zou kunnen lekken.
Na de lunch maakte de politiecommandant van Listvjanka in gezelschap

van twee rechercheurs uit Irkoetsk zijn opwachting aan boord van de *Vereshchagin*. De politiefunctionarissen begaven zich naar de brug, waar ze kapitein Kharitonov op formele wijze begroetten. De commandant van Listvjanka, een slonzige man in een slecht zittend uniform, wierp slechts een vluchtige, minachtende blik op de drie Amerikanen die aan de andere kant van de brug het overgebleven deel van hun computer aan de praat probeerden te krijgen. De zelfingenomen bureaucraat, die vooral zijn eigen macht koesterde, genoot van het aanzien van zijn functie, maar niet van het werk dat ermee gepaard ging. Toen Kharitonov hem over de verdwenen bemanningsleden en de ontdekking van de dode visser in de ondergelopen hut inlichtte, verscheen er een woedende trek op het gezicht van de politieman. De vermiste personen en de poging de *Vereshchagin* tot zinken te brengen konden nog als een ongeluk worden afgedaan, maar een lijk maakte het een stuk ingewikkelder. Een mogelijke moordenaar betekende een hoop extra papierwerk en federale ambtenaren die over zijn schouder meekeken. In Listvjanka bleven de criminele activiteiten over het algemeen beperkt tot zo nu en dan een gestolen fiets of een caféruzie, en dat wilde hij graag zo houden.

'Onzin,' repliceerde hij met een knarsende stem. 'Ik ken Belikov goed. Hij was een oude dronken visser. Dronk veel te veel wodka en heeft zich gewoon doodgezopen. Een vervelend ongeluk,' deed hij de zaak achteloos af.

'En wat dacht u van het verdwijnen van twee bemanningsleden en het onderzoeksteam dat we samen met de visser hadden opgepikt, en dan nog de poging om mijn schip tot zinken te brengen?' vulde een steeds kwader wordende kapitein Kharitonov aan.

'Jaja,' antwoordde de politiecommandant, 'de bemanningsleden die per ongeluk de buitenboordkleppen hebben opengezet. Die zijn 'm natuurlijk uit schaamte voor hun fatale vergissing gesmeerd. Die duiken binnenkort wel weer in een van onze gewaardeerde kroegen op,' zei hij betweterig. Maar omdat hij besefte dat de beide mannen uit Irkoetsk deze rationele verklaring niet zomaar accepteerden, vervolgde hij: 'Uiteraard zullen we eerst de bemanning en passagiers moeten verhoren voor een officieel verslag van het incident.'

Pitt wendde zijn blik van de egotistische politiecommandant naar de beide agenten naast hem. De opsporingsambtenaren van de afdeling recherche van de gemeentepolitie van Irkoetsk waren duidelijk uit heel ander hout gesneden. Het waren door de wol geverfde kerels die geen uniform droegen, maar een keurig pak met daaronder een verborgen wapen. Bewust van het feit dat ze geen gewone straatagenten waren, straalden ze een kalm zelfvertrouwen uit die op ervaring duidde en een opleiding die ze niet alleen op de plaatselijke politieschool hadden genoten. Toen de drie mannen voor een vluchtig onderzoek een rondje over het schip maakten, viel het Pitt op dat de mannen uit Irkoetsk voornamelijk belangstelling toonden voor de verdwijning van Sarghov en niet zozeer voor het vermiste onderzoeksteam of de dode visser.

'Wie zegt ons dat Boris Badenov niet nog kerngezond onder de levenden verkeert,' mompelde Giordino in zichzelf na een korte ondervraging.

Toen ze iedereen hadden verhoord, keerden de politiemannen terug naar de brug, waar de commandant om indruk te maken kapitein Kharitonov nog eens streng toesprak. Daarop liet de kapitein van de *Vereshchagin* nors weten dat op gezag van de politie van Listvjanka aan alle bemanningsleden zou worden gevraagd onmiddellijk naar het schip terug te komen, waar ze in afzondering moesten blijven tot het onderzoek was afgerond.

'Ze hadden ons toch tenminste eerst nog op een rondje bier kunnen trakteren,' bromde Giordino.

'Was ik nou maar rustig in Washington gebleven,' sputterde Gunn. 'Nu worden we naar Siberië verbannen.'

'Washington is in de zomer een akelig moeras,' bracht Pitt er tegenin, terwijl hij een bewonderende blik wierp op het vanaf de brug panoramische uitzicht over het prachtige meer.

Op een afstand van een kilometer of twee zag hij het zwarte vrachtschip liggen waar hij en Al die nacht overheen waren gevlogen. Het schip was naar de haven gevaren en lag nu afgemeerd aan een onbeschadigde steiger aan de andere kant van het stadje. Met een grote havenkraan werd de lading uit het achterruim gelost.

Aan een haakje naast het raam hing een verrekijker en Pitt hield hem onwillekeurig voor zijn ogen om het schip beter te kunnen bekijken. Door de vergrotende lenzen zag hij op de kade bij het schip twee grote opleggers en een kleinere gesloten vrachtwagen staan. De kraan hees spullen vanuit het ruim naar de vrachtwagens, wat opmerkelijk was omdat Listvjanka vooral als exporthaven bekendstond, vanwaar goederen naar alle bewoonde oorden langs de oever van het meer werden gebracht. Toen hij de kijker op een van de opleggers richtte, zag hij dat er op een houten pallet een eigenaardig rechtopstaand en in zeildoek verpakt voorwerp stond.

'Kapitein?' vroeg hij uit het raam wijzend aan Kharitonov. 'Dat zwarte vrachtschip, kent u dat?'

Kapitein Kharitonov kwam naar Pitt toe en tuurde naar het schip. 'De

Primorski. Een trouwe koelie op het Bajkalmeer. Dat schip heeft jarenlang regelmatig heen en weer gevaren tussen Listvjanka en Bajkalskoye in het noorden, met ijzer en hout voor de aanleg van een zijspoor van de hoofdverbinding daar. Toen het werk vorig jaar klaar was, heeft ze een aantal maanden werkeloos aan de steiger gelegen. Onlangs hoorde ik dat ze voor een korte periode aan een oliemaatschappij is verhuurd. Die kwam, tot ergernis van de oude bemanning, met eigen mensen voor het schip aanzetten. Ik weet niet waar ze het voor gebruiken, waarschijnlijk voor het vervoer van spullen voor de aanleg van een pijpleiding.'

'Een oliemaatschappij,' herhaalde Pitt. 'Toch niet toevallig het Avarga Oil Consortium?'

Kharitonov keek een moment in gedachten verzonken omhoog. 'Ja, nu u dat zo zegt, dat zou best kunnen. Vergeef deze oude man dat ik me dat niet meteen herinnerde. Misschien weten zij meer over ons verdwenen onderzoeksteam. En over de verblijfplaats van Alexander en Anatoly?' vervolgde hij pissig.

De Russische kapitein pakte de microfoon van de radio en riep de *Primorski* op. Het vrachtschip was vernoemd naar een gebergte dat zich langs de westoever van het Bajkalmeer uitstrekte. De oproep werd vrijwel onmiddellijk beantwoord door een knorrige stem die afgemeten reageerde op de vragen van de kapitein. Tijdens het gesprek speurde Pitt door de verrekijker het vrachtschip af, waarbij zijn blik lang op het lege achterdek gericht bleef.

'Al, kom eens kijken.'

Giordino kwam bij hem staan en nam de verrekijker van Pitt over, waarna hij het vrachtschip nauwkeurig bestudeerde. Toen hij zag dat er ingepakte spullen werden uitgeladen, zei hij: 'Ze doen nogal geheimzinnig met hun lading, vind je ook niet? Maar ik weet zeker dat ze, als we ernaar vragen, zeggen dat het tractoronderdelen zijn.'

'Kijk eens naar het achterdek,' drong Pitt aan.

'Vannacht stond daar nog een boortoren,' merkte Giordino op. 'Die is verdwenen, net als onze vrienden.'

'Het was misschien wel donker toen we over het schip vlogen, maar die boortoren was bepaald niet van bordkarton.'

'Nee, dat ding was niet iets wat je zomaar even zonder een legertje technici demonteert,' zei Giordino.

'Voor zover ik het door de verrekijker kon zien, is er op het schip niet meer dan de kernbemanning aanwezig.'

Het gesprek werd onderbroken door de joviale stem van de kapitein, die de radiomicrofoon terughing.

'Sorry, heren. De kapitein van de *Primorski* zegt dat hij geen passagiers aan boord heeft, dat hij niets van een onderzoeksteam van welke oliemaatschappij dan ook heeft gezien en dat hij zelfs niet wist dat er op het meer dergelijk onderzoek werd gedaan.'

'Ja, en wie er in Grants graf begraven ligt, weet hij ook niet,' reageerde Giordino.

'Heeft hij toevallig nog iets over hun lading gezegd?' vroeg Pitt.

'O ja,' antwoordde Kharitonov. 'Ze vervoeren landbouwwerktuigen en tractoronderdelen van Irkoetsk naar Bajkalskoye.'

8

De jonge politieagent die erop moest toezien dat niemand het schip verliet, kreeg na een tijdje meer dan genoeg van zijn saaie taak. Onvermoeibaar had hij op een paar meter van de plek waar de boeg van de *Vereshchagin* op de bodem van het meer was vastgelopen langs de oever heen en weer gepatrouilleerd, en het schip daarbij tot zonsondergang nauwlettend in de gaten gehouden. Maar naarmate de avond verstreek zonder dat er ook maar iets gebeurde, begon zijn aandacht te verslappen. De harde, bonkende geluiden uit een café iets verderop in de straat leidden hem steeds vaker af en het duurde niet lang of hij had zich volledig omgedraaid, zijn ogen op de ingang van het café gericht in de hoop een glimp op te vangen van een aantrekkelijke toeriste of een studente uit Irkoetsk.

Op deze wijze afgeleid was het zo goed als uitgesloten dat hij de twee in het zwart geklede mannen zag die stilletjes een kleine Zodiac vanaf het achterdek van de *Vereshchagin* in het water duwden, waarna ze zich zachtjes in de rubberboot lieten zakken.

Pitt en Giordino roeiden de Zodiac zo geruisloos mogelijk van de *Vereshchagin* weg, waarbij ze er angstvallig voor zorgden dat het onderzoeksschip zich tussen hen en de wacht op de oever bevond.

'Op een paar peddelslagen hiervandaan bevindt zich een hele rij gezellige drankgelegenheden en jij wilt per se dat we gaan vissen,' fluisterde Giordino.

'Dat zijn veel te dure toeristenvallen die je warm bier en oudbakken pretzels aansmeren,' wierp Pitt hier tegenin.

'Nou ja, warm bier is altijd nog beter dan geen bier,' reageerde Giordino poëtisch.

Hoewel ze al snel door de duisternis werden opgeslokt, roeide Pitt tot bijna anderhalve kilometer van de oever door voordat hij aan de startkabel van de 25pk-buitenboordmotor trok. De kleine motor sprong meteen aan en Pitt draaide de boot in een koers evenwijdig aan de oever, waarna hij de snelheid niet al te veel opvoerde. Giordino pakte een negentig centimeter lange sonarvis van de bodem van de boot, zette hem overboord en liet de sleepkabel over de volle honderd meter lengte vieren. Nadat hij de kabel aan het dolboord had vastgemaakt, klapte hij een laptop open en activeerde het programma van de sidescan-sonar. Binnen enkele minuten schoof er een geel getinte weergave van de bodem van het meer over het scherm.

'De voorstelling is begonnen,' kondigde Giordino aan, 'met in de hoofd-rol een golvende zandbodem op zo'n vijftig meter onder de waterspiegel.'

Pitt hield de boot parallel aan de oever tot hij op gelijke hoogte was met het vrachtschip. Hij voer nog een halve kilometer door, voordat hij met de Zodiac omkeerde en in tegengestelde richting terugging, maar nu een twin-tigtal meter verder het meer op.

'De *Primorski* moet hier ongeveer gelegen hebben toen we er afgelopen nacht overheen vlogen,' zei Pitt, terwijl hij met zijn arm een zwaai naar het zuidoosten maakte. Daarna draaide hij zijn hoofd in de andere richting en bestudeerde markante oriëntatiepunten op de noordoever en probeerde zich te herinneren of hij die ook vanuit de helikopter had gezien.

Giordini knikte. 'Ja, dat moet hier geweest zijn.'

Pitt diepte een kompas uit zijn zak op, checkte de koers en legde hem op het bankje voor hem. De stand van het kompas regelmatig met een korte flits van zijn zaklampje controlerend hield hij een strakke koers aan tot hij na een krappe kilometer omdraaide en iets verder naar het zuiden weer langs de strook terugvoer. Nog een uur vervolgden ze hun zoektocht, waar-bij ze zich geleidelijk steeds verder van de oever verwijderden en Giordino op het computerscherm aandachtig de contouren van de bodem bekeek.

Juist toen Pitt zijn blik op de oever richtte en zich voorbereidde om de boot aan het einde van weer een denkbeeldige strook te draaien, zei Gior-dino: 'Hebbes.'

De boot op koers houdend boog Pitt zich voorover naar het scherm van de laptop. Er schoof een donker lineair voorwerp door het beeld, gevolgd door een tweede dunne lijn die er schuin naartoe liep. Het voorwerp groei-de geleidelijk uit tot een grote A-vorm, waar nog een aantal lijnen dwars op stonden.

'De lengte is een meter of twaalf,' zei Giordino. 'Dit ding lijkt beslist op de stellage die we afgelopen nacht op het achterdek van de *Primorski* heb-ben zien staan. Schandalig om het meer hiermee te vervuilen.'

'Het is inderdaad een schande,' reageerde Pitt, die zijn blik naar het zwarte vrachtschip wendde. 'De vraag is, beste Watson, waarom?'

Toen Pitt naar achteren boog en de buitenboordmotor uitzette, begreep Giordino dat ze naar het antwoord gingen zoeken. Al vanaf het eerste moment dat hij het zwarte vrachtschip zag, had Pitt het gevoel dat er iets niet in de haak was. En de wetenschap dat het door het Avarga Oil Consortium was gehuurd, had de doorslag gegeven. Hij twijfelde er niet meer aan dat er op de een of andere manier een verband bestond tussen de aanwezigheid van het schip en de verdwijning van Sarghov en het onderzoeksteam. Terwijl hij het schip vanuit de verte nog eens goed bekeek, haalde Giordino snel de sonarvis binnen en klapte de laptop dicht, daarna stak hij de roeiriemen in de dollen.

De *Primorski* lag donker en stil op een rustige ligplaats aan het uiteinde van de kade voor het dorp. De vrachtwagens stonden nog bij de aangrenzende aanlegsteiger. De beide opleggers waren nu volgeladen met een in zeildoek ingepakte lading. De kade was door een hoog hek van harmonicagaas afgesloten voor passanten en werd bewaakt door een stel bewakers in een keet bij de ingang. Bij de vrachtwagens stonden twee mannen over een op een van de spatborden uitgespreide kaart gebogen. Op het schip zelf was geen teken van leven te bekennen.

Pitt en Giordino naderden stilletjes de achtersteven van het schip en voeren langzaam door tot in de schaduw van de hoge scheg. Pitt kwam overeind en pakte de meertros aan de achtersteven van het schip die tot aan de waterspiegel liep, en gebruikte hem om hen naar de kaderand te trekken. Terwijl Giordino een touw om een afgebroken meerpaal bond, klom Pitt van de Zodiac op de houten kaderand.

De vrachtwagens stonden aan de andere kant bij de boeg van het schip, maar Pitt hoorde het in de wind verwaaide stemgeluid van de mannen die er bij stonden. Hij zag een stel roestige olievaten staan, waarachter hij geknield dekking zocht. Even later dook Giordino naast hem op.

'Leeg als een kerk op maandag,' fluisterde Giordino naar het spookachtig stille schip starend.

'Ja, iets te vredig.'

Pitt gluurde langs de olievaten en ontdekte een loopplank die naar het voorste ruim van het schip liep. Vervolgens bestudeerde hij de reling langs de zijkant van het schip, die zich zo'n tweeënhalve meter boven de kade bevond.

'De loopplank is misschien iets te link om aan boord te gaan,' fluisterde hij tegen Giordino. 'Maar vanaf deze dingen kunnen we over de reling klimmen,' zei hij op de vaten wijzend.

Behoedzaam rolde Pitt een van de vaten naar de rand van de kade en klom er bovenop. Vervolgens zakte hij iets door zijn knieën, zette af voor een sprong met uitgestrekte armen over de ongeveer één meter brede strook water en wist zo de reling van het schip te grijpen. Heel even hing hij daar voordat hij zijn lichaam met een zwaai over de reling slingerde. Voor de kleinere Giordino was de sprong iets lastiger en hij miste de reling bijna. Een paar seconden hing hij aan één hand tot Pitt hem aan boord trok.

'De volgende keer neem ik de lift,' mompelde hij.

Uithijgend verborgen ze zich in het duister en doorzochten het uitgestorven schip. In vergelijking met de meeste zeewaardige kustvaarders was het met een lengte van net zeventig meter een tamelijk klein vrachtschip. Ze was gebouwd naar het klassieke model van een vrachtschip met de bovenbouw in het midden en een open voor- en achterdek. Hoewel de romp van staal was, waren de dekken van teakhout, dat naar dieselolie stonk en een hele snoepwinkel aan chemicaliën die in de loop van veertig jaar trouwe dienst in de houtvezels was getrokken. Pitt bekeek het achterdek, waarop bij het luik van het enige ruim een aantal metalen containers stond. Zo stil mogelijk slopen hij en Giordino over het dek naar de schaduw van een container, waar ze bleven staan om een blik in het openstaande ruim te werpen.

Langs de zijwanden lagen bundels dunne buizen opgestapeld. Het midden van het ruim was leeg, maar zelfs in het donker waren op de bodem afdrukken te zien die aangaven dat daar het onderstel van de mysterieuze bok had gestaan. Interessanter nog was een afsluiter met een doorsnee van bijna twee meter, exact in het midden van de afdrukken.

'Dat lijkt wel heel erg op het buisgat van de boorschepen die ze op de Noordzee gebruiken,' fluisterde Pitt.

'En dat zijn de bijbehorende boorbuizen,' zei Giordino. 'Maar dit is beslist geen boorschip.'

Het was hoogst opmerkelijk. Een boorschip beschikt over stijgbuizen en opslagcapaciteit om na het boren naar aardolie een voorraad van de eventueel aangetroffen olie aan boord op te slaan. Met dit oude vrachtschip kon je misschien een stijgbuis naar de bodem laten zakken, maar absoluut geen druppel olie naar boven halen, als dat de bedoeling zou zijn geweest.

Pitt nam niet de tijd daar nog langer over na te denken en sloop naar het gangboord aan bakboordzijde. Aan het andere einde gekomen drukte hij zich tegen de tussenwand en gluurde voorzichtig om de hoek. Er was nog steeds geen mens op het schip te zien. Terwijl hij langzaam met Giordino op zijn hielen verder sloop, haalde hij opgelucht adem nu ze uit het zicht van de mensen op de kade waren.

Ze liepen door tot ze een dwarsgang bereikten die de bovenbouw over de hele breedte van het schip in tweeën deelde. Een enkele lamp aan het plafond hulde de lege gang in een matgele gloed. Ergens in de verte klonk het krekelachtige zoemen van een generator. Pitt liep de gang in tot onder de lamp, trok de mouw van zijn trui over zijn rechterhand en draaide met zijn zo beschermde hand het peertje los. Omdat het licht van de kadelampen er niet rechtstreeks naar binnenviel, was het op slag pikkedonker in de gang.

Terwijl ze op de hoek van de dwarsgang stonden, klikte er opeens een klink van een hutdeur. Bliksemsnel stapten beide mannen de zijgang in, weg van de opengaande deur. Aan Pitts linkerhand stond de deur van een zwak verlichte ruimte uitnodigend open en hij stapte naar binnen, gevolgd door Giordino, die de deur achter zich sloot.

Achter de deur luisterden ze of ze voetstappen hoorden, terwijl ze om zich heen keken. Ze stonden in de officiersmess die tevens dienstdeed als vergaderruimte. Het vertrek maakte een comfortabele indruk in vergelijking met de rest van het afgeleefde vrachtschip. Er lag een fraai Perzisch kleed op een glanzend geboende en met leer beklede stoelen omgeven mahoniehouten tafel, die het grootste deel van de ruimte in beslag nam. Met het dikke behang, een paar fraaie kunstwerken en decoratief opgestelde kunstbloemen had de ruimte wel iets weg van de foyer van het Waldorf-Astoria Hotel. Aan het andere uiteinde gaf een dubbele deur toegang tot de kombuis. Aan de tussenwand naast Pitt hing op ooghoogte een groot beeldscherm voor de weergave van satellietbeelden.

'Een mooi sfeertje om een lekker bord vissoep of borsjt naar binnen te werken,' zei Giordino.

Pitt negeerde zijn opmerking en liep naar een aantal aan de muur geprikte plattegronden. Het waren computeruitdraaien van uitvergrote delen van het Bajkalmeer. Op diverse punten rond het meer waren met de hand rode cirkels getekend. Op een kaart van het uiterste noorden van het meer stond een hele tros van deze cirkels, waarvan enkele tot ver landinwaarts reikten, waar een van west naar oost lopende oliepijplijn was ingetekend.

'Geplande boorlocaties?' vroeg Giordino.

'Waarschijnlijk. Hier zullen de leden van Milieudefensie niet blij mee zijn,' antwoordde Pitt.

Giordino luisterde bij de deur en hoorde buiten voetstappen een nabijgelegen trap afgaan. Toen de voetstappen waren weggestorven, opende hij de deur voorzichtig op een kier en gluurde de nu lege gang in.

'Niemand te zien. En niets wijst op de aanwezigheid van passagiers aan boord.'

'Ik zou de sloep waarmee ze aan wal gaan wel eens willen zien,' fluisterde Pitt.

Zachtjes duwden ze de deur iets verder open en slopen door de gang terug naar het gangboord aan bakboordzijde. Vanhier liepen ze naar voren en kwamen algauw op het open voordek, dat geheel door twee verhoogde dekluiken in beslag werd genomen. Bij de reling aan bakboordzijde van de boeg stond een aftandse sloep in een houten aan het dek bevestigde slede. Het feit dat de kabels van de lier die ernaast stond met de sloep verbonden waren, wees erop dat de boot nog onlangs was gebruikt.

'Dat ding ligt vol in het zicht van de brug,' zei Giordino met een hoofdknikje gebarend naar een mat schijnsel dat door de voorruit van de brug straalde die zich zes meter boven hen bevond.

'Maar alleen als er iemand die kant op kijkt,' reageerde Pitt. 'Ik sluip er naartoe om er snel even een kijkje te nemen.'

Terwijl Giordino in het donker achterbleef, stak Pitt diep gebukt langs de bakboordreling hollend het dek over. In het licht van de kadelampen en de verlichting op de brug was het dek in een vaal schijnsel gehuld, waardoor de rennende Pitt een zwakke schaduw voor zich uit wierp. Vanuit zijn ooghoeken ving hij een glimp op van de vrachtwagens op de kade en een handjevol mensen die eromheen liepen. In zijn zwarte broek en trui was hij zo goed als onzichtbaar voor de mannen op die afstand. Hij maakte zich dan ook meer zorgen over degenen die zich mogelijk op de.brug bevonden.

Hij sprintte het laatste stukje naar de sloep, waar hij snel achter de boeg wegdook en in de beschutting van de reling neerknielde. Terwijl zijn hartslag weer tot rust kwam, luisterde hij of hij iets hoorde wat er op wees dat hij ontdekt was, maar alles bleef stil op het vrachtschip. Alleen de gedempte geluiden van de werkzaamheden in het dorp drongen tot op het dek door. Pitt tuurde naar de brug en zag achter de ruit twee mannen met elkaar praten. Geen van beiden besteedde ook maar enige aandacht aan het voordek.

Op zijn hurken zittend haalde Pitt zijn zaklamp tevoorschijn, hield hem tegen de romp van de sloep en knipte hem in een flits aan en weer uit. In die ene seconde verlichtte de smalle lichtstraal een verweerde houten, paarsrood geverfde romp. Toen hij met zijn vingers over de romp wreef, bleven er schilfers verf aan kleven. Zoals Pitt al vermoedde, was het de kleur rood waarvan hij een veeg aan de stuurboordzijde van de *Vereshchagin* had gezien.

Toen hij overeind kwam om zich naar de boeg van de sloep te begeven, viel zijn oog op een voorwerp in de boot. Nadat hij zijn hand over de rand tot op de bodem van de sloep had laten zakken, knipte hij de zaklamp nogmaals snel aan en weer uit. In de flitsende lichtbundel zag hij een versleten honkbalpet liggen met een rood embleem van een aanvallend zwijn op de voorkant. Pitt herkende het dier als de mascotte van de Universiteit van Arkansas en begreep dat dit de pet van Jim Wofford moest zijn. Er was nu geen enkele twijfel meer dat de *Primorski* een rol had gespeeld bij de poging de *Vereshchagin* tot zinken te brengen en bij de verdwijning van een deel van de bemanning.

De zaklamp weer opbergend kwam hij overeind en wendde zijn blik naar de brug. De beide figuren waren nog steeds in een geanimeerd gesprek verwikkeld en hadden geen oog voor het dek onder hen. Voorzichtig sloop Pitt om de boeg van de sloep heen, waar hij opeens stokstijf bleef staan. Er rinkelde een alarmbelletje in zijn hoofd; hij voelde dat er iemand vlak bij hem was. Maar het was al te laat. Een seconde later flitste er een felle halogeenlamp aan en schalde de schrille Russische uitroep '*Ostanovka!*' door de stilte.

125

9

Uit de duisternis stapte een man het schijnsel van de kadelampen in en bleef op anderhalve meter voor Pitt staan. Hij was nogal tenger gebouwd en had vettig zwart haar dat qua kleur bij zijn overall paste. Hij bewoog zenuwachtig op de ballen van zijn voeten naar voren en naar achteren, maar er was niets zenuwachtigs aan de manier waarop hij een Yarygin PYa 9mm-pistool op Pitts borst gericht hield, een automatic. De man had zwijgend naast de kaapstander in de punt van de boeg gezeten, besefte Pitt nu, van waaruit hij een goed zicht op de loopplank had. Vanaf die positie had hij de flitsen van Pitts zaklamp gezien en was ernaartoe geslopen om poolshoogte te nemen.

De wacht was nauwelijks zijn tienerjaren ontgroeid en staarde Pitt met priemende bruine ogen aan. Hij was hier niet in eerste plaats als wacht in dienst, concludeerde Pitt bij het zien van de met olie bevlekte vingers die het wapen omklemden. Toch hield hij het pistool als een getrainde schutter op Pitt gericht en er was geen twijfel mogelijk dat hij de trekker zou overhalen als hij zich daartoe gedwongen zag.

Pitt verkeerde in een tamelijk hopeloze positie, zo ingeklemd tussen de sloep en de reling met een stuk open dek tussen hem en de wacht. Toen de man met zijn linkerhand een walkietalkie naar zijn mond bracht, besloot Pitt in actie te komen. Hij kon recht op de wacht afspringen met het risico in het gezicht te worden geschoten of hij kon over de reling springen in een poging via het koude water weg te komen. Of hopen dat Giordino opdook. Maar Giordino stond vijftien meter verderop en zou zodra hij het voordek opliep, onmiddellijk door de wacht worden gezien.

Terwijl de wacht kort in de zender sprak, bleven zijn ogen strak op Pitt gericht. Pitt bleef roerloos staan en vroeg zich af welke straf er in Rusland op inbraak stond en bedacht zich droogjes dat hij voor verbanning naar Siberië niet ver hoefde te reizen. Maar denkend aan de dode visser aan boord van de *Vereshchagin* besefte hij dat een Siberische goelag wellicht een te rooskleurige voorstelling van zaken was.

Hij zakte onmerkbaar iets door zijn knieën en wachtte tot er een reactie uit de walkietalkie kwam, wat voor de wacht toch een minimale afleiding zou zijn. Toen er een lage stem uit het apparaat opklonk, verschoof Pitt zijn linkerhand een klein stukje naar de reling, waarbij hij zich schrap zette voor de sprong. Maar verder kwam hij niet.

De vlam uit de loop flitste op hetzelfde moment dat het wapen in de hand van de bewaker iets opzij wegzwenkte. Pitt verstijfde toen er op een paar centimeter van zijn hand een stuk teakhout ter grootte van een honkbal van de reling spatte en een seconde later met een plons in het water eronder viel.

Pitt bleef stokstijf staan toen er vanaf de kade geroepen werd als reactie op het pistoolschot en niet zozeer de oproep door de walkietalkie. Er stormden twee mannen de loopplank op, allebei gewapend met hetzelfde type Yarygin-pistool waarmee de Russische bewaker zojuist Pitts linkerhand bijna had verbrijzeld. Pitt herkende de tweede man onmiddellijk als de vermiste stuurman van de *Vereshchagin*, het humorloze ijskonijn Anatoly. Vanuit de brug kwam over de kampanjetrap een derde man op hen af. Hij straalde duidelijk gezag uit. Hij had lange zwarte haren en nam het tafereel met een stel gevoelloze bruine ogen op. In het licht van de kadelampen zag Pitt een lang litteken op zijn linkerwang, een tatoeage overgehouden aan een messengevecht in zijn jeugd.

'Deze indringer had zich achter de sloep verstopt,' meldde de wacht.

De man wierp een korte blik op Pitt, waarna hij zich tot de twee andere bemanningsleden richtte. 'Zoek het schip af naar handlangers. En niet meer schieten. We moeten geen aandacht trekken.'

De beide mannen reageerden direct en begonnen met een haastige inspectie van alle duistere plekken op het voordek. Pitt werd naar het midden van het dek geleid, dat door een werklamp van boven hel was verlicht.

'Waar is Alexander?' vroeg Pitt kalm. 'Ik heb hier met hem afgesproken.'

Pitt verwachtte niet dat dit bluffen zou werken, maar hij was nieuwsgierig hoe de man erop zou reageren. De man trok lichtjes zijn wenkbrauw op, meer was 't niet.

'Engels?' vroeg hij ten slotte zonder echte interesse te tonen. 'U bent van de *Vereshchagin*. Jammer dat u verdwaald bent.'

127

'Maar ik heb wel de mensen gevonden die haar tot zinken hebben gebracht,' reageerde Pitt.

In het vage schijnsel zag Pitt dat de man bloosde. Hij hield zijn woede in, terwijl de twee bemanningsleden terugkwamen en het hoofd schudden.

'Geen handlangers? Stop hem dan bij die andere vent en zet ze zachtjes overboord, waar niemand ze zal vinden,' siste de man.

De wacht stapte naar voren, drukte de loop van zijn pistool tegen Pitts ribben en knikte naar het gangboord aan bakboordzijde. Pitt liep knarsetandend door de duisternis waar hij Giordino had achtergelaten naar het gangboord, gevolgd door de wacht en de beide bemanningsleden. Vanuit zijn ooghoeken zag hij dat de man met het litteken via de zijtrap naar de brug terugkeerde.

In het gangboord verwachtte hij half en half dat Giordino zich op zijn aanvallers zou storten, maar zijn compagnon was nergens te zien. Op het achterdek aangekomen werd hij ruw naar een van de roestige containers geduwd die langs de reling stonden. Kalm en zonder weerstand te bieden wachtte hij tot een van de bemanningsleden het hangslot aan de container openmaakte, voordat hij tot de aanval overging. De wacht porde hem nog steeds met zijn pistoolloop in zijn ribben, waarbij hij ietwat uit zijn evenwicht stond. Met een bliksemsnelle beweging sloeg Pitt met zijn linkerelleboog de loop weg van zijn lichaam. Voordat de wacht besefte wat er gebeurde, had Pitt zich naar hem omgedraaid en haalde met de volle kracht van de beweging met zijn rechtervuist uit. De zwaaistoot raakte de wacht op zijn kin, maar hij sloeg hem er net niet bewusteloos mee. In plaats daarvan wankelde hij achteruit in de armen van Anatoly, terwijl het pistool op het dek kletterde.

Het andere bemanningslid stond nog met het hangslot in zijn handen, waarop Pitt de gok nam en naar het wapen dook. Op het moment dat hij met zijn buik op het dek landde en met zijn uitgestrekte rechterhand de polyester kolf van de Yarygin te pakken kreeg, klapte er een tachtig kilo zware massa op zijn rug. Met zijn kille berekende kalmte was Anatoly zo slim om de half versufte wacht naar Pitt terug te duwen, die als een zoutzak over Pitt heen viel. Terwijl Pitt de wacht van zich af probeerde te rollen, voelde hij het koude staal van de loop van een machinepistool in zijn nek. Pitt wist dat het bevel om niet te schieten niet in alle gevallen gold, en liet zijn wapen vallen.

Pitt werd op zijn knieën zittend onder schot gehouden tot het hangslot was opengemaakt en de dubbele deuren van de zes meter lange container openzwaaiden. Met harde porren in zijn rug werd Pitt struikelend de container in gedwongen, waar hij naast een zacht voorwerp neerviel. In het vage licht zag hij dat hij naast een menselijk lichaam terecht was gekomen dat gekromd op de bodem van de container lag. Het lichaam bewoog. De torso kwam op een elleboog steunend omhoog en het tot dan toe afgewende gezicht keerde zich naar Pitt.

'Dirk... goed dat je langskomt,' klonk de schorre, vermoeide stem van Alexander Sarghov.

Toen Pitt op de boeg werd ontdekt, vloekte Giordino in zichzelf. Zonder wapen waren zijn mogelijkheden beperkt. Heel even overwoog hij om de man met het wapen te lijf te gaan, maar daarvoor was de afstand over het dek, waar hij zichtbaar zou zijn, veel te groot. Het waarschuwingsschot dat de wacht op Pitt afvuurde, verdreef vervolgens alle verdere gedachten aan openlijk heldhaftig ingrijpen. Toen hij de mannen van de kade de loopplank op hoorde rennen, besloot hij zich terug te trekken en door de dwarsgang naar stuurboord uit te wijken. Misschien kon hij zich achter de mannen die over de loopplank het schip op stormden, aansluiten en de wacht zo onopgemerkt in het kielzog van de anderen toch nog verrassen.

Toen hij zich behoedzaam langs de tussenwand van het bakboorddek verwijderde en de dwarsgang inliep, stuitte hij daar op een in het zwart geklede man die uit de tegengestelde richting kwam aangerend. Als in een scène uit een komische zwijgende film botsten ze als rubberballen tegen elkaar op en vielen plat op hun rug. Soepel als een kat en razendsnel de dreun van de klap van zich afschuddend sprong Giordino als eerste weer overeind en dook op de andere man af die nog maar half overeind was gekrabbeld. Giordino greep hem om zijn middel en wierp de man met zijn hoofd tegen het zijschot. Met een zachte tik sloeg zijn schedel tegen de stalen wand en het lichaam klapte slap terug in zijn armen.

De man was nog niet goed en wel uitgeschakeld of het geluid van hollende voetstappen galmde door het gangboord. Met een snelle blik op het verlichte voordek zag Giordino dat Pitt naar het achterdek werd afgevoerd. Snel sleurde hij de bewusteloze man door de dwarsgang naar de vergaderruimte. Nadat hij het slappe lichaam op de vergadertafel had gehesen, zag hij dat het bemanningslid hetzelfde postuur had en eenzelfde zwarte overall droeg als de wacht op het dek. Een vluchtige fouillering leverde geen wapen op. De man bleek de marconist van het schip. Giordino stroopte de overall van zijn lijf en trok hem over zijn eigen bovenkleding aan, waarna

129

hij ook de donkere wollen vissersmuts die de man had gedragen tot over zijn oren trok. In de verwachting dat hij zo in het halfduister voor bemanningslid kon doorgaan, liep hij de gang weer in en begaf zich naar het achterdek zonder dat hij ook maar enig idee had wat de volgende stap zou zijn.

Sarghovs kleren waren verkreukt, zijn haar zat in de war en zijn linkerwenkbrauw was blauw opgezwollen. Hoewel zijn gezicht er vermoeid uitzag, sprankelden zijn ogen toen hij Pitt herkende.

'Alexander, ben je ernstig gewond?' vroeg Pitt, terwijl hij Sarghov in een zittende positie overeind hielp.

'Ik ben oké,' antwoordde hij met een al weer wat krachtiger stem. 'Ze zijn niet erg zachtzinnig met me omgesprongen nadat ik een van hen had omgelegd.' Er krulde een tevreden glimlachje om zijn lippen.

Achter hen sloegen de deuren van de container dicht en was het interieur in één klap in het pikkedonker gehuld. Luid ronkend sloeg een dieselgenerator aan, nadat een van de bemanningsleden achter het bedieningspaneel van een dekkraan had plaatsgenomen. De machinedrijver stuurde de laadboom met een zwaai over het dek tot hij boven de container zo abrupt tot stilstand kwam dat de stalen haak wild heen en weer slingerde. Door de kabel te vieren liet hij de haak zakken tot deze met een metaalachtige dreun op het dak van de container kletterde. Daarna zette hij de motor weer uit.

Binnen knipte Pitt zijn zaklamp aan, terwijl Sarghov weer wat op krachten kwam.

'Ze hebben geprobeerd de *Vereshchagin* tot zinken te brengen,' zei de Rus. 'Mag ik uit uw aanwezigheid hier afleiden dat ze daar niet in zijn geslaagd?'

'Het had weinig gescheeld,' antwoordde Pitt. 'Het is ons gelukt om het schip naar de oever te slepen voordat het in de baai kon zinken. Het onderzoeksteam van de oliemaatschappij wordt vermist. Zijn ze hier met u aan boord gebracht?'

'Ja, maar daarna zijn we meteen van elkaar gescheiden. Op de *Vereshchagin* hoorde ik een hoop herrie in het gangboord voor mijn hut, maar kreeg onmiddellijk de loop van een pistool tegen mijn hoofd toen ik wilde gaan kijken. Het was Anatoly, de dekofficier. Hij en Tatjana dwongen ons onder bedreiging van vuurwapens in een klaarliggende sloep te stappen, waarna ze ons naar dit vrachtschip hebben gebracht. Waarom is me een compleet raadsel,' besloot hij hoofdschuddend.

'Dat is nu minder belangrijk dan de vraag hoe we hier uitkomen,' zei Pitt, terwijl hij opstond. Om zich heen kijkend zag hij dat de container verder leeg was op een paar over de vloer verspreid liggende vodden na.

Aan de buitenkant van de stalen wanden graaide Anatoly een stel kabels met lussen aan de uiteinden bijeen en trok ze onder de container door. Het andere bemanningslid, een slanke man met vettige haren, klom boven op de container en trok de kabellussen over de haak. De wacht die door Pitt knock-out was geslagen, kwam wankelend overeind en pakte zijn wapen op, waarna hij het schouwspel van een afstandje bekeek.

Nadat hij van de container was gesprongen, liep de slanke man terug naar het bedieningspaneel van de kraan, dat zich een paar meter verderop in een donkere hoek bevond. Met zijn vingers om de hijshendel bracht hij de laadboom iets omhoog tot de kabels strak stonden, vervolgens tilde hij de container langzaam van het dek tot hij vrij in de lucht hing. Omdat hij zijn ogen strak op de bungelende container gericht hield, viel het hem niet op dat er iemand stilletjes over het dek sloop en hem van opzij naderde. Ook zag hij de gebalde vuist niet die vanuit de duisternis plotseling voor hem opdook en hem met de kinetische energie van een breekijzer onder zijn oor trof. Als hij door de klap op zijn halsslagader niet meteen al buiten bewustzijn was geraakt, had hij Giordino recht in het gezicht gezien toen deze hem als een gekookte noedel achter het bedieningspaneel wegsleurde en op het dek liet vallen.

Giordino had geen tijd om het knoppenpaneel uitgebreid te bestuderen toen hij de plaats van de man overnam. Hij haalde met zijn rechterhand een hendel naar zich toe en het bleek dat hij goed had gegokt, want de laadboom ging omhoog en tilde de container een paar centimeter hoger. Met zijn linkerhand de hendel voor de zijwaartse bewegingen bedienend, bewoog hij de laadboom een halve meter naar het midden van het schip, waarna hij van richting veranderde en de container aan bakboordzijde buiten boord zwenkte, waarbij het ijzeren gevaarte maar net over de reling scheerde. Giordino hield de kraan een minuut lang stil, terwijl de container vervaarlijk boven het water heen en weer slingerde. Zoals hij had gehoopt, volgden Anatoly en de wacht de bewegingen van de container en stonden bij de bakboordreling te wachten tot het gevaarte met een plons onder water zou verdwijnen. Hoewel het bepaald een koude nacht was, parelden de zweetdruppels op Giordino's voorhoofd terwijl hij met zijn handen om de hendels rustig wachtte tot Anatoly hem een teken gaf de laadboom te laten zakken. Giordino zwenkte de kraan nog een paar decimeter verder van het schip af en wachtte tot de container in de schommelbeweging het verste punt had bereikt. Met een ruk aan de hendel joeg hij de laadboom zo hard als hij kon terug naar het achterdek.

De twee mannen aan de reling zagen de laadboom tot hun verbazing eerst iets naar achteren zwaaien, waarbij de container een fractie van een seconde stil in de lucht leek te hangen, waarna hij van richting veranderde en plotseling met een noodgang recht op hen afkwam.

De wankelende wacht viel luid vloekend achterover terwijl de container op een paar centimeter langs zijn gezicht zeilde. Anatoly had minder geluk. In plaats van weg te duiken probeerde hij de op hem af suizende container met een stap opzij te ontwijken. Maar hij sprong niet ver genoeg en voordat hij nog een stap kon doen was de container al bij hem. Een gorgelende kreet uit zijn verbrijzelde longen was het enige geluid dat hij maakte toen hij als een lappenpop tegen het dek werd geslagen.

De half versufte wacht bij de reling keek naar het bedieningspaneel van de kraan en schold zijn collega de huid vol tot hij opeens besefte dat de man die de laadboom bediende zijn collega niet was. Toen hij naar zijn wapen greep, veranderde Giordino de zijwaartse beweging van de laadboom weer, waarop de container naar de bakboordreling terug zwenkte. Giordino dook weg toen de wacht zijn wapen op hem richtte en de trekker overhaalde. De kogel floot rakelings over zijn hoofd. Maar zelfs diep weggebukt hield hij zijn handen stevig om de hendels van de kraan.

De slingerende container had het verste punt van de zwaaibeweging bereikt en suisde weer terug naar de reling. De wacht, die een stap naar voren had gedaan om te kunnen schieten, dook ineen om de container over zich heen te laten gaan. Maar Giordino trok razendsnel de hendel van de laadboom omlaag, met als gevolg dat ook de container vlak voor de schutter naar het dek zakte.

Er schalde een snerpende gil over het achterdek toen de container met schurend geweld de planken vloer raakte en door de vaart omsloeg en op de zijkant bleef liggen. Tijdens het omkiepen raakte de container het linkerbeen van de wacht die probeerde weg te springen. Met een verbrijzeld, onder de container bekneld been schreeuwde de wacht het uit van de pijn. Giordino holde ernaartoe en zette een voet op de pols van de man, waarna hij het pistool opraapte dat hij had losgelaten. Vervolgens rukte hij zijn geleende wollen muts af en propte hem in de mond van de man, waarmee hij het gillen van de wacht tijdelijk stopte.

'Altijd oppassen voor vliegende voorwerpen,' gromde Giordino tegen de man, die hem met glazige ogen in een van pijn vertrokken gezicht aanstaarde.

Giordino richtte het wapen op het hangslot en vuurde twee zuiver gerichte schoten af, waarna hij het gekraakte sloot lostrok. Met een stevige ruk aan de grendel gooide hij een van de deuren open, die met een klap op het dek kletterde. Pitt en Sarghov tuimelden als dobbelstenen naar buiten en krabbelden wrijvend over pijnlijke lichaamsdelen overeind.

'Je gaat me toch niet vertellen dat je in een vorig leven met een reuzenschommel op de kermis hebt gestaan, hè?' zei Pitt met een verwrongen glimlachje.

'Nee, dit was gewoon een bowlingoefening,' antwoordde Giordino. 'Als jullie zover zijn, stel ik voor dat we als de donder maken dat we hier wegkomen.'

Vanaf het voorste deel van het schip hoorden ze luid geschreeuw en het gestommel van rennende voetstappen over de loopplank. Pitt speurde het achterdek af en zag de beide bewusteloze lichamen liggen alvorens hij zijn blik op Sarghov richtte. De aangeslagen Russische wetenschapper bewoog moeizaam en verkeerde niet in de conditie om ook maar iemand hardlopend van zich af te houden.

'Ik haal de boot. Ga jij met Alexander langs de achtersteven van boord,' instrueerde Pitt.

Giordino knikte haast onmerkbaar, terwijl Pitt naar de stuurboordreling sprintte. Daar aangekomen klom hij op de reling, boog door zijn knieën en sprong naar de kade. Zo zonder aanloop had hij de kaderand bijna gemist, maar landend op het randje wist hij zich met zwaaiende armen naar voren te werpen, waarna hij kopjeduikelend over de kade rolde.

Aan boord van het schip klonk steeds meer geschreeuw dat achter heen en weer zwiepende lichtbundels snel dichterbij kwam. Pitt deed geen moeite meer zich te verbergen en spurtte met het geroffel van voetstappen in zijn kielzog over de kade terug naar de Zodiac. Nadat hij in de rubberboot was gesprongen, werden zijn gebeden verhoord toen de buitenboordmotor bij de eerste ruk aan de startkabel aansloeg. Meteen flink gas gevend stuurde hij de Zodiac naar de achtersteven van het vrachtschip en hield niet in voordat de rubberboot met een bonk tegen de stalen spiegel botste.

Pitt draaide de gashendel dicht en keek omhoog. Recht boven hem dook Sarghov op, die met een nogal onvaste greep aan het achterste meertouw hing.

'Laat maar los, Alexander,' drong Pitt aan.

Pitt kwam overeind en wist de zware Rus, die met de bevalligheid van een zak meel naar beneden plofte, nog half op te vangen. Boven hun hoofden barstte een mitrailleur los en sproeide een spervuur van kogels over het schip en de kade. Een seconde later verscheen Giordino boven de hekspiegel, waarna hij zich aan zijn handen bungelend langs het meertouw liet zakken tot hij vlak boven de boot hing. Terwijl er op het dek boven hen luid schreeuwende stemmen klonken, liet Giordino zich zachtjes in de boot vallen.

'Links het toneel af,' zei hij hijgend.

Pitt had de gashendel al opengedraaid, stuurde onderlangs de achtersteven van het schip en rondde de bocht langs bakboordzijde alvorens hij van het vrachtschip weg het meer op zwenkte. De boeg van de kleine boot klapte over de golven, waarbij de beide buisvormige drijvers zich tot boven de waterlijn verhieven, wat de weerstand verminderde en de snelheid verhoogde. Een paar seconden waren ze vanaf het schip en de kade goed te zien en de drie mannen lagen zo diep mogelijk in de boot weggedoken.

Maar er werd niet op hen geschoten. Pitt keek achterom en zag een man of zes naar de bakboordreling van het schip rennen, maar daar keken ze werkeloos toe hoe het bootje door de duisternis werd opgeslokt.

'Wat raar dat ze op het laatst pacifisten werden,' merkte Giordino op.

'Vooral nadat jij met je demonstratie snelvuurschieten de hele buurt toch al had gewekt,' vulde Pitt aan.

Hij deed geen moeite hun koers te verhullen en voer linea recta naar de *Vereshchagin*. Toen ze het onderzoeksschip een paar minuten later naderden, manoeuvreerde Pitt de rubberboot naar een ladder die men aan stuurboordzijde tot op de waterlijn had laten zakken. Op de oever zag de jonge politieman hen opeens aanleggen en schreeuwde dat ze moesten stoppen. Sarghov kwam in de boot overeind en gilde iets terug in het Russisch. De politieagent kromp zichtbaar ineen, draaide zich op zijn hakken om en snelde het dorp in.

'Ik heb hem gezegd dat hij zijn baas moest wekken,' verklaarde Sarghov. 'We zullen versterking nodig hebben om dat vrachtschip te doorzoeken.'

Rudi Gunn, die tijdens hun afwezigheid nerveus op het dek had lopen ijsberen, hoorde het roepen en rende de drie mannen tegemoet terwijl ze aan boord klauterden.

'Dr. Sarghov... alles oké met u?' vroeg Gunn, die zijn opgezwollen gezicht en bebloede kleren zag.

'Met mij is alles goed. Maar zou u zo vriendelijk willen zijn de kapitein voor me te roepen?'

Pitt begeleidde Sarghov naar de ziekenboeg van de *Vereshchagin*, terwijl Gunn de scheepsarts en kapitein Kharitonov wekte. Giordino vond een fles wodka en schonk een paar glazen in, terwijl de arts Sarghov onderzocht. 'Dat was op het nippertje,' verklaarde de Russische wetenschapper, die met de wodka in zijn aderen weer wat kleur kreeg. 'Ik ben mijn vrienden van de NUMA heel veel dank verschuldigd,' zei hij, waarop hij een tweede glas wodka naar de Amerikanen opstak, dat hij vervolgens in één teug achteroversloeg.

'Op uw gezondheid,' antwoordde Pitt alvorens ook hij zijn glas in één slok leegde.

'*Vasje zdorovie!*' reageerde Sarghov met een derde glas toostend.

'Weet u wat er met Theresa en de anderen is gebeurd?' vroeg Giordino met een onmiskenbaar zorgelijke trek op zijn gezicht.

'Nee, aan boord van het schip hebben ze ons direct gescheiden. Omdat het duidelijk is dat ze mij wilden doden, hebben ze hen kennelijk om de een of andere reden levend nodig. Ik zou denken dat ze nog aan boord van het schip zijn.'

'Alexander, je leeft nog!' riep kapitein Kharitonov uit, toen hij de drukke ziekenboeg kwam binnengestormd.

'Hij heeft een verstuikte pols en wat kneuzingen,' meldde de arts, terwijl hij een snijwond in Sarghovs gezicht verbond.

'Het is niks,' zei Sarghov met een afwerend gebaar naar de arts. 'Luister, Alex. Dat vrachtschip van het Avarga Oil Consortium... er is geen twijfel mogelijk dat zij jouw schip tot zinken hebben willen brengen. Jouw bemanningslid Anatoly werkte voor hen en Tatjana waarschijnlijk ook.'

'Anatoly? Ik heb hem pas toen we met dit project begonnen in dienst genomen, omdat mijn normale eerste officier door een ernstige voedselvergiftiging verstek moest laten gaan. Wat een vuil complot!' reageerde de kapitein vloekend. 'Ik zal de autoriteiten inlichten. Hier komen die schoften niet zomaar mee weg.'

De autoriteiten, in de persoon van de politiecommandant en zijn jeugdige assistent, arriveerden bijna een uur later, vergezeld van de twee rechercheurs uit Irkoetsk. Zo lang had de horkerige politiechef nodig gehad om op te staan, een ontbijt van gebraden worstjes en koffie te nuttigen en de afstand naar de *Vereshchagin* te overbruggen, waarbij hij onderweg in de plaatselijke herberg de beide rechercheurs had opgehaald.

Sarghov vertelde nogmaals zijn verhaal over de ontvoering, waarna Pitt en Giordino daar hun verslag over de zoektocht naar de verdwenen boortoren en hun vlucht van het vrachtschip aan toevoegden. De twee mannen uit Irkoetsk namen de ondervraging met dieper gravende en intelligentere vragen geleidelijk helemaal over. Het viel Pitt op dat de rechercheurs de Russische wetenschapper met een eigenaardige eerbied en tegelijkertijd ook ietwat familiair bejegenden.

'Het lijkt me verstandig om voor het doorzoeken van het vrachtschip onze volledige politiemacht in te schakelen,' verkondigde de commandant brallerig. 'Sergei, roep alle reservisten uit Listvjanka op en laat ze zo spoedig mogelijk naar het hoofdbureau komen.'

Er verstreek nog weer bijna een uur voordat het bescheiden contingent politieassistenten zich met hun baas protserig voorop naar de ligplaats van het vrachtschip begaf. Het eerste ochtendlicht verscheen juist aan de horizon en wierp een grijze sluier over de vochtige nevel die vlak boven de grond zweefde. Pitt en Giordino, met Gunn en Sarghov aan hun zijde, volgden de politiemacht door de nu onbewaakte en openstaande poort in het hek op de kade. De kade was volledig verlaten en Pitt voelde een steek in zijn maag toen hij zag dat de drie vrachtwagens die bij het schip hadden gestaan, weg waren.

De autoritaire politiecommandant kloste de loopplank van het vrachtschip op en riep de kapitein, maar werd slechts door het gezoem van een generator begroet. Pitt volgde hem naar de brug, waar het logboek en alle kaarten en plattegronden overduidelijk niet meer aanwezig waren. Langzaam en systematisch doorzocht de politieploeg het hele schip, waarbij ze vaststelden dat het vaartuig overal even grondig was ontruimd. Er was geen snipper bewijs meer te vinden voor wat er met het schip was gedaan en er was ook niemand meer die er iets over kon vertellen.

'Over het schip verlaten gesproken,' mompelde Giordino hoofdschuddend. 'Zelfs in de hutten is niets persoonlijks meer te vinden. Dat hebben ze snel gedaan.'

'Zo snel dat ze dat niet allemaal onvoorbereid in de korte tijd dat wij weg waren, hebben kunnen doen. Nee, ze waren al klaar met hun werk en stonden op het punt er tussenuit te knijpen toen wij een kijkje kwamen nemen. Ik durf te wedden dat er van het begin af aan nooit persoonlijke spullen of dingen die op de aanwezigheid van het onderzoeksteam wijzen aan boord zijn gebracht. Ze waren sowieso van plan hier een leeg schip achter te laten.'

'En er met het ontvoerde team vandoor te gaan,' vulde Giordino aan, die voortdurend aan Theresa moest denken. Na een lange stilte liep hij terug naar de brug in de hoop daar nog een aanwijzing te vinden waar de vrachtwagens naar toe waren gegaan.

Pitt stond op een van de brugvleugels en keek omlaag naar het achterdek en de lege containers die daar nog stonden. Hij piekerde zich suf over wat het motief van de ontvoering kon zijn en wat ze met het onderzoeksteam van plan waren. De roze gloed van de opkomende zon hulde het schip in een lichte schemering en in dit ochtendlicht waren in het dek de uitgesleten groeven zichtbaar die aangaven waar de vorige nacht de boortoren had gestaan. Alle geheimen die het schip met zich meedroeg, waren met de bemanning en de lading in het duister van de nacht verdwenen. Maar de gezonken boortoren hadden ze niet voldoende kunnen verbergen. Wat dat ding te betekenen had, wist Pitt niet, maar diep vanbinnen was hij ervan overtuigd dat het een belangrijke aanwijzing was van een veel groter mysterie.

Deel twee

DE WEG
NAAR XANADU

Jawa-motorfiets uit 1953

10

K apitein Steve Howard tuurde door een versleten verrekijker over het helblauwe water van de Perzische Golf, die glinsterend voor hem lag. Op de waterweg was het vaak een druk komen en gaan van vrachtschepen, tankers en oorlogsbodems, met name in het smalle gedeelte bij de Straat van Hormuz. Maar hier voor de kust van Qatar zag hij tot zijn tevredenheid dat aan het einde van de middag al het scheepvaartverkeer vrijwel verdwenen was. Aan bakboordzijde van de boeg naderde een grote tanker, die met een lading ruwe aardolie diep in het water lag. In het verlengde van de achtersteven ontdekte hij een klein zwart boorschip dat een kilometer of drie achter de tanker voer. Tankers waren eigenlijk de enige schepen die hij hier hoopte te zien en enigszins gerustgesteld liet hij de verrekijker zakken en stelde scherp op de boeg van zijn eigen schip.

Om de voorsteven van zijn schip te kunnen zien, had hij inderdaad een verrekijker nodig, want de zware voorplecht bevond zich zo'n 250 meter van hem vandaan. Voor zich uit kijkend zag hij de lucht boven het witte bovendek van de *Marjan* trillen van de hitte. De enorme supertanker, die ook wel mammoettanker werd genoemd, was gebouwd voor het transport van twee miljoen vaten olie. Het reusachtige schip was langer dan het Chrysler Building in New York en ongeveer net zo gemakkelijk te besturen. Ze was onderweg naar Saudi-Arabië om haar ruimen daar te vullen met ruwe olie afkomstig uit de onuitputtelijke olievelden van Ghawar.

Na de passage door de Straat van Hormuz was Howard onbewust extra op zijn hoede. Hoewel de Amerikaanse marine in de golf zichtbaar aanwezig was, konden ze toch niet alle commerciële schepen die deze drukke waterweg binnenvoeren onder directe bescherming nemen. Met Iran aan de andere kant van de Golf en mogelijke terroristen die in een half dozijn landen langs het Saudi-Arabische schiereiland op de loer lagen, had hij alle reden om zich niet op zijn gemak te voelen. Op de brug heen en weer lopend en de horizon afspeurend wist Howard dat hij pas weer tot rust zou komen wanneer ze met hun lading aardolie terug waren in de diepe wateren van de Arabische Zee.

Een plotselinge beweging op het dek trok zijn aandacht en nadat hij zijn verrekijker erop had gericht en had scherpgesteld, zag hij een pezige man met verwarde blonde haren die op een gele brommer over het dek scheurde. Bukkend en langs op het dek uitstekende pijpen en afsluiters slingerend vloog de waaghals op topsnelheid over het stalen dek. Howard kreeg hem in het vizier toen hij een bocht maakte en langs een man met ontbloot bovenlijf spoot, die met een stopwatch in zijn hand languit in een dekstoel lag.

'Zo te zien probeert de eerste stuurman nog steeds het parcoursrecord te breken,' zei Howard grijnzend.

De tweede officier van de tanker, die over een gekleurde navigatiekaart van de Golf gebogen stond, knikte zonder op te kijken. 'Ik weet zeker dat uw record nog wel een dag blijft staan,' antwoordde hij.

Howard lachte in zichzelf. De dertig man sterke bemanning van de mammoettanker verzon voortdurend allerlei vormen van vertier waarmee ze de verveling gedurende de lange transatlantische reizen of de periodes waarin de olie in of uit het schip werd gepompt probeerden te verdrijven. Een gammele brommer, die bij de inspecties van het gigantische dek werd gebruikt, was opeens tot een strijdros gepromoveerd waarmee een felle competitie werd uitgevochten. Op het dek was een geïmproviseerd ovaal parcours uitgezet, inclusief sprongen en een haarspeldbocht. De een na de ander hadden alle bemanningsleden op het circuit rondjes gereden alsof ze zich kwalificeerden voor de 500 mijl van Indianapolis. Tot ergernis van de bemanning had hun aardige kapitein tot nu toe het snelste rondje geklokt. Geen van hen wist dat Howard in zijn jeugd in South Carolina aan motorcrossen had gedaan.

'We naderen Dhahran,' zei Jensen, de tweede officier, een zwarte Amerikaan met een zachte stem uit Houston. 'Ras at Tannurah ligt op vijfentwintig mijl voor ons. Zal ik de automatische besturing uitschakelen?'

'Ja, ga over op handbediening en breng de snelheid terug naar tien knopen. Laat de havenmeester weten dat we over ongeveer twee uur klaar zijn voor de sleepboten.'

Het varen met een mammoettanker is een kwestie van bijtijds anticiperen, vooral bij het tot stilstand brengen van het gigantische gevaarte. Nu de olietanks leeg waren en het schip hoog op het water lag, was de tanker wel iets wendbaarder, maar voor de mannen op de brug was het nog altijd alsof ze een berg verplaatsten.

Aan de westelijke kust ging de bruine zandwoestijn over in de bebouwing van Dhahran, een industriestad en de thuishaven van het olieconcern Saudi Aramco. Nadat ze de stad en de aangrenzende haven Ad Damman waren gepasseerd, voer de tanker op een smal schiereiland af dat vanuit het noorden in de Perzische Golf stak. Verspreid over het schiereiland stonden de enorme olie-installaties van Ras at Tannurah.

Ras at Tannurah is het centraal station van de Saudi-Arabische olie-industrie. Meer dan de helft van de totale Saudi-Arabische aardolie-export verloopt via dit staatscomplex, dat door middel van een uitgebreid pijpleidingennet met de rijke olievelden in het binnenland is verbonden. Op de punt van het schiereiland wacht de kostbare zwarte vloeistof in tientallen reusachtige opslagtanks, naast tanks met vloeibaar gas en andere geraffineerde aardolieproducten, op verscheping naar Azië en de westerse landen. Verderop langs de kust wordt de ruwe aardolie in de grootste raffinaderij ter wereld in een heel scala aan bijproducten omgezet. Maar waarschijnlijk het meest imposante bouwwerk van Ras at Tannurah is zo goed als niet te zien.

Op de brug van de *Marjan* negeerde Howard de tanks en pijpleidingen aan de kust. Hij concentreerde zich op een zestal mammoettankers die twee aan twee een paar kilometer uit de kust lagen. De schepen waren afgemeerd aan Sea Island, een vaste terminal die zich strak over een lengte van ruim anderhalve kilometer in zee uitstrekte. Zoals een oase een kudde dorstige kamelen van vocht voorziet, leste de Island Terminal de dorst van lege mammoettankers met een krachtige, uit de opslagtanks aan wal gepompte stroom aardolie. Onder water werd het zwarte goud door een drie kilometer lang netwerk van 75 centimeter dikke pijpleidingen over de bodem van de Golf naar het tankstation geleid.

Terwijl de *Marjan* dichterbij kroop, zag Howard hoe een drietal sleepboten een Griekse tanker langs Sea Island legden alvorens ze zich tot zijn schip wendden. De stuurman van de *Marjan* nam het roer van de mammoettanker over en bracht haar langszij een lege ligplaats aan het uiteinde van het vuleiland, recht tegenover de Griekse tanker. Tijdens het wachten tot de sleepboten het schip op zijn plek zouden leggen, bekeek Howard de andere zeven mammoettankers die er lagen. Met een lengte van ruim driehonderd meter staken deze wonderen van moderne scheepsbouw de *Tita-*

nic stuk voor stuk naar de kroon. Hoewel hij in zijn leven honderden tankers had gezien en al op diverse mammoettankers had gevaren voordat hij kapitein van de *Marjan* werd, boezemde het zien van zo'n gigantisch gevaarte hem altijd weer ontzag in.

Zijn oog viel op het vuile, witte zeil van een Arabische *dhow* in de verte en hij draaide zich om naar het schiereiland om het plaatselijke zeilschip beter te bekijken. Het bootje voer vlak onder de kust naar het noorden en passeerde het zwarte boorschip dat hij al eerder in het kielzog van de *Marjan* had gezien en dat daar nu voor de kust lag.

'De sleepboten liggen aan bakboordzijde klaar,' onderbrak de stem van de stuurman zijn gedachten.

Howard knikte en even later werd het enorme schip naar haar plek aan Sea Island geduwd. Door een rij dikke slangen werd de aardolie de lege opslagtanks van het schip ingepompt, waarbij de tanker geleidelijk steeds dieper in het water kwam te liggen. Nu ze veilig aan de terminal lagen, ontspande Howard zich in de wetenschap dat zijn werk er voor althans de komende uren op zat.

Het was bijna middernacht toen Howard, nadat hij een tijdje had geslapen, weer wakker werd en om zijn benen te strekken hij een wandelingetje over het hoofddek van de tanker maakte. Het laden van de aardolie was zo goed als voltooid en de *Marjan* zou ruimschoots voor de geplande vertrektijd van drie uur vannacht klaar zijn, zodat ze tijdig plaats konden maken voor een volgende lege mammoettanker. Uit het fluitsignaal van een sleepboot dat hij in de verte hoorde, leidde hij af dat een van de tankers aan de andere kant van de terminal was volgepompt en zich nu gereedmaakte om van Sea Island te worden weggesleept.

Terwijl hij zijn ogen over de glinsterende lichtjes langs de Saudi-Arabische kust liet gaan, voelde Howard een schok doordat er plotseling een paar dukdalven tegen de romp van de tanker sloegen. De enorme, met stootkussens beslagen meerpalen die langs de ligplaatsen van Sea Island stonden, beschermden het eiland tegen de zijwaartse kracht van de schepen die tijdens het laden aan de terminal afgemeerd lagen. Het doordreunende bonken van de dukdalven kwam niet alleen van beneden hem, merkte hij, maar weerkaatste langs de hele terminal. Hij liep naar de zijreling, boog zich eroverheen en keek omlaag naar het laadplatform.

's Nachts was Sea Island, net als de mammoettankers, verlicht als een kerstboom. In het licht van felle werklampen zag Howard dat het de ter-

144

minal zelf was die heftig heen en weer schudde en tegen de zijkant van de tankers sloeg. Dat was eigenlijk onmogelijk, dacht hij. De terminal stond stevig verankerd op de zeebodem. Alle beweging hoorde uitsluitend van de afgemeerde schepen te komen. Maar als hij in de lengterichting langs de terminal keek, zag hij het eiland als een slang kronkelen, waarbij de dukdalven om beurten eerst tegen de ene en vervolgens tegen de volgende tanker sloegen.

Het bonken van de meerpalen werd steeds luider tot ze als donderslagen tegen de scheeprompen beukten. Howards knokkels werden wit van de kracht waarmee hij de reling omklemde. Hij begreep niet wat er gebeurde. Tot zijn ontsteltenis zag hij dat een voor een de laadslangen van het schip losschoten en dikke stralen aardolie in alle richtingen spuwden. Er klonk een ijselijke gil en Howard zag hoe een technicus zich in doodsangst aan een van de buizen op de woest slingerende terminal vasthield.

Voor zover hij kon zien, sloeg en zwaaide het stalen eiland als een reusachtige slang heen en weer en beukte daarbij op de langszij liggende schepen in. Overal waar met ongekende kracht de olieslangen werden losgerukt en de zijkanten van de schepen met een vettige laag zwarte olie werden besmeurd, begonnen alarmsirenes te loeien. Iets verder weg op de terminal riep een koor van stemmen om hulp. Toen Howard omlaag keek, zag hij een stel mannen met gele bouwhelmen luid schreeuwend over het tankeiland rennen. Achter hen doofden na elkaar alle lampen op de terminal. Howard stond er als aan de grond genageld naar te kijken tot het plotseling tot hem doordrong dat het hele Sea Island letterlijk onder hun voeten wegzonk.

Het bonken van de terminal tegen de *Marjan* werd almaar heftiger en de meerpalen beukten als mokers op de zijkant van de tanker. Voor het eerst hoorde Howard een laag rommelend geluid dat vanuit de diepte onder zijn voeten leek op te borrelen. De donder klonk steeds harder tot het geluid even plotseling weer wegstierf. Hierna was het angstige geschreeuw van de over de terminal rennende mannen weer hoorbaar.

Het deed Howard aan een instortend kaartenhuis denken toen de pijlers van de terminal het de een na de ander begaven en het anderhalve kilometer lange eiland keurig van voor naar achter onder water verdween. Toen hij de kreten van de mannen in het water hoorde, sloeg zijn schrik om in een plotseling angst voor de veiligheid van zijn schip. Over het dek hollend, klikte hij een mobilofoon van zijn riem los en gaf onder het rennen bevelen door aan de brug.

'Snij de trossen los! In godsnaam, snij de trossen los,' riep hij naar adem happend. De adrenaline spoot door zijn lichaam en de angst gaf hem vleugels terwijl hij met een halsbrekende snelheid over het dek spurtte. Hij was nog zo'n honderd meter van de brug verwijderd toen zijn benen begonnen te verzuren, maar hij bleef even hard doorlopen, zelfs door de glibberige plassen aardolie die door de losgerukte slangen op het dek waren gespuwd.

'Zeg... tegen de... hoofdmachinist... volle kracht vooruit... nu... meteen,' schreeuwde hij amechtig naar zuurstof happend in de mobilofoon.

Zodra hij de bovenbouw op het achterschip van de tanker had bereikt, liet hij de lift een paar gangen verderop links liggen en snelde de eerste de beste trap op. Terwijl hij de acht verdiepingen omhoog rende, voelde hij tot zijn opluchting een lichte trilling door het schip gaan, wat betekende dat de scheepsmotoren aansloegen. Op de brug aangekomen liep hij meteen door naar de voorruit en zag daar zijn angstige vermoeden bevestigd.

Vóór de *Marjan* lagen de acht andere mammoettankers nog in paren bijeen, die enkele minuten eerder nog door Sea Island van elkaar gescheiden waren. Maar de terminal was verdwenen, weggezonken naar de bijna dertig meter dieper gelegen bodem van de Perzische Golf. De meertrossen van de mammoettankers waren nog niet losgemaakt en door het gewicht van het zinkende vuleiland werden de tankers naar elkaar toe getrokken. In de nachtelijke duisternis zag Howard de lichten van de beide tankers voor hem met elkaar versmelten, onmiddellijk gevolgd door het schurende geluid van op elkaar knallende metalen scheepswanden.

'Noodsituatie, volle kracht achteruit,' riep Howard tegen zijn tweede officier. 'En de meertrossen?'

'De trossen achter zijn los,' antwoordde een grimmig kijkende Jensen. 'Ik wacht op een melding over de boegtrossen, maar zo te zien zitten er nog minstens twee vast,' vervolgde hij door zijn verrekijker naar kabels turend, die aan stuurboordzijde nog strak stonden.

'De *Ascona* wordt naar ons toe getrokken,' zei de roerganger, terwijl hij met zijn hoofd naar rechts gebaarde.

Howard keek in de aangegeven richting en zag het onder Griekse vlag varende schip dat naast hen lag: een zwart met rood geverfde mammoettanker die met een lengte van 333 meter qua omvang niet voor de *Marjan* onderdeed. Oorspronkelijk hadden ze zo'n twintig meter van elkaar af gelegen, maar nu bewogen ze als door een magneet aangetrokken langzaam naar elkaar toe.

De mannen op de brug van de *Marjan* keken machteloos toe; Howard

146

zwaar ademhalend en de anderen met het hart heftig bonkend in de keel. Onder hun voeten begonnen eindelijk de schroeven te draaien en maalden met een wanhopig woedende kracht door het water, aangedreven door motoren waarvan het toerental nu door een zwoegende machinist razendsnel werd opgevoerd.

Het exacte moment waarop de achterwaartse beweging inzette, was niet waarneembaar, maar toch bewoog het enorme schip nu tergend traag naar achteren. Heel even lagen ze weer stil toen er een meertouw aan de boeg strak kwam te staan, tot het plotseling losschoot en het schip de achterwaartse slakkengang vervolgde. Aan stuurboordzijde bleef de *Ascona* dichterbij komen. De in Korea gebouwde tanker was al bijna volledig gevuld met aardolie en lag zo'n drieënhalve meter dieper in het water dan de *Marjan*. Vanaf Howards standplaats gezien leek het alsof hij zo van de brug op het dek van de naderende tanker kon stappen.

'Stuurboord twintig,' riep hij naar de stuurman in een poging de boeg van de afdrijvende tanker weg te draaien. Howard was erin geslaagd de *Marjan* ruim negentig meter van de gezonken terminal te verwijderen, maar dat was niet voldoende om het schip naast hen te ontwijken.

De klap was zachter dan Howard had verwacht en werd op de brug nauwelijks gevoeld. Alleen wat geknars van metaal op metaal gaf aan dat de schepen elkaar raakten. De boeg van de *Marjan* bevond zich op dat moment bijna midscheeps van de *Ascona*, maar de achterwaartse beweging van Howards schip had de zijwaartse kracht van de botsing voor een heel groot deel weggenomen. Gedurende een halve minuut schraapte de boeg van de *Marjan* langs de bakboordreling van de andere tanker, waarna de beide schepen opeens weer los van elkaar waren.

Howard liet onmiddellijk de motoren stoppen en een stel reddingsboten overboord zetten om in het water naar dokwerkers te zoeken. Daarna trok hij het schip nog zo'n driehonderd meter verder terug van het gewoel en overzag vanaf die plaats de vernietigende gevolgen van de ramp.

Alle tien mammoettankers hadden schade opgelopen. Twee van de grote schepen waren op elkaar geklapt en zozeer in elkaar gehaakt dat het twee dagen zou duren voordat een heel leger van lassers ze weer los kreeg. Van drie van de schepen was de dubbele wand van de romp opengescheurd met als gevolg dat er duizenden vaten aardolie in het water van de Perzische Golf lekten. Maar de *Marjan* was er met minimale schade van afgekomen. Dankzij Howards snelle ingrijpen waren al haar tanks onbeschadigd gebleven. Toch verdween zijn opluchting over het redden van zijn schip als sneeuw voor de zon toen er even later het doffe geluid van een reeks explosies over het water van de Golf rolde.

'Dat is de raffinaderij,' merkte de stuurman op, terwijl hij naar de kust in het westen wees. Aan de horizon verscheen een oranje gloed, die zich als een pijlsnel opkomende zon aan de hemel verspreidde, terwijl er opnieuw het donderend geraas van een reeks explosies over het water galmde. Howard en zijn bemanning keken urenlang ademloos toe en zagen hoe het vuur zich langs de kust verplaatste. Niet lang daarna walmden er dikke zuilen zwarte rook op en drong de stank van verbrande aardolie tot op het schip door.

'Hoe hebben ze dit kunnen doen?' vroeg de tweede officier zich hardop af. 'Hoe hebben terroristen daar explosieven naartoe kunnen smokkelen? Dat is een van de best beveiligde industriecomplexen ter wereld.'

Howard schudde zwijgend zijn hoofd. Jensen had gelijk. Het hele complex werd door een privéleger van beveiligingsmensen streng bewaakt. Het moet een meesterlijk staaltje van infiltratie zijn geweest om ook Sea Island uit te schakelen, bedacht hij, hoewel er hier voor de kust toch geen explosies waren geweest. Hij dankte God op zijn blote knieën dat zijn schip en bemanning veilig waren en dat wilde hij graag zo houden. Zodra het zoeken naar overlevenden in het water was afgerond, trok Howard zijn tanker nog verder terug en voer een paar kilometer de Perzische Golf op, waar hij met het grote schip tot zonsopgang trage rondjes draaide.

Bij daglicht werd de volledige omvang van de ramp pas goed duidelijk toen er vanuit de directe omgeving allerlei ploegen reddingswerkers ten tonele verschenen. De raffinaderij van Ras at Tannurah, een van de grootste ter wereld, was een rokende puinhoop, vrijwel compleet verwoest door een alles verzengende vuurzee. Sea Island, de terminal voor de kust, uitgerust voor het met aardolie volpompen van achttien mammoettankers tegelijkertijd, was volledig naar de zeebodem verdwenen. Het nabijgelegen tankpark met een opslagcapaciteit van bijna dertig miljoen vaten aardolieproducten, was omspoeld door een tot aan het middel reikende laag zwarte smurrie die uit de tientallen opengebarsten tanks lekte. Iets dieper in de woestijn waren talloze pijpleidingen van het olieaanvoernet als lucifers doormidden gebroken, waarna zich in het zand rond die plekken al snel diepe poelen zwarte aardolie verspreidden.

In één klap was bijna een derde van de exportcapaciteit van Saudi-Arabische aardolie vernietigd. Toch was dit niet door een overval van bommen plaatsende zelfmoordterroristen veroorzaakt. Seismologen over de hele

148

wereld hadden de oorzaak van de ramp inmiddels vastgesteld. Een hevige aardbeving met een sterkte van 7,3 op de schaal van Richter had de oostkust van Saudi-Arabië getroffen. Zowel de commentatoren van de media als de experts betreurden de grillen van Moeder Natuur toen duidelijk werd dat het epicentrum van de beving op nauwelijks drie kilometer van Ras at Tannurah had gelegen. De ontzetting over de verwoesting van een dergelijk kritische locatie zou de aarde nog maandenlang tot ver buiten de grenzen van de Perzische Golf op haar grondvesten doen schudden.

11

Hang Zhou nam een laatste trek van zijn goedkope filterloze sigaret en schoot het peukje over de reling. Met een lome blik volgde hij het gloeiende puntje as in de val naar het smerige water in de diepte, half verwachtend dat het vettige oppervlak in een oplaaiende vuurzee zou veranderen. Je weet maar nooit, er wordt zoveel aardolie in het zwarte water gemorst dat je er een kleine stad mee van stroom zou kunnen voorzien, dacht hij, terwijl de sigaret naast een met zijn buik omhoogdrijvende makreel sissend uitdoofde.

Zoals de dode vis al aantoonde, lag het dompige water in de Chinese havenstad Ningbo er allesbehalve uitnodigend bij. De toegenomen bouwactiviteiten langs de industriële waterkant droegen nog eens extra bij aan de vervuiling van het water, dat al ernstig verontreinigd was door de voortdurende stroom olie lekkende containerschepen, tankers en kustvaarders die de haven aandeden. Het niet ver van Shanghai aan de delta van de Yangtze gelegen Ningbo ontwikkelde zich in hoog tempo tot een van de grootste zeehavens van China, voor een deel dankzij de ligging aan een diepe vaargeul, die het aanleggen van mammoettankers tot driehonderdduizend ton mogelijk maakte.

'Zhou!' blafte een dobermannachtige stem, al had de eigenaar van de stem meer weg van een corpulente buldog. Zhou draaide zich om en zag de opzichter van containerterminal nummer drie op zich afkomen. Qinglin was een vreselijke tiran met een eeuwige chagrijnige trek op zijn mollige gezicht geëtst.

'Zhou,' herhaalde hij op de havenarbeider toelopend. 'Er is een wijziging in het schema. De *Akagisan Maru*, die uit Singapore komt, is door problemen met de motoren vertraagd. Dus we gaan de *Jasmine Star* toestemming geven om op haar ligplaats aan pier 3A af te meren. Die wordt om half acht verwacht. Zorg dat je ploeg dan klaarstaat.'

'Ik zal 't doorgeven,' zei Zhou met een hoofdknikje.

In de terminal voor containerschepen werd vierentwintig uur per dag doorgewerkt. In de nabijgelegen wateren van de Oost-Chinese Zee lag een lange rij vrachtschepen op hun beurt te wachten voor een ligplaats aan een van de pieren. China's onuitputtelijke arbeidspotentieel produceert een eindeloze stroom aan goedkope elektronica, speelgoed en kleding, die onmiddellijk door de consumentenmarkten van de industrielanden wordt opgeslokt. Maar het waren de logge containerschepen, de onaanzienlijke werkpaarden van de koopvaardij, die de mondiale handel stimuleerden en de geweldige sprong voorwaarts van de Chinese economie mogelijk maakten.

'Doe dat. En jut de laadploeg een beetje op. Ik krijg klachten dat 't te langzaam gaat,' gromde Qinglin. Hij liet zijn klembord zakken en stak een geel potlood achter zijn rechteroor, waarna hij zich omdraaide en wegliep. Maar na een paar passen bleef hij staan, draaide zich langzaam op zijn hakken om en staarde Zhou met wijd opengesperde ogen aan. Althans Zhou dacht dat hij hem aanstaarde.

'Ze staat in brand,' mompelde Qinglin.

Zhou begreep dat zijn baas naar iets achter hem keek, waarop ook hij zich omdraaide om te zien wat hij bedoelde.

In de haven rond de terminal was een tiental schepen te zien, een gevarieerde mengeling van reusachtige containerschepen en mammoettankers, plus een ratjetoe aan veel kleinere vrachtschepen. Het was zo'n vrachtvaarder die door een dikke zwarte rookpluim de aandacht trok.

In Zhou's ogen was het meer een varend wrak dat allang op een schroothoop thuishoorde. Hij schatte dat het schip met een vuilblauwe romp vol roodbruine vlekken van doorbrekend roest minstens veertig jaar oud was. De zwarte rookzuil die als een omgekeerde waterval uit het voorste ruim opwalmde en de bovenbouw midscheeps grotendeels aan het oog onttrok, werd met de minuut dikker. Uit het ruim laaiden zo nu en dan gele, zeker zes meter hoge steekvlammen op. Zhou wendde zijn blik naar de voorsteven van het schip, die een schuimend witte voor door het water trok.

'Ze heeft een behoorlijke vaart... en ze komt recht op de containerterminals af,' zei hij.

'Wat een dwazen!' vloekte Qinglin. 'Daar is nergens plek om aan te leggen.' Hij liet zijn klembord vallen en rende door de terminal naar het havenkantoor in de hoop het brandende schip via de radio te kunnen bereiken.

Ook op andere schepen en kades had men de brand waargenomen en van alle kanten werd de vrachtvaarder via de ether hulp aangeboden. Maar geen van de aan het brandende schip gerichte oproepen werd beantwoord. Zhou stond als aan de grond genageld aan de rand van de container- haven en zag het vrachtschip steeds dichter bij de wal komen. Het varende wrak voer met een, gezien de dichte rookwolken die rond de brug walm- den, miraculeuze behendigheid rakelings tussen een afgemeerde praam en een volgeladen vrachtschip door. Even leek het alsof het schip op de con- tainerterminal naast die van Zhou afstevende, maar onverwachts maakte de boot een scherpe bocht naar bakboord. Toen deze koers vervolgens werd aangehouden zag Zhou dat het schip nu recht op het belangrijkste aardolie- laadstation van Ningbo op het eiland Cezi afvoer.

Het bevreemdde Zhou dat hij op het dek geen mensen zag die verwoede pogingen ondernamen het vuur te bestrijden. Zhou bekeek het schip nog eens aandachtig en toen het schip van hem wegdraaide ving hij door de rook zelfs een glimp van de brug op, maar nog altijd ontdekte hij nergens mensen aan boord. Zou het een onbemand spookschip zijn, vroeg hij zich huiverend af.

Er lagen twee grote tankers aan beide zijden van de belangrijkste olie- terminal, die recentelijk van twee naar vier ligplaatsen was uitgebouwd. De brandende boot richtte de steven op de tanker aan de lijzijde, een zwart- witte kolos van het Saudi-Arabische staatsbedrijf. Gealarmeerd door het opgewonden radioverkeer gaf de eerste officier van de tanker een oorver- dovende stoot op de scheepshoorn. Maar het brandende vrachtschip ver- anderde niet van koers. Op de brugvleugel moest de eerste officier vol on- geloof machteloos toezien hoe het brandende schip recht op hen afkwam.

Gealarmeerd door het noodsignaal sloeg de bemanning als gekken op de vlucht in een poging van hun hoogst brandbare vaartuig weg te komen en verdrongen zich bij de loopplank. De eerste officier stond nog steeds roer- loos van verbijstering naar het naderende schip te kijken en had nu gezel- schap gekregen van de kapitein, die eveneens gekweld toekeek hoe de bran- dende roestbak op ramkoers zich ieder moment in zijn schip zou boren.

Maar de klap kwam niet. Op het allerlaatste moment veranderde het brandende schip opnieuw van koers, de boeg zwenkte scherp naar bak- boord en stoof op een paar meter afstand langs de romp van de mammoet- tanker. Het vrachtschip voer nu langszij de tanker en stevende recht op de aangrenzende losterminal af. Hier lag een ongeveer 180 meter lange, drij- vende, met het zeeniveau mee bewegende en aan stevige pijlers bevestigde steiger, waarop zich de voor het lossen van aardolie benodigde pompen en pijpleidingen bevonden.

Als een pijl uit een boog stoof de roestbak met nu metershoog uit het laadruim oplaaiende vlammen kaarsrecht op de lossteiger af. Er werd geen enkele poging gedaan de boot af te remmen en in feite leek ze zelfs nog te versnellen. Aan het uiteinde van de steiger boorde ze zich in het houten platform alsof het een doos lucifers was en de wrakstukken van de steiger vlogen alle kanten op. Pijler na pijler knapte af, waarbij ze het schip nauwelijks in haar vaart leken te stuiten. Op nog geen honderd meter afstand stond op de loopplank van de tanker een groepje bemanningsleden verstijfd van schrik bijeen zonder te weten welke kant ze moesten wegrennen. Het antwoord kwam een paar seconden later, toen het schip zich door de steigerkant van de loopplank boorde. In een dichte walm van rook en vuur verdween de hele constructie van hout en staal plus de mensen erop onder water, waar loopplank en bemanning door de schroeven van het schip aan mootjes werden gehakt.

De boot bleef doorvaren tot ze uiteindelijk in de voor de boeg opgehoopte berg van wrakstukken leek vast te lopen. Maar het oude schip was sterker dan ze eruitzag en ploegde in een laatste krachtsinspanning voort naar de wal. Nadat het aftandse schip de laatste pijler had verbrijzeld, stootte ze door naar de kade waarop zich de losinstallatie en opslagtanks bevonden. Met een donderende, over het hele eiland galmende knal en in hoog opwalmende pikzwarte rookwolken gehuld kwam het mysterieuze schip ten slotte tot stilstand. Degenen die de verwoestende inslag gadesloegen slaakten een zucht van verlichting nu het erop leek dat de ergste schade geleden was. Maar toen klonk er een doffe explosie in de buik van het schip, waarop in een oranje bal van vuur de boeg uit elkaar spatte. Binnen enkele seconden stond de hele omgeving in vuur en vlam en laaide er een alles verzengende vuurzee op van de olie die aan alle kanten uit het wrak lekte. Het vuur verplaatste zich razendsnel over de olie die in de haven op het water dreef, en vlamde in hoge steekvlammen langs de romp van de afgemeerde tanker. Binnen de kortste keren was het hele eiland in dikke zwarte rookwolken gehuld die het hellevuur dat eronder woedde aan het zicht onttrokken.

Aan de andere kant van de baai kon Zhou zijn ogen nauwelijks geloven toen hij zag hoe het vuur zich over het complex verspreidde. Terwijl hij het ontplofte vrachtschip van binnen door het vuur verteerd op haar zij zag rollen, vroeg hij zich stomverbaasd af welke levensmoede idioot in zo'n inferno de dood zocht.

Anderhalve kilometer verderop voer een vaalwitte motorboot van het eiland Cezi weg. In de voorsteven lag verborgen onder een strakgespannen zeildoek een donkerbruin gekleurde man door de lens van een kleine telescoop met laservizier naar de vuurzee te kijken. Nadat hij met een tevreden grijns op zijn gezicht de ravage had bekeken, demonteerde hij het laserapparaat en de bijbehorende zender waarmee hij een paar minuten eerder het automatische navigatiesysteem van de roestbak had bediend. In de over het water uitwaaierende rookwolken tilde hij een roestvrijstalen koffer over het dolboord en liet hem uit zijn vingers vallen. Enkele seconden later vonden de koffer en de hightechapparatuur erin een laatste rustplaats in de tien centimeter dikke modderlaag op de zompige bodem van de haven van Ningbo.

De man wendde zich tot de stuurman van de boot, een bonkige kerel met een groot litteken op de linkerhelft van zijn gezicht.

'Naar de jachthaven van de stad,' zei hij met een zachte stem. 'Ik moet een vliegtuig halen.'

De branden woedden nog anderhalve dag voordat de havenbrandweer de vuurzee had geblust. Drie pijlsnel te hulp geschoten sleepboten wisten de olietanker van de ondergang te redden door het grote schip dwars door het brandende water naar het open water van de baai te slepen, waar de bemanning de op het schip overgeslagen brandjes spoedig onder controle had.

De haveninstallaties aan wal kwamen er minder goed vanaf. De terminal op het eiland Cezi was volledig verwoest en de ramp had tien arbeiders het leven gekost. Nog eens zes bemanningsleden van de tanker werden vermist en waren naar werd aangenomen eveneens om het leven gekomen.

Toen het mysterieuze schip uiteindelijk door rechercheurs onderzocht kon worden, troffen ze er tot hun verbazing geen lichamen aan. De verklaring van ooggetuigen bleken correct te zijn. Het was een verlaten schip, dat kennelijk zonder bemanning had gevaren. Het in deze regio onbekende schip werd door verzekeringsagenten geïdentificeerd als voormalig eigendom van een Maleisische scheepsmakelaar die de roestbak via een veiling aan een sloper had verkocht. Deze opkoper was als van de aardbodem verdwenen en zijn bedrijf bleek een lege vennootschap met een niet-bestaand adres, waarover geen enkele informatie meer te achterhalen was.

De rechercheurs speculeerden dat een ontevreden bemanning zich op de kapitein had willen wreken en het schip uit wraak in brand had gestoken.

154

Het was puur een speling van het lot geweest dat het 'Mysterieuze Vuurschip van Ningbo', zoals het door de plaatselijke media werd gedoopt, het eiland Cezi in vlammen had doen opgaan. Maar Hang Zhou dacht daar heel anders over en hij bleef van mening dat iemand van buitenaf het schip doelbewust naar de olieterminal had gestuurd.

12

'Jan, we moeten over tien minuten in de Gouden Vergaderzaal zijn. Zal ik voor we beginnen nog een kop koffie voor je inschenken?'

Jan Montague Clayton nam haar assistent, die in de deuropening stond, op alsof hij zojuist van Mars was geland.

'Harvey, mijn urine heeft inmiddels een volwassen cappuccinokleur en mijn bloed zit zo vol cafeïne dat je er een ruimteveer mee kunt lanceren. Maar bedankt. Ik kom er zo aan.'

'Ik zal ervoor zorgen dat de overheadprojector klaarstaat,' reageerde Harvey schaapachtig, waarna hij in de gang verdween.

Clayton had geen idee hoeveel koppen koffie ze in de afgelopen twee dagen had gedronken, maar ze wist wel dat ze haar op de been hadden gehouden. Sinds de vorige dag het nieuws over de aardbeving bij Ras at Tannurah de wereld over was gegaan, had ze aan haar bureau gekluisterd aan verslagen over de economische gevolgen ervan gewerkt en telefonische reacties ingewonnen bij tientallen ingewijden in de olie-industrie uit de lange lijst namen en adressen die ze in haar agenda had verzameld. Slechts een kort uitstapje naar haar chique appartement in de East Village om twee uur vannacht om even een dutje te doen en van kleren te verwisselen had haar een paar ogenblikken uit de chaotische toestand bevrijd die op kantoor heerste.

Als ervaren analiste in dienst van de investeringsbank Goldman Sachs was Clayton werkdagen van twaalf uur wel gewend. Maar als expert gespecialiseerd in de termijnhandel in olie- en aardgasproducten was ze niet voorbereid op het volledig uitvallen van Ras at Tannurah. Het leek wel of alle verkoopmedewerkers en fondsmanagers binnen het bedrijf haar voortdurend belden om adviezen hoe ze met de hun toevertrouwde portefeuilles van hun cliënten moesten omgaan. Uiteindelijk had ze haar telefoon om rustig te kunnen werken maar uitgezet en de automatische beantwoording van binnenkomende e-mailberichten ingesteld. Na nog een laatste blik op enkele olie-exportcijfers stond ze op, streek haar beige Kay Ungerrok glad, pakte een laptop van het bureau en liep naar de deur. Tegen beter weten in bleef ze plotseling staan, draaide zich om, liep terug naar het bureau en griste een nog halfvolle mok koffie mee.

De vergaderzaal was stampvol met voornamelijk mannen die ongeduldig op haar verslag wachtten. Terwijl Harvey de vergadering opende met een beknopt economisch overzicht, bestudeerde Clayton de aanwezigen. De diverse vennoten en directieleden die in de zaal verspreid zaten, waren gemakkelijk te herkennen aan hun vroeg grijs wordende haren en opbollende buikjes; de onuitwisbare sporen van de vele uren die ze tussen de kantoormuren hadden doorgebracht. Aan de andere kant van het spectrum had je de verkoopmedewerkers, nietsontziend en agressief in hun verlangen zo snel mogelijk de carrièreladder te beklimmen naar het heilige land van de hogere functies waar jaarlijks zevencijferige bonussen werden uitgekeerd. De helft van de te veel verdienende en te hard werkende beleggingsspecialisten kon het niet schelen of de voorspellingen van Clayton al dan niet accuraat waren, zolang er maar iemand was die ze de schuld konden geven van de gevolgen van hun transacties. Maar degenen die er wel aandacht voor hadden, merkten al snel dat Clayton wist waar ze het over had. In de korte tijd dat ze bij dit bedrijf werkte, had ze al een stevige reputatie opgebouwd als een gewiekste analiste met een haast griezelig vermogen om trends in de markt te voorspellen.

'En Jan zal nu de actuele toestand op de oliemarkt met u bespreken,' besloot Harvey, waarmee hij het woord aan Clayton gaf. Nadat ze haar laptop op het projectiesysteem had aangesloten, wachtte ze een moment tot haar powerpointpresentatie op het scherm verscheen. Harvey liep naar de zijmuur van de vergaderzaal en sloot de jaloezieën voor een groot panoramavenster dat vanaf deze hoge positie aan Broad Street een indrukwekkend uitzicht op het commerciële centrum van Manhattan bood.

'Dames en heren, dit is Ras at Tannurah,' begon ze op een zachte, maar zelfverzekerde toon. Op het scherm verscheen een kaart van Saudi-Arabië, gevolgd door foto's van een olieraffinaderij en opslagtanks.

'Ras at Tannurah is de grootste exportterminal voor aardolie en vloeibaar aardgas van Saudi-Arabië. Of wás, beter gezegd, na de hevige aardbeving van gisteren. Verslagen over de omvang van de schade zijn nog onderweg, maar het ziet ernaar uit dat zeker zestig procent van de opslagcapaciteit zwaar beschadigd is.'

'Is dat van invloed op de olie-export?' onderbrak haar een man met flaporen die Eli heette en onder het praten op een donut kauwde.

'Nauwelijks,' antwoordde Clayton, waarna ze wachtte tot Eli nog een hap had genomen.

'Waarom dan al die heisa over de olieprijs?' vroeg hij met consumptie sprekend.

'Het grootste deel van de raffinaderijproducten wordt door de Saudi's zelf gebruikt. Wat wel grote invloed op de olie-export heeft is de schade die aan de pijpleidingen en laadinstallaties is aangericht.' Op het scherm verscheen een foto van een zestal, aan Sea Island afgemeerde mammoettankers.

'Van die drijvende terminals werd toch juist gezegd dat ze aardbevingbestendig waren,' zei iemand achter in de zaal.

'Niet als het epicentrum van de aardbeving zich binnen een straal van drie kilometer bevindt,' antwoordde Clayton. 'Bovendien zijn dit geen drijvende terminals. Deze staan vast op de zeebodem. Door de aardverschuiving als gevolg van de beving is de offshoreterminal Sea Island volledig verwoest. Sea Island is speciaal gebouwd voor het laden van de allergrootste mammoettankers en deze voorziening is compleet weggevaagd. Maar ook een aantal laadinstallaties aan wal is verwoest. Het komt er waarschijnlijk op neer dat ruim negentig procent van de exportfaciliteiten van Ras at Tannurah ernstige schade heeft opgelopen of compleet is verwoest. Daarom is er sprake van paniek op de oliemarkt,' zei ze met haar ogen op Eli gericht.

In de zaal was het opeens akelig stil. Nadat hij zijn laatste hap donut had weggewerkt, verbrak Eli de stilte.

'Jan, naar welke hoeveelheden kun je dit vertalen?'

'Bijna zes miljoen vaten Saudi-Arabische aardolie per dag vallen met onmiddellijke ingang uit de dagelijkse aanvoer weg.'

'Is dat niet zo'n tien procent van de dagelijkse handel op de oliemarkt?' vroeg een van de directieleden.

'Het ligt dichter bij de zeven procent, maar dat is 't wel zo ongeveer.'

Clayton toonde een volgend plaatje met een grafiek van de recente prijsstijging van een vat ruwe aardolie uit westelijk Texas zoals die werd verhandeld op de beurs van New York.

'Zoals u weet, was de reactie op de beurzen zoals gebruikelijk overdreven hysterisch, waardoor de prijs voor een vat aardolie in de afgelopen vierentwintig uur tot ruim 125 dollar is gestegen. Degenen van u die met aandelen handelen zal de val van de Dow Jones Index die hierop volgde niet zijn ontgaan,' vervolgde ze, wat in de zaal met kuchjes en hoofdknikjes werd bevestigd.

'Maar wat nu?' vroeg Eli.

'Dat is de 64-dollarvraag, of in ons geval de 125-dollarvraag. Momenteel regeert er een angst die voornamelijk uit onzekerheid voortvloeit. En angst is over het algemeen een drijfveer voor nogal irrationele reacties en die zijn lastig voorspelbaar.' Clayton zweeg en nam een slok van haar koffie. De zaal hing aan haar lippen. Hoewel ze door haar aantrekkelijke uiterlijk altijd al voldoende aandacht genereerde, had ze de toehoorders nu met haar kennis in haar ban. Ze genoot nog een kort ogenblik van haar macht, waarna ze haar verslag weer opnam.

'Vergis u niet. De vernietiging van Ras at Tannurah zal voor de hele wereld ingrijpende gevolgen hebben. Op eigen bodem zal het tot een onmiddellijke teruggang van de economie leiden die niet zal onderdoen voor die na de aanslagen van 11 september. Als die prijs van 125 dollar voor een vat olie zich volgende week naar een serieuze stijging van de benzineprijs vertaalt, zal de consument zijn Hummer voor de deur laten staan en het openbaar vervoer nemen. Doordat alle artikelen, van luiers tot vliegtickets, duurder worden, zal de economie instorten. Niemand is voorbereid op prijsstijgingen van een dergelijke omvang en dat zal op korte termijn tot het wegvallen van de koopkracht van de consument leiden.'

'Is er iets wat de president kan doen?' vroeg Eli.

'Niet veel, hoewel er twee dingen zijn die de pijn misschien iets kunnen verzachten. De strategische oliereserve van ons land heeft momenteel de maximale capaciteit. Als de president dat verkiest, kan hij deze reserves aanspreken om er de tekorten vanuit Saudi-Arabië mee aan te vullen. Bovendien is na toestemming van de regering het boorproject in het Arctic National Wildlife Refuge succesvol afgesloten, zodat de pijpleiding uit Alaska nu weer de volle capaciteit levert. Dat zal voor extra aanvoer op de binnenlandse oliemarkt zorgen. Maar in beide gevallen zal het niet voldoende zijn om brandstoftekorten in sommige regio van ons land te voorkomen.'

'Wat zijn de verwachtingen op de langere termijn?' vroeg hij.

'Hoewel we niet kunnen voorspellen welke invloed paniekreacties op de markten zullen hebben, kunnen we wel iets zeggen over de dynamiek van vraag en aanbod die uiteindelijk de overhand zal krijgen. Door de extreme prijsstijging zal de vraag in de komende maanden afnemen, waardoor de druk op de olieprijs weer zal verminderen. Bovendien zullen de overige OPEC-landen maar al te graag de weggevallen export uit Saudi-Arabië overnemen, al is het niet helemaal te overzien of zij over de infrastructuur beschikken om de tekorten voldoende te kunnen aanvullen.'

'Maar zal de OPEC de olieprijs niet maar wat graag boven de honderd dollar houden?' hield Eli vol.

'Natuurlijk, zolang de vraag stabiel is. Maar we staan voor een sterke economische terugval. Als de prijs kunstmatig op 125 dollar wordt gehouden, zal dat een wereldwijde economische crisis ten gevolge hebben die de Krach van 1929 doet verbleken.'

'Dat is niet iets wat u verwacht?'

'Het is mogelijk, maar de OPEC is net zo min als de industrielanden in een economische crisis geïnteresseerd zolang zij daar geen financiële baat bij hebben. Het aanbod, dat is op dit moment de belangrijkste zorg. Als er nog een tweede terugval in het aanbod komt, wordt het helemaal koffiedikkijken.'

'En hoe gaan we het spelen?' vroeg Eli zonder verdere omwegen.

'De eerste ramingen uit Ras at Tannurah wijzen erop dat de laadterminals binnen zes tot negen maanden gerepareerd of herbouwd kunnen zijn. Mijn handelsadvies is om olie tegen de huidige hoge prijs van de hand te doen in de verwachting dat de prijs over negen tot twaalf maanden naar een wat schappelijker niveau zal dalen.'

'Bent u daar zeker van?' vroeg Eli op ietwat sceptische toon.

'Absoluut niet,' kaatste Clayton terug. 'Venezuela kan morgen door een meteorietinslag worden getroffen. Of in Nigeria kan volgende week een fascistische dictatuur aan de macht zijn. Er spelen duizenden politieke en natuurkrachten een rol die de oliemarkt in één klap overhoop kunnen halen. En dat is nu juist het griezelige aan de hele toestand. Bij het eerste het beste negatieve bericht dat nu nog volgt zal de recessie tot een crisis uitgroeien waar we niet zomaar een-twee-drie weer bovenop zijn. Maar mij lijkt het een beetje overdreven om er vanuit te gaan dat we spoedig weer zo'n natuurramp met dezelfde desastreuze gevolgen als die bij Ras at Tannurah kunnen verwachten. Zijn er nog meer vragen?' vroeg Clayton, die bij haar afsluitende plaatje was aangekomen.

Harvey trok de jaloezieën weer open en de aanwezigen knipperden met hun ogen tegen het plotseling invallende felle zonlicht.

'Jan, wat betreft de wereldwijde aandelenhandel,' zei een kleine blonde

160

vrouw in een granaatrode blouse. 'Kun je me zeggen welke landen het kwetsbaarst zijn voor een teruggang van de olie-export uit Saudi-Arabië?'

'Sandra, ik kan je alleen zeggen waar de huidige Saudische olie-export voornamelijk naar toegaat. De VS is, zoals je weet, al sinds de jaren dertig van de vorige eeuw een belangrijke afnemer van Saudische olie. Washington probeert al heel lang onze afhankelijkheid van aardolie uit het Midden-Oosten te reduceren, maar uit Saudi-Arabië komt nog altijd bijna vijftien procent van onze totale olie-import.'

'En de Europese Unie?'

'West-Europa haalt het merendeel van hun olie uit de Noordzee, maar de import uit Saudi-Arabië speelt wel een rol. Door hun contacten met andere leveranciers zullen ze ernstige tekorten kunnen voorkomen, denk ik. Nee, de landen die de grootste klappen krijgen liggen in Azië.'

Clayton dronk haar laatste restje koffie op, waarna ze op haar computer een bestand opende. Tot haar verrassing merkte ze dat alle aanwezigen in de zaal bleven zitten en de oren gespitst hielden op alles wat ze zei.

'Japan zal een belangrijke klap krijgen,' zei ze, snel het rapport doorlezend. 'De Japanners importeren honderd procent van hun oliebehoefte en hadden al een terugslag door de aardbeving onlangs in Siberië, waardoor een deel van de pijpleiding van Taishet naar Nakhodka is uitgevallen. Hoewel dat niet uitgebreid in de media is geweest, is de olieprijs door dat incident al met drie tot vier dollar per vat gestegen,' merkte ze op. 'Ik kan u zeggen dat Japan tweeëntwintig procent van haar olie uit Saudi-Arabië importeert, dus dat zal tot aanzienlijke tekorten leiden. Daar staat tegenover dat een tijdelijke verhoging van de Russische export een deel van de tekorten kan compenseren zodra de Siberische pijpleiding is gerepareerd.'

'En China?' vroeg een van de aanwezigen. 'Hoe zit 't met die brand in Shanghai?'

Na een vluchtige blik over de pagina fronste Glayton haar wenkbrauwen.

'Voor de Chinezen geldt ongeveer hetzelfde. Bijna twintig procent van de Chinese olie-import komt uit Saudi-Arabië,' zei ze. 'En het wordt allemaal aangevoerd met tankers. De gevolgen van de brand in de olieterminal van Ningbo heb ik nog niet uitgezocht en daarom zijn het speculaties, maar in combinatie met de ramp bij Ras at Tannurah ziet China zich op zeer korte termijn voor grote problemen geplaatst.'

'Zijn er alternatieve bronnen voor de Chinezen?' vroeg iemand achter in de zaal.

'Niet meteen. Rusland zou de meest voor de hand liggende bron zijn, maar zij zullen hun olie liever aan het Westen en Japan verkopen. Kazachstan zou een mogelijkheid kunnen zijn, maar hun pijpleiding naar China is al maximaal belast. Ik vrees dat dit dramatische gevolgen voor de Chinese economie kan hebben, die sowieso al onder een tekort aan energiebronnen lijdt.' Clayton nam zich voor om zodra ze in haar kantoor terug was, de situatie in China nog eens diepgravend onder de loep te nemen.

'U had het zo-even over binnenlandse brandstoftekorten,' vroeg een flets ogende man met een paarse stropdas. 'Hoe ernstig zullen die zijn?'

'Ik verwacht slechts tijdelijke tekorten op een beperkt aantal plaatsen, ervan uitgaande dat er geen andere invloeden op de markt een rol gaan spelen. Nogmaals, het grootste probleem is angst. Die angst of een andere uitval van de aanvoer, ongeacht of die echt of denkbeeldig is, is het enige reële gevaar dat ons naar een algehele crisis kan drijven.'

Hiermee was de bijeenkomst ten einde en trok de groep financieel deskundigen zich beduusd terug in hun grijze werkhokjes. Clayton pakte haar laptop op en terwijl ze naar de deur snelde, dook er een man naast haar op. Toen ze haar hoofd opzij draaide, zag ze tot haar afgrijzen de slonzig geklede Eli met donutkruimels op zijn das.

'Goed gedaan, Jan,' zei Eli grijnzend. 'Mag ik je een kop koffie aanbieden?'

Tandenknarsend kon ze niet anders dan glimlachen en ja knikken.

13

In Beijing was het snikheet. Een verstikkende combinatie van hitte, smog en een hoge vochtigheidsgraad hield de door verkeersopstoppingen geplaagde stad onder een drukkende, ademberovende deken gevangen. Op straat liepen de gemoederen hoog op in de chaos van auto's en fietsen die allemaal voor hun plekje op de overvolle boulevards vochten. Moeders namen hun kinderen stevig bij de hand en zwermden in een poging de hitte te ontvluchten uit naar de vele meren in de stad. De jeugdige straatverkopers die met gekoelde cola ventten, haalden recordomzetten met het lenigen van de dorst van toeristen en zakenlieden.

De temperatuur was net iets aangenamer in de grote vergaderzaal op het hoofdkwartier van de Chinese Communistische Partij, dat zich op een zorgvuldig afgegrendeld terrein ten westen van de historische Verboden Stad in Beijing bevond. De vensterloze zaal lag diep verborgen in het souterrain van een oud kantoorgebouw dat nogal optimistisch het Paleis Gedrenkt in Compassie wordt genoemd, en is ingericht met een willekeurige verzameling prachtige vloer- en antieke wandkleden en goedkoop kantoormeubilair uit de jaren zestig. Rond een bekraste ronde tafel zat een zestal streng kijkende mannen die tezamen het Permanente Comité van het Politbureau vormden, het meest invloedrijke bestuursorgaan van de Chinese regering, plus Qian Fei, de secretaris-generaal en de president van China.

De muffe ruimte voelde nog heter aan voor de minister van Handel, Shinzhe, een kalende man met kraalogen, die met een jonge assistente aan zijn zijde voor de partijbazen stond.

'Shinzhe, de regering heeft nog afgelopen november het vijfjarenplan voor economische vooruitgang goedgekeurd,' las president Fei hem op een kleinerende toon de les. 'Wilt u mij vertellen dat door een paar "ongelukjes" onze nationale doelstellingen onhaalbaar zijn geworden?'

Shinzhe schraapte zijn keel, terwijl hij met een vochtige handpalm over zijn broek wreef.

'Meneer de secretaris-generaal en leden van het politbureau,' antwoordde hij met een hoofdknikje naar de overige partijfunctionarissen. 'De energiebehoefte van China is in de afgelopen vijf jaar drastisch veranderd. Door onze snelle en dynamische economische groei is er een geweldige vraag naar energiebronnen ontstaan. Nog maar enkele jaren geleden waren we een netto-exportland van aardolie. Vandaag de dag bestaat onze consumptie voor meer dan de helft uit geïmporteerde olie. Dit is helaas een nadelig gevolg van de toegenomen omvang van onze economie. Of we het leuk vinden of niet, we zijn afhankelijk van de economische en politieke krachten die op de buitenlandse aardoliemarkt een rol spelen, net zoals dat de laatste veertig jaar bij de Amerikanen het geval is.'

'Ja, we zijn ons heel goed bewust van onze toegenomen behoefte aan energie,' stelde Fei. Het recentelijk gekozen partijhoofd was een jeugdig uitziende vijftiger die zich met evenveel charme als sluwheid naar de traditionalisten in het bureaucratische systeem voegde. Shinzhe wist dat Fei de naam had nogal opvliegend te zijn, maar hij respecteerde de waarheid.

'Hoe ernstig is deze klap?' vroeg een van de andere partijleden.

'Het is alsof er twee van je ledematen zijn afgerukt. De aardbeving in Saudi-Arabië heeft voor de komende maanden een drastische beperking van hun mogelijkheden om ons van olie te voorzien tot gevolg, hoewel we over enige tijd wel alternatieve leveranciers kunnen aanspreken. De brand in de haven van Ningbo heeft waarschijnlijk kwalijker gevolgen. Bijna een derde van onze olie-import gaat via de faciliteiten daar. De infrastructuur die voor het aan land brengen van olie nodig is, is niet iets wat je snel even opbouwt. Ik vrees dat ik u moet melden dat we al snel met drastische tekorten te maken zullen krijgen die niet gemakkelijk op te vangen zijn.'

'Ik heb me laten vertellen dat de schade niet gauw hersteld zal zijn en dat het een jaar zal duren voordat de import weer op het huidige peil is teruggebracht,' zei een met een witte haardos getooid lid van het politbureau.

'Dat kan ik niet ontkennen,' reageerde Sinzhe met een buiging van zijn hoofd.

Boven hen floepte opeens de tl-verlichting uit en ook de luidruchtige en slecht werkende airco viel stil. Even heerste er een doodse stilte in de don-

164

kere kamer, waarna de lampen weer aanflitsten en het koelsysteem langzaam weer op gang kwam. Evenals de ergernis van de president. 'Dat uitvallen van de stroom moet onmiddellijk ophouden!' riep hij. 'Half Shanghai heeft vijf dagen zonder stroom gezeten. Onze fabrieken werken nog slechts een beperkt aantal uren, terwijl de arbeiders geen elektra hebben om 's avonds hun eten te kunnen koken. En nu komt u ons vertellen dat er tekorten ontstaan in de aanvoer van brandstoffen uit het buitenland en ons hele vijfjarenplan daarmee naar de klote is? Dan wil ik wel eens weten wat er wordt gedaan om deze problemen op te lossen?' zei hij sissend.

Shinzhe kromp onder deze tirade zichtbaar ineen. Hij wierp een vorsende blik op de mensen rond de tafel voor hem en zag dat geen van de comitéleden de moed had om hier op in te gaan, waarop hij diep ademhaalde en op kalme toon het woord nam.

'Zoals u weet zullen er binnenkort in de waterkrachtcentrale bij de Drie Kloven-dam extra generatoren in werking worden gesteld en zijn er zes nieuwe kolen- en gascentrales in diverse stadia van aanbouw. Maar de aanvoer van voldoende aardgas en olie voor de centrales die niet op waterkracht werken was al problematisch en dat is nu niet beter geworden. Onze staatsoliebedrijven zijn ondanks protesten van de Vietnamese regering met de winning van aardolie in de Zuid-Chinese Zee begonnen. Bovendien blijven we doorgaan met het leggen van nieuwe contacten met potentiële olieleveranciers in het buitenland. Mag ik het comité eraan herinneren dat het ministerie van Buitenlandse Zaken onlangs succesvol de onderhandelingen heeft afgerond over de inkoop van aanzienlijke hoeveelheden olie uit Iran. Ook blijven we aandringen bij westerse oliemaatschappijen die nog over gigantische reserves beschikken.'

'Minister Shinzhe heeft gelijk.' De grijsharige minister van Buitenlandse Zaken, die bedaard iets afzijdig zat, hoestte. 'Maar deze activiteiten zijn allemaal gericht op de langere termijn en dragen niet bij aan de oplossing van het acute probleem.'

'Nogmaals, mijn vraag is: wat wordt er aan het opheffen van het tekort gedaan?' riep Fei nu haast gillend uit. Zijn stem schoot wel een octaaf omhoog.

'Behalve met Iran hebben we ook met andere landen in het Midden-Oosten gesproken over het opvoeren van hun export. Daarbij hebben we wat de prijs betreft uiteraard te maken met concurrentie van de westerse landen,' zei Shinzhe zachtjes. 'Maar de schade aan de losinstallaties in de haven van Ningbo zorgt voor een letterlijke beperking van de aanvoer van olie over zee.'

'En Rusland?'

'Die doen het met de Japanners,' reageerde de minister van Buitenlandse Zaken giftig. 'Ons verzoek om tot een gezamenlijke aanleg van een pijpleiding uit West-Siberië te komen werd door de Russen van de hand gewezen ten gunste van een leiding naar de Stille Oceaan voor de bevoorrading aan Japan. Op de korte termijn kunnen we alleen de import uit Rusland over het spoor opvoeren, wat uiteraard geen zinvol vervoermiddel is zodra het om de aanvoer van grote hoeveelheden gaat.'

'Dus een echte oplossing is er niet,' gromde Fei met een van woede verstikte stem. 'Met onze economische groei is het gedaan, evenals met onze voordelen ten opzichte van de westerse landen, en dan zit er voor ons dus niets anders op dan naar onze coöperatieve boerderijen op het land terug te keren, waar voortdurend de stroom uitvalt.'

Het was opnieuw doodstil in de zaal, omdat de aanwezigen, geïntimideerd door de woede van de secretaris-generaal, zelfs nauwelijks meer durfden te ademen. Alleen het geratel van de zoemende airco doorbrak de zwaar drukkende stemming in het vertrek. Tot Shinzhes frêle assistente Yee haar keel schraapte.

'Neemt u mij niet kwalijk, secretaris-generaal, minister Shinzhe,' zei ze met een hoofdknikje naar beide heren. 'De regering heeft vandaag via ons ministerie een bijzonder aanbod tot energielevering binnengekregen. Het spijt me, maar ik heb u dat nog niet kunnen melden, minister,' zei ze tegen Shinzhe. 'Op dat moment was het enorme belang ervan me nog niet duidelijk.'

'Wat is het voorstel?' vroeg Fei.

'Het is een aanbod van een bedrijf in Mongolië voor de levering van kwalitatief zeer goede aardolie...'

'Mongolië?' onderbrak Fei. 'Er is geen olie in Mongolië.'

'En het aanbod behelst een miljoen vaten per dag,' vervolgde Yee. 'Ze kunnen binnen negentig dagen met de levering beginnen.'

'Dat is absurd,' riep Shinzhe uit, terwijl hij Yee geïrriteerd aankeek, omdat ze dit bericht zonder zijn medeweten doorgaf.

'Misschien,' zei Fei, terwijl zijn gezicht door een samenzweerderig trekje plotseling opklaarde, 'is het de moeite waard om dit uit te zoeken. Wat houdt het voorstel verder nog in?'

'Alleen de voorwaarden die zij ervoor terugvragen,' antwoordde Yee opeens ietwat nerveus. Ze zweeg in de hoop dat het onderwerp hiermee was afgedaan, maar toen ze zag dat alle ogen strak op haar gericht bleven, vervolgde ze: 'De prijs van de olie is gelijk aan de huidige olieprijs en wordt voor een periode van drie jaar vastgezet. Bovendien willen ze het exclusieve recht op het gebruik van de noordoostelijke pijpleiding die eindigt in de haven van Qinhuangdao, en tot slot verlangen ze dat het door China bestuurde gebied aangeduid als Binnen-Mongolië officieel wordt teruggegeven aan de huidige regering van Mongolië.'

De tot dan toe zo bezadigde toehoorders barstten haast uit hun vel van verontwaardiging. Woedende uitroepen over de choquerende eis galmden door het vertrek. Na enkele luidruchtige minuten sloeg Fei met een asbak op tafel.

'Stilte!' riep de president, waarop het gezelschap onmiddellijk stilviel. Er lag een pijnlijke trek op zijn gezicht, maar hij sprak rustig. 'Zoek uit of het aanbod serieus is en of die olie ook inderdaad bestaat. Zo ja, dan kunnen we over een gepaste prijs onderhandelen.'

'Zoals u wilt,' zei Shinzhe met een buiging.

'Maar vertel me eerst wie ons dit verachtelijke aanbod eigenlijk doet?'

Shinzhe keek hulpeloos naar Yee. 'Een klein bedrijf dat bij ons ministerie verder niet bekend is,' antwoordde ze met haar ogen op de president gericht. 'Ze opereren onder de naam Avarga Oil Consortium.'

14

Ze waren hopeloos verdwaald. Twee weken na het vertrek uit Ulan-Ude met de opdracht om het dal van de bovenloop van de rivier de Selenga te verkennen was de vijf man sterke seismische verkenningsploeg de weg volledig kwijt. Tot hun pech was geen van de mannen van de Russische oliemaatschappij LUKOIL uit die omgeving afkomstig. De problemen begonnen toen een van hen koffie over het gps-apparaat morste, waarna het niet meer werkte. Ze lieten zich er niet door weerhouden hun tocht naar het zuiden voort te zetten, ook niet toen ze de grens met Mongolië overstaken en buiten het gebied kwamen dat op de voor de zekerheid meegenomen Siberische kaarten was weergegeven. De reden dat ze doorgingen was een reeks onderaardse plooien die ze door middel van door hun 'bonk'-wagen uitgezonden trillingen hadden waargenomen en die de aanwezigheid van geologische vallen markeerden. Geologische vallen in het sediment zijn natuurlijke bassins waarin zich olie en gas kunnen ophopen. Het onderzoeksteam was door het dal meanderend steeds verder naar het zuidoosten getrokken, de diepgelegen vallen volgend die op de mogelijke aanwezigheid van olie wezen, en waren de rivier daarbij volledig uit het oog verloren.

'Het enige wat we moeten doen is naar het noorden gaan en voor zover ze nog zichtbaar zijn onze sporen volgen,' zei Dimitri, een kleine, kalende man. De teamleider tuurde naar het westen en zag de lange schaduwen die de bomen door de ondergaande zon op het veld wierpen.

'Ik wist dat we een spoor van broodkruimels hadden moeten achterlaten,' zei Vlad, een jeugdige assistent-technicus, grinnikend.

'Ik vrees dat we niet genoeg brandstof hebben. Kyakhta halen we er niet mee,' zei de chauffeur van de bonker. Net als de wagen zelf was hij een grote, zwaargebouwde man met forse armen en benen. Hij stapte aan de chauffeurskant de auto in en maakte het zich languit gemakkelijk op de voorbank, legde zijn handen in zijn nek en sloot zijn ogen om een tukje te doen. In de bodem van het dertig ton zware voertuig zat een stalen plaat, waarmee ze door deze hard op de grond te slaan seismische schokken diep de aarde injoegen. Op diverse afstanden van de vrachtauto hadden ze kleine ontvangers uitgezet die de van de verschillende sedimentlagen teruggekaatste schokgolven opvingen. Door middel van een computer werden deze signalen omgezet in een grafische weergave van de aardlagen in de plaatselijke bodem.

Er stopte een vuile rode terreinwagen naast de bonker. De beide inzittenden sprongen eruit en voegden zich bij het groepje.

'We hadden geen toestemming om de grens over te gaan en nu weten we niet eens waar die grens eigenlijk is,' zei de bijrijder van de terreinwagen.

'Onze seismische bevindingen rechtvaardigen dat we zijn doorgegaan,' reageerde Dimitri. 'Bovendien is ons opgedragen twee weken veldonderzoek te doen. Het aanvragen van vergunningen om te boren kunnen we rustig aan die gasten op het hoofdkantoor overlaten. En wat de grens betreft, we weten dat die ergens ten noorden van ons loopt. Onze zorg is voorlopig alleen dat we brandstof vinden om naar de grens terug te gaan.'

Juist toen de chauffeur hier op in wilde gaan, werd hun aandacht afgeleid door een doffe dreun in de verte.

'Dat was daar, op de heuvel,' zei Vlad.

Boven de rotsachtige heuvel waarop ze zich bevonden, verrees een smalle bergketen met onherbergzame, met naaldbomen begroeide groen glinsterende hellingen. Een paar kilometer verderop steeg van een dichtbegroeide bergrug een zuil grijze rook de wolkeloze lucht in. Nadat de echo van de knal achter de heuveltoppen was weggestorven, hoorden ze het vage geluid van machines uit die richting komen.

'Bij Moedertje Rusland, wat was dat?' bromde de chauffeur van de bonkwagen, die door de knal was wakker geschrokken.

'Een explosie daarboven in de bergen,' antwoordde Dimitri. 'Er zal daar wel een mijn zijn.'

'Goed om te weten dat we hier in deze wildernis tenminste niet alleen zijn,' mompelde de chauffeur, waarna hij zijn ogen weer sloot.

'Misschien kunnen zij ons vertellen waar we zijn,' opperde Vlad.

Het antwoord liet niet lang op zich wachten. Ze hoorden het geluid van een motor naderen en even later verscheen er een spiksplinternieuw model terreinwagen in de verte. De auto reed om een heuvel heen en kwam vervolgens dwars door het ruige terrein op het groepje mannen af. De wagen remde pas toen hij vlakbij was en kwam in een opdwarrelende stofwolk tot stilstand. De beide inzittenden bleven een ogenblik roerloos zitten, waarna ze voorzichtig uitstapten.

De Russen zagen onmiddellijk aan hun platte neus en hoge jukbeenderen dat het Mongoliërs waren. De kleinste van de twee stapte naar voren en vroeg nors: 'Wat doet u hier?'

'We zijn de oriëntatie een beetje kwijt,' antwoordde Dimitri onverstoorbaar. 'Tijdens ons onderzoek in het dal zijn we van de weg geraakt. We willen terug de grens over naar Kyakhta, maar we zijn bang dat we niet genoeg brandstof meer hebben. Kunt u ons helpen?'

De ogen van de Mongoliër lichtten op toen hij het woord 'onderzoek' hoorde en nu wierp hij voor het eerst ook een vorsende blik op de seismische sonderingswagen die achter de mannen stond.

'Bent u op zoek naar olie?' vroeg hij op een kalmere toon.

De technicus knikte.

'Er is hier geen olie,' reageerde de Mongoliër en met een wijde armzwaai om zich heen vervolgde hij: 'Sla hier uw bivak op voor de nacht. Blijf op deze plek. Dan breng ik u morgenochtend brandstof voor uw wagen en wijs u de weg naar Kyakhta.'

Zonder ook maar iets van een groet of een luchtige opmerking draaide hij zich om en stapte met zijn chauffeur in hun auto, waarna ze met veel kabaal de berg weer op scheurden.

'Daarmee zijn onze problemen opgelost,' concludeerde Dimitri tevreden. 'We slaan hier ons kamp op en dan kunnen we morgen vroeg aan de slag. Ik hoop alleen dat ze ook wat wodka voor ons over hebben,' zei hij, waarbij hij zijn slaperige chauffeur een klapje op zijn schouder gaf.

Zodra de zon achter de bergen was gezakt, werd het snel donker en raakte de nachtelijke lucht van een bijtende kilte doortrokken. Voor een grote canvas tent werd een vuur gemaakt, waar de mannen zich omheen schaarden en zich aan een smakelijke rijstmaaltijd met gestoofd vlees uit blik tegoed deden. Het duurde niet lang of er werden speelkaarten en wodka tevoorschijn gehaald en sigaretten opgestoken, waarna er flink met kleingeld werd gesmeten.

'Ja, kom maar op,' zei Dimitri lachend, terwijl hij de winst opstreek van

170

het spelletje kaart dat ze speelden, een Russisch spel dat veel op gin-rummy leek. Zijn ogen fonkelden onder zijn dikke oogleden en van zijn kin droop een druppel wodka, terwijl hij een triomfantelijke blik om zich heen wierp op zijn eveneens lichtelijk benevelde metgezellen.

'Goed bewaren, dan heb je misschien genoeg voor een datsja aan de Zwarte Zee,' zei een van de anderen.

'Of een zwarte teckel aan de Kaspische Zee,' zei weer een ander lachend.

'Dit spel is niet goed voor m'n bloed, ben ik bang,' mopperde Vlad, die besefte dat hij die avond al honderd roebel had verloren. 'Ik duik m'n slaapzak in; hoef ik me tenminste niet meer op te winden over al die valse trucjes van Dimitri.'

De jonge technicus negeerde de spottende opmerkingen van de anderen en krabbelde moeizaam overeind. Na een korte blik op de canvas tent liep hij naar de achterkant van de bonker, waar hij voor het slapengaan zijn blaas wilde legen. In zijn benevelde toestand struikelde hij, waardoor hij in een smalle greppel naast de vrachtwagen viel en een paar meter naar beneden gleed tot hij op een rotsblok botste. Hij lag daar ongeveer een minuut, over zijn zere knie wrijvend en zijn gestuntel vervloekend, toen hij het roffelende geluid van naderende paardenhoeven hoorde. Voorzichtig draaide hij zich om en kroop langzaam uit de greppel omhoog tot hij net over de rand kon kijken en onder de bonker door het erachter gelegen kampvuur kon zien.

De stemmen van zijn metgezellen vielen stil toen een groepje ruiters het kamp naderde. Vlad wreef ongelovig in zijn ogen toen ze zo dichtbij kwamen dat ze in het schijnsel van het vuur goed zichtbaar waren. Hij zag drie stoere ruiters rechtop in het zadel, in kledij alsof ze zo uit een middeleeuws wandtapijt waren gestapt. Ze droegen alle drie een oranje zijden tuniek die tot aan hun knieën reikte boven een wijde witte broek, waarvan de pijpen in stevige leren laarzen waren gestoken. Aan een lichtblauwe rond het middel geknoopte sjerp hing een zwaard in een leren schede en over hun schouder droegen ze een boog en een pijlkoker met geveerde pijlen. Op hun hoofd hadden ze een komvormige metalen helm met een spitse punt waaruit een bos paardenhaar stak. Hun angstaanjagende uiterlijk werd versterkt door een lange smalle snor die bij alle drie aan beide kanten van de mond tot op de kin doorliep.

Dimitri hees zich met een bijna volle fles wodka in de hand van het kampvuur overeind en nodigde de ruiters uit er bij te komen.

'Een toost op uw prachtige paarden, kameraden,' brabbelde hij met de fles naar hen zwaaiend.

Het aanbod werd zwijgend ontvangen. De zes ruiters keken de technicus kil aan. Tot een van hen naar zijn zij greep. Met een flitsende beweging, die Vlad later nog talloze keren in zijn hoofd terug zou zien, rukte de ruiter zijn boog voor zijn borst, trok de pees naar achteren en vuurde een houten pijl af. Vlad heeft de pijl niet zien vliegen; hij zag alleen hoe de fles wodka opeens uit Dimitri's hand spatte en in honderden stukjes tegen de grond sloeg. Een paar stappen van hem vandaan greep Dimitri met zijn andere hand naar zijn keel. Tussen zijn vingers stak de geveerde schacht van een pijl. De technicus zakte met een gorgelende schreeuw om hulp op zijn knieën en tuimelde met over zijn borst kolkend bloed tegen de grond.

De drie mannen rond het kampvuur sprongen geschrokken op, maar dat was de laatste beweging die ze maakten. Op hetzelfde moment daalde er een regen van pijlen op hen neer. De ruiters waren pure moordmachines, razendsnel met hun bogen; het afschieten van zes pijlen was secondewerk. De dronken onderzoekers hadden geen schijn van kans. Over zo'n korte afstand troffen de schutters feilloos hun doel. Er klonken een paar kreten en het was voorbij; rond het kampvuur lagen de mannen morsdood met een grafkrans van pijlen uit hun levenloze lichamen opstekend.

Vlad zag de slachting met van schrik wijd opengesperde ogen aan en had het bijna uitgeschreeuwd van angst toen de eerste pijl werd afgeschoten. Zijn hart bonkte in zijn keel alsof het eruit zou springen, maar toen spoot de adrenaline door zijn lijf en spoorde zijn lichaam aan om op te staan en er als een haas vandoor te gaan. Nadat hij uit de greppel was geklauterd, zette hij het op een rennen en hij liep harder dan hij ooit zelf voor mogelijk had gehouden. De pijn in zijn knie en de alcohol in zijn bloed waren verdwenen en vervangen door een allesoverheersende angst. Door een wilde paniek voortgedreven rende hij zonder zich om in het donker onzichtbare barrières te bekommeren door het golvende heuvellandschap. Verschillende keren sloeg hij struikelend tegen de grond, waarbij hij op diverse plaatsen zijn armen en benen openhaalde, maar steeds krabbelde hij onmiddellijk weer overeind om zijn vlucht te vervolgen. Half verdoofd door het bonken van zijn hart en het hijgen luisterde hij of hij het geluid van paardenhoeven hoorde die hem achtervolgden. Maar die kwamen niet.

Twee uur lang rende hij zo struikelend en weer opstaand voort tot hij bij het snelstromende water van de rivier de Selenga kwam. Nadat hij een stuk langs de oever had gelopen, kwam hij bij twee grote keien die hem een beschutting boden waarin hij zich enigszins veilig kon voelen. Hij kroop diep weg in een holte onder de rotsen en viel in slaap, niet van zins ooit nog terug te keren naar de levensechte nachtmerrie waaruit hij was ontsnapt.

15

De rit kon je, zo dacht Theresa, waarschijnlijk wel vergelijken met het reizen in een slecht geveerde, over ongeplaveide wegen bolderende Butterfield-postkoets door het zuidwesten van het Amerika in 1860. Het bonken over de kuilen en hobbels in het wegdek dreunde rechtstreeks van de wielen door naar het laadvlak van de bestelwagen, waar de trillingen met zo'n kracht door haar zij schoten dat haar botten ervan rammelden. Het feit dat ze daar geboeid, met een prop in de mond en vastgebonden op een hardhouten bank zat tegenover twee gewapende bewakers droeg ook al niet bij aan een verhoging van het comfort. Alleen de aanwezigheid van de eveneens geboeide Roy en Wofford naast haar bood althans nog enige troost.

Ondanks de uitputting, honger en pijn probeerde ze uit alle macht te begrijpen wat er precies op het Bajkalmeer was gebeurd. Tatjana had niet veel meer gezegd sinds ze haar in hun gezamenlijke hut met een koud pistool tegen haar kin had gewekt. Nadat ze onder bedreiging van vuurwapens van de *Vereshchagin* in een rubberboot waren overgestapt, hadden ze haar en de anderen op een zwart vrachtschip opgesloten. Niet lang daarna hadden ze hen aan land gebracht, waar ze geboeid in deze bestelwagen werden gestopt. Vervolgens hadden ze nog bijna uur op de kade gestaan tot er schoten klonken, waarna de auto plotseling werd gestart en ze weg waren gereden.

Ze vroeg zich bezorgd af wat er met de Russische wetenschapper Sarghov was gebeurd. Ze hadden hem hardhandig van de groep gescheiden toen ze aan boord van het vrachtschip kwamen en zij naar een ander gedeelte van het schip werden geleid. De manier waarop dat was gegaan, voorspelde weinig goeds en ze vreesde voor het leven van de goedgeluimde wetenschapper. En de *Vereshchagin*, hoe was het daarmee? Ze leek nogal laag in het water te liggen toen zij er vanaf werden gehaald. Verkeerden Al, Dirk en de rest van de bemanning ook in gevaar? Het grootste vraagteken bleef waarom ze waren ontvoerd. Ze was bang dat ze dit niet zou overleven, maar haar zelfmedelijden verdween meteen toen ze naar Roy en Wofford keek. De twee mannen waren er heel wat slechter aan toe. Wofford had waarschijnlijk zijn been gebroken toen hij bij het van boord gaan van het zwarte vrachtschip door een duw zijn evenwicht had verloren en hard was gevallen. Hij hield zijn been stijf voor zich uitgestrekt en kreunde bij iedere beweging die de bestelwagen maakte.

Toen ze naar Roy keek, zag ze dat hij in slaap was gevallen met een kleine vlek opgedroogd bloed op zijn hemd. Omdat hij bleef staan om Wofford na zijn val weer overeind te helpen, had een agressieve bewaker met zijn karabijn naar Roy uitgehaald. De klap kwam hard aan en veroorzaakte een diepe wond op zijn voorhoofd. Hij was een paar minuten buiten bewustzijn geweest, toen ze zijn slappe lichaam hardhandig achter in de bestelwagen hadden gesmeten.

Een nieuwe schok van de hobbelende bestelwagen rukte Theresa uit haar angstige gedachten. Ze sloot haar ogen en probeerde te slapen in een poging de verschrikkingen zo te verdrijven. De bestelwagen reed nog vijf uur bonkend door en kwam op een gegeven moment door een redelijk grote stad, te oordelen naar het voortdurende stoppen en weer optrekken en de geluiden van andere voertuigen. Maar al snel waren de verkeersgeluiden weer verdwenen en werd de snelheid van de bestelwagen opgevoerd, waarna ze nog eens vier uur lang over een kronkelige hobbelweg waren doorgereden. Ten slotte minderde de bestelwagen vaart en uit de plotselinge waakzaamheid van de bewakers leidde Theresa af dat ze op hun bestemming waren aangekomen.

'We hadden net zo goed het vliegtuig kunnen nemen, gezien de tijd die we in de lucht zijn geweest,' zei Wofford met een van pijn vertrokken gezicht toen ze door een diepe kuil in de weg weer eens ruw tegen elkaar aan werden gesmeten.

Theresa glimlachte om de dappere humor, maar gaf geen antwoord. De bestelwagen kwam eindelijk tot stilstand. De ratelende dieselmotor werd uitgezet, waarop de achterdeuren openzwaaiden en de ruimte plotseling in fel daglicht baadde. Na een instemmend knikje van de bewakers hielpen Theresa en Roy Wofford bij het uitstappen, waarna ze nieuwsgierig de omgeving opnamen.

Ze bevonden zich midden op een ommuurd terrein waarop twee vrij-

175

staande gebouwen stonden. Onder een stralend blauwe lucht was het hier veel warmer dan bij het Bajkalmeer, ondanks het lichte briesje dat hen tegemoet waaide. Theresa snoof de lucht op, die droog en stoffig was. In de verte strekte zich een golvende met gras begroeide vallei uit en aan de andere kant rees direct achter het complex de grijsgroene helling van een berg op. Het terrein leek uitgegraven in de berghelling, die met laag struikgewas en stukken naaldbos was begroeid.

Links van haar stond, half verborgen achter een lange heg, een niet al te hoog stenen gebouw, zoals je ze overal ter wereld op industrieterreinen zag staan. De paardenstal die er was aangebouwd leek hier nogal misplaatst. In een ruime kraal liepen zes forse paarden die knabbelden aan de paar plukjes gras die nog tussen het zand uitstaken. Aan de andere kant van het gebouw bevond zich een grote stalen garage, waarin een aantal vrachtwagens en werktuigen stonden. In de hal werkte een groepje monteurs aan het onderhoud van grondverzetmachines.

'Ik dacht dat de Taj Mahal in India stond,' zei Roy.

'Nou ja, misschien zijn we wel in India,' reageerde Wofford met een van pijn vertrokken lachje.

Theresa draaide zich om en bekeek het andere gebouw op het terrein. Ze was het met Roy eens, het had iets weg van het Indiase monument, maar dan was dit wel een miniversie. In tegenstelling tot de praktische functionaliteit van het stenen gebouw was dit een en al pronkzuchtige versiering. Voor het glanzend witmarmeren gebouw, dat niet erg hoog was, stond een rij imposante zuilen. In het midden vormde een ronde portiek de hoofdingang. Een enorme witte koepel met op de top een gouden spits overkapte de entreehal. Het ontwerp had in feite weinig overeenkomsten met de Taj Mahal. Het was een elegant gebouw, maar in Theresa's ogen leek het meer alsof er een enorme bol vanille-ijs uit de lucht was gevallen.

Het park voor het gebouw was eveneens paleisachtig aangelegd. Dwars door het terrein liepen twee kaarsrechte kanalen naar een groot glinsterend bassin waarna het water onder de voorgevel van het gebouw verdween. Theresa hoorde het ruisen van het water van een nabijgelegen rivier die op enige afstand buiten het terrein de beide kanalen voedde. Rond de kanalen en het bassin lagen weelderig groen begroeide siertuinen, die zo keurig verzorgd waren dat een Engelse aristocraat zich er niet voor zou schamen.

Aan de overkant van het gazon zag Theresa Tatjana en Anatoly staan, in gesprek met een man met een pistoolholster aan zijn riem. De man knikte en kwam op de achterkant van de bestelwagen af. 'Meekomen,' zei hij met een zwaar accent. De beide bewakers benadrukten het bevel door zich achter Roy en Wofford op te stellen.

Theresa en Roy gaven Wofford allebei een arm en volgden de gedrongen man over een voetpad naar het weelderige gebouw. Ze liepen de portiek in, waar een enorme, met houtsnijwerk versierde deur de toegang tot het interieur vormde. Aan beide zijden stonden, net als de portiers bij het Savoy Hotel, twee bewakers gekleed in lange zijden, met prachtig borduurwerk versierde en hoofdzakelijk oranje gekleurde gewaden. Theresa begreep dat het wachten waren, omdat ze geen aanstalten maakten de deur te openen. In plaats daarvan bleven ze stokstijf staan met een hand stevig om een scherpgepunte lans geklemd.

De deur ging open en ze betraden een koepelvormige foyer die vol hing met oude landschapsschilderijen met veel paarden in de weilanden. Vanachter de deur dook een kleine bediende op die de groep met een achterbaks glimlachje en een hoofdknikje te kennen gaf hem te volgen. Over de glimmend geboende marmeren vloer voor hen uit trippelend leidde hij hen door een zijgang naar drie logeervertrekken. Na elkaar kregen Theresa, Roy en Wofford ieder een comfortabel ingerichte kamer toegewezen, waarvan de deur door de bediende zorgvuldig achter hen werd afgesloten en vergrendeld.

Op het nachtkastje naast het bed zag Theresa een dampende kom soep staan met een snee brood ernaast. Ze had een vreselijke honger en nadat ze vluchtig het stof van haar gezicht en handen had gewassen, at ze snel het aangeboden voedsel op. Ten slotte won de vermoeidheid het van haar angst en viel ze prompt in slaap toen ze zich op het zachte bed uitstrekte.

Drie uur later schrok ze door een harde klop op de deur uit haar diepe slaap wakker.

'Volgt u mij alstublieft,' zei de kleine bediende, terwijl hij haar met een lichtelijk hitsige blik opnam.

Roy en Wofford stonden al in de gang te wachten. Tot haar verbazing zag ze dat Woffords been verbonden was en hij ter ondersteuning een houten stok had gekregen. De wond op Roys voorhoofd was ook verbonden en zijn met bloed besmeurde hemd was verruild voor een wijde katoenen trui.

'Nou nou, jullie zijn een toonbeeld van gezondheid,' zei ze.

'Zeker, maar dan is dat toonbeeld wel een pop voor botsproeven,' reageerde Roy.

'De gastvrijheid is in ieder geval wel iets verbeterd,' zei Wofford, waarbij hij met zijn stok op de grond tikte.

177

Het drietal werd terug naar de foyer geleid en vandaar door de hoofdgang naar een gigantisch woonvertrek. Langs de muren stonden enorme boekenkasten volgestouwd met in leer gebonden boeken, afgewisseld met een open haard aan de tegenoverliggende muur en een bar aan een van de zijkanten. Theresa keek ietwat zenuwachtig omhoog naar het lijf van een zwarte beer die zich boven haar hoofd met scherpe klauwen en vervaarlijk blikkerende tanden in een verstarde aanval van agressie op haar leek te storten. Toen ze beter om zich heen keek, zag ze dat dit een eldorado voor iedere taxidermist moest zijn. Het vertrek werd beheerst door een enorme verzameling opgezette herten, dikhoornschapen, wolven en vossen, die de bezoeker stuk voor stuk met een loerende blik aanstaarden. In het midden van de kamer stond Tatjana naast een man die eruitzag alsof hij opgezet aan de muur tussen de andere dieren niet zou misstaan.

Dat kwam door zijn grijns, concludeerde ze. Als hij lachte, blonk er een haaiachtige rij scherpe tanden in zijn mond die de indruk wekten ieder moment in een homp rauw vlees te willen bijten. Daarbij was de rest van zijn verschijning minder imposant. Hij was slank, maar gespierd gebouwd en had pikzwart haar dat losjes naar achteren was gekamd. Hij had een knap, klassiek Mongools gezicht met hoge jukbeenderen en amandelvormige, goudbruine ogen. Een aanzet van rimpels gaf aan dat hij in zijn jongere jaren veel in de buitenlucht aan zon en wind had blootgestaan. Maar uit het gedrag van de in een modieus grijs kostuum geklede heer viel af te leiden dat die tijd ver achter hem lag.

'Goed dat u bij ons bent,' zei Tatjana op een toon die geen enkele emotie verried. 'Mag ik u voorstellen, Tolgoi Borjin, directeur van het Avarga Oil Consortium.'

'Prettig kennis met u te maken.' Wofford hinkte naar voren en schudde de man de hand alsof het een goede vriend was. 'Maar zou u ons willen vertellen waar we hier zijn en waarom, verdomme?' vroeg hij met een gemeen kneepje van zijn handdruk.

Dat Wofford opeens zo naar hem uitviel, leek de Mongoliër te verrassen. Hij liet Woffords hand onmiddellijk los en aarzelde een moment voor hij antwoord gaf. 'U bent hier in mijn huis en het hoofdkwartier van mijn onderneming.'

'Mongolië?' vroeg Roy.

'Het spijt me dat ik u zo overhaast uit Siberië heb laten overkomen,' antwoordde Borjin de opmerking van Roy negerend. 'Tatjana vertelde dat u in levensgevaar verkeerde.'

'Is dat zo?' vroeg Theresa met een wantrouwende blik op haar voorma-lige hutgenote.

'Dat uw vertrek met wapens werd afgedwongen was noodzakelijk voor uw veiligheid,' verklaarde ze. 'De milieuactivisten in Bajkal zijn heel ge-vaarlijk. Het bleek dat ze op het onderzoeksschip van het instituut waren geïnfiltreerd en geprobeerd hebben het tot zinken te brengen. Gelukkig heb ik een in de buurt aanwezig schip kunnen vragen ons bij uw evacuatie te helpen. Het leek ons verstandiger om in het geheim te vertrekken en door zo min mogelijk aandacht te trekken verdere aanslagen te voorkomen.'

'Ik heb nooit gehoord dat er bij het Bajkalmeer milieugroeperingen zijn die zo gewelddadig optreden,' reageerde Theresa.

'Dit is een nieuwe lichting jeugdige extremisten. Door de afname van de staatscontrole in de afgelopen jaren zijn de opstandige jongeren steeds brutaler en machtiger geworden.'

'En waar is dr. Sarghov, de wetenschapper, gebleven, die samen met ons van het schip werd gehaald?'

'Hij wilde per se naar het schip terug om de andere leden van het insti-tuut te waarschuwen. Vanaf dat moment konden we niet meer voor zijn vei-ligheid instaan.'

'Is hij dood? En de anderen op het schip?'

'Met het oog op onze veiligheid moesten we het gebied verlaten. Ik heb geen enkele informatie over het onderzoeksschip of dr. Sarghov.'

Alle kleur trok uit Theresa's gezicht weg toen ze die woorden op zich in liet werken.

'Maar wat doen we hier?' vroeg Roy.

'We hebben het project op het Bajkalmeer voorlopig gestaakt. Uw hulp bij het lokaliseren van mogelijke olievoorraden is voor ons nog altijd heel welkom. U hebt een contract voor zes weken getekend, dus hebben we be-sloten u op een ander project te zetten.'

'Is mijn werkgever daarvan op de hoogte gesteld?' vroeg Theresa, die zich realiseerde dat haar mobieltje op de *Vereshchagin* was achtergebleven. 'Ik zal dit toch met mijn supervisor moeten overleggen.'

'Helaas is onze microgolftelefoonverbinding momenteel verbroken. Een veelvoorkomend probleem in deze afgelegen contreien, zoals u zult begrij-pen. Zodra de verbinding hersteld is, bent u uiteraard vrij om te bellen met wie u wilt.'

'Waarom sluit u ons als dieren op in onze kamers?'

'We werken hier aan zeer vertrouwelijke projecten. En ik vrees dat we

179

niet kunnen toestaan dat buitenstaanders hier vrijelijk rondlopen. We zullen u te zijner tijd over het complex rondleiden.'

'En als we nu meteen zouden willen vertrekken?' vroeg Theresa.

'Dan wordt u door een chauffeur naar Ulaanbaatar gebracht, waar u een vlucht naar huis kunt nemen.' Borjin glimlachte zijn scherpe blinkende tanden bloot.

Nog altijd moe van de reis wist Theresa niet wat ze hiervan moest denken. Misschien was het beter om de ander nu niet meteen al te zeer op de proef te stellen. 'Wat wilt u dat we gaan doen?'

Op karretjes werden hoge stapels dossiermappen het vertrek binnengeduwd, plus een aantal laptopcomputers, alles boordevol geologische verslagen en seismische bodemprofielen. Borjins verzoek was eenvoudig.

'We willen onze boringen uitbreiden naar een nieuw geografisch gebied. Het bodemonderzoek is iets dat u in uw vingers hebt. Zoek voor ons uit wat de beste boorlocaties zijn.' Met deze woorden draaide hij zich om en liep, op de voet gevolgd door Tatjana, de kamer uit.

'Wat een ellende, zeg,' mompelde Roy.

'Zo te zien is het professioneel werk,' reageerde Wofford, terwijl hij de grafische weergave van een bodemprofiel omhooghield waarop de diktes van diverse ondergrondse sedimentlagen waren aangegeven.

'Ik heb het niet over die kloteprofielen,' zei Roy en hij kwakte met een klap een map terug op de stapel.

'Rustig nou maar,' fluisterde Wofford, terwijl hij met zijn hoofd naar een hoek van het plafond gebaarde. 'We zitten hier in een levensecht Big-Brotherhuis.'

Roy keek omhoog en zag achter de opgezette kop van een rendier een kleine videocamera hangen.

'We kunnen maar beter doen alsof we de gegevens bestuderen,' vervolgde Wofford zachtjes, waarbij hij zijn mond achter een map verborgen hield.

Roy ging zitten, trok een van de laptops naar zich toe en zakte zo diep in zijn stoel weg dat zijn gezicht achter het opengeklapte scherm verdween.

'Dit bevalt me helemaal niet. Deze mensen zijn volledig de weg kwijt. Vergeet niet dat we hier niet zachtzinnig naar toe zijn gebracht.'

'Helemaal mee eens,' fluisterde Theresa. 'Het hele verhaal dat ze ons op het Bajkalmeer in bescherming hebben genomen slaat nergens op.'

'Voor zover ik me kan herinneren dreigde Tatjana mijn linkeroor er af te slaan als ik niet onmiddellijk met haar meekwam,' mompelde Wofford over

180

zijn oorlel wrijvend. 'Niet bepaald de woorden van iemand die zich over mijn welzijn zorgen maakt, dacht ik zo.'

Theresa vouwde de topografische kaart van een bergketen uit en wees Wofford onder het praten een paar onbeduidende details aan.

'En dr. Sarghov dan? Ze hebben hem per ongeluk gelijk met ons opgepakt. Ik denk dat hij door hen vermoord is.'

'Dat weten we niet, maar het is mogelijk,' zei Roy. 'We zullen er rekening mee moeten houden dat ons hetzelfde lot wacht zodra we hun de gevraagde informatie hebben gegeven.'

'Het is allemaal zo absurd,' zei Theresa, heel lichtjes haar hoofd schuddend. 'Maar we moeten hier weg zien te komen.'

'De garage naast het fabrieksgebouw aan de andere kant van het grasveld stond vol met auto's,' zei Wofford. 'Als we een vrachtauto kunnen kapen en daarmee van het terrein afkomen, vinden we zelf de weg naar Ulaanbaatar wel.'

'Als we niet in onze kamers opgesloten zitten, houden ze ons voortdurend in de gaten. We zullen erop voorbereid moeten zijn om op een geschikt moment snel toe te slaan.'

'Ik vrees dat sprintjes en polsstokhoogspringen er voor mij voorlopig niet inzitten,' zei Wofford, terwijl hij zijn gewonde been een stukje verschoof. 'Jullie zullen het zonder mij moeten proberen.'

'Ik heb een idee,' zei Roy, die aan de andere kant van het vertrek een bureau zag staan. Hij deed alsof hij tussen de mappen naar een pen zocht, stond vervolgens op en liep naar het bureau, waar hij uit een ronde leren houder een pen pakte. Terwijl hij zich met zijn rug naar de videocamera omdraaide, griste hij ongezien een zilverkleurige metalen briefopener mee die tussen de pennen stond, en liet hem in zijn mouw glijden. Nadat hij naar de tafel was teruggelopen, deed hij alsof hij aantekeningen maakte, waarbij hij zich fluisterend tot Theresa en Wofford richtte.

'Vannacht gaan we op onderzoek uit. Ik haal Theresa op en dan kijken we of we ergens een vluchtroute kunnen vinden. En morgennacht smeren we 'm. Met onze invalide op sleeptouw,' voegde hij er naar Wofford grinnikend aan toe.

'Bijzonder vriendelijk van u,' reageerde Wofford knikkend. 'Bijzonder vriendelijk.'

181

16

Roy werd keurig om twee uur 's nachts wakker, waarna hij zich vlug aankleedde. Nadat hij de briefopener, die hij onder zijn matras had verstopt, had gepakt, liep hij op de tast door de donkere kamer naar de deur. Hij tastte de deurposten af en vond de uitsteeksels van drie ijzeren scharnieren. Met de briefopener in het bovenste scharnier peurend lukte het hem om de lange pin die de in elkaar grijpende delen van het scharnier bij elkaar hield eruit te wrikken. Nadat hij ook de pinnen uit de twee andere scharnieren had verwijderd, tilde hij de deur er voorzichtig uit en trok hem los uit de grendel in de ertegenover liggende deurpost. Vervolgens stapte Roy de gang in en zette de deur zodanig terug dat het voor wie oppervlakkig keek, leek alsof de deur nog dicht en afgesloten was.

In de lege gang liep hij op zijn tenen naar de aangrenzende kamer van Theresa. Hij trok de grendel omhoog, opende de deur en zag dat Theresa al op haar bed zat te wachten.

'Het is je gelukt,' fluisterde ze toen ze zijn gestalte in het licht van de gang zag staan.

Roy glimlachte en knikte dat ze hem moest volgen. Ze liepen de gang in en slopen behoedzaam naar de grote hal. In het gedempte schijnsel van een rij voetlichten leek de gang volkomen verlaten. De rubberen zolen van Theresa's schoenen piepten op de glimmend geboende marmeren vloer en ze bleef staan om ze uit te doen, waarna ze op haar kousen verder liep.

De hal was felverlicht door een reusachtige kristallen kandelaar, waardoor Roy en Theresa zich gedwongen zagen zo dicht mogelijk bij de muur te blijven. Roy zakte op zijn knieën en kroop naar een smal raam dat uitkeek op de hoofdingang. Hij keek naar buiten, draaide zich om naar Theresa en schudde zijn hoofd. Ondanks het late uur stonden er nog altijd twee

182

wachters bij de voordeur geposteerd. Ze moesten een andere uitweg zien te vinden.

In de grote hal stonden ze in de kruising van een omgekeerde T. De logeerkamers bevonden zich aan de linkerkant en de privévertrekken van de bewoners dan dus waarschijnlijk aan de rechterkant. Dus slopen ze de brede hoofdgang in naar het studeervertrek.

Op het luide tikken van een oude staande klok na bleef het doodstil in het huis. Bij de werkkamer aangekomen slopen ze verder en liepen op hun tenen door een eetzaal en enkele kleinere vergaderruimtes, die stuk voor stuk met een indrukwekkende collectie antiek uit de Song- en Jin-dynastie waren ingericht. Theresa speurde de plafonds af naar videocamera's, maar zag er geen enkele. Opeens hoorde ze een fluisterend geluid en instinctief kneep ze Roy in zijn arm tot hij kreunde van de pijn door haar scherpe nagels. Ze ontspanden zich toen ze beseften dat het geluid werd veroorzaakt door de wind buiten.

De gang kwam uit op een grote woonkamer met aan drie kanten enorme, van de vloer tot aan het plafond reikende ramen. Hoewel er buiten in het nachtelijk duister weinig te zien was, konden Theresa en Roy zich wel enige voorstelling maken van het geweldige uitzicht dat je vanuit dit op een berghelling gelegen huis over het golvende landschap in de vallei moest hebben. Naast de entree van dit vertrek zag Roy een met vloerbedekking beklede trap die naar een lager gelegen verdieping leidde. Hij gebaarde naar de trap en Theresa knikte, waarop ze hem zachtjes volgde. Het dikke vloerkleed voelde een stuk lekkerder aan onder haar voeten, die zeer begonnen te doen van het lopen op het harde marmer. Toen ze in een bocht van de trap opkeek, zag ze een levensgroot portret van een oude krijgsheer. De op een paard gezeten man droeg een met bont afgezette jas, een oranje sjerp en de klassieke Mongoolse ronde helm. Hij staarde haar door donkergoudkleurige ogen triomfantelijk aan. Om zijn lippen speelde een grijnslach waarmee hij scherpe tanden ontblootte die haar aan Borjin deden denken. Het schilderij had zo'n intense uitstraling dat ze huiverde en zich snel omdraaide.

De trap kwam uit op een gang die langs de buitenmuur van het huis liep. In één van de zijmuren zaten ramen die uitkeken op een grote binnenplaats. Theresa en Roy loerden door het eerste raam naar buiten en zagen daar vaag een vrijstaand gebouwtje staan.

'Er moet hier ergens een deur naar de binnenplaats zijn,' fluisterde Roy. 'Als we hier naar buiten kunnen, zou het mogelijk moeten zijn om achterlangs de vleugel met de gastverblijven naar de garage te sluipen.'

183

'Voor Jim wordt het zo wel een heel lange route, maar tot nu toe zijn hier in ieder geval geen bewakers. Laten we kijken of we een deur kunnen vinden.' Haastig liepen ze naar het einde van de gang, waar ze inderdaad een deur naar buiten vonden. Voorzichtig opende Theresa de niet afgesloten deur, half in de verwachting dat er een alarm zou afgaan zodra ze de deurkruk losliet, maar het bleef stil. Dicht bij elkaar slopen ze de binnenplaats over, die door een paar verspreid staande lantaarns slechts gedeeltelijk was verlicht. Meteen toen ze de koude grond onder haar voeten voelde, trok Theresa haar schoenen weer aan. De nachtlucht was fris en ze rilde door de koude wind die dwars door haar dunne kleren waaide.

Ze volgden een leistenen pad dat met een bocht naar het stenen gebouwtje aan het andere uiteinde van het terrein liep. Het bleek een kleine, ronde kapel te zijn met een koepelvormig dak. De stenen muren waren in tegenstelling tot het hoofdgebouw niet uit marmer opgetrokken en maakten door de bouwwijze een veel oudere indruk. Toen ze dichterbij kwamen, lieten ze de gewelfde entree voor wat hij was en liepen langs de gebogen muur door naar de achterkant.

'Ik geloof dat ik daarachter een auto heb zien staan,' fluisterde Roy tegen Theresa, die hem op de voet volgde.

Aan de achterkant van het gebouw gekomen troffen ze een overdekte ruimte aan omgeven door een lage houten omheining. Deze voormalige kraal was volgestouwd met een zestal oude karren waarvan de houten laadbakken vol lagen met houwelen, spades en lege kratten. Vanonder een stuk zeildoek stak het voorwiel van een stoffige motorfiets uit, terwijl Roy achter in de ruimte de auto ontdekte, die hij vanaf de andere kant van de binnenplaats had zien staan. Het was een grote oldtimer die bedekt was met een dikke laag vuil die zich daar gedurende tientallen jaren had opgehoopt, en hij stond op minstens twee platte banden.

'Hier is niets wat ons naar Ulaanbaatar zal kunnen brengen,' zei Theresa teleurgesteld.

Roy knikte. 'Daarvoor zullen we in de garage aan de andere kant van het huis moeten zijn.' Hij verstijfde bij het horen van een schril, gierend geluid. Het was het hinniken van een paard, ergens vlak bij de binnenplaats.

'Achter die kar,' fluisterde hij, naar de kraal wijzend.

Ze lieten zich op de grond zakken en kropen onder het hek door naar de dichtstbijzijnde kar. Achter een van de ouderwetse houten wielen bleven ze liggen en tuurden door de spaken.

Voorafgegaan door het kloppende geluid van paardenhoeven op het leistenen pad verschenen er twee ruiters om de hoek. De mannen bogen om het stenen gebouw heen en reden langs de kraal, waar ze stopten. Theresa's hart sloeg van schrik een paar slagen over toen ze de beide mannen zag. Ze waren gekleed in vrijwel dezelfde kleren als de krijgsheer op het schilderij langs de trap. In het schijnsel van de lantaarns lag er een gouden glans over hun oranje zijden tunica's. Een wijde broek, laarzen met dikke zolen en een ronde, metalen helm met een paardenharen pluim completeerden hun krijgshaftige uiterlijk. Op een paar meter van de plek waar Theresa en Roy lagen, bleven de mannen een paar minuten om zich heen spiedend staan. Ze waren zo dichtbij dat Theresa het door de paardenhoeven opstuivende zand op haar lippen proefde.

Een van de mannen gromde iets onverstaanbaars, waarop de paarden plotseling wegstoven. In een oogwenk waren de ruiters in de duisternis met wegdenderend hoefgetrappel verdwenen.

'De nachtwacht,' concludeerde Roy toen het geluid van de paarden was weggestorven.

'Wel iets te dichtbij naar mijn zin,' verzuchtte Theresa, terwijl ze opstond en het stof van haar kleren klopte.

'We hebben waarschijnlijk niet veel tijd voordat ze weer langskomen. Laten we kijken of we om het huis heen naar de andere kant kunnen komen waar de garage is.'

'Goed. Opschieten dan. Ik wil die kerels niet nog een keer tegenkomen.'

Ze kropen weer onder het hek van de kraal door en snelden naar de vleugel met de gastenverblijven. Maar toen ze halverwege de binnenplaats waren, hoorden ze een scherpe kreet en galopperende paarden. Geschrokken omkijkend zagen ze de paarden op zich afstormen. De ruiters waren zachtjes naar het stenen gebouw teruggereden en naar voren gestoven zodra ze Theresa en Roy over de binnenplaats zagen rennen.

Ze bleven allebei stokstijf staan, niet wetend of ze naar het hoofdgebouw terug moesten rennen of juist van de binnenplaats moesten wegvluchten. Het deed er niet meer toe. De ruiters waren al op de binnenplaats en konden hen duidelijk zien staan. Theresa zag hoe een van de paarden zich hoog steigerend op de achterbenen verhief, toen de berijder aan de teugels rukte om het paard tot stilstand te dwingen. De andere ruiter reed door en galoppeerde recht op hen af.

Roy begreep onmiddellijk dat de man hen zonder meer omver wilde rijden. Opzij kijkend zag hij angst en verwarring in de ogen van Theresa, die als aan de grond genageld stond.

'Rennen!' schreeuwde Roy, terwijl hij haar elleboog greep en haar uit de baan van het paard wegrukte. De ruiter was nu vlakbij en Roy kon het aanstormende dier maar op het nippertje ontwijken. Hij voelde de stijgbeugel langs zijn zij schampen. Zodra hij zijn evenwicht had hervonden, deed hij wat niemand zou verwachten. In plaats van naar beschutting te zoeken, draaide hij zich om en rende achter het paard aan.

De verraste ruiter galoppeerde nog een paar meter door, hield het paard vervolgens in en maakte een draai rechtsom voor een nieuwe aanval. Toen het paard volledig om zijn as was gedraaid, zag de ruiter tot zijn schrik Roy opeens vlak voor zich staan. De seismisch ingenieur hief zijn arm op en greep de slap hangende teugel onder het hoofd van het paard en trok hem krachtig naar beneden.

'Genoeg gedold,' mompelde Roy.

De ruiter keek met een holle blik in zijn ogen toe hoe Roy het goed getrainde paard in bedwang probeerde te houden, waarbij de damp uit de neusgaten van het dier walmde.

'Neeeee!' De schrille kreet die aan Theresa's lippen ontsnapte schalde zo luid over de binnenplaats dat hij haast tot in Tibet te horen was.

Roy keek in haar richting en zag haar uitgestrekt op de grond liggen, maar ze leek niet direct in gevaar. Op datzelfde ogenblik zag hij vaag een flits op zich afkomen. Plotseling voelde hij een klemmende greep op zijn borst en welde er vanbinnen een brandend gevoel op. In een aanval van duizeligheid zakte hij op zijn knieën, terwijl Theresa naast hem opdook en hem bij zijn schouders greep.

De vlijmscherpe, door de tweede ruiter afgevuurde pijl had Roys hart gemist, maar het had weinig gescheeld. Het projectiel had zich dwars door zijn borstkas rakelings langs het hart in zijn longslagader geboord. Het effect was vrijwel hetzelfde: een enorme inwendige bloeding die tot een onmiddellijke hartverlamming leidde.

Theresa probeerde wanhopig het uit de wond van de pijl spuitende bloed te stelpen, maar tegen de inwendige verwondingen kon ze niets doen. Ze hield hem stevig tegen zich aan geklemd, terwijl ze langzaam de kleur uit zijn gezicht zag verdwijnen. Hij hapte amechtig naar lucht tot zijn lichaam verslapte. Heel even lichtten zijn ogen op en vlamde er nog een sprankje hoop in Theresa op. Hij keek Theresa aan en zei hortend naar adem happend: 'Red jezelf.' Hierna vielen zijn ogen dicht en gleed hij weg.

186

17

Het passagiersvliegtuig, een Tu-154 van Aeroflot, vloog met een trage bocht over de stad Ulaanbaatar tot hij de neus in de wind draaide en op de hoofdlandingsbaan van het vliegveld Buyant Ukhaa richtte. Onder de wolkeloze lucht genoot Pitt door het krappe raampje naast zijn passagiersstoel kijkend van het onbeperkte zicht over de stad en het omringende landschap. De overal aanwezige bouwkranen en bulldozers gaven de hoofdstad van Mongolië de aanblik van een stad in ontwikkeling.

Op het eerste gezicht ziet Ulaanbaatar eruit als een in de jaren vijftig uit de grond gestampte hoofdstad van een van de voormalige Oostbloklanden. De 1,2 miljoen inwoners tellende stad is voornamelijk in de sovjetstijl opgetrokken met de voor de Sovjet-Unie zo kenmerkende eentonige gelijkvormigheid. Lange rijen vaalgrijze woonflats domineren het stadsbeeld dat de warmte van een gevangenisslaapzaal uitstraalt. Ook bij de bouw van de enorme rechthoekige regeringsgebouwen in het centrum heeft architectonisch bewustzijn nooit enige prioriteit gehad. De bestuurlijke autonomie van de afgelopen jaren, een eerste aanzet tot democratisch bestuur en de voortvarende economische groei hebben de stad een impuls tot een vitalere, moderne uitstraling gegeven. Kleurrijke winkels, chique restaurants en de steeds populairdere nachtclubs winnen geleidelijk steeds meer terrein in de eens zo saaie stad.

In het centrum is het oude en het nieuwe op een aangename wijze met elkaar verweven. De buitenwijken bestaan nog steeds voornamelijk uit *gers*, muffinvormige tenten van vilt, het traditionele onderkomen van de Mongoolse herders en hun families. Er staan honderden van deze grijze of witte tenten op de weilanden rond de hoofdstad, de enige metropool van het land.

In het Westen is Mongolië vooral bekend van Dzjengis Khan en Mongools rundvlees. Het dunbevolkte, tussen Rusland en China ingeklemde land beslaat een oppervlakte van nauwelijks meer dan de staat Alaska. In het noorden en westen van het land liggen woeste bergketens en het zuiden bestaat voornamelijk uit de Gobiwoestijn. In de middenstrook van het land strekken zich eindeloze steppen uit, een golvend graslandschap, waarin waarschijnlijk de beste ruiters opgroeiden die de wereld ooit heeft gekend. Maar de hoogtijdagen van de Mongoolse heersers zijn lang vervlogen. De jarenlange sovjetoverheersing, waarin Mongolië een van de grootste communistische landen werd, heeft de identiteit en ontwikkeling van het land ernstig geschaad. Pas in de laatste jaren heeft het Mongoolse volk haar eigen stem aarzelend hervonden.

Terwijl Pitt naar de bergen rond Ulaanbaatar keek, vroeg hij zich af of zo'n overhaaste speurtocht in Mongolië wel zo'n goed idee was. Het schip dat op het Bajkalmeer bijna was gezonken, was tenslotte Russisch en niet van de NUMA. Bovendien waren er geen slachtoffers gevallen. De ploeg oliezoekers viel al helemaal niet onder zijn verantwoordelijkheid, ook al was hij ervan overtuigd dat ze onschuldig waren. Toch was er op de een of andere manier een verband tussen hun onderzoek op het meer en de sabotage en ontvoeringen. Er was hier iemand niet veel goeds van plan en hij wilde graag weten waarom.

Toen de banden van het straalpassagiersvliegtuig luid piepend met het beton van de landingsbaan in aanraking kwamen, porde Pitt zijn elleboog in de zij van de man naast hem. Al Giordino was al enkele seconden nadat het toestel in Irkoetsk opgestegen was, in slaap gevallen en was zelfs niet wakker geworden toen de stewardess koffie op zijn voet morste. Met moeite zijn zware oogleden openwrikkend tuurde hij door het raam. Maar zodra hij het betonnen platform zag, schoot hij overeind in zijn stoel en was meteen klaarwakker.

'Heb ik iets gemist tijdens de landing?' vroeg hij, een geeuw onderdrukkend.

'Niets bijzonders. Uitgestrekte landschappen. Wat schapen en paarden. En wat nudistenkolonies.'

'Dat is mooi,' reageerde hij, terwijl hij achterdochtig een bruine vlek op zijn schoen bekeek.

'Welkom in Mongolië en de Rode Held, zoals Ulaanbaatar ook wel wordt genoemd,' bulderde de joviale stem van Sarghov van de andere kant van het gangpad. Met een deels in verband verpakt gezicht zat hij daar in een te krappe stoel geklemd en Giordino vroeg zich af hoe de Rus nog zo opgewekt kon zijn. Maar toen hij de dikke wetenschapper snel een heupflesje wodka in zijn reistas zag wegstoppen, begreep hij het antwoord heel goed. Nadat ze hun bagage hadden opgehaald, ging het drietal door de douane, waarbij Pitt en Giordino met extra aandacht werden gecontroleerd. Toen ze bij de uitgang op een taxi stonden te wachten, zag Pitt een pezige man in een rood hemd die hen vanaf de andere kant van de aankomsthal in de gaten hield. Nog eens aandachtig in de hal om zich heen kijkend viel het hem op dat veel mensen hem aanstaarden, omdat ze nu eenmaal niet iedere dag een één meter negentig lange westerling te zien kregen.

Ze riepen een aftandse taxi aan, waarin ze snel de korte afstand naar de stad overbrugden.

'Ulaanbaatar – en in feite heel Mongolië – is in de laatste jaren sterk veranderd,' zei Sarghov.

'Als ik dit zo zie, is hier in eeuwen niets veranderd,' zei Giordino, terwijl ze langs een dichte opeengepakte verzameling vilten *gers* reden.

'Mongolië heeft de twintigste eeuw zo'n beetje overgeslagen,' reageerde Sarghov, 'maar in de eenentwintigste eeuw zijn ze aan een inhaalslag begonnen. Net als in Rusland wordt het dagelijks leven niet meer door de politiestaat gedomineerd en de bevolking leert nu met vrijheid om te gaan. De stad mag er voor u dan wat somber uitzien, toch is het er veel levendiger dan een jaar of tien geleden.'

'Bent u hier vaak geweest?' vroeg Pitt.

'Ik heb met de Mongoolse Academie van Wetenschappen aan diverse projecten bij het Chövsgölmeer samengewerkt.'

De taxi scheurde rakelings langs een diep gat in de weg en kwam met piepende remmen voor het Continental Hotel tot stilstand. Terwijl Sarghov de kamersleutels in ontvangst nam, bewonderde Pitt de verzameling reproducties van middeleeuwse kunstwerken waarmee de grote foyer vol hing. Toen hij door een raam in de voorgevel naar buiten keek, zag hij dat er een auto voor de deur stopte, waar vervolgens een man in een rood hemd uitstapte. Het was dezelfde man die hij op het vliegveld had gezien.

Pitt bestudeerde de man, die bij zijn auto bleef rondhangen. Hij had het uiterlijk van een blanke westerling, wat betekende dat hij waarschijnlijk niet van de Mongoolse politie of douane was. Toch voelde hij zich thuis in deze omgeving, wat bleek uit de brede glimlach die vrijwel voortdurend van zijn vriendelijke gezicht straalde. Het viel Pitt op dat hij zich met een afgemeten behoedzaamheid bewoog, als een kat over de rand van een schutting. Toch was hij geen tapdanser. Op zijn rug, net boven zijn middel, zag Pitt een lichte bolling, mogelijk veroorzaakt door een pistoolholster. 'Alles geregeld,' zei Sarghov, terwijl hij Pitt en Giordino de kamersleutels overhandigde. 'We hebben kamers naast elkaar op de derde etage. Onze bagage wordt nu naar boven gebracht. Waarom gaan we niet eerst even lunchen in het hotelrestaurant, dan kunnen we meteen overleggen hoe we het gaan aanpakken?'

'Als ze koud bier in huis hebben, ben ik direct voor,' antwoordde Giordino.

'Ik voel me wat stijf van de vlucht,' zei Pitt. 'Ik denk dat ik een wandelingetje ga maken om mijn benen te strekken. Bestel voor mij een broodje tonijn. Ik ben over een paar minuten terug.'

Toen Pitt het hotel uitliep, draaide de man in het rood meteen zijn rug naar hem toe en leunde, nonchalant op zijn horloge kijkend, tegen zijn auto. Pitt liep de andere kant op, waarbij hij een groepje Japanse toeristen passeerde dat het hotel inging. Hij stapte met zijn lange benen stevig door en was spoedig twee blokken verder. Terwijl hij de hoek om ging, wierp hij een vluchtige blik opzij. Zoals hij verwachtte, volgde de man hem op een half blok afstand.

Pitt was een smalle zijstraat ingeslagen waar veel winkeltjes hun waren op de stoep hadden uitgestald. Toen hij een moment uit het zicht van zijn achtervolger was, zette Pitt het op een rennen. Na zes winkeltjes dook hij weg achter een krantenkiosk en bleef staan voor een kraampje waarin kleren werden verkocht. Aan de zijkant stond een rek met dikke winterjassen die een perfecte schuilplaats bood voor iemand die zich voor een langsrennende persoon wilde verbergen. Pitt stapte de kraam in en drukte zich naast het rek met zijn rug tegen de zijmuur.

Vanachter een toonbank vol schoenen stapte een oud rimpelig vrouwtje naar voren en keek naar Pitt op.

'Sttt,' zei Pitt glimlachend met een vinger tegen zijn lippen. De oude vrouw keek hem verwonderd aan, waarna ze hoofdschuddend naar de toonbank terugkeerde.

Pitt hoefde maar een paar seconden te wachten voordat de man in het rode hemd aan kwam hollen, ondertussen zenuwachtig alle winkeltjes afspeurend. Het geluid van rennende voetstappen kondigde zijn komst aan en stopte voor de winkel. Pitt verroerde zich niet, terwijl hij aandachtig naar het geluid van de dikke leren zolen op het beton luisterde. Toen de stappen zich verwijderden, sprong Pitt als een springveer uit het rek naar voren.

De man in het rode hemd liep op een drafje naar de volgende winkel toen hij iets van een beweging achter zich voelde. Hij keek over zijn schouder en zag Pitt zeker dertig centimeter boven hem uittorenend op hem afkomen. Voordat hij kon reageren, voelde hij Pitts grote handen op zijn schouders. Pitt had de man pootje kunnen haken, of hem om zijn as kunnen draaien of hem op de grond kunnen smijten. Maar hij was geen voorstander van fysiek geweld en duwde de kleinere man, de vaart van zijn looprichting benuttend, vooruit tegen een rond metalen hoedenrek. De man botste met zijn gezicht tegen het rek en viel te midden van een bonte verzameling honkbalpetjes voorover op zijn buik. De val zou de meeste mensen de moed tot verdere actie hebben ontnomen, maar het verbaasde Pitt niet dat de pezige man onmiddellijk weer opsprong en met zijn linkerhand naar Pitt uithaalde, terwijl hij met de rechter achter zich tastte.

Pitt deed een stap terug en keek de man grijnzend aan.

'Zoek je dit?' vroeg hij. Met een snelle polsbeweging trok hij een automatisch pistool, een Serdyukov SPS, tevoorschijn dat hij op de borst van de man richtte. Met een beteuterd gezicht wierp de man een vluchtige blik op zijn lege rechterhand. Daarna keek hij Pitt beheerst aan en glimlachte.

'Meneer Pitt, u bent me te snel af geweest,' zei hij in het Engels met een licht Russisch accent.

'Ik hou er niet van dat mensen achter me aan sluipen,' reageerde Pitt, die het pistool met vaste hand op de man gericht hield.

De man keek zenuwachtig om zich heen en richtte zich vervolgens weer kalm tot Pitt. 'U hoeft niet bang voor me te zijn. Ik ben een vriend die u beschermt.'

'Goed. Dan nodig ik u hierbij uit voor een lunch samen met mij en mijn vrienden, die ook graag kennis met u willen maken.'

'Naar het Continental Hotel.' De man glimlachte en verwijderde een kinderpetje met een rennende kameel van zijn kruin, dat daar bij het struikelen terecht was gekomen. Voorzichtig kwam hij naast Pitt staan en begon in de richting van het hotel te lopen. Pitt volgde hem op een paar passen afstand, verborg het wapen in een jaszak en vroeg zich af wat voor zonderling hem nu weer was gevolgd.

De Rus deed geen pogingen te ontsnappen, maar stapte vrolijk het hotel binnen en liep meteen door de foyer naar het restaurant. Tot Pitts verbazing stevende hij daar recht op een grote hoektafel af, waaraan Giordino en Sarghov zaten te drinken.

'Alexander, oude bok!' begroette hij Sarghov lachend.

'Corsov! Hebben ze jou het land nog steeds niet uitgezet?' reageerde Sarghov, die opstond en de man omhelsde.

'Ik ben van onschatbare waarde voor de staat,' antwoordde Corsov met gespeelde ernst. Fronsend bekeek hij Sarghovs gehavende gezicht en zei: 'Je ziet eruit alsof je net uit de goelag bent ontsnapt.'

'Nee, maar wel aan dat stel ongastvrije bastaards, over wie ik je heb verteld. Neem me niet kwalijk, ik heb je nog niet aan mijn Amerikaanse vrienden voorgesteld. Dirk, Al, dit is Iwan Corsov, attaché bij de Russische ambassade hier in Ulaanbaatar. Iwan en ik hebben jaren geleden samengewerkt. Hij is bereid ons te helpen bij ons onderzoek naar Avarga Oil.'

'Hij is ons vanaf het vliegveld gevolgd,' zei Pitt tegen Sarghov.

'Alexander heeft me van uw komst op de hoogte gesteld. Ik wilde er zeker van zijn dat u niet door anderen werd gevolgd.'

'Ik geloof dat ik u mijn excuses moet aanbieden,' zei Pitt glimlachend, terwijl hij Corsov onopvallend zijn pistool teruggaf en hem vervolgens de hand schudde.

'Is al goed,' antwoordde hij. 'Hoewel mijn vrouw m'n nieuwe neus minder zal waarderen,' vulde hij aan, terwijl hij met zijn hand over een paarse buil wreef die hij aan de botsing met het hoedenrek had overgehouden.

'Het is me sowieso een raadsel wat je vrouw ooit in de oude heeft gezien,' reageerde Sarghov lachend.

De vier mannen namen plaats aan tafel en bestelden de lunch, waarna het gesprek serieuzer werd.

'Alexander, je hebt me verteld dat ze hebben geprobeerd om de *Vereshchagin* tot zinken te brengen en dat ze die oliemensen hebben ontvoerd, maar ik wist niet dat ze jou zo stevig te grazen hebben genomen,' zei Corsov met een knikje naar een dik verband om Sarghovs pols.

'Mijn verwondingen waren aanzienlijk ernstiger geweest als mijn vrienden niet hadden ingegrepen,' antwoordde hij, terwijl hij een glas bier naar Pitt en Giordino ophief.

'Wij waren ook niet zo blij met een nat pak midden in de nacht,' vulde Giordino aan.

'Waarom denken jullie dat de gevangenen naar Mongolië zijn gebracht?'

'We weten dat het vrachtschip door Avarga Oil was gehuurd en het onderzoeksteam stond ook bij hen onder contract. De regionale politie kon in heel Siberië nergens een vestiging van deze maatschappij vinden, dus moeten we wel aannemen dat ze naar Mongolië zijn teruggegaan. Mensen van de grensbewaking hebben bevestigd dat er een konvooi vrachtwagens, zoals we die op de kade in Listvjanka hebben gezien, bij Naushki Mongolië is binnengekomen.'

'Is er een officieel verzoek tot justitiële hulp ingediend?'

'Ja, bij de nationale politie van Mongolië en er zal ook op lager niveau worden samengewerkt. Een politieman in Irkoetsk heeft me gewaarschuwd dat hulp van de autoriteiten hier nog wel eens lang op zich laat wachten.'

'Dat is waar. De Russische invloed in Mongolië is niet meer wat hij geweest is,' zei Corsov hoofdschuddend. 'En met de veiligheid is het hier tegenwoordig een stuk slechter gesteld. Door de democratische hervormingen en economische ontwikkelingen is de controle van de staat over haar eigen volk een stuk minder geworden,' zei hij, terwijl hij Pitt en Giordino met opgetrokken wenkbrauwen aankeek.

'Vrijheid heeft ook zijn nadelen, maar ik zou toch niet willen ruilen,' reageerde Giordino.

'Kameraad Al, geloof me, we zijn allemaal dolblij met de hervormingen die voor een geweldige verruiming van de persoonlijke vrijheid hebben gezorgd. Maar mijn werk is er af en toe wel een stuk lastiger door geworden.'

'En wat voor werk doet u precies voor de ambassade?' vroeg Pitt.

'Ik ben attaché en onderdirecteur van de afdeling inlichtingen, tot uw dienst. Ik zorg ervoor dat de ambassade goedgeïnformeerd blijft over alle gebeurtenissen en activiteiten hier in het gastland.'

Pitt en Giordino keken elkaar veelbetekenend aan, maar zeiden niets.

'Je vermaakt je weer best, hè, Iwan,' zei Sarghov glimlachend. 'Genoeg over jezelf. Wat weet je van Avarga Oil?'

Corsov leunde achterover op zijn stoel en wachtte tot de serveerster iedereen van nieuwe drankjes had voorzien, waarna hij zachtjes vervolgde: 'Het Avarga Oil Consortium. Een eigenaardig geval.'

'In welk opzicht?' vroeg Sarghov.

'Nou, een vennootschap is een betrekkelijk nieuw concept in Mongolië, pas in de afgelopen vijftien jaar zijn er in Mongolië voor het eerst naamloze vennootschappen opgericht. Afgezien van de hausse aan particuliere en openbare vennootschappen in de laatste vijf jaar, werden de bedrijven tot die tijd allemaal samen met de staat of buitenlandse bedrijven opgezet. Dit geldt met name in de mijnbouwindustrie, omdat de plaatselijke bevolking geen startkapitaal had en de staat het land bezat. Maar bij Avarga is dat niet het geval.'

'Zijn zij niet op de een of andere manier met de Mongoolse overheid verbonden?' vroeg Pitt.

'Nee, uit hun registratie blijkt dat ze volledig privé-eigendom zijn. En het is des te interessanter als je weet dat ze een van de eerste bedrijven waren die begin jaren negentig onder de nieuwe autonome Mongoolse regering een vergunning kregen. De naam van het bedrijf is, tussen haakjes, afgeleid van de naam van een oude stad die naar men zegt ooit de eerste hoofdstad van Mongolië is geweest.'

'Voor het opzetten van een oliemaatschappij hoef je eigenlijk alleen maar een stukje land te huren,' zei Giordino. 'Misschien zijn zij met een vel papier en een pick-up begonnen.'

'Kan zijn. Ik weet niet met wat voor middelen ze zijn begonnen, maar hun huidige bezittingen zijn heel wat substantiëler dan alleen een pick-up.'

'Wat ben je over hen te weten gekomen?' vroeg Sarghov.

'We weten dat ze in het noorden bij de Siberische grens een bescheiden producerend olieveld bezitten, plus een paar proefbronnen in de Gobiwoestijn. Bovendien hebben ze de exploitatierechten van zeer aanzienlijke stukken grond rond het Bajkalmeer. Hun enige echt materiële bezit is een al jaren bestaand depot voor olie-exploitatiemiddelen bij het goederenstation in het zuiden van Ulaanbaatar. En onlangs hebben ze aangekondigd dat ze met de exploitatie van een kleine kopermijn bij Charachorum zijn gestart.'

'Dus geen enkele deelname vanuit het buitenland,' zei Pitt.

'Inderdaad, maar dit zijn alleen de openbaar geregistreerde eigendommen. Bij het ministerie van Landbouw en Industrie heb ik een lijst van heel wat intrigerender bezittingen op de kop getikt.' Corsovs ogen schoten snel heen en weer, wat erop wees dat het ministerie van Landbouw en Industrie niet op de hoogte was van het feit dat Corsov deze informatie had vergaard.

'Het Avarga Oil Consortium bezit de exploitatierechten van olie en andere delfstoffen in uitgestrekte gebieden verspreid over het hele land. En wat nog opmerkelijker is, ze hebben ook overal in het land vele duizenden hectare grond, die vroeger staatsbezit was, rechtstreeks in eigendom overgenomen. Dat is in Mongolië een ongebruikelijk privilege. Mijn bronnen hebben me verteld dat het bedrijf voor deze eigendomsrechten aanzienlijke bedragen aan de Mongoolse regering heeft betaald. Maar zo op het oog is het volstrekt onduidelijk waar het bedrijf de daarvoor benodigde middelen vandaan heeft.'

'Er is altijd wel een bank te vinden die bereid is om geld uit te lenen,' zei Pitt. 'Misschien hebben ze bij buitenlandse geïnteresseerden fondsen geworven.'

'Ja, dat is mogelijk, hoewel ik daar geen enkel bewijs voor heb gevonden. Het grappige is dat veel van de grond zich bevindt in streken waar geologisch gezien geen aanwijzingen zijn dat er olie of andere delfstoffen te vinden zijn. Grote lappen grond in de Gobiwoestijn bijvoorbeeld.'

De serveerster zette een bord met gebraden lamsvlees voor Corsov neer. De Rus stak een flink stuk van het vlees in zijn mond en vervolgde zijn relaas.

'Ik vind het opmerkelijk dat de directeur van het bedrijf kennelijk geen enkele politieke invloed of connecties heeft en voor de meeste regeringsfunctionarissen een volslagen onbekende is. Alle transacties van het bedrijf schijnen contant te zijn betaald, maar waar dat geld dan vandaan komt is mij een raadsel. De directeur leeft teruggetrokken in Xanadu.'

'Xanadu?' vroeg Pitt.

'Zo noemt de eigenaar van het bedrijf zijn landhuis en hoofdkwartier. Het staat zo'n 250 kilometer ten zuidoosten van hier. Ik heb het nooit gezien, maar een paar jaar geleden is er een medewerker van de oliemaatschappij Yukos uitgenodigd voor het afronden van een transactie. Het schijnt een klein, maar nogal protserig paleis te zijn dat gebouwd is naar het originele ontwerp van het zomerverblijf van een dertiende-eeuwse Mongoolse heerser. Het staat vol met antiek. Naar verluidt is het volstrekt uniek in Mongolië. Vreemd genoeg ken ik geen enkele Mongoliër die er binnen is geweest.'

'Opnieuw een bewijs van een onvoorstelbare rijkdom,' zei Sarghov. 'En hoe zit 't met de ontvoering? Denk je dat ze naar het industrieterrein hier in de stad zijn gebracht, of naar dat Xanadu?'

'Dat is moeilijk te zeggen. De vrachtwagens kunnen heel gemakkelijk onopgemerkt hun bedrijfsterrein hier in- en uitgereden zijn, dus daar zouden we kunnen beginnen. Maar vertel eens, waarom zijn die oliemensen ontvoerd?'

'Goede vraag. Dat is precies wat we willen uitzoeken,' antwoordde Pitt. 'Laten we eerst eens op dat bedrijfsterrein gaan kijken. Kunt u ons helpen daar binnen te komen?'

'Natuurlijk,' reageerde Corsov alsof hij die vraag als een belediging ervoer. 'Ik heb het terrein al bekeken. Het wordt bewaakt door veiligheidsmensen, maar het moet mogelijk zijn om er aan de kant van het spoor binnen te komen.'

'Een snel kijkje achter de schermen daar zal niemand schaden,' zei Giordino.

'Ja, ik vermoedde al dat u dat zou willen. U hoeft alleen maar uit te zoeken of het olieteam daar aanwezig is. Zodra we weten dat ze daar zijn, kunnen we de Mongoolse politie in actie laten komen. Anders zijn wij stokoud voordat er iets gebeurt. Geloof me, beste mensen, in Mongolië kan de tijd nog altijd heel lang stilstaan.'

'En die vrouw, Tatjana. Bent u iets over haar te weten gekomen?'

'Helaas niet, nee. Ze is waarschijnlijk onder een valse naam naar Siberië gereisd, als we de immigratiedienst moeten geloven. Maar als ze in dienst van Avarga Oil hier in Mongolië is, zullen we haar zeker vinden.'

Corsov nam een laatste hap van zijn lamsvlees en spoelde die met een tweede glas Chinees bier weg.

'Vanavond dus. Om middernacht sta ik achter het hotel en dan breng ik u naar het bedrijfsterrein. In mijn hoedanigheid is het uiteraard te link voor mij om dan verder met u mee te gaan.' Hij glimlachte zijn grote tanden bloot.

'Ik vrees dat ik dit avontuur ook aan me voorbij moet laten gaan,' zei Sarghov met zijn verbonden pols wapperend. 'Op andere terreinen zal ik u helpen waar ik maar kan,' zei hij enigszins teleurgesteld.

'Geen probleem, makkers,' reageerde Pitt. 'Een international geschil tussen beide landen is nergens goed voor. Als er iets gebeurt, spelen we de verdwaalde toerist.'

'Het zich bevinden op verboden terrein is een onschuldige overtreding die toch niet erg gevaarlijk kan zijn,' vond ook Sarghov.

Corsovs opgewekte gezicht versomberde opeens.

'Er is wel minder leuk nieuws dat ik u niet wil onthouden. Twee dagen geleden is een Russisch oliezoekteam van LUKOIL in de bergen ten noorden van hier in een hinderlaag gelokt en door ruiters vermoord. Vier mannen werden zonder aanwijsbare reden bruut gedood. Een vijfde man was getuige van de moordpartij, maar wist ongemerkt te ontsnappen. In de buurt van het dorp Erõõ heeft een schaapherder de uitgeputte en doodsbange man gevonden. Toen de man met de plaatselijke politie op de plaats delict terugkwam, bleek alles – lijken, vrachtwagens, onderzoeksapparatuur – verdwenen. Een vertegenwoordiger van de ambassade heeft zich over hem ontfermd en hem naar Siberië teruggebracht. Medewerkers van LUKOIL hebben inmiddels bevestigd dat de overige leden van het team vermist worden.'

'Is hier een verband met Avarga Oil?' vroeg Giordino.

'Daar is geen enkel bewijs voor. Maar het is wel heel toevallig, dat moet ik toegeven.'

Het was even stil aan tafel tot Pitt vroeg: 'Iwan, u hebt ons nog niet veel over de eigenaren van Avarga Oil verteld. Wie is het gezicht achter het bedrijf?'

'Gezichten in feite,' corrigeerde Corsov. 'De onderneming is geregistreerd op naam van een man, Tolgoi Borjin. We weten dat hij een jongere zuster en een broer heeft, van wie ik de namen niet weet. De eerder genoemde Tatjana zou best eens de zus kunnen zijn. Ik zal dit verder uitzoeken. Bij de burgerlijke stand, voor wat die waard is in Mongolië, is weinig bekend over de familie, zowel officieel als onofficieel. Uit het archief blijkt dat Borjin in een staatscommune in de provincie Chentej is opgegroeid. Zijn moeder is vrij jong gestorven en zijn vader was een arbeider en opzichter. Zoals ik al zei, heeft de familie geen bijzondere politieke invloed en staan ze ook niet bekend als mensen die zich in de hogere kringen van Ulaanbaatar laten zien. Ik kan alleen het gerucht citeren dat de familie zelf benoemde leden van de Gouden Clan zijn.'

'Goed in de slappe was dus?' vroeg Giordino.

Corsov schudde zijn hoofd. 'Nee, de Gouden Clan heeft niets met rijkdom te maken, maar met afstamming.'

'Gezien de naam moet er toch ook ergens oud geld zitten.'

'Ja, dat kun je wel stellen, denk ik. Oud geld en land. Héél veel land. Bijna het hele Aziatische continent in feite.'

'U wilt toch niet zeggen...' begon Pitt.

Corsov onderbrak hem met een knikje. 'Jazeker. In de geschiedenisboeken kunt u lezen dat de Gouden Clan rechtstreekse afstammelingen van Djingiz zijn.'

'Djingiz?' vroeg Giordino.

'Beroemd strateeg, veroveraar en waarschijnlijk de grootste heerser in de middeleeuwen,' antwoordde Pitt met respect. 'Beter bekend als Dzjengis Khan.'

18

Gekleed in donkere kleren liepen Pitt en Giordino het hotel uit, nadat ze aan de balie nogal theatraal luidruchtig naar de beste uitgaansgelegenheden in de buurt hadden geïnformeerd. Hoewel buitenlandse toeristen in Ulaanbaatar geen zeldzaamheid meer waren, wilde Pitt geen wantrouwen wekken. Ze wandelden op hun gemak om het blok heen en betraden een klein café tegenover de achteringang van het hotel. Het café was redelijk vol, maar ze vonden een tafeltje in een hoek en bestelden bier, waarna ze wachtten tot het twaalf uur zou zijn. Aan een naburig tafeltje bralde een groepje aangeschoten zakenlieden ballads mee met een roodharige serveerster, die een snaarinstrument bespeelde, een zogenaamde *yattak*. Pitt stelde geamuseerd vast dat het leek alsof het lied eeuwig doorging.

Corsov verscheen exact om middernacht in een grijze Toyota. Nog voordat hij goed en wel tot stilstand was gekomen, waren Pitt en Giordino al ingestapt en trok hij weer op. Aan het einde van de straat reed hij naar de ringweg rond de stad. Onderweg kwamen ze langs het grote Sukhbaatarplein. De enorme verzamelplaats voor publieke bijeenkomsten in het centrum van Ulaanbaatar was genoemd naar een revolutionaire leider die de Chinezen versloeg en Mongolië in 1921 op diezelfde plek onafhankelijk verklaarde. Hij had het waarschijnlijk minder geslaagd gevonden als hij had geweten dat een plaatselijke popgroep omringd door tieners in grunge-outfits er, toen Corsov er langsreed, de belangrijkste attractie vormden.

Corsov stuurde de auto naar het zuiden en door donkere zijstraten rijdend hadden ze al snel het drukke verkeer in het centrum achter zich gelaten.

'Op de achterbank ligt een cadeautje voor jullie,' zei Corsov zo breed glimlachend dat zijn vooruitstekende tanden in het achteruitkijkspiegeltje glommen. Giordino voelde naast zich en vond een stel verweerde bruine jassen met twee gedeukte gele veiligheidshelmen.

'Tegen de kou, maar zo zie je er ook wat meer als de plaatselijke fabrieksarbeiders uit.'

'Of als verlopen zwervers,' mompelde Giordino, terwijl hij een van de jassen aantrok. De versleten jas zat vol motgaten en Giordino had het gevoel alsof de jas rond zijn gespierde schouders ieder moment uit zijn naden zou barsten. Grinnikend zag hij dat de mouwen van Pitts jas zeker vijftien centimeter te kort waren.

'Zijn hier in de buurt 's nachts geen kleermakers open?' vroeg Pitt een arm opstekend.

'Haha, heel grappig,' zei Corsov lachend. Vervolgens tastte hij onder zijn stoel en overhandigde Pitt een grote envelop en een zaklamp.

'Een luchtfoto van het gebied, met de complimenten van het ministerie van Stedenbouw en Ruimtelijke Ordening. Niet erg gedetailleerd, maar een ruwe plattegrond van het terrein is wel herkenbaar.'

'Je hebt niet stilgezeten vanavond, Iwan,' zei Pitt.

'Ik heb een vrouw en vijf kinderen; dacht je dat ik dan naar huis ga na het werk?' antwoordde hij lachend.

Ze bereikten de zuidgrens van de stad, waar Corsov een weg insloeg die in westelijke richting langs een spoorlijn liep. Toen ze langs het centraal station van Ulaanbaatar reden, minderde Corsov vaart. Op de achterbank bestudeerden Pitt en Giordino de luchtfoto in het licht van de zaklamp.

De wazige zwart-witfoto besloeg een oppervlakte van ruim vier vierkante kilometer, maar Corsov had het terrein van Avarga met rood omcirkeld. Er was niet veel te zien. Aan beide uiteinden van het rechthoekige perceel stond een opslagloods met ertussenin een paar kleinere gebouwen. Het grootste deel van het terrein, dat aan de straatzijde met een muur en aan de overige drie zijden door een hek was afgegrensd, werd als openluchtopslag voor buizen en apparatuur gebruikt. Pitt ontdekte een spoorlijn die vanaf de oostkant doorliep tot aan de hoofdspoorlijn van de stad.

Corsov deed de koplampen uit en reed een braakliggend terrein op. Op de hoek stond een met roetvegen bevlekt gebouw zonder dak. Het was een voormalige bakkerij, die lang geleden was afgebrand en waarvan alleen de geblakerde muren nog overeind stonden.

'Het spoor ligt achter dat gebouw. Volg de rails naar het terrein, dat is daar alleen met een hek van harmonicagaas afgesloten,' zei Corsov, terwijl hij Pitt een draadschaar aangaf. 'Ik wacht tot drie uur bij het spoordepot, dan zorg ik dat ik hier om kwart over drie nog heel even ben, maar als het later wordt, zijn jullie op jezelf aangewezen.'

'Bedankt, Iwan. Maak je geen zorgen, we zijn zo terug,' reageerde Pitt.

'Oké. En vergeet één ding alsjeblieft niet,' zei Corsov grijnzend. 'Als er iets gebeurt, bel dan de Amerikaanse ambassade en niet de Russische.'

Pitt en Giordino liepen naar het afgebrande gebouw en wachtten daar in het donker tot Corsovs achterlichten in de verte waren verdwenen, voordat ze doorliepen naar de achterkant. Op een paar meter afstand zagen ze het verhoogde ballastbed van de spoorlijn en volgden de rails in de richting van een verlicht fabrieksterrein een stuk verderop.

'Weet je dat we nu ook heel knus in het café van de locale wodka hadden kunnen genieten?' merkte Giordino op, rillend van de gure wind die hen in het gezicht blies.

'Maar het barmeisje was getrouwd,' zei Pitt. 'Pure tijdverspilling.'

'Drinken in een kroeg heb ik nog nooit als tijdverspilling ervaren. Eerlijk gezegd heb ik ontdekt dat de tijd meestal stilstaat in een kroeg.'

'Ja, tot je de rekening krijgt. Weet je wat, als we nou eerst Theresa en haar vrienden even opsporen, dan trakteer ik daarna op een fles Stoli.'

'Afgesproken.'

Een paar meter naast het spoor lopend kwamen ze al vrij spoedig bij het bedrijfsterrein. De afrastering over de rails was zoals Corsov het beschreven had: een draaihek van harmonicagaas dat met hangsloten aan een dikke stalen paal dicht zat. Pitt trok de draadschaar uit zijn zak tevoorschijn en knipte haastig een L-vormig gat in het gaas. Giordino boog naar voren en trok het loszittende deel opzij, zodat Pit door het gat kon kruipen, waarna hij zichzelf er doorheen wrong.

Het onoverzichtelijke terrein was goed verlicht en ondanks het late uur klonken er geluiden van bedrijvigheid. Ervoor zorgend zoveel mogelijk in de schaduw te blijven liepen Pitt en Giordino langs de grote loods die aan de oostkant van het terrein stond. De enorme schuifdeuren van het gebouw stonden open en de mannen slopen naar de ingang, waar ze bij een van de deuren bleven staan.

Vanaf het punt waar ze nu stonden, konden ze een groot deel van het terrein overzien. Links van hen was een tiental mannen druk in de weer bij de spoorlijn, waar vier open wagons stonden. Met een hijskraan werden bijeengebonden bundels buizen met een diameter van ruim een meter op de eerste wagon geladen, terwijl met een stel gele vorkheftrucks smallere boorpijpen en bekledingsbuizen op de overige wagons werden getild. Pitt zag tot zijn opluchting dat veel van de mannen net als zij versleten bruine jassen en gedeukte gele veiligheidshelmen droegen.

'Boorpijpen voor een olieput en de buizen om de olie naar een opslag te brengen,' fluisterde Pitt, terwijl hij het laden bekeek. 'Hier is niks ongebruikelijks.'

'Behalve dat ze hier meer dan voldoende materiaal hebben om naar het midden van de aarde te boren en de olie naar de maan te leiden,' zei Giordino, met een peinzende blik om zich heen kijkend.

Pitt volgde zijn blik en knikte. Grote delen van het terrein stonden volgepakt met brede boorpijpen, opgestapeld tot enorme piramides die hoog boven hen uit torenden. Het leek een reusachtig horizontaal woud van metalen boomstammen, omgehakt en tot keurige stapels gebundeld. Een ander deel van het terrein stond vol met een even indrukwekkende opslag van dunnere boorpijpen en bekledingsbuizen.

Pitt verlegde zijn aandacht naar de openstaande loods. Hij deed een paar passen naar voren en gluurde voorzichtig om de deur. Binnen was het helverlicht, maar Pitt zag er geen teken van leven. Alleen een draagbare radio waaruit ondefinieerbare popmuziek schalde, wees op de aanwezigheid van mensen. Hij stapte de loods in, liep naar een vrachtwagen die bij de zijmuur geparkeerd stond en keek vanachter de auto met Giordino aan zijn zijde speurend om zich heen.

Een zestal enorme opleggers versperden de voorkant van het gebouw, ingeklemd tussen twee kipauto's. Langs de andere zijmuur stonden een stuk of vijf zware Hitachi-grondverzetmachines en bulldozers, terwijl het achterste deel van de loods als een montagehal was ingericht. Pitt bestudeerde de stapels geprefabriceerde metalen dragers en cilinders die in diverse stadia van montage verkeerden. In het midden stond een vrijwel compleet exemplaar, dat nog het meest van een groot metalen hobbelpaard weghad.

'Jaknikkers,' zei Pitt, die zich de op- en neergaande oliepompen herinnerde die hij als kind verspreid over de onontgonnen velden van Zuid-Californië had zien staan. Hij had het idee dat deze kleiner en compacter waren dan het type dat hij in herinnering had en dat werd gebruikt om olie uit natuurlijke bronnen te pompen waar zo weinig druk op stond dat de zwarte vloeistof niet vanzelf naar de oppervlakte spoot.

'Het lijkt wel of ze daar een draaimolen voor lassers aan het bouwen zijn,' zei Giordino. Opeens knikte hij naar een hoekkantoortje, waar ze een man zagen telefoneren.

Pitt en Giordino slopen, gedekt door een van de opleggers, terug naar de ingang van de loods, toen ze bij de deur nog twee stemmen hoorden naderen. De beide mannen doken snel weg, kropen om de achterkant van de oplegger heen en verscholen zich geknield achter een van de enorme achterwielen. Door de gaten in de velg zagen ze twee arbeiders aan de andere kant van de vrachtwagen voorbijlopen. In een geanimeerd gesprek verwikkeld liepen ze door naar het kantoor achter in de loods. Pitt en Giordino snelden langs de vrachtwagens en glipten naar buiten, waar ze achter een stapel lege pallets wegdoken.

'Dit kunnen heel goed de opleggers zijn die bij het Bajkalmeer stonden, maar er staat hier geen enkele auto die op de dichte vrachtwagen lijkt die we op de kade hebben zien staan,' fluisterde Giordino.

'Er is ook nog iets aan de andere kant van het terrein,' reageerde Pitt met een hoofdknik naar het andere gebouw. Die loods stond op een donker gedeelte van het terrein en leek degelijk vergrendeld. Samen slopen ze naar de tweede loods en passeerden daarbij een aantal verspreid over het noordelijk deel van het terrein staande, kleinere opslagschuurtjes. Halverwege kwamen ze op een plek waar enkele van deze keten bijeen stonden, plus een wachthuisje dat bij de hoofdtoegangspoort tot het terrein stond. Met Giordino in zijn kielzog sloop Pitt met een wijde boog om de ingang heen, waarna hij de juiste richting weer oppikte. In de beschutting van het laatste schuurtje, dat vol stond met een bonte verzameling vettige gereedschappen, bleven ze staan. Vanaf hier bestudeerden ze de tweede loods.

Deze was van hetzelfde formaat als de eerste, met als verschil dat hier geen bedrijvigheid heerste. De grote deuren in de voorgevel waren dicht en afgesloten, evenals een kleinere deur in de zijmuur. Een tweede verschil met de andere loods was, dat hier een gewapende surveillerende bewaker rondliep.

'Waarom bewaak je een depot van boormaterialen?' vroeg Giordino.

'Zullen we dat dan maar eens gaan uitzoeken?'

Pitt stapte het gereedschapschuurtje in en rommelde wat in de inhoud. 'Dit ziet er wel indrukwekkend uit,' zei hij, terwijl hij een moker van een plank pakte en over zijn schouder legde. Giordino greep een groene ijzeren gereedschapskist, die hij op een ijzerzaag en een Engelse sleutel na leegmaakte.

'Op naar de loodgietersklus, baas,' mompelde hij achter Pitt aan lopend.

Het tweetal stapte zelfverzekerd over de open plek naar de voorgevel van het gebouw af alsof het van hen was. De bewaker schonk aanvankelijk nauwelijks aandacht aan de twee mannen die er in hun haveloze jassen en met de gedeukte helmen net zo uitzagen als de andere arbeiders op het terrein. Maar toen ze hem volstrekt negeerden en recht op de kleinere zijdeur afstevenden, kwam hij in actie.

'Stop,' riep hij in het Mongools. 'Wat willen jullie daar?'

Giordino bleef staan, maar alleen om gebukt aan zijn schoenveter te peuteren. Pitt liep alsof de bewaker niet bestond onverstoorbaar door.

'Stop,' riep de bewaker opnieuw, terwijl hij zich aarzelend in de richting van Pitt bewoog en met zijn hand naar zijn holster tastte.

Pitt liep door tot de bewaker hem tot op een pas genaderd was. Toen draaide hij zich om en keek de man breed glimlachend aan.

'Sorry, *no habla*,' zei Pitt, verontschuldigend zijn schouders ophalend.

De bewaker reageerde met een uitdrukking van stomme verbazing op Pitts blanke uiterlijk en de onbegrijpelijke taal die hij uitsloeg. Op datzelfde moment zwaaide vanuit het niets de stompe kant van een groene gereedschapskist op hem af, die hem vol tegen de zijkant van zijn hoofd raakte en hij was al bewusteloos voordat zijn lichaam tegen de grond sloeg.

'Hij heeft mijn kist verbogen,' zei Giordino verontwaardigd over een deuk in het groene metaal wrijvend.

'Misschien is hij wel verzekerd. Maar het lijkt me beter om onze schone slaapster ergens anders te ruste leggen,' zei Pitt, terwijl hij om het lichaam heenliep.

Pitt liep door naar de zijdeur, drukte de kruk omlaag, maar de deur zat op slot. Hij tilde de moker op en sloeg de ijzeren kop met een geweldige dreun op de deurkruk. Het slot barstte uit de deurpost, waarna Pitt de deur met gemak opentrapte. Giordino had de bewaker al onder zijn oksels gegrepen en sleurde de bewusteloze man naar binnen, waar hij hem opzij neerlegde, terwijl Pitt de deur achter hen dichttrok.

Het was er donker, maar Pitt vond de lichtknoppen naast de deur en een seconde later baadde de loods in hel tl-licht. Tot zijn verbazing was de hal vrijwel leeg. In het midden stonden naast elkaar twee opleggers, die samen maar een fractie van de totale oppervlakte in beslag namen. Een van de opleggers was leeg, maar op de andere stond een langwerpig voorwerp dat door zeildoek aan het zicht werd onttrokken. Het ingepakte voorwerp had de gestroomlijnde vorm van een metrowagen. Qua vorm was dit ding absoluut het tegengestelde van het puntige, verticale voorwerp dat ze op de vrachtwagen bij het Bajkalmeer hadden zien staan.

'Dit is niet bepaald het cadeau waar we naar zoeken,' merkte Pitt op.

'Laten we het toch maar uitpakken om te kijken wat er zo geheim is,' reageerde Giordino, terwijl hij de ijzerzaag uit de gedeukte gereedschapskist pakte. Nadat hij op de oplegger was gesprongen ging hij het web van touwen te lijf waarmee het zeildoek strak als een mummie om het voorwerp was gebonden. Nadat hij de touwen had doorgesneden, pakte Pitt de rand van het zeildoek beet en gaf er een flinke ruk aan.

Het doek viel op de grond en onthulde een buisvormige machine van een kleine tien meter lang. Vanuit een grote cilinderkop aan de voorkant liep een ingewikkeld netwerk van buizen en hydraulische leidingen naar een stellage aan de achterkant. Pitt liep eromheen naar de voorkant van het apparaat, waar hij een ronde schijf van zo'n tweeënhalve meter doorsnee zag, voorzien van meerdere kleinere, schuin aflopende schijven.

'Een tunnelboor,' zei hij over een door het gebruik dof geworden snijkop wrijvend.

'Corsov vertelde dat het bedrijf ook aan mijnbouw doet. Ik heb gehoord dat hier in bepaalde streken van het land nog aanzienlijke voorraden koper en kolen in de grond zitten.'

'Een nogal kostbare installatie voor een niet al te grote oliemaatschappij.'

Plotseling klonk er een schrille fluit van ergens aan de andere kant van het terrein. Pitt en Giordino keken naar de deur en zagen dat de bewaker was verdwenen.

'Er is iemand wakker geworden en die heeft zonder ons in te lichten de roomservice gebeld,' zei Pitt.

'En ik heb geen kleingeld voor een fooi.'

'We hebben 't hier wel gezien. Laten we maken dat we wegkomen.'

Ze sprintten naar de deur, die Pitt op een kiertje opende om naar buiten te kijken. Over het terrein kwamen in een Jeep drie gewapende bewakers aanrijden. De man die op de achterbank over zijn hoofd wreef, herkende Pitt als de bewaker die Giordino buiten westen had geslagen.

Pitt aarzelde niet. Hij smeet de deur open en stoof met Giordino op zijn hielen het gebouw uit. Ze spurtten naar opgestapelde buizen die in blokken langs de spoorlijn lagen. De bewakers zetten luid schreeuwend de achtervolging in, maar Pitt en Giordino doken ijlings achter de eerste stapel buizen weg.

'Als ze maar geen honden hebben,' zei Giordino, terwijl ze even bleven staan om op adem te komen.

'Ik heb geen geblaf gehoord.' Pitt had bij het verlaten van de loods instinctief de moker gepakt en hield hem op om Giordino te laten zien dat ze niet helemaal ongewapend waren. Vervolgens bekeek hij de om hen heen opgestapelde buizen en bedacht een ontsnappingsstrategie.

'Laten we tussen de buizen door naar het spoor proberen te komen. Als we onopgemerkt tot bij het laadperron kunnen sluipen, moet het lukken om bij het hek te komen terwijl zij hier nog rondneuzen.'

'Ik volg je op de voet,' reageerde Giordino.

Ze zetten het weer op een rennen en zigzagden tussen de enorme, tot zes meter hoog opgestapelde piramides van buizen door. Op zo'n tien meter achter zich hoorden ze het roepen van de bewakers die zich verspreidden om de achtervolging te voet voort te zetten. Het tussen de tientallen hoge stapels doorlaveren gaf hun het gevoel dat ze zich een weg door een dicht sequoiawoud baanden. De achtervolgers waren nog op redelijke afstand.

Zoveel mogelijk de kortste weg aanhoudend stuurde Pitt op het spoor aan en bleef staan toen ze bij de laatste rij buizen waren aangekomen. Het spoor eindigde een paar meter verderop en vlak daarachter was de zuidgrens van het terrein, een tweeënhalve meter hoge stenen muur.

'Daar springen we niet zomaar overheen,' fluisterde Pitt. 'We zullen het spoor moeten volgen.'

Ze spurtten naar de rails en vervolgden hun weg naar het laadperron met een flinke wandelpas om zo min mogelijk aandacht te trekken. Voor hen ging het laden van de platte wagons onverminderd door. De arbeiders hadden hun werk kort onderbroken toen het alarmsignaal klonk, maar waren weer aan de slag gegaan toen ze de bewakers naar de loods zagen rijden.

Pitt en Giordino naderden het perron en liepen achterlangs de wagons met hun veiligheidshelmen tot diep over het voorhoofd getrokken. Ze waren bijna voorbij de eerste wagon, toen er een voorman vanaf sprong en een paar passen voor Giordino terechtkwam. Hij verloor daarbij zijn evenwicht, struikelde en botste tegen de gedrongen Italiaan op alsof hij tegen een betonnen muur kwakte.

'Sorry,' mompelde de man in het Mongools, waarna hij Giordino in het gezicht keek. 'Wie bent u?'

Giordino zag een lichte argwaan in de ogen van de man en doofde die onmiddellijk met een rechtse directe op zijn kaak. De man sloeg tegen de grond, terwijl er een luide schreeuw opklonk. Op de volgende wagon stonden twee arbeiders die Giordino hun ploegbaas knock-out zagen slaan, waarop ze hard begonnen te schreeuwen. Ze draaiden zich om en gilden wild met hun armen zwaaiend over het terrein naar de Jeep van de beveiliging, die net bij de loods wegreed.

205

'Ongezien kunnen we verder vergeten,' bromde Pitt.

'Echt, ik heb me alleen met m'n eigen zaken bemoeid,' mompelde Giordino.

Pitt tuurde langs de rails naar het hek dat ze hadden opengeknipt. Als ze er in één ruk naartoe renden, zouden ze het kunnen halen, voordat de Jeep hen de pas af kon snijden, maar de bewaking zou hen dan wel dicht op de hielen zitten.

'We moeten ze afleiden,' zei Pitt gehaast. 'Probeer de aandacht van de Jeep te trekken, dan kijk ik of ik ergens een lift kan versieren.'

'Aandacht trekken lijkt me geen probleem.'

Samen doken ze onder de wagon en kropen naar de andere kant. Pitt bleef in de schaduw staan, terwijl Giordino in het zicht sprong en naar de stapels buizen rende. Een seconde later zette een groepje arbeiders de achtervolging in en stoof zand en grind opwerpend rakelings langs de wachtende Pitt. Hij keek om zich heen en zag de Jeep een scherpe bocht maken, waarna de koplampen de in de verte wegrennende Giordino belichtten.

Nu was het de beurt aan Pitt om in actie te komen. Hij sprong uit het duister tevoorschijn en rende naar de volgende wagon. Een van de vorkheftrucks tilde juist een pallet met bekledingsbuizen op de wagon toen Pitt op de cabine afstormde. Hij had nog steeds de moker bij zich en ramde die omlaag op het moment dat hij de cabine insprong. De zware hamer raakte de voet van de bestuurder nog voordat Pitt naast hem opdook. De geschrokken bestuurder keek Pitt met wijd opengesperde ogen aan tot de pijn van twee gebroken tenen tot zijn hersenen doordrong. Pitt hief de moker op toen er een eerste gil aan de lippen van de man ontsnapte.

'Sorry, makker, maar ik heb je wagen nodig,' zei Pitt.

De overdonderde chauffeur vloog alsof hij vleugels had aan de andere kant de open cabine uit en verdween in de duisternis voordat Pitt voor een nieuwe slag kon uithalen. Pitt liet de hamer vallen en gleed achter het stuur, waarna hij de vorkheftruck snel van de wagon weg stuurde. In een ver verleden had hij tijdens een vakantiebaantje bij een distributeur van auto-onderdelen met een vorkheftruck leren omgaan en de bediening kwam snel weer bij hem boven. Hij zwenkte de vorkheftruck met een ruk om het enkele achterwiel, trapte het gaspedaal in en richtte de beide vorken in de richting van Giordino.

Pitts compagnon was naar het labyrint van opgestapelde buizen gerend tot hij een van de gewapende bewakers van achter de dichtstbijzijnde stapel zag opduiken. De Jeep met de beide andere bewakers kwam vanaf het midden van het terrein aangescheurd, terwijl een drietal arbeiders hem in de rug achtervolgden. Ondanks de overmacht bedacht Giordino zich in een flits dat hij toch de meeste kans had tegen de ongewapende arbeiders. Hij hield in, draaide zich om en stormde recht op de eerste van de achtervolgers af. De man schrok zich wezenloos toen Giordino opeens op hem afkwam en een schouder in zijn maag ramde. Het was alsof een stier een lappenpop omver rende. De man braakte een luchtstoot uit, waarna zijn gezicht blauw aanliep en hij over Giordino's schouders viel. De taaie Italiaan liet geen seconde verloren gaan en denderde met de zware last op zijn nek door naar de tweede arbeider die er vlak achter liep. De drie lichamen smakten met een doffe dreun op elkaar, waarbij Giordino het lichaam op zijn schouders gebruikte om de klap van de botsing op te vangen. In een wirwar van ledematen sloegen de drie lichamen tegen de grond en op de een of andere manier slaagde Giordino erin bovenop te landen.

In een oogwenk was hij weer overeind en zette hij zich schrap voor de volgende achtervolger. Maar de derde arbeider, een pezige man met lange bakkebaarden, was pijlsnel om de verstrengelde lichamen heen gestapt en dook achter Giordino op. Terwijl Giordino zich oprichtte sprong Bakkebaard op zijn rug en sloeg een arm om zijn keel. Op hetzelfde moment kwamen er van diverse richtingen hulptroepen toegesneld. Met piepende banden kwam de Jeep op een paar meter afstand tot stilstand, terwijl ook de bewaker te voet met getrokken wapen kwam aangerend. Toen Giordino besefte dat hij zich hier niet meer kon uitvechten, ontspande hij zich in de klem van de hoofdgreep en bedacht dat de afleidingsmanoeuvre niet verlopen was zoals hij het zich had voorgesteld.

Hij zag dat de chauffeur van de Jeep hem vanachter de voorruit triomfantelijk aanstaarde alsof hij zojuist een opgejaagde kariboe te pakken had gekregen. De zelfvoldane bewaker, duidelijk het hoofd van de beveiliging, wilde uit de Jeep stappen, maar aarzelde met een vragende trek op zijn gezicht. De blik veranderde in pure ontsteltenis toen hij zich omdraaide en een felgele flits uit het duister zag opduiken.

Terwijl Pitt over het terrein raasde, had hij de vorken in de laagste stand laten zakken en stevende nu op de chauffeurskant van de Jeep af. De bijrijder slaakte nog een waarschuwingskreet, terwijl hij probeerde weg te komen, maar de chauffeur kon niets meer doen. De beide vorken drongen net voor en achter de chauffeursstoel de Jeep in alsof die van kaas was gemaakt. Vervolgens botste de voorkant van de vorkheftruck tegen de treeplank en schoof de Jeep zijdelings een paar meter voor zich uit, waardoor de inzittenden er aan de andere kant uit vlogen. De twee bewakers sloegen duikelend tegen de grond, terwijl de Jeep naast hen tot stilstand kwam. Pitt gooide de vorkheftruck pijlsnel in zijn achteruit en reed weg van de verkreukelde auto.

Giordino voelde dat de greep om zijn nek van Bakkebaard, die schrok van de botsing zo vlak voor hen, een fractie van een seconde verslapte en reageerde direct. Terwijl hij de pols van de arbeider omhoog drukte, ramde hij zijn vrije elleboog in de ribbenkast van de man. Hiermee overrompelde hij hem zodanig dat hij zich uit de greep los kon wrikken. Giordino draaide zich om en dook weg voor een zwaaistoot van Bakkebaard, die hij met een harde linkse directe recht onder zijn oor pareerde. De kleinere man zakte met een wazige blik in zijn ogen naar Giordino opkijkend door zijn knieën.

Maar de bewaker te voet was er nog. Giordino zag de gewapende man op een paar meter afstand staan, maar tot Giordino's opluchting hield hij zijn wapen niet meer op hem gericht. De bewaker had zijn aandacht verlegd naar de vorkheftruck die nu recht op hem afkwam. In blinde paniek schoot de bewaker twee keer op de cabine, waarna hij uit de baan van het aanstormende voertuig wegsprong. Diep in de cabine weggedoken hoorde Pitt de kogels over zijn hoofd fluiten. Met een ruk aan het stuur veranderde hij van koers en zat de man weer op de hielen. De overdonderde man struikelde in zijn poging aan de razende vorkheftruck te ontsnappen en smakte tegen de grond. Pitt liet de vorken weer zakken en gaf gas voor de nekslag.

De bewaker had naar opzij weg kunnen rollen, maar in plaats daarvan probeerde hij op te staan om weg te rennen. Toen hij overeind kwam, raakte een van de vorken hem op zijn rug en schoot onder zijn jas door. Met een snelle beweging van de bedieningshendel liet Pitt de vorken met de bewaker eraan vast omhoog komen tot ze boven de cabine uitstaken. Wild met armen en benen zwaaiend liet de man in zijn wanhopige pogingen de vork te grijpen en zo te voorkomen dat hij er vanaf gleed, zijn wapen vallen.

'Hé, voorzichtig een beetje, dit is gevaarlijk, voor je het weet gebeuren er ongelukken,' zei Giordino, terwijl hij in de cabine sprong en zich aan een stang vastgreep om niet te vallen.

'Voorzichtigheid vóór alles, zeg ik altijd. Of toch pas in de tweede plaats?' reageerde Pitt.

Hij had de vorkheftruck al om zijn as gedraaid en scheurde nu plankgas langs het spoor naar het hek. Toen hij het laadperron passeerde, stapten

208

verschillende arbeiders naar voren, maar sprongen onmiddellijk weer uit de baan van de voortrazende vorkheftruck met de luidkeels om hulp gillende bewaker nog steeds aan de vooruitstekende vork bungelend.

Pitt ontwaarde een hoge stapel olievaten en stuurde de vorkheftruck er recht op af.

'Eindstation voor onze eersteklas passagiers,' mompelde hij.

Op een paar meter afstand van de vaten trapte hij vol op de rem. De vorkheftruck kwam met piepende banden en doorslippend tegen de onderste muur van vaten te stilstand. Door de plotselinge vaartvermindering schoot de aan de vork bungelende man naar voren en vloog als een vogel over de bovenste laag vaten. Terwijl hij de vorkheftruck naar achteren manoeuvreerde, hoorde hij gesmoord gevloek van de vaten komen, waaruit hij afleidde dat de bewaker het had overleefd.

Pitt zwenkte de vorkheftruck terug naar het spoor en drukte het ronde gaspedaal weer tot op de bodem in. Er klonken kreten van de plek rond de zwaar toegetakelde Jeep en over zijn schouder kijkend zag Pitt dat twee van de mannen overeind gekrabbeld waren en nu achter hem aankwamen. Van achteren klonk het geluid van schoten en diverse kogels sloegen met een metaalachtige tik in het frame van de vorkheftruck. Maar de voortzoevende elektrische vorkheftruck haperde geen moment en liep uit op de woedende achtervolgers.

Toen ze het hek naderden, verkleinde Pitt de afstand tot het spoor totdat het rechterwiel over de houten bielzen bonkte.

'Gewoon doorrammen,' zei Giordino, die begreep wat Pitt van plan was en zich schrap zette voor de klap.

Pitt stuurde op de linkerkant van het hek af en klemde zijn handen stevig om het stuur. De linkervork raakte de bevestigingspaal van het hek en doorkliefde het onderste ijzeren scharnier, terwijl de rechtervork door het metalen gaas schoot. De voorkant van de vorkheftruck knalde met de volle kracht van de snelheid op het hek. Door de klap vloog de vorkheftruck een kort moment door de lucht voordat het hek uit de scharnieren schoot en naar opzij wegzwaaide.

Met inzet van al zijn krachten wist Pitt de macht over het stuur te behouden toen de vorkheftruck zwaar bonkend het terrein af reed. Het gehavende voertuig schoot over de rails naar een langs het spoor lopend zandpad door, voordat het weer vaste grond onder alle drie de wielen had. Pitt volgde het zandpad zonder ook maar een moment zijn voet van het gaspedaal te nemen.

'Ik hoop dat onze taxi klaarstaat,' riep Pitt.

'Dat hoop ik ook, ja. Dit gaan we niet erg lang meer volhouden.' Achterom naar het bedrijfsterrein kijkend, zag Giordino langs het spoor de koplampen van een ander voertuig op het opengeramde hek afkomen.

Met zijn handen krampachtig om het stuur geklemd joeg Pitt de woest hotsende vorkheftruck over de onverharde landweg vol kuilen en spitse keien die in de slechts door sterren verlichte nacht onzichtbaar waren. Omdat hij voor de achtervolgende schutters geen al te duidelijk doelwit wilde zijn, had hij de koplampen bij het verlaten van het terrein uitgedaan. Eindelijk kregen ze de donkere contouren van de afgebrande bakkerij op de heuvel in zicht en bracht Pitt de vorkheftruck tot stilstand.

'Iedereen uitstappen,' zei hij nog voor ze goed en wel stilstonden. Hij sprong eruit en zocht op de grond tot hij een grote platte steen had gevonden. Vervolgens keerde hij de vorkheftruck 180 graden om, legde de steen op het gaspedaal en sprong naar achteren. De gele vorkheftruck schoot naar voren en verdween zacht zoemend en wild hobbelend over de zandweg in de nacht.

'Zonde. Ik begon net aan dat ding gewend te raken,' mokte Giordino, terwijl ze zo hard als ze konden de heuvel op renden.

'Misschien heeft een kamelenherder in de Gobiwoestijn er een nuttige bestemming voor.'

Op de kam van de heuvel gekomen doken ze weg achter een van de afgebrokkelde muren van de bakkerij en gluurden om de hoek. Corsovs auto was nergens te zien.

'Help me herinneren dat ik de KGB hier de eerstvolgende keer in het openbaar over aanspreek,' zei Giordino.

Opeens zagen ze een kleine kilometer verderop op de weg de remlichten van een auto opflitsen.

'Hopelijk is dat onze vriend,' zei Pitt.

Het tweetal spurtte weg van de ruïne de straat op. Toen ze het knerpende geluid van banden op de ongeplaveide weg hoorden, sprongen ze de berm in en wachtten aarzelend af tot er een auto met gedoofde koplampen uit de duisternis opdook. Het was de grijze Toyota.

'Goedenavond, heren,' zei Corsov grinnikend, toen Pitt en Giordino instapten. Zijn adem verspreidde een penetrante wodkageur in de auto. 'Succes gehad?'

'Ja,' antwoordde Pitt, 'maar onze gastheer wilde ons per se naar huis begeleiden.'

210

Achter de bakkerij zagen ze de lichtbundel van de koplampen van een naderende auto heen en weer zwiepen. Zonder commentaar keerde Corsov de auto en scheurde weg. Binnen enkele minuten doorkruisten ze een doolhof aan smalle zijstraten tot ze plotseling voor de achteringang van het hotel stonden.

'Goedenacht, heren,' zei Corsov met gezwollen tong. 'We zien elkaar morgen, dan hoor ik het wel.'

'Bedankt, Iwan,' zei Pitt. 'Rij voorzichtig.'

'Tuurlijk.'

Nadat Pitt het portier dichtsloeg, spoot de Toyota de straat uit en verdween met gierende banden om de hoek. Terwijl ze naar het hotel liepen, bleef Giordino opeens staan en wees naar de overkant van de straat, waar uit een kennelijk nog druk bevolkt café muziek en gelach klonken.

Giordino draaide zich om naar Pitt en zei: 'Zeg, baas, was jij me niet nog een verzetje schuldig?'

19

Theresa zat in de werkkamer en bladerde met een afwezige blik in haar ogen een seismisch rapport door. Haar schrik over de brutale moord op Roy had geleidelijk plaatsgemaakt voor een met woede vermengde neerslachtige melancholie. Hij was als een broer voor haar geweest en het besef dat hij de afgelopen nacht vermoord was, stak haar tot in het diepst van haar ziel. Dat was nog verergerd door het gedrag van Tatjana, die kort nadat Roy zijn laatste adem had uitgeblazen, op de binnenplaats was verschenen.

'Als je niet gehoorzaamt, gebeurt jou dat ook!' had ze Theresa met een vuurspuwende blik in haar ogen toegesist.

De bewaker die Roy had gedood, kreeg de opdracht om Theresa naar haar kamer terug te brengen, waar ze onder permanente gewapende bewaking werd gesteld.

Vanaf dat moment hadden ze haar en Wofford geen seconde meer alleen gelaten. Ze keek door de werkkamer naar de ingang, waar twee bewakers met stalen gezichten naar haar terugstaarden. In hun felgekleurde zijden del's, ofwel tunica's, zagen ze er niet zo heel afschrikwekkend uit, maar sinds de afgelopen nacht wist ze dat het goed getrainde moordenaars waren.

Naast haar zat Wofford met zijn gewonde been op een stoel voor zich uitgestrekt en was verdiept in een geologisch rapport. Roys dood was keihard bij hem aangekomen, maar het leek alsof hij het snel van zich had afgeschud. Toch lag het meer voor de hand dat hij zijn emoties door concentratie op zijn taak probeerde te verdringen, concludeerde Theresa.

'Laten we maar doen wat ze van ons vragen,' had hij tegen haar gezegd. 'Dat is waarschijnlijk de enige manier om in leven te blijven.'

Daar had hij misschien wel gelijk in, dacht ze, terwijl ze haar aandacht bij het rapport probeerde te houden. Het was een onderzoek naar geologische omstandigheden in een keteldal op een niet-geïdentificeerde locatie. Het profiel was opgemaakt door een seismisch onderzoeksteam aan de hand van de geluidsreflecties van door hen zelf in de bodem veroorzaakte schokgolven. Theresa kwam overeind om de kaart beter en met hernieuwde belangstelling te kunnen bekijken. Hij week sterk af van alle seismische doorsneden die ze ooit had gezien. De meeste bodemprofielen waren wazig, verre van scherp, en leken meer op een in de regen nat geworden inktvlek van Rorschach. Dit was een haarscherp profiel, waarin zich duidelijk omlijnde bodemlagen aftekenden.

'Onvoorstelbaar,' zei ze. 'Dit moet met ultramoderne technologie gemaakt zijn. Ik heb nog nooit zo'n exact beeld gezien.'

'Het is zonder meer beter dan het beste dan wij ooit in het veld hebben gebruikt. Maar dat is niet het meest opmerkelijke,' vervolgde hij. Opzij buigend wees hij op een bolvormige vlek die tot buiten de kaart doorliep. Theresa leunde naar voren en bestudeerde hem aandachtig.

'Dat lijkt wel een klassieke, om niet te zeggen redelijk volumineuze, anticlinale val,' zei ze op de koepelvormige sedimentlaag doelend. De gewelfboog van een sedimentaire koepel was voor geofysici als een rode lap voor een stier, omdat het een belangrijke plek is waarin zich petroleumvoorraden ophopen.

'Redelijk volumineus, ja,' reageerde Wofford. Hij pakte een stapeltje van dergelijke profielen en spreidde er een paar op de tafel uit. 'Die val strekt zich over een lengte van bijna veertig kilometer uit. In dezelfde regio heb ik nog zes kleinere gevonden.'

'Zo te zien zijn de omstandigheden perfect voor afzetting.'

'Dat weet je nooit voordat de boor vochtig is, maar deze profielen zien er zeker veelbelovend uit.'

'En er zijn er nog zes? Dan kunnen dit gigantische reserves zijn.'

'Minstens zes. Ik heb nog niet alle rapporten doorgewerkt, maar het is verbijsterend. Op een steenworp afstand van dit profiel zit alleen al in die ene val een potentiële voorraad van zo'n twee miljard vaten. Samen met de andere kom je al snel aan tien miljard vaten. En dat voor één veld. Wat zal er dan wel niet in die hele regio zitten?'

'Ongelooflijk. Wat is de locatie van dat veld?'

'Dat is het 'm nou net. Iemand heeft zorgvuldig alle geografische verwijzingen uit de gegevens verwijderd. Ik kan alleen zeggen dat het niet onder water is en dat de oppervlaktetopografie vlak is en overheersend van zandsteen.'

'Dus we hebben hier oliereserves ter grootte van de Noordzeevelden voor ons en we weten niet waar ze zich bevinden?'

'Ik heb geen flauw idee.'

Sarghov nam schuddebuikend van het lachen nog een slok van zijn thee.

'In een vorkheftruck rondscheuren met een veiligheidsagent van Avarga aan een van de vorken bungelend,' zei hij gniffelend. 'Wat hebben jullie Amerikanen toch een heerlijk gevoel voor theater.'

'Toch was ik daar liever iets minder opzienbarend vertrokken,' reageerde Pitt van de andere kant van het cafétafeltje, 'maar Al wilde niet lopen en stond erop dat we dat ding namen.'

'En toen misten we nog bijna de laatste rit,' zei Giordino meesmuilend, waarna hij een slok van zijn koffie nam.

'Ik weet zeker dat die bazen daar zich nu op hun hoofd krabbend afvragen waarom een stel westerlingen in godsnaam op hun terrein rondsnuffelde. Jammer dat jullie niets hebben gevonden wat erop wees dat ons onderzoeksteam daar is geweest.'

'Zeker. Het enige interessante was die tunnelboor. En dat ding zat onder net zo'n zeildoek verstopt als het gevaarte dat we op de oplegger bij het Bajkalmeer hebben zien staan.'

'Het kan best dat die machine is gestolen en clandestien het land binnen is gebracht. Mongolië is nog niet zo bekend met de moderne technologieën. Misschien wilde het bedrijf niet dat de staat weet met wat voor technologische apparatuur ze werken.'

'Ja, dat zou goed kunnen,' reageerde Pitt. 'Ik zou graag willen weten wat ze zo stiekem van het Bajkalmeer hebben weggehaald.'

'Alexander, hoe staat het met het onderzoek naar de ontvoering?' vroeg Giordino alvorens hij een flinke hap van een belegd broodje nam.

Sarghov keek op en zag Corsov het drukke café aan het Sukhbaatarplein binnenkomen. 'Die vraag kan onze plaatselijke expert misschien beter beantwoorden,' zei hij, terwijl hij opstond en zijn vriend van de ambassade begroette. Corsov trok glimlachend een stoel naar het tafeltje.

'Ik neem aan dat iedereen lekker geslapen heeft?' zei hij tegen Pitt en Giordino.

'Tot de wodka was uitgewerkt,' antwoordde Pitt grijnzend, omdat hij wist dat Giordino last van een lichte kater had.

214

'Iwan, we hadden het net over het onderzoek naar de ontvoering. Is er al iets bekend?' vroeg Sarghov.

'*Njet*,' antwoordde Corsov en er verscheen een ernstige trek op zijn gezicht. 'De nationale politie is er nog niet aan begonnen. Het verzoek tot onderzoek is op het ministerie van Justitie nog niet in behandeling genomen. Het spijt me, ik zat ernaast toen ik zei dat Avarga Oil geen invloed binnen de overheid heeft. Het is duidelijk dat er op een bepaald niveau met steekpenningen is gewerkt.'

'Voor Theresa en de anderen is ieder uur van belang,' zei Giordino.

'Onze ambassade stelt alles in het werk wat via de officiële weg mogelijk is. En uiteraard volg ik sporen langs minder officiële wegen. Maken jullie je geen zorgen, we vinden ze beslist.'

Sarghov nam een laatste slok van zijn thee en zette het lege kopje neer. 'Ik vrees dat we van Iwan niet meer kunnen verlangen. De Mongoolse autoriteiten werken over het algemeen volgens geheel eigen tijdschema's. Uiteindelijk zullen ze wel ingaan op de herhaalde verzoeken van onze ambassade, hoe hoog de steekpenningen om het onderzoek tegen te houden ook zijn. We kunnen waarschijnlijk het beste een stapje terugdoen en afwachten tot alle bureaucratische horden genomen zijn voordat we verdere actie ondernemen. En ik moet terug naar Irkoetsk om een rapport op te maken over de schade die de *Vereshchagin* heeft opgelopen. Hierop vooruitlopend heb ik voor ons alle drie al tickets geboekt voor een vlucht vanmiddag.'

Pitt en Giordino wierpen een blik van verstandhouding op Corsov, waarna ze zich tot Sarghov richtten.

'Tja, Alexander, wij hebben andere plannen,' zei Pitt.

'Gaan jullie rechtstreeks terug naar de vs? Ik dacht dat jullie eerst naar Siberië terug wilden om jullie collega Rudi daar op te pikken.'

'Nee, we gaan niet terug naar de vs en ook niet naar Siberië.'

'Dat begrijp ik niet. Waar willen jullie dan heen?'

Pitts groene ogen glommen toen hij antwoordde: 'Naar een geheimzinnige plaats die Xanadu wordt genoemd.'

20

Corsovs inlichtingennetwerk bleek opnieuw effectief. Hoewel de centrale regering na het uiteenvallen van de Sovjet-Unie een scherpe draai naar democratische hervormingen had gemaakt, was er nog een sterke communistische, veelal op Moskou georiënteerde oppositie. Een analist uit de lagere regionen van het ministerie van Buitenlandse Zaken had Corsov geattendeerd op het bezoek van hoge Chinese staatsfunctionarissen aan Mongolië. En Corsov had gezien dat hier een gouden kans voor Pitt en Giordino lag.

De Chinese minister van Handel werd binnenkort verwacht, zogenaamd voor een rondleiding door een nieuwe elektriciteitscentrale op zonne-energie die onlangs aan de rand van de hoofdstad in gebruik was genomen. Maar het grootste deel van de tijd die de minister ter beschikking had, was vrijgehouden voor een privébezoek aan de directie van het Avarga Oil Consortium in het afgelegen hoofdkwartier ten zuidoosten van Ulaanbaatar.

'Ik kan jullie een plek geven in de stoet, waarmee je voor de voordeur van Borjin wordt afgezet. Maar de rest moet je zelf doen,' had Corsov tegen Pitt en Giordino gezegd.

'Neem me niet kwalijk, maar het lijkt me toch uitgesloten dat iemand zal geloven dat wij tot de Chinese delegatie behoren,' zei Giordino.

'Dat hoeft ook niemand, want jullie maken deel uit van het escorte dat de Mongoolse staat meestuurt.'

Giordino fronste zijn wenkbrauwen ten teken dat hij het verschil niet zo zag.

Corsov vertelde dat er later die middag een officiële ontvangst van de minister op het programma stond. 's Avonds zou een omvangrijk ontvangstescorte van het ministerie van Buitenlandse Zaken de Chinese delegatie be-

216

geleiden. Maar morgen, wanneer de delegatie naar de zonne-energiecentrale zou gaan en later naar het hoofdkwartier van Avarga, had men verzocht de minister slechts met een kleine Mongoolse beveiligingsploeg te vergezellen.

'Aha, we komen dus in dienst van de Mongoolse geheime dienst?' vroeg Pitt.

Corsov knikte. 'In feite komen hier gewone agenten van de nationale politie voor in aanmerking. Daarom was er maar een bescheiden overredingspremie voor nodig om u als vervangende beveiligingsagenten in het escorte te laten opnemen. Bij de zonne-energiecentrale neemt u de plaats van de echte bewakers over, waarna u met de stoet naar Xanadu gaat. Zoals ik al zei, ben ik ook gaarne bereid mijn eigen mensen hiervoor in te zetten.'

'Nee,' antwoordde Pitt, 'dat risico nemen we liever zelf. Jij hebt je nek al ver genoeg voor ons uitgestoken.'

'Ik kan het allemaal ontkennen. En ik vertrouw erop dat jij je bronnen niet bekend zult maken,' voegde hij er grijnzend aan toe.

'Dat zweer ik.'

'Prima. Hou je vanaf nu een beetje op de achtergrond en kijk of je bewijzen kunt vinden dat jullie ontvoerde vrienden zich daar bevinden. Zodra we dat bewijs hebben, kunnen we de Mongoolse autoriteiten in actie laten komen.'

'Doen we. Hoeveel zijn we je schuldig aan steekpenningen?'

'Hoho, wat een vreselijk woord,' antwoordde Corsov met een pijnlijke trek op zijn gezicht. 'Ik ben een inlichtingenman. Dus ik hoor graag alles van je wat je te weten komt over Avarga Oil, de heer Borjin en zijn ambities, daarmee heb je het schijntje dat ik voor het politie-escorte heb uitgegeven dan ruimschoots terugbetaald. Wat betekent dat ik jullie hier morgenavond voor een gezamenlijke maaltijd borsjt terugverwacht.'

'Nou, als dat geen omkoperij is,' bromde Giordino.

'En nog één ding,' vervolgde Corsov glimlachend. 'Zorg dat je die Chinese minister levend terugbezorgt.'

Pitt en Giordino namen een taxi naar de zonne-energiecentrale, waar ze een uur voor de strak geplande komst van de Chinese minister arriveerden. Breeduit glimlachend toonden ze een slaperige bewaker bij het hek de valse identiteitspasjes die ze van Corsov hadden gekregen en liepen ongehinderd het terrein op. De centrale was niet veel meer dan een veld van zo'n vier hectare dat volledig vol stond met honderden zwarte zonnepanelen die een aanvullende energiebron vormden voor de elektriciteit die in

217

een grote aangrenzende kolencentrale werd opgewekt. Het was een experimenteel proefstation van de elektriciteitsmaatschappij en leverde nauwelijks voldoende energie voor de verlichting van een voetbalstadion. Met meer dan 260 dagen zon per jaar was Mongolië bij uitstek geschikt voor de winning van zonne-energie, maar de technologie was nog niet zodanig dat aan de vraag van de consument kon worden voldaan.

Ervoor zorgend dat ze uit het zicht bleven van het haastig in elkaar getimmerde ontvangstplatform, waarop een handvol hoge ambtenaren en directieleden van de centrale nerveus stond te wachten, stelden Pitt en Giordino zich verdekt op achter een groot zonnepaneel bij de ingang. In hun donkere, in China vervaardigde sportjasjes en voorzien van zonnebril en een zwarte wollen, baretachtige muts op het hoofd konden ze vanaf enige afstand bezien heel goed doorgaan voor mensen van de locale beveiliging. Ze hoefden niet lang te wachten tot de stoet auto's een paar minuten te vroeg door de poort het terrein opreed en voor het platform stopte.

Pitt moest in zichzelf glimlachen om de weinig formele auto's die de stoet vormden en wel heel erg ver afstonden van de in Washington alomtegenwoordige zwarte limousines. Een drietal schone, maar veelgebruikte Toyota LandCruisers vervoerden de Chinese minister en een klein kader van adviseurs en veiligheidsagenten. De stoet werd voorafgegaan door een Mongools beveiligingsescorte, gezeten in een gele vierdeurs UAZ-jeep. De stoet werd afgesloten door een tweede UAZ-jeep, waarvan de voorbumper was beschadigd door een eerder verkeersongeluk. De in Rusland gefabriceerde UAZ, een militair, jeepachtig voertuig, deed Pitt denken aan de hoekige terreinwagen van International Harvester, zoals die eind jaren zestig in de VS werden gebouwd.

'Dat is de onze,' zei Pitt, waarbij hij op de beschadigde UAZ doelde.

'Ik hoop wel dat er een satellietradio en een navigatiesysteem inzit,' reageerde Giordino.

'Als de banden maar van deze eeuw zijn, ben ik allang blij,' bromde Pitt.

Pitt zag dat de twee mannen uit de auto stapten en nonchalant naar het veld met de zonnepanelen wandelden, waar ze uit het zicht verdwenen, terwijl het ontvangstcomité de Chinese minister verwelkomde. Nu alle aandacht op de delegatie was gericht, liepen Pitt en Giordino onopvallend naar de auto en namen de plaatsen van de bewakers op de voorstoelen in.

'Kijk, het navigatiesysteem,' zei Pitt, terwijl hij een kaart van het dashboard pakte en op Giordino's schoot wierp. Hij glimlachte toen hij zag dat de auto zelfs geen radio had.

Een tiental meters voor hen werkte de minister van Handel Shinzhe in hoog tempo de begroetingsceremonie af. Kordaat schudde hij de directie van de centrale de hand, waarna hij vaart achter de rondleiding zette door meteen naar enkele zonnepanelen door te lopen. Nog geen tien minuten later bedankte hij het ontvangstcomité en stapte alweer in zijn auto.

'Die vent heeft geen rust in zijn kont,' zei Giordino verbaasd over de gehaastheid van de rondleiding.

'Ik denk dat hij snel naar Xanadu wil. Deze rondleiding door de zonne-energiecentrale is duidelijk niet het hoogtepunt van zijn bezoek.'

Pitt en Giordino doken ietwat ineen toen de stoet met een bocht van het platform wegreed en hen op weg naar de uitgang van het terrein rakelings passeerde. Daarop startte Pitt de auto en sloot zich snel achter de derde Toyota bij de stoet aan.

De colonne verliet Ulaanbaatar aan de oostkant van de stad en volgde een bochtige weg onderlangs het Bajan Zurkh-gebergte. De Bajan Zurkh, een van de vier heilige toppen die Ulaanbaatar als de vier windrichtingen van een kompas omgeven, domineerde de bergrug. De pittoreske berghellingen maakten geleidelijk plaats voor een leeg golvend weidelandschap dat zich zover het oog reikte boomloos voor hen uitstrekte. Dit was de uit historische overleveringen zo beroemde Aziatische steppe, een weidse strook grasland die als een brede groene gordel vrijwel heel centraal Mongolië beslaat. De velden van dik zomergras wuifden als golven op zee heen en weer onder de stevige bries die over de open vlakte blies.

De voorste auto volgde een slecht geplaveide weg die op een gegeven moment helemaal niet meer verhard was en op den duur nog slechts uit twee in het grasland uitgesleten sporen bestond. Aan de staart van de stoet rijdend moest Pitt zijn weg zien te vinden in de dichte, door de andere auto's opgeworpen stofwolken.

De stoet reed nog zo'n drie uur in zuidoostelijke richting door het met gras begroeide heuvellandschap alvorens ze een uit slechts enkele toppen bestaand gebergte inreden. Bij een onopvallend ijzeren hek sloeg de stoet een zijweg in, die – zo merkte Pitt – professioneel werd onderhouden. De weg klom gedurende een paar kilometer steeds hoger de bergen in tot hij onderlangs een rotswand bij een snelstromende rivier kwam. Vanaf de rivier was een aquaduct gebouwd en ze volgden de betonnen waterweg die om een scherpe bocht boog en doorliep tot aan een hoge muur. Daar verdween het aquaduct naast een gewelfde poort onder de muur. Aan beide zijden van het massief ijzeren hek waarmee de poort was afgesloten, stond een bewaker in een felgekleurde zijden *del*. Toen de auto's voor de ingang tot stilstand kwamen, overdacht Pitt wat hun nu te doen stond.

'Volgens mij is het beter dat we niet bij de grote ontvangst aanwezig zijn,' zei hij.

'Jij bent sowieso niet iemand die gemakkelijk in de grote massa opgaat,' merkte Giordino op. 'Weet jij of de andere leden van het Mongoolse escorte dat wij vanmiddag hun collega's vervangen?'

'Geen idee. En ik geloof niet dat het zinvol is om dat nu nog uit te zoeken.'

Giordino bestudeerde de toegangspoort en kneep zijn ogen tot spleetjes. 'Autopech?' vroeg hij.

'Ik dacht aan een lekke band.'

'Komt voor elkaar.'

Giordino glipte de auto uit, sloop naar de voorband en schroefde het dopje van het ventiel. Nadat hij een lucifer in het ventiel had gedrukt, wachtte hij rustig af tot er een flinke stoot lucht uit de band was ontsnapt. In een paar seconden was de band tot op de grond leeggelopen, waarna hij het dopje weer op het ventiel schroefde. Net toen hij weer instapte, werd het hek opengeduwd.

Pitt volgde de stoet die het terrein opreed, maar stopte bij de poort, waarop een van de bewakers hem kwaad aankeek. Pitt wees naar de band. De bewaker zag dat hij lek was en knikte. Hij riep iets in het Mongools en gebaarde Pitt dat hij direct na de doorgang naar rechts moest gaan.

Pitt reed zo opvallend mogelijk langzaam hobbelend achter de andere auto's aan en nam daarbij snel de omgeving in zich op. Het opzichtige marmeren woonhuis lag recht voor hen, met een keurig onderhouden tuin ervoor. Pitt had geen flauw idee hoe het echte Xanadu er eeuwen geleden uit had gezien, maar dit bouwwerk was op zich spectaculair genoeg. De ontvangst van de minister ging met veel pracht en praal gepaard en de stoet werd door twee ruiters op spierwitte paarden naar het ronde voorportaal geëscorteerd. Aan een mast naast een stellage van negen hoge houten palen wapperde de Chinese vlag. Het viel Pitt op dat er boven aan alle palen een vossenstaartachtige strook wit bont bungelde. Toen de stoet het huis naderde, keek Pitt of hij Borjin tussen het gezelschap op het bordes zag staan, maar hij was te ver weg om gezichten te kunnen onderscheiden.

'Zie je Tatjana bij het ontvangstcomité staan?' vroeg hij, terwijl hij de auto uit de stoet wegdraaide en naar het gebouw aan hun rechterhand reed.

'Er staat in ieder geval een vrouw op het bordes, maar ik kan niet zien of zij het is,' antwoordde Giordino door de voorruit turend.

Pitt stuurde de auto naar de garage en reed door de openstaande schuifdeuren naar binnen. De platte band flapte hard over de betonnen vloer toen hij de auto tot stilstand bracht bij een afgeschermd vak met kasten vol gereedschap. Een met olievegen besmeurde monteur met een rode honkbalpet op het hoofd kwam roepend en met zijn armen zwaaiend op de Jeep afgerend. Pitt negeerde het misbaar van de man en keek hem breed glimlachend aan.

'Pffft,' zei hij naar de lekke band wijzend.

De monteur liep om de voorkant van de auto heen en bekeek Giordino's handwerk. Vervolgens keek hij door de voorruit en knikte. Hij draaide zich om, liep naar de achterkant van het vak en kwam even later terug met een garagekrik.

'Voor ons een goed moment voor een wandelingetje,' zei Pitt, waarna hij uitstapte.

Giordino volgde hem naar de openstaande garagedeur, waar ze aarzelend om zich heen kijkend bleven staan alsof ze wachtten tot de man de band had verwisseld. Maar in plaats van de monteur bij zijn werk op zijn vingers te kijken, namen ze zorgvuldig het interieur van de garage in zich op. Voorin stonden diverse terreinwagens geparkeerd, terwijl de rest van de hal vol stond met vrachtwagens en een paar grondverzetmachines. Giordino zette zijn voet op een onderhoudskar en bestudeerde een stoffige bruine bestelwagen.

'Die dichte bestelbus,' zei hij kalm, 'die lijkt wel heel erg op het busje dat we bij het Bajkalmeer hebben gezien.'

'Inderdaad. Wat dacht je van die oplegger daar?' zei Pitt naar een dieplader gebarend.

Giordino keek van de bestelwagen naar de oplegger, die leeg was op een paar lappen zeildoek en wat slordig naar één kant weggeworpen touwen na.

'Onze mysteriewagen?'

'Mogelijk,' antwoordde Pitt. Hij speurde het terrein buiten de garage af en vervolgens het gebouw dat ernaast stond.

'Waarschijnlijk zijn we hier voorlopig wel even veilig,' zei hij met een hoofdknikje naar het gebouw. 'Laten we een kijkje bij de buren gaan nemen.'

Zelfverzekerd alsof ze wisten wat ze gingen doen slenterden ze naar het bakstenen gebouw. Ze liepen langs een groot laadplatform en stapten door een glazen deur naar binnen. Pitt verwachtte dat ze eerst bij een receptiebalie zouden komen, maar ze stonden al meteen midden in een grote hal die uitkwam op het lege laadplatform. Verspreid over diverse werkbanken stond een heel scala aan elektronische testapparatuur, waartussen twee mannen in witte antistatische laboratoriumjassen aan het werk waren. Een van de twee, een man met achter een iel ziekenfondsbrilletje twinkelende vogelogen, stond van zijn stoel op en keek Pitt en Giordino achterdochtig aan.

'*Stualét?*' vroeg Pitt, die zich het Russische woord voor 'toilet' herinnerde dat hij in Siberië had opgepikt.

De man nam Pitt een moment aandachtig op, knikte vervolgens en wees naar een gang midden in de achterwand. 'Rechts,' zei hij in het Russisch, waarna hij weer ging zitten en zijn priegelwerk aan een elektronisch circuit hervatte.

Pitt en Giordino liepen langs de beide mannen de gang in.

'Wat een talenkennis, petje af,' zei Giordino zachtjes.

'O ja, ik ken minstens vijf woorden Russisch,' pochte Pitt. 'Ik herinnerde me dat Corsov vertelde dat de meeste Mongoliërs een beetje Russisch spreken.'

Ze liepen langzaam door de betegelde gang, die zo'n zes meter breed was en minstens even hoog. Slijtplekken op de vloer wezen erop dat er zware apparatuur door de gang werd verplaatst. In de zijmuren zaten grote ramen, waardoor het interieur van de ruimten aan beide kanten zichtbaar was: kleine laboratoria barstensvol elektronische test- en montagegereedschap. De werkruimtes werden slechts op enkele plekken onderbroken door een spartaans ogend kantoortje met een brandschoon bureau. Het hele gebouw was eigenaardig kil en stil, deels door het feit dat er maar een paar technici aan het werk waren.

'Dit lijkt meer op een elektronicawinkel dan op een tankstation,' merkte Giordino op.

'Je krijgt hier wel de indruk dat ze in iets heel anders geïnteresseerd zijn dan in het uit de grond oppompen van olie. Helaas zou dat betekenen dat Theresa en de anderen hier niet naar toe zijn gebracht.'

Bij de toiletten gekomen liepen ze door naar het einde van de gang, die was afgesloten door een dikke stalen deur boven een hoge drempel. Na een snelle blik in de lege gang pakte Pitt de kruk en opende de zware, naar binnen draaiende deur. Erachter bevond zich een grote kamer. Het vertrek besloeg de hele breedte van het gebouw en was zeker negen meter hoog. Van de muren, het plafond en zelfs de vloer priemden talloze rijen kegelvormige staken de ruimte in, wat associaties aan een middeleeuwse folterkamer opriep. Maar de staken op zich waren niet gevaarlijk, merkte Pitt toen hij met zijn vingers voorzichtig in een van de schuimrubber punten kneep.

'Een galmvrije kamer,' zei hij.

'Speciaal voor het absorberen van elektromagnetische radiogolven,' vulde Giordino aan. 'Deze dingen vind je meestal in militaire onderzoekslaboratoria, waar ze voor het testen van ultramoderne elektronica worden gebruikt.'

'En daar staat die ultramoderne elektronica,' zei Pitt.

Hij wees naar het midden van de ruimte, waar boven de schuimrubberen vloer een groot platform op poten stond met erop een zestal metalen kasten en diverse rekken met computerapparatuur. Midden op het platform was een open ruimte, waarin aan een stellage een torpedovormig voorwerp hing. Pitt en Giordino stapten op een plankier dat van de deur naar het platform liep.

'Dit is geen speelgoed van olieboorders,' zei Pitt, terwijl hij de apparatuur bestudeerde.

De kasten en stellages bevatten meer dan veertig, door dikke zwarte kabels met elkaar verbonden computermodules. Ieder rek was voorzien van een led-scherm en verschillende stroommeters. Aan het uiteinde bevond zich naast een monitor met toetsenbord een paneel met allerlei metertjes en de woorden ERWEITERUNG en FREQUENZ.

'Mijn middelbareschoolkennis mag dan aan corrosie onderhevig zijn, maar die woorden op de metertjes zijn Duits. Dat tweede woord betekent "frequentie".'

'Duits? Hier zou je toch eerder Chinees of Russisch verwachten.'

'De meeste elektronische apparatuur hier lijkt ook van Duitse makelij.'

'Het is niet kinderachtig wat hier aan vermogen staat,' zei Giordino, de lange rij kasten met zendapparatuur tellend. 'Wat denk jij dat dit is?'

'Het blijft een gok, maar die kasten doen mij erg aan een zeer professionele zender denken. Die rekken met computers zijn voor de verwerking van gegevens. En dan is er nog dat ding aan die driepoot.'

Hij draaide zich om en bestudeerde het voorwerp dat centraal boven het platform hing. Het bestond uit twee aan elkaar bevestigde buizen van zo'n drie meter hoog. De onderkanten hingen vlak boven de grond, waarop een dikke laag kunststof lag. Uit de bovenkanten, die ver boven Pitts hoofd uitstaken, kwam een dikke bundel kabels die met de computerrekken waren verbonden.

223

'Het lijkt een soort reuzentransducer, maar zo groot heb ik ze nog nooit gezien. Het zou uit de kluiten gewassen seismische apparatuur kunnen zijn die voor de exploratie van olie wordt gebruikt,' zei hij, terwijl hij het statiefachtige voorwerp bekeek dat verticaal was opgehangen.

'Dit ziet er heel wat moderner uit dan de boorinstallaties die je normaal ziet.'

Pitt zag bij de apparatuur wat handleidingen en notitieboekjes liggen. Hij bladerde er een paar door en zag dat ze allemaal in het Duits waren. Hij sloeg een boek open dat eruitzag als de belangrijkste handleiding en scheurde de eerste paar pagina's eruit, die hij opvouwde en in zijn zak stak.

'Wat lichte leeskost voor tijdens de terugreis?' vroeg Giordino.

'Nee, gewoon om mijn kennis van de Duitse werkwoordvervoegingen een beetje op te frissen.'

Pitt klapte de handleiding dicht, waarna ze over het plankier naar de deur terugliepen en de kamer uitstapten. In de gang lopend hoorden ze opeens opgewonden stemmen uit het voorste laboratorium komen.

'Die engerd is waarschijnlijk gaan kijken waar we bleven,' zei Giordino.

'Zou best kunnen,' reageerde Pitt. Hij deed een paar passen terug en zette de deur naar de achterste ruimte open, waarna hij naar Giordino terugliep. 'We kunnen proberen er ongezien langs te sluipen.'

Ze liepen snel nog een stuk de gang door tot Pitt de deur naar een van de laboratoria achter de ramen opende en naar binnen glipte. Giordino volgde hem, waarna hij de deur sloot en de lichten uitdeed. Terwijl ze zich uit het zicht van het raam naar de gang opstelden, merkten ze dat er een eigenaardige chemische geur in het vertrek hing. In het duister om zich heen turend zag Pitt een aantal roestvrijstalen vaten staan en een tafel vol borsteltjes en tandartsinstrumenten.

'Ik geloof dat ze er intuinen,' fluisterde Giordino.

In de gang weerklonk het geluid van eerst naderende en zich dan weer verwijderende voetstappen. Giordino gluurde voorzichtig door de ruit en zag twee mannen in zijden uniformen naar de openstaande deur van de achterste ruimte lopen.

'Zoek een bezem voor me,' fluisterde hij, waarna hij de deur openrukte.

In een flits rende hij de gang in. Maar in plaats van naar de uitgang stoof hij op de twee mannen af. Als een op een doorgebroken speler afstormende lijnverdediger stortte hij zich op de ruggen van de beide mannen die juist door de open deur naar binnen keken. De botsing deed Pitt denken aan een bowlingbal die met een knal de twee overgebleven staande kegels wegketst. De beide mannen buitelden voorover de kamer in, waar ze met hun gezicht tegen de zacht geïsoleerde vloer klapten. Voordat ze goed en wel doorhadden wat er gebeurde, was Giordino alweer opgesprongen en had de deur achter hen dicht geknald. Het volgende moment kwam Pitt aangesneld met de zwabber die hij in het toilet had gevonden. Hij brak een stuk van ruim een meter van de steel af, dat Giordino vervolgens tussen de kruk en de deurpost klemde.

'Hiermee zijn ze wel even zoet,' zei Giordino over zijn pijnlijke schouder wrijvend.

Pitt glimlachte toen hij de mannen achter de deur hoorde roepen, maar door het geluiddempende materiaal klonk hun geschreeuw als zacht gefluister. Toen ze door de gang wegliepen, bleef Pitt plotseling staan bij het laboratorium waarin ze zich hadden verstopt.

'Gewoon nieuwsgierig,' zei hij, terwijl hij het licht aandeed en weer naar binnen stapte.

'Ik wist niet dat je Aagje heette.'

Pitt liep om de stalen vaten heen, die met een heldere naar formaldehyde ruikende vloeistof waren gevuld. Hij bleef voor een van de vaten staan en keek naar een glanzend voorwerp dat in een bakje op de bodem lag. Met een tang die hij op tafel zag liggen, haalde hij het voorwerp uit het vat en droogde het met een doek af.

Het was een oorhanger van zilver in de vorm van een diamant. In de bovenrand was een tweekoppige valk of arend gegraveerd, boven een glanzende rode steen in het midden. Op de onderkant bevond zich een minutieus bewerkte inscriptie in het Arabisch. Het leek antiek en van keizerlijke allure, alsof het voor een vrouw uit de allerhoogste adellijke kringen was gemaakt.

'Een conserveringslaboratorium voor antiquiteiten in een elektrotechnische fabriek?' vroeg Pitt. 'Een merkwaardige combinatie.'

'Misschien is de eigenaar gewoon een muntenverzamelaar. Laten we maken dat we hier weg zijn, voordat onze vrienden zich herinneren dat ze wapens hebben.'

Pitt stopte de hanger in zijn zak, deed het licht uit en holde achter Giordino aan de gang uit. Terug in de grote hal haastten ze zich door de deur naar buiten, verbaasd nagestaard door de technici in de witte jassen.

'Bedankt voor de pitstop,' zei Pitt glimlachend alvorens hij de deur achter zich dichttrok.

Buiten was de wind flink aangewakkerd en joeg met felle windvlagen hoog opdwarrelende stofwolken over het terrein. Pitt en Giordino liepen terug naar de garage, waar de monteur met een kruissleutel worstelend het voorwiel probeerde los te draaien. Pitt liep door naar de openstaande schuifdeuren en keek over het gazon naar het woonhuis. Hij kon nog net de twee Mongoolse politieagenten zien die bij het bordes stonden te praten. Twee andere mannen flankeerden de voordeur van het huis.

'Als ze onze beide Mongoolse escortecollega's zo voor de deur laten staan, zullen ze ons ook niet zomaar naar binnen laten wandelen,' zei hij.

'We zullen een andere ingang moeten zien te vinden. Als Theresa en de anderen hier zijn, zitten ze in ieder geval in dat gebouw,' zei Giordino, terwijl hij de directe omgeving rond het woonhuis afspeurde. 'We hebben geen tijd om uitgebreid te gaan zoeken voordat onze kamermeisjes zich hebben bevrijd.'

'Wie heeft het over lopen?' vroeg Pitt.

Hij knikte naar een uit de kluiten gewassen motormaaier die vlak bij de deur geparkeerd stond en keek of het sleuteltje in het contactslot zat. Toen niemand in de garage hun kant opkeek, greep hij het stuur en duwde de trekker door de openstaande deur naar buiten. Giordino schoot toe om hem te helpen en samen duwden ze het gevaarte de hoek om naar de zijmuur. Uit het zicht van de mensen in de garage sprong Pitt achter het stuur en startte de benzinemotor.

Het was een motormaaier zoals die vaak door het onderhoudspersoneel van golfbanen wordt gebruikt. Hij had twee zitplaatsen met erachter een kleine laadbak. Pitt trapte het gaspedaal helemaal in, waarop de trekker met vanonder de achterwielen wegspattend grind naar voren sprong. Rechts zag hij twee mannen op paarden uit de stal aan de achterkant van het laboratoriumgebouw komen. Hun gestalten gingen een kort moment volledig in het opdwarrelende zand verloren. Snel draaide hij het stuur naar links en reed naar de andere kant van het terrein.

De trekker zoefde langs de hoofdingang, waar Pitt een pad langs de buitenmuur volgde. De bewakers sloegen geen acht op de langsrijdende groene motormaaier. Pitt remde af toen het grindpad bij een kleine sierbrug uitkwam. Het rivierwater dat door het aquaduct naar het terrein stroomde, werd via talloze kanalen door de parkachtige tuin geleid.

'Een mooi irrigatiesysteem,' merkte Giordino op toen Pitt de trekker boven op de brug stilzette. Links zagen ze de halfronde uiteinden van twee grote buizen waardoor het water onder de muur door stroomde, waarna het over diverse kanalen werd verdeeld. Pitt reed weer door en volgde het pad dat om de linkervleugel van het landhuis heen liep. Tot dan toe hadden ze geen andere ingang tot het huis gezien dan het hoofdportaal, waar nog altijd de Mongoolse agenten en de beide deurwachten stonden.

Recht voor hen uit eindigde de buitenmuur opeens bij een steile, rotsachtige afgrond. Erachter spuwde de mond van een ondergrondse afvoerbuis het irrigatiewater over een kunstmatig aangelegde waterval, waarlangs het bruisende water naar de rivier aan de voet van de berghelling werd teruggeleid. Pitt parkeerde de trekker achter een boom en liep naar de rand. Er gaapte een diepe geul tussen de muur en het woonhuis, waarin ze, hoewel hij minder steil was dan de waterval, niet met de trekker konden afdalen. Een smal voetpad leidde zigzaggend naar een smal plateautje dat als fundament diende van het deels in de helling uitgegraven landhuis. Achter de smalle strook grond liep het terrein over een afstand van een krappe kilometer zo steil de helling af dat een grensmuur hier overbodig was.

'Dan maar de achterdeur?' vroeg Giordino.

'Ja, we kunnen moeilijk met de trekker door de voordeur rammen. Als er dan maar een achterdeur is.'

Ze daalden het niet al te lange, maar steile pad af, dat gezien de vele afdrukken van paardenhoeven voornamelijk als ruiterpad werd gebruikt. De felle wind blies een van de waterval opspattende nevel in hun gezicht en de kille kou drong tot diep in hun botten door. Toen ze bij de achterkant van het gebouw kwamen, zagen ze dat de achtergevel op een berm stond die langs een rotswand tot boven hen uitsteeg.

'Dit is niet bepaald een tent waar je gemakkelijk in- en uitloopt,' concludeerde Giordino, terwijl hij de rotswand bekeek, die zo te zien over de hele lengte van het gebouw doorliep.

'Een opzichter van de brandbeveiliging is hier nog niet langs geweest.'

Ze liepen naar het midden van de gevel, waarbij ze dicht langs de muur bleven, zodat ze niet door de ramen boven hen gezien konden worden. De wind gierde hen nu om de oren en ze hielden hun muts voor hun gezicht als bescherming tegen de striemende zandkorrels.

Bij de rand van de binnenplaats gekomen, verstopten ze zich achter een lage heg, waarlangs ze het terrein voor hen beloerden. Vanaf die plek zagen ze onmiddellijk de deur die op de binnenplaats uitkwam, omdat die nu ook door twee in zijden kleding gestoken bewakers werd geflankeerd.

'Ga je je talenkennis nu op die twee uittesten?' vroeg Girodino in alle ernst.

227

Pitt wilde zich liever niet vechtend een weg naar binnen banen, omdat ze geen echt bewijs hadden dat Theresa en de anderen zich daar bevonden. Maar door de confrontatie in het laboratorium zou hun vertrek toch al niet eenvoudig worden, dus hadden ze ook niet veel meer te verliezen.

'Die rij struiken daar loopt tot vlak bij de deur door,' zei Pitt. 'Als we ongezien bij dat stenen gebouwtje kunnen komen en dan achterlangs naar de voorkant, kunnen we misschien nog zover doorsluipen dat we ze verrassen.'

Giordino knikte, terwijl hij het eigenaardige stenen bouwsel aan de andere kant van de binnenplaats bestudeerde. Ze wachtten tot er door een windvlaag weer een enorme stofwolk opdwarrelde, waarin ze naar het ronde stenen gebouw spurtten. Er achterlangs sluipend, bereikten ze de ingang aan de voorkant. Daar doken ze weg in de tunnelachtige nis en bestudeerden van daaruit de beide wachters bij de zijdeur. De bewakers stonden nog ieder aan een kant van de deur, maar hadden zich ter beschutting tegen de snijdende wind ietsje teruggetrokken in de alkoof. Pitt en Giordino waren onopgemerkt de binnenplaats overgestoken.

Althans, dat dáchten ze.

21

Na een hobbelige, ruim vier uur durende rit door de bergen en de steppe van Centraal-Mongolië over een weg die als een uitgesleten dubbel spoor de benaming weg eigenlijk niet verdiende, was de minister van Handel, Shinzhe, ervan overtuigd geraakt dat hij zich tot een heilloze onderneming had laten verleiden. Er waren geen magische olievoorraden in Mongolië. Gedurende de hele tocht had hij geen enkele oliebron gezien. Het was de schuld van president Fei, die de realiteit onder ogen moest zien in plaats van naar windmolens uit te halen. En nou mocht hij voor Don Quichot spelen.

De minister van Handel wachtte kwaad op het moment dat zijn chauffeur hem bij de eerstvolgende *ger* zou afzetten, terwijl hij al voor zich zag hoe de directeur van Avarga Oil hem daar op een afgeleefde pony stond op te wachten. Zijn boosheid en walging verdwenen op slag toen het stoffige konvooi door het ijzeren hek het chique landgoed van Tolgoi Borjin opreed. De aankomst op een dergelijke buitenpost aan het eind van de wereld maakte de onderneming een stuk geloofwaardiger. En toen ze voor het schitterende landhuis stopten, was het voor Shinzhe duidelijk dat Borjin geen schaapherder was.

Zijn gastheer droeg een strak gesneden Europees kostuum en boog diep toen Shinzhe uit de auto stapte. Naast hem dook een tolk op die de begroetingswoorden in het Mandarijns vertaalde.

'Welkom, minister Shinzhe. Ik hoop dat u een goede reis hebt gehad?'

'Het is een ware vreugde om het fraaie Mongoolse land te mogen aanschouwen,' antwoordde Shinzhe diplomatiek, terwijl hij het stof uit zijn ogen wreef.

'Mag ik u aan mijn zus Tatjana voorstellen. Zij leidt al onze veldactiviteiten.'

Tatjana maakte een diepe buiging naar Shinzhe, die het opviel dat haar gezicht eenzelfde laatdunkendheid uitstraalde als dat van Borjin. Shinzhe reageerde met een stralende glimlach en stelde plichtsgetrouw zijn gevolg voor. Hij draaide zich om en bekeek bewonderend het contingent ruiters in krijgstenue dat zich langs de oprit had opgesteld.

'Ik heb veel goeds gehoord over de Mongoolse paarden,' zei Shinzhe. 'Fokt u zelf ook paarden, meneer Borjin?'

'Op bescheiden schaal en alleen voor mijn beveiliging. Van mijn bewakingsdienst verwacht ik dat ze allemaal uitmuntende ruiters zijn en eersteklas boogschutters.'

'Een interessante overlevering uit een rijk verleden,' zei Shinzhe.

'En heel praktisch. In deze streken komt een Mongools paard op plaatsen waar dat voor een auto onmogelijk is. En bepaalde manieren van oorlogvoering verliezen hun waarde niet. Moderne technologie is prachtig, maar mijn voorvaderen veroverden de halve wereld als boogschutters te paard. Dat soort zaken zijn ook tegenwoordig nog hoogst effectief. Maar alstublieft, het is hier hels koud, laten we naar binnen gaan,' zei Borjin, waarna hij de groep door de ingang voorging. Vervolgens leidde hij het gezelschap door de brede hal naar de grote woonkamer. In zijn bewondering voor de collectie antiquiteiten aan de muren bleef Shinzhe staan voor het bronzen beeld van een steigerend paard. De patinagroene hengst weerspiegelde in een kleurrijk, ingelijst mozaïek dat aan de muur hing.

'Een schitterende sculptuur,' zei Shinzhe, die het als een origineel Chinees kunstwerk herkende. 'Yuan-dynastie?'

'Nee, uit de iets oudere Soeng-dynastie,' antwoordde Borjin geïmponeerd door de kennis van de minister. 'De meeste antiquiteiten in dit huis dateren uit het begin van de dertiende eeuw, de tijd van de grootste veroveringen in de Mongoolse geschiedenis. Het tegelmozaïek aan de muur is een oud kunstwerk uit Samarkand en de met houtsnijwerk versierde sokkel waar het beeld op staat, stamt uit het India van rond 1200. Bent u verzamelaar?'

'Niet officieel,' antwoordde de minister glimlachend. 'Ik bezit een paar bescheiden stukken porselein uit de Yuan- en Ming-dynastieën, meer niet. Ik ben zeer onder de indruk van uw collectie. Voorwerpen uit die periodes worden nog maar zelden verhandeld.'

'Ik heb een betrouwbare handelaar in Hongkong,' verklaarde Borjin met een uitgestreken gezicht.

Het gezelschap was bij de vergaderzaal aan het einde van de gang aan-

230

gekomen. De enorme, van de vloer tot het plafond reikende ramen boden normaal een fantastisch uitzicht vanaf de heuveltop, maar achter de binnenplaats en het heiligdom dat er recht onder stond, was weinig te zien. De door harde wind opgejaagde zandwolken verduisterden vrijwel het volledige uitzicht over de golvende steppe, waarvan slechts zo nu en dan een vluchtige flard door het stof schemerde. Borjin liep langs de zithoek met banken en een bar, en nodigde het gezelschap uit aan een mahoniehouten vergadertafel plaats te nemen.

Borjin ging aan het hoofd van de tafel zitten, met zijn rug naar de muur. Achter hem stond een enorme kast waarin een middeleeuws wapenarsenaal was uitgestald. De collectie oude speren, lansen en zwaarden besloeg de halve muur met daarnaast een aantal met de hand gemaakte bogen en pijlen met ijzeren punten. Op de bovenste plank lag een rij ronde helmen met paardenharen pluimen en ervoor een aantal ronde stenen voorwerpen die op primitieve handgranaten leken. De verzameling werd bewaakt door een reusachtige, opgezette valk, waarvan de uitgespreide vleugels over de gehele breedte van de kast reikten. De opgeheven kop van de vogel leek met de wijd opengesperde snavel een laatste doodskreet te slaken.

Shinzhe liet zijn ogen van de wapens naar de valk gaan en vervolgens naar de man die er de eigenaar van was. Hij huiverde onwillekeurig. De oliedirecteur straalde een zelfde soort roofdierachtige woestheid uit als de valk. Achter de kille ogen schemerde een verborgen wreedheid. Shinzhe sloot niet uit dat zijn gastheer een van de speren van de muur kon rukken om er zonder de minste aarzeling iemand mee dood te steken. Toen er een dampende kop thee voor hem werd neergezet, probeerde de minister van Handel deze gedachte van zich af te zetten door zich op het doel van zijn bezoek te concentreren.

'Mijn regering heeft uw voorstel om een aanzienlijke hoeveelheid aardolie aan ons land te leveren ontvangen. De partijleiding is blij met uw aanbod en verrast door de gulle aard van uw voorstel. Mij is door de partij gevraagd de juistheid van het voorstel te verifiëren en over de vergoedingen te onderhandelen opdat we tot een overeenkomst kunnen komen.'

Borjin leunde lachend achterover in zijn stoel.

'Ja, natuurlijk. Waarom zou Mongolië, al duizend jaar de schrik van China, nu opeens een lastige zuiderbuur willen helpen? Hoe kan een stoffige vergaarbak vol zand en gras, en bewoond door haveloze boeren en schaapherders, zo plotseling in een belangrijke leverancier van natuurlijke rijkdommen veranderen? Ik zal u vertellen waarom. Omdat u ons tot gevangenen in ons eigen land heeft gemaakt. U en de Russen hebben ons nu al tientallen jaren van de rest van de wereld afgesloten. We zijn een geïsoleerde woestenij geworden, een geheel door land omsloten eiland waar tijd en ontwikkeling stil zijn blijven staan. Maar, minister Shinzhe, die tijden zijn voorbij. U moet begrijpen dat Mongolië in meer dan één opzicht een rijk land is en u hebt uzelf niet de tijd en aandacht gegund om daar de juiste waardering voor op te brengen toen u daar de kans voor had. Pas nu staan westerse bedrijven te dringen om hier onze mijnen te exploiteren en hout uit onze bossen te hakken. Maar voor de olie zijn ze te laat. Want toen niemand nog geïnteresseerd was in de exploratie van onze delfstoffen, zijn we zelf maar aan de slag gegaan en zullen we er nu ook zelf de vruchten van plukken.'

Hij knikte naar Tatjana, die een kaart van een bijzettafeltje pakte en hem voor de Chinese minister uitrolde. Ze trok een paar jade beeldjes, die midden op de tafel stonden, naar zich toe en zette ze als presse-papiers op de kaart.

Het was een landkaart van Mongolië. Rond een gebied bij de zuidoostgrens was een onregelmatig ovaal rood gearceerd, een vlek die eruitzag als een in een goedkope merlot verdronken amoebe. De vlek besloeg een gebied van zo'n tachtig kilometer lang en lag aan de onderkant tegen de grens met het Chinese Binnen-Mongolië.

'Het Temujin-veld. Een natuurlijk bekken waarbij vergeleken uw overjarige Daqing-veld slechts een spuugbakje is,' zei Borjin doelend op het grootste Chinese olieveld dat uitgeput begon te raken. 'Onze proefboringen hebben potentiële reserves aangetoond van zo'n veertig miljard vaten ruwe aardolie en anderhalf biljoen kubieke meter aardgas. De miljoen vaten per dag die we u willen leveren zijn voor ons maar een schijntje.'

'Waarom is een dergelijke ontdekking nooit gepubliceerd?' vroeg Shinzhe sceptisch. 'Ik heb nooit iets gehoord over vondsten zo dicht bij onze grens.'

Borjin glimlachte zijn tanden bloot tot een haaiachtige grijns. 'Er zijn maar weinig mensen buiten deze ruimte die hiervan op de hoogte zijn,' zei hij cryptisch. 'Mijn eigen regering weet niets van deze reserves. Hoe dacht u dat ik anders de exploitatierechten voor de hele regio heb kunnen verwerven? Er zijn op kleine schaal enkele illegale exploratiepogingen op Mongools grondgebied gedaan, waarbij kleinere olievoorraden zijn aangetroffen, maar in alle gevallen hebben ze toch de jackpot gemist, als ik het zo mag zeggen. Dankzij een nieuwe, door onszelf ontwikkelde technolo-

232

gie hebben we het geluk enigszins naar onze hand kunnen zetten,' zei hij glimlachend. 'Dit zijn zeer diep liggende reserves, wat voor een deel verklaart waarom ze door eerdere zoekploegen over het hoofd zijn gezien. Maar ik wil u niet met details vermoeien. Hou het er maar op dat diverse proefboringen hebben bevestigd dat de geschatte omvang van de reserves niet overdreven is.'

Shinzhe zweeg, alle kleur was van zijn gezicht weggetrokken. Hij moest zich wel neerleggen bij de realiteit van dit olieveld. De gedachte dat deze arrogante charlatan met een op zijn minst verdachte reputatie er de eigenaar van was, maakte hem kotsmisselijk. Hij stond met vrijwel lege handen en begreep dat Borjin alle troeven in handen had.

'Dat er olie in de grond zit is al heel wat, maar om het dan ook binnen negentig dagen te kunnen leveren is nog heel iets anders,' zei de minister droogjes. 'Uw aanbod behelsde dat er binnen dat tijdsbestek al olie onze kant op stroomt. Hoe krijgt u dat voor elkaar?'

'Het zal van onze kant nog enige inspanning vergen, maar het is goed haalbaar,' antwoordde Borjin. Hij wendde zich tot Tatjana en vroeg haar een andere kaart van het bureau te pakken. Daarop rolde ze een tweede landkaart uit, ditmaal van Mongolië en het noorden van China. Over het Chinese deel van de kaart was een web van rode lijnen getrokken.

'De bestaande oliepijpleidingen in China,' legde Borjin uit. 'Zo ziet u de onlangs voltooide noordoostelijke pijpleiding van Daqing naar Beijing, met een aftakking naar de haventerminal in Qinhuangdao.'

Shinzhe bestudeerde de kaart en zag een kruisje staan bij een lange pijpleiding zonder aftakkingen door Binnen-Mongolië.

'Dat kruis markeert een punt op dertig kilometer van de Mongoolse grens en veertig kilometer van een bijna voltooide pijpleiding naar de grens die ik daar aanleg. U hoeft alleen maar een verbinding aan te leggen van het einde van mijn pijpleiding naar de aangekruiste plek in uw pijpleiding naar Daqing.'

'Veertig kilometer pijpleiding? Dat lukt nooit in negentig dagen.'

Borjin stond op en liep om de tafel heen. 'Kom op, zeg. De Amerikanen legden rond 1860 dagelijks ruim vijftien kilometer rails neer bij de bouw van hun transcontinentale spoorweg. Ik ben zo vrij geweest om uit te zoeken wat de beste route is en heb ook de benodigde buizen alvast besteld. En als u dat op prijs stelt, heb ik ook de nodige grondverzetmachines voor u klaarstaan. Maar voor een land dat de Drie Kloven-dam heeft gebouwd, moet dit toch een peulenschil zijn.'

'U hebt dit allemaal keurig uitgedokterd,' zei Shinzhe met krampachtig ingehouden minachting.

'Zoals een goede zakenpartner betaamt.' Borjin glimlachte. 'En wat ik als tegenprestatie verlang is heel simpel. Per vat betaalt u 146.000 *togrog*, ofwel 125 Amerikaanse dollars. U doet afstand van uw aanspraken op het grondgebied van Zuid-Mongolië, ofwel de Autonome Regio Binnen-Mongolië, de holle woorden waarmee u het gebied pleegt aan te duiden. En u levert mij een rechtstreekse en exclusieve pijpleiding naar de haven van Qinhuangdao, waar u mij voor de export van mijn rijke oliereserves een laadterminal ter beschikking stelt.'

Terwijl Shinzhe naar adem happend de eisen op zich in liet werken, draaide de Mongoliër zich om en keek door het raam naar de door de wind als steekvlammen opdwarrelende zandwolken. Zijn oog viel op een verdachte beweging en hij tuurde aandachtig naar de binnenplaats. Daar renden twee in donkere pakken gestoken mannen naar het heiligdom. Borjin zag de beide gestalten achter het gebouwtje verdwijnen en aan de andere kant bij de ingang weer opduiken, waar ze zich in de nis verborgen. De schrik greep hem bij de keel en hij draaide zich om naar de minister.

'Als u me een ogenblik wilt excuseren, ik moet even iets regelen.'

Voordat de minister kon reageren, had Borjin hem de rug toegekeerd en stevende hij met haastige passen het vertrek uit.

22

De wind zwakte opeens even sterk af, waardoor Pitt en Giordino gedwongen waren zich in de stenen portiek schuil te houden. Pitt keek omhoog en bewonderde het hoge gewelf boven de doorgang naar het hoofdvertrek van het stenen gebouw. Hoewel de architectuur oud leek, was het gezien het strakke voegwerk onmiskenbaar herbouwd of gerestaureerd. Uit het feit dat het zo midden op de binnenplaats stond, leidde Pitt af dat het hoofdgebouw waarschijnlijk later om dit stenen tempeltje was heen gebouwd.

'Een boeddhistische tempel?' vroeg Giordino, toen hij achter in de gang het flakkerende licht van een kaars ontwaarde.

'Ik denk 't,' antwoordde Pitt, die wist dat het boeddhisme de belangrijkste godsdienst in Mongolië was. Terwijl ze op het weer aanwakkeren van de wind wachtten, werd hun nieuwsgierigheid geprikkeld en liepen ze door de brede gang naar het hoofdvertrek.

In het schijnsel van een tiental brandende fakkels en kaarsen zagen Pitt en Giordino tot hun verbazing dat de ruimte eerder een mausoleum was dan een tempel. Er stond weliswaar een houten altaar voor de achterwand, maar dat werd geflankeerd door twee marmeren sarcofagen. De doodskisten waren van wit marmer en zagen er modern uit, wat erop wees dat de overledenen in de afgelopen twintig, dertig jaar waren gestorven. Hoewel Pitt de inscripties in Cyrillisch schrift op de dekstenen niet kon lezen, vermoedde hij, door wat Corsov over de olieman had verteld, dat het de graven waren van Borjins vader en moeder.

Maar hij had geen flauwe notie wie er in de pontificaal in het midden opgestelde crypte lag. Op een glanzend gepolijst marmeren voetstuk stond een gebeeldhouwde granieten sarcofaag uit een aanzienlijk langer verle-

235

den. De qua omvang bescheiden tombe was van boven en langs de zijkanten versierd met in het steen uitgehakte en kleurig beschilderde paarden en wilde dieren. Hoewel de afbeeldingen onbeschadigd waren, was de verf van ouderdom deels weggesleten. Aan het hoofdeinde van de tombe stonden negen stokken met stroken wit bont aan de uiteinden, zoals ze die ook bij de ingang van het woonhuis hadden zien staan.

'Hier heeft iemand een mooi uitgeleide naar het hiernamaals gekregen,' zei Giordino, terwijl hij de tombe bekeek.

'De illustere meneer Borjin heeft kennelijk blauw bloed in de aderen,' reageerde Pitt.

Giordino keek achter de sarcofagen en zag iets op de grond voor het altaar liggen.

'Ik geloof dat ze hier nog een nieuwe kist nodig hebben,' zei hij naar het voorwerp knikkend.

Het lichaam dat de beide mannen bij hun binnenkomst niet hadden opgemerkt, lag languit op een bank voor het altaar. Pitt en Giordino liepen ernaartoe en schrokken toen ze het lijk herkenden. Het was Roy, half in een dunne deken gewikkeld, maar met de schacht van de pijl nog in zijn borst.

'Dan zijn Theresa en Wofford hier ook,' zei Giordino met verstikte stem.

'Laten we hopen dat hun niet hetzelfde is overkomen,' zei Pitt rustig, waarna hij de deken tot over Roys gezicht optrok. Terwijl hij zich afvroeg of ze wellicht te laat waren, werd de stilte in de ruimte plotseling verbroken door het geluid van rennende laarzen over de stenen vloer. Een seconde later kwamen de twee bewakers die Pitt aan de overkant van de binnenplaats had zien staan, het mausoleum binnengestormd. Gekleed in hetzelfde uniform als de bewakers bij de voordeur maakten ze niet de indruk dat ze traditionele vuurwapens bij zich droegen. In plaats daarvan hielden beide mannen een speer met een vlijmscherpe metalen punt in hun hand geklemd. Aan een gordel rond hun middel hing een kapmes en op hun rug droegen ze een pijlkoker met boog. Dit waren de wapens waarmee de oude Mongoolse ruiters ten strijde trokken en op korte afstand waren ze net zo dodelijk als een modern handwapen of geweer.

De bewakers hielden in zodra ze in het vertrek waren, tot ze Pitt en Giordino bij het altaar zagen staan. Met opgeheven speren renden ze om de middelste crypte heen. Gelukkig voor Pitt en Giordino bleven ze niet staan om hun speren meteen naar hen te werpen, maar wilden ze hen van dichtbij aan hun speer spietsen.

Giordino reageerde als eerste. Hij greep een houten bankje dat bij het al-

236

taar stond en slingerde het naar de benen van de toesnellende bewakers. Hij had goed gemikt, want de zitting trof de dichtstbijzijnde man zo hard tegen de schenen dat zijn benen onder hem wegsloegen. Hij kwakte voorover tegen de grond, waarbij hij zijn speer losliet, die vervolgens van hem wegrolde.

De tweede bewaker sprong als een hordenloper over het bankje heen. Hij vervolgde de aanval en kwam recht op Pitt afgestormd. Met licht gebogen benen losjes op de ballen van zijn voeten balancerend en zijn ogen strak op de punt van de speer gericht wachtte Pitt de uithaal van zijn aanvaller af. In een ogenschijnlijk onlogische reactie bleef hij roerloos staan en vormde zo een dankbaar doelwit. In de ogen van de bewaker was Pitt verstijfd van schrik en zo een gemakkelijke prooi. Maar Pitt wachtte tot de bewaker nog maar een pas van hem verwijderd was en de speer naar achteren haalde om dan dodelijk toe te slaan. Met een flitsende draai van zijn benen, sprong hij opzij, terwijl hij met zijn linkerhand de schacht van de speer afweerde en van zich af sloeg. De bewaker schoot met een verbijsterde blik in zijn ogen aan hem voorbij, plotseling beseffend dat hij in het luchtledige stak. Hij probeerde de speer nog naar opzij te draaien, maar de punt was Pitts lichaam al gepasseerd. Pitt wilde de schacht grijpen, maar tastte mis toen de bewaker langs hem schoot en de speer naar hem toe draaide. Terwijl de schacht hem door de vingers glipte, sloeg de zijkant hard tegen zijn schouder.

Beide mannen verloren hun evenwicht en werden in tegengestelde richting naar achteren geworpen, waarbij de bewaker over het altaar duikelde, terwijl Pitt tegen de crypte knalde. Pitt krabbelde razendsnel weer overeind om zijn aanvaller niet uit het gezicht te verliezen, terwijl hij rugdekking zocht tegen de stenen tombe achter hem. De bewaker was nu op zijn hoede voor Pitt en keek hem een ogenblik strak aan terwijl hij zijn evenwicht hervond. Hij verstevigde zijn greep om de speer, haalde diep adem en viel opnieuw naar Pitt uit, zijn ogen strak op zijn prooi gericht opdat deze hem niet nogmaals zou ontgaan.

Pitt stond ongewapend met zijn rug tegen de crypte en keek op zoek naar een wapen speurend om zich heen. Naast zich zag hij Giordino op de gevallen man afspringen. In zijn pogingen de eerste bewaker uit te schakelen verkeerde Giordino niet in de positie hem nu te hulp te komen. Toen herinnerde Pitt zich de stokken met de stroken bont.

De negen lange stokken stonden elk in een marmeren voet aan het hoofdeinde van de tombe. Pitt deed snel een pas opzij en tastte met zijn rechterhand achter zich, waar hij onopvallend een van de stokken vastgreep. De bewaker zocht niets achter Pitts beweging en bewoog alleen de punt van de speer met Pitt mee toen hij zijn aanval inzette. Pitt wachtte tot de bewaker weer vlak bij hem was, voordat hij bliksemsnel de rechtopstaande stok naar voren kiepte. De stok was met een lengte van tweeënhalve meter aanzienlijk langer dan de speer. Zodra de volledig overdonderde bewaker besefte dat Pitt met de enorme staak naar hem uithaalde, probeerde hij die nog wanhopig te ontwijken. Maar hij was te laat. Het stompe uiteinde van de stok die Pitt uit alle macht naar voren stootte, raakte hem vol op de maag. De bewaker zweefde een moment los van de grond alvorens hij happend naar lucht op een knie viel. Door de dreun schoot de speer uit zijn klauwachtige greep en kletterde op de gepolijste vloer. Pitt negerend kroop hij als een waanzinnige naar het wapen tot hij geschrokken opkeek. De houten stok was omgeklapt en nu kwam de marmeren voet als een sloopkogel recht op hem af. In een wanhopige poging weg te duiken werd de bewaker op zijn schedel getroffen. Bewusteloos sloeg de man plat tegen de grond.

'Weinig respect voor andermans eigendommen,' gromde Giordino toen de stok met de marmeren voet op de grond kletterde. Pitt keek opzij en zag Giordino, die over het bewusteloze lichaam van de eerste bewaker gebogen stond, over de rug van zijn vuist wrijven.

'Alles oké met jou?'

'Heel wat beter dan met dat ventje hier. Zullen we maar niet maken dat we hier wegkomen voordat er nog meer van dit soort lansiers opduiken?'

'Mee eens.'

De twee mannen haastten zich het vertrek uit, waarbij Pitt nog snel een van de weggerolde speren meegriste. De wind floot door de portiek toen ze bij de uitgang kwamen en voorzichtig om het hoekje naar de binnenplaats tuurden. Wat ze zagen was niet erg bemoedigend.

Bij de deur van het woonhuis was de plaats van de bewakers te voet ingenomen door twee ruiters in felgekleurde tunica's en een ronde helm op het hoofd. Vlakbij zocht een derde bewaker te paard de binnenplaats af op zoek naar Pitt en Giordino. Omdat het weinig zin had om te blijven waar ze waren, slopen ze in een opstuivende zandwolk aan de ander kant de portiek uit en verborgen zich aan de achterkant van het stenen mausoleum. Vandaar konden ze langs de rechtervleugel van het woonhuis kijken en bij het uiteinde van het gebouwtje gekomen zagen ze een zestal in bonte kleding gehulde ruiters op hen afkomen. In tegenstelling tot de bewakers die

238

ze tot dan toe hadden gezien, leek het alsof er bij deze mannen een geweer over hun schouder hing.

'De cavalerie komt keurig op tijd,' zei Giordino.

'Dit maakt de keuze voor onze route een stuk gemakkelijker,' reageerde Pitt, die begreep dat er voor hen, als ze deze patrouille wilden vermijden, niets anders opzat dan de binnenplaats over te steken en terug te gaan langs de weg die ze gekomen waren.

Bij de overdekte kraal aan de achterkant van de crypte gekomen, kropen ze onder het hek door om naar de andere kant te sluipen. Toen ze tussen de kisten en machines door liepen, viel Pitts oog op de grote stoffige oldtimer die helemaal achterin stond en zag tot zijn verbazing dat het een Rolls-Royce was uit de vroege jaren twintig van de vorige eeuw. Toen hij over het tegenoverliggende hek wilde klimmen, floot er een hoog suizend geluid langs zijn oor, gevolgd door een scherpe tik. Hij keek opzij en zag op slechts enkele centimeters naast het hoofd van Giordino de natrillende schacht van een pijl uit het hout van een krat steken.

'Pas op!' gilde hij wegduikend voor een tweede langssuizende pijl.

Giordino lag al languit achter een houten ton toen de pijl een houten paal trof. 'Er is nog een vierde ruiter,' zei Giordino, terwijl hij over de rand van de ton loerde.

Pitt wierp een snelle blik op de binnenplaats en zag de ruiter bij een heg staan. Hij spande juist de boog voor een derde pijl. Ditmaal was Pitt het doelwit en hij wist nog net voor de langssuizende pijl zijn hoofd in te trekken. De pijl was nog niet goed en wel voorbij of Pitt sprong overeind en draaide zich naar de bewaker. Nu was het zijn beurt voor een tegenaanval. Terwijl de ruiter op zijn rug tastte om een nieuwe pijl te pakken, wierp Pitt de speer die hij uit de crypte had meegenomen.

De ruiter stond ruim vijftien meter van hem af, maar Pitts worp was krachtig genoeg en de speer vloog recht op de man in het zadel af. Met een snelle draai voorkwam de bewaker dat hij werd gespietst, maar de scherpe speer raakte zijn rechterarm net boven de elleboog. Zijn boog viel op de grond toen hij zijn linkerhand op de wond drukte in een poging het bloed te stelpen.

Een nieuwe aanval liet echter niet lang op zich wachten. De andere drie ruiters voegden zich bij hun gewonde collega en antwoordden met een spervuur van pijlen. Aan de andere kant van de kraal klonk het hoefgetrappel van galopperende paarden boven de gierende wind uit en het volgende moment dook de andere patrouille naast de drie ruiters op. Binnen enkele seconden daalde er een dodelijke regen van vlijmscherp gepunte pijlen op de kratten en andere in de kraal opgeslagen spullen neer. De pijlen van de eersteklas schutters volgden de bewegingen van Pitt en Giordino als aangetrokken door magneten op de voet. Als er niet zo'n harde wind had gestaan, waren beide mannen al snel onverbiddelijk afgeslacht. Maar het opstuivende zand belemmerde het zicht van de schutters en de windstoten beïnvloedden de vlucht van de pijlen. Ondertussen slaagden Pitt en Giordino erin de aanvallers op afstand te houden.

Ondanks dat ze geen wapens hadden, improviseerden de twee mannen een zo effectief mogelijke verdediging. De karren lagen vol gereedschap en veldinstrumenten die ze als werptuig gebruikten. Giordino bleek zeer handig in het werpen van tweetandige pikhouwelen, waarmee hij een van de bewakers in zijn dijbeen trof en een andere met een machtige slingerbeweging van zijn paard sloeg. Op deze wijze hielden ze de bewakers voorlopig op afstand, maar de ruiters wisten dat hun prooi hopeloos in de val zat.

Gedurende het gevecht was de wind Pitt en Giordino met de opstuivende stofwolken steeds gunstig gezind geweest. Maar alsof de weergoden even op adem moesten komen van alle inspanningen, vielen de windvlagen opeens weg. Terwijl het gegier ophield en het stof ging liggen, voorspelde de plotseling invallende rust weinig goeds voor de twee mannen. Nu ze midden in de kraal duidelijker zichtbaar waren, werden ze genadeloos door een overweldigend spervuur van pijlen bestookt. Opstaan om terug te vechten zou een onmiddellijke dood betekenen, dus lieten ze het gereedschap vallen en doken weg op zoek naar de best mogelijke dekking. Ze rolden tot onder een grote kar, waar ze achter de enorme spaakwielen wegkropen. Verschillende pijlen sloegen met trillende schachten op slechts enkele centimeters boven hun hoofden in het hout van de kar. Van de andere kant van de kraal klonk opeens het geluid van geweerschoten. De ruiters van de tweede patrouille hadden hun aanval met pijl en boog gestaakt en probeerden de belegering nu met geweervuur te beëindigen.

'Voor mij heeft deze generaal Custer-actie nu wel lang genoeg geduurd,' mompelde Giordino. Over zijn voorhoofd liep een straaltje bloed uit een wond waar hij door een afgeketste pijlsplinter was getroffen. 'Wat dacht je, zwaaien met een witte zakdoek lijkt me geen optie?'

'Waarschijnlijk niet, nee,' antwoordde Pitt, die aan het lot van Roy dacht. Naast hem sloeg een pijl in het wagenwiel en instinctief rolde hij opzij. Tot er een knobbelig voorwerp in zijn rug prikte en hem tegenhield. Hij keek achter zich en zag een in smerig zeildoek gewikkeld voorwerp naast de kar liggen. Een nieuwe regen van pijlen dwong hem plat op de grond tot vlak naast Giordino te kruipen.

'De wind steekt weer op. Als we nu eens naar die buitenste ruiter rennen,' stelde Giordino voor. 'Jij grijpt de teugels en ik de ruiter, dan hebben we een paard. Dat lijkt me echt de enige manier waarop we ons hier uit de voeten kunnen maken.'

'Riskant,' antwoordde Pitt, 'maar waarschijnlijk onze enige kans.' Hij rolde op zijn zij om de afstand in te kunnen schatten en hierbij trapte hij per ongeluk een stuk zeildoek weg van het voorwerp dat naast de kar op de grond lag. Giordino zag Pitts ogen oplichten toen hij onder het zeildoek keek.

'Nieuw plan?' vroeg hij.

'Nou, niet helemaal,' antwoordde Pitt, 'alleen de kleur van het paard is anders.'

23

Uit de radio aan de muur klonk het signaal dat er een bericht binnenkwam, gevolgd door de stem van de beller. De gierende wind op de achtergrond dempte de ernstige stem, hoewel de verbinding zelf door de korte afstand heel helder klonk.

'We hebben ze achter het heiligdom omsingeld. Ze zijn als leden van het escorte van de Mongoolse nationale politie met de Chinese delegatie meegekomen, maar zijn kennelijk bedriegers. Volgens mijn bewakers die in de proefkamer werden opgesloten, zijn het geen Chinezen, maar waarschijnlijk Russen.'

'Ik begrijp 't,' reageerde Borjin geïrriteerd in de handmicrofoon. 'Agenten van de geheime dienst of, en dat ligt meer voor de hand, spionnen van een Russische oliemaatschappij. Zorg dat ze hier niet levend wegkomen, maar schort het schieten op tot na het vertrek van de Chinese delegatie. En ik verwacht een uitgebreid rapport van de bewakingsdienst. Ik wil weten waarom ze niet bij hun komst zijn opgemerkt.'

Borjin stak de microfoon terug in de houder en sloot het kersenhouten kastje dat de radiozender aan het oog onttrok. Vervolgens verliet hij de achterkamer en liep door de gang terug naar de vergaderruimte. De Chinese minister stond voor het raam met een holle blik en een hoofd vol malende gedachten in de ziedende zandstorm te staren.

'Excuses voor de onderbreking,' zei Borjin, terwijl hij met een strak glimlachje ging zitten. 'Twee agenten van uw escorte hebben een ongelukje gehad. Ik ben bang dat ze u op de terugweg niet kunnen vergezellen. Ik kan vervanging voor u regelen als u dat wilt.'

Shinzhe knikte haast onmerkbaar. 'En de schoten die we buiten hoorden?' vroeg hij.

'Een training van mijn beveiligingsdienst. Niets bijzonders.'

De minister staarde in gedachten verzonken naar buiten. Als door ouderdom versleten draaide hij zich traag om en nam zijn plaats tegenover Borjin weer in. 'Uw aanbod grenst aan chantage en uw voorwaarden zijn absurd,' zei hij, niet meer in staat zijn woede in te houden.

'Over de voorwaarden valt niet te onderhandelen. En wellicht zijn ze voor een land dat op een economische crisis afstevent ook helemaal zo absurd niet,' beet Borjin terug.

Shinzhe keek zijn gastheer minachtend aan. Hij had de arrogante en opdringerige magnaat vanaf het eerste moment al niet gemogen. Ondanks zijn onberispelijke hoffelijkheid toonde hij geen greintje respect voor China en haar leidende positie in de wereld. Zelfs een poging tot onderhandelen sneed Shinzhe dwars door het hart, maar hij wist dat de partijleiding, en met name de president, van hem een overeenkomst voor de levering van olie verwachtte. Hij vreesde dat de leiders van zijn land het schandelijke aanbod uit pure wanhoop wel zouden moeten accepteren. Maar was er dan echt geen andere mogelijkheid?

'Minister Shinzhe, u moet dit als een voor beide partijen gunstige overeenkomst zien, een win-winsituatie,' vervolgde Borjin die zijn zelfbeheersing had hervonden. 'China krijgt de olie die het land nodig heeft om de economie op peil te houden; ik krijg als belangrijkste leverancier een langetermijncontract; en de Mongoolse Autonome Republiek krijgt waar ze recht op heeft en gaat weer deel uitmaken van Groot-Mongolië.'

'De overdracht van autonoom grondgebied mag men niet te licht nemen.'

'Wat China moet afstaan is van geen enkele betekenis. We weten allebei dat die regio weinig meer is dan een stoffige zandwoestijn die vrijwel uitsluitend bewoond wordt door Mongoolse nomaden. Deze wens heeft louter te maken met het feit dat ik landstreken die vanouds bij elkaar horen, graag herenigd zie.'

'U mag dan gelijk hebben dat de landstreek niet erg waardevol is, maar toch is het zeer ongebruikelijk dat een particuliere onderneming zich met territoriale kwesties bezighoudt.'

'Dat is waar. Onze regering weet zelfs niets van onze onderhandelingen. Ze zal het als een aangename politieke geste zien, die bovendien door het volk met gejuich zal worden ontvangen.'

'En u zal dit ongetwijfeld geen windeieren leggen.'

'Als makelaar heb ik mijn bedrijf de eigendomsrechten van stukken terrein laten verwerven, maar daarbij handelt het om slechts een klein percentage van het totaal,' zei hij met een gemeen glimlachje. Hij overhandigde Shinzhe een dikke in leer gebonden map. 'Ik heb de nodige contracten al laten opmaken zodat ze door de betrokken regeringsfunctionarissen van beide landen ondertekend kunnen worden. Ik zou graag bij de eerstvolgende gelegenheid de bevestiging ontvangen dat uw land de voorwaarden accepteert.'

'Ik zal morgenmiddag met het ministerie van Buitenlandse Zaken overleggen. Dan zullen we u zo snel mogelijk van de resultaten op de hoogte stellen. Ik moet u waarschuwen dat uw onbuigzame houding ten opzichte van uw voorwaarden de totstandkoming van de overeenkomst in de weg kan staan.'

'Dat moet dan maar. Dit zijn mijn voorwaarden.' Borjin kwam overeind. 'Ik verheug me op een lange en vruchtbare samenwerking, minister Shinzhe.' Borjin maakte een hoffelijke, maar nauwelijks oprecht gemeende buiging.

Shinzhe stond op en boog stijfjes terug, waarna hij met zijn gevolg het vertrek verliet. Borjin en Tatjana volgden de Chinese delegatie naar de voordeur, waar ze toekeken hoe ze zich in de gierende zandstorm naar hun auto's haastten. Toen de achterlichten door de toegangspoort verdwenen waren, sloot Borjin de deur en wendde zich tot Tatjana.

'De buit is zo goed als binnen,' zei hij door de gang teruglopend.

'Ja, maar er zijn heel wat risico's aan verbonden. Ze zullen het niet leuk vinden om Binnen-Mongolië te moeten opgeven. Ze zouden achterdocht kunnen krijgen.'

'Onzin. De Chinezen zullen de culturele wens van Mongolië om ooit verloren gegaan grondgebied terug te krijgen heus wel begrijpen. Een prachtig verhaal. Het is toch heerlijk om te weten dat ze ons land geven waarin de olie zit die wij vervolgens aan hen verkopen.'

'Dat zullen ze niet leuk vinden zodra ze daar achter komen. Dan zouden ze de overeenkomst wel eens als onrechtmatig kunnen verklaren, of erger. En ze zullen echt niet meer dan de marktprijs willen betalen.'

'Dat laatste is heel eenvoudig. Met onze nieuw ontwikkelde technologie kunnen we de markt nog jarenlang onstabiel houden en daar rijkelijk profijt uit trekken. We hebben dat in de Perzische Golf bewezen en dat kunnen we vaker doen.'

Ze waren terug bij de vergaderruimte, waar ze naar binnen stapten en doorliepen naar de kleine bar die door tientallen planken vol flessen met alcoholische dranken werd omgeven. Borjin pakte een fles cognac en schonk twee glazen in.

'Lieve zus, we hebben al gewonnen. Zodra de olie stroomt, hebben we de Chinezen bij de strot en zullen ze de overeenkomst niet meer durven opzeggen. Zouden ze opeens toch zo dapper zijn, dan versnellen we de aanleg van de pijpleiding naar Siberië, waar we hem aan de verbinding met Nachodka koppelen. Dan kunnen we onze olie aan Japan en de rest van de wereld verkopen. Lachen we de Chinezen in hun gezicht uit.'

'Ja, dankzij het door ons broertje zo fraai geënsceneerde incident met het brandende schip in Ningbo worstelen de Chinezen met een geweldig dilemma.'

'Temuge heeft wonderen verricht, vind je niet?'

'Je vergeet toch niet dat zijn actie in Bajkal mij bijna het leven heeft gekost, hè?' merkte ze gepikeerd op.

'Een onvoorzien neveneffect van de grote golf. Maar je bent hier nu toch ongedeerd?' zei hij op een ietwat bevoogdende toon. 'Je moet toegeven dat hij heel effectief is geweest. Eerst de verwoesting van de pijpleiding in Siberië en vervolgens de brandstichting in de Chinese haven zonder dat men er de oorzaak van heeft kunnen achterhalen. En zijn mensen in de Perzische Golf hebben hun werk ook uitstekend gedaan. Na nog zo'n demonstratie van ons kunnen in het Midden-Oosten, zullen de Chinezen smekend aan onze voeten liggen.'

'En is Temuge ondertussen de Stille Oceaan overgestoken voor de beslissende slag in Noord-Amerika?'

'Ze zijn onderweg. De spullen uit Bajkal zijn twee dagen geleden in Seoul aangekomen, waarna ze direct zijn vertrokken. Ik heb de graafploeg uit Khentii met Temuge meegestuurd, omdat we onze werkzaamheden daar, na het incident met het Russische onderzoeksteam, hebben moeten staken.'

'Hun inzet had daar sowieso nog niets opgeleverd. Uit het feit dat de crypte die we bij Dzjengis vonden leeg was, kunnen we afleiden dat ook de andere tombe is geplunderd of anders nooit is begraven. Het blijft een raadsel waarom de bijbehorende rijkdommen nooit aan het licht zijn gekomen.'

'Geeft niet. Binnenkort stroomt het geld van de Chinezen binnen. Voor we weer toeslaan, moeten we nog een week of twee geduld hebben,' zei hij glimlachend, 'en dan zullen ze maar al te graag toehappen.'

Hij liep de vergaderruimte uit naar de ernaast gelegen trap, op de voet

245

gevolgd door zijn zus. Boven aan de trap gekomen hief hij zijn glas op naar het enorme portret van de oude Mongoolse krijger dat daar aan de tegenoverliggende muur hing.

'De eerste stap is gezet. We zijn goed op weg naar een glorierijke herrijzenis van de Gouden Clan.'

'Vader zou trots op ons zijn,' zei Tatjana. 'Hij heeft het mogelijk gemaakt.'

'Op vader en onze heer Djingiz,' zei hij, terwijl hij een slok cognac achteroversloeg. 'Op naar nieuwe veroveringen.'

24

Achter het landhuis klikte het hoofd van de beveiliging zijn mobilofoon aan zijn riem. De man had het postuur van een beer en luisterde naar de naam Batbold. Zojuist had hij het bericht ontvangen dat de Chinese delegatie het terrein had verlaten. Als de twee indringers in de kraal nog leefden, konden ze het karwei nu met de geweren afronden.

Het opdwarrelende zand verduisterde het zicht op het interieur van de kraal, maar de regen van lood en pijlen moest de beide spionnen inmiddels wel hebben geveld. Er werd geen gereedschap meer naar de omsingelaars geworpen. En ze hadden al enkele minuten geen teken van leven van de mannen waargenomen. Hij veronderstelde dat ze nu wel dood zouden zijn. Voor alle zekerheid beval hij om nog drie salvo's op het middelste gedeelte van de kraal af te vuren, daarna stopte hij het schieten.

Nadat hij een kromzwaard dat hij op zijn middel droeg, had getrokken, sprong Batbold van zijn paard en liep met drie mannen te voet naar de kraal om de lijken te onderzoeken. Ze waren tot op een meter of drie van het houten hek genaderd, toen ze een kist hoorden omvallen. Terwijl Batbold en zijn mannen stokstijf bleven staan, klonk er vanuit de kraal een metaalachtig klapwiekend geluid dat langzaam weer wegstierf. Het hoofd van de beveiliging deed een voorzichtige stap naar voren. Achter een van de karren zag hij iets bewegen, waarna een aantal keren achter elkaar het klapwiekende geluid weer opklonk.

'Daar!' schreeuwde hij naar de kar wijzend. 'Aanleggen en vuren.'

Toen de drie bewakers hun karabijnen naar hun schouder brachten, galmde er een harde knal door de kraal. Terwijl de schutters aanlegden, spatte er aan de buitenrand van de kraal plotseling een muur van kisten uiteen, waardoor een deel van het houten hek werd weggeslagen. Het volgende ogenblik kwam er met scheurend kabaal een laag over de grond suizend voorwerp op hen afgeraasd.

Met van ontzetting wijd opengesperde ogen zag Batbold een vaalrode motorfiets met zijspan op zich afkomen. Op de motorfiets leek geen berijder te zitten. Er stond een krat op het zadel, naast een krat dat in de zijspan lag. Opzij springend realiseerde Batbold zich dat zijn ogen hem bedrogen en hij hief snel zijn zwaard om er de naderende machine mee af te weren. Maar het was te laat.

Toen de motorfiets langsraasde dook Al Giordino als een duveltje uit een doosje uit het krat in de zijspan op. In zijn handen hield hij een spade waarmee hij naar Batbold uithaalde. Het rechthoekige blad trof de baas van de beveiliging met een harde klap vol op de kaak. Batbold zakte met een op zijn gezicht verstarde trek van verbijstering in elkaar.

De motorfiets koerste recht op de drie bewakers achter Batbold af, die in paniek zonder ook maar een schot te lossen uiteenstoven. Een van de mannen gleed uit en viel, waarna het wiel van de zijspan over zijn benen reed. De tweede man wist zich met een duik in veiligheid te brengen, terwijl de derde met een klap van Giordino's spade in de nek werd geveld en voorover tegen de grond sloeg.

Door een kier in de houten kist die over zijn hoofd hing turend, stuurde Pitt de motorfiets weg van de karabijnschutters te paard en koerste op de groep boogschutters af. Vol gas raasde hij op een opening tussen de paarden af om zo de belegeringslinie te doorbreken.

'Hou je gedekt, we krijgen zo de volle laag,' riep hij tegen Giordino.

Het volgende moment daalde er een eerste zwerm pijlen op de zijspan neer die met scherpe tikken in het versplinterende hout van hun geïmproviseerde harnas sloegen. Pitt voelde een steek in zijn dij van een afgeketste pijl en hij had het warme bloed over zijn been voelen sijpelen als zijn zintuigen niet op iets anders geconcentreerd waren geweest.

Omdat de carburateur op een te rijk mengsel was afgesteld, walmden er dikke rookwolken uit de bejaarde motorfiets op. Zoals Pitt had gehoopt, hadden de karabijnschutters achter hem het vuren gestaakt uit angst de boogschutters te treffen. Maar de boogschutters kenden die scrupules niet en bleven de motorfiets met hun pijlen bestoken.

Pitt besloot dat het schieten moest stoppen en stuurde recht op een van de paarden af. Het geschrokken dier steigerde hoog op zijn achterbenen en sprong opzij om het lawaaierige geval door te laten, terwijl de ruiter krampachtig probeerde in het zadel te blijven. In een flits zag Pitt een speer rakelings voor zijn gezicht langsschieten en een paar meter verderop in de grond slaan. Het volgende moment was hij langs het steigerende paard en de rij boogschutters en spoot weg van de binnenplaats.

Giordino draaide zich in de zijspan om en tuurde langs de rand van zijn beschermende krat. De ruiters hadden zich snel gehergroepeerd en zetten de achtervolging in.

'Ze zitten ons nog op de hielen,' riep hij. 'Ik hou die gasten nog wel even bezig. Zeg maar wanneer we bij de skischans zijn.'

Voordat hij in de zijspan stapte, had Giordino een jutezak vol hoefijzers aan een kar zien hangen. Met een vooruitziende blik had hij de zak in de zijspan gegooid en kon de ijzers nu als werpschijven gebruiken. Uit het krat opduikend begon hij hoefijzers naar het hoofd van de voorste ruiter te keilen. De halfronde brokken metaal lieten zich moeilijk sturen, maar Giordino kreeg al snel gevoel voor de aërodynamische eigenschappen en zijn worpen werden steeds zuiverder. Hij schakelde twee ruiters uit en vernielde de bogen van een aantal anderen. Zo wist hij de achtervolgers op afstand te houden.

Over het stuur gebogen joeg Pitt de motor vol gas naar de rand van de binnenplaats. Toen hij in de kraal de Tsjechoslowaakse motorfiets ontdekte, dacht hij dat het oude gevaarte uit de jaren vijftig zo dood was als een pier. Maar er zat nog lucht in de banden van de Jawa 500 OHC uit 1953, en ook zat er nog een paar liter benzine in de tank en bleek de motor nog intact. Bij de zevende trap op de kickstarter sloeg de oude tweecilindermotor kuchend aan en bood Pitt en Giordino zo een geringe kans op een succesvolle uitbraak.

Dankzij Giordino's hoefijzeroffensief hadden ze een comfortabele voorsprong op de achtervolgende ruiters opgebouwd. Plotseling gooide Pitt het stuur om en koerste op de achterzijde van het terrein af.

'Veiligheidsgordel vast, we gaan opstijgen,' schreeuwde hij tegen Giordino.

Giordino dook terug in de zijspan en greep een stang aan de voorkant van de bak vast. In zijn andere hand had hij het laatste hoefijzer dat hij nog had willen gooien.

'Op de goede afloop,' mompelde hij en propte het ding in de neus van de zijspan.

Aan de achterzijde van het terrein stond geen muur, omdat het daar steil naar beneden liep in een diepe afgrond. Pitt wist dat het haast zelfmoord was om het te proberen, maar er was geen andere uitweg. Met een knetterende vaart scheurde hij naar de achterkant van het terrein, remde lichtjes en stuurde de motor op de rand af.

Pitt voelde het tot in zijn maag toen de grond onder de wielen wegviel en de motor de lucht inschoot. De eerste tien meter vlogen ze vrijwel recht naar beneden door de lucht voordat de wielen de grond weer raakten. De motor kwam met zo'n dreun neer dat de houten kratten van de rijder en bijrijder afvlogen. De met pijlen doorboorde houten schilden kletterden naast hen tegen de grond. Pitt was blij dat hij van het logge obstakel was bevrijd, hoewel hij dondersgoed besefte dat de kisten hen hoogstwaarschijnlijk het leven hadden gered. Maar lang dacht hij hier niet over na, want het in evenwicht houden van de motor eiste zijn volle concentratie op.

Omdat het gewicht door de zijspan ongelijk was verdeeld, had de motor toen ze de grond raakten eigenlijk om moeten slaan. Maar Pitt had het stuur stevig in handen en met een snelle stuurbeweging wist hij de natuurlijke neiging van de motor om zijdelings weg te kiepen te compenseren en hield hij de motor recht op de helling. Door de voorwaartse snelheid werden motorfiets en zijspan tegen de berg gedrukt, ook al stoven ze nu met een halsbrekende vaart de helling af. Giordino's hoefijzer bracht hun kennelijk inderdaad geluk, want gedurende de rest van de afdaling kwamen ze geen grote stenen of andere obstakels tegen. Op de stenige grond voor hen zagen ze steentjes opspatten en Pitt begreep dat ze vanaf de rand boven hen werden beschoten. Het kabaal van de motorfiets en het gieren van de wind overstemden het geluid van de schoten. Een opstuivende zandwolk bood een tijdelijke dekking tegen de onophoudelijke salvo's. Maar de windvlagen verblindden ook Pitt. Hij hield het stuur krampachtig recht en kon alleen maar hopen dat er zich geen rotsen of bomen op hun pad bevonden.

Boven aan de rand stonden diverse bewakers die de vluchtende motorfiets met hun karabijnen bestookten, luid vloekend als het ding weer eens door een zandwolk aan het oog werd onttrokken. Een zestal ruiters vervolgde de jacht en leidde hun paarden de steile helling af. Dat was een hele toer voor de dieren, maar nadat ze het eerste stuk uiterst traag en behoedzaam waren afgedaald, vervolgden de bewakers de achtervolging op volle snelheid.

Ondertussen stoof de motor met Pitt en Giordino, die zich voor hun leven vechtend overeind hielden, met een denderende vaart van tegen de honderddertig kilometer per uur de berg af. Pitt liet ten slotte de achterrem los, die hij instinctief sinds ze over de rand waren gedoken, had vastgehouden, want hij besefte dat de vaart er nauwelijks door verminderd werd.

Na de aanvankelijk, bijna loodrechte val nam de steilheid van de helling geleidelijk af. Vlak kon je het nog altijd niet noemen, maar het gevoel van een vrije val was weg. Pitt kreeg weer vat op de grond en kon met stuurbewegingen de kuilen en keien, waar de helling mee bezaaid lag, weer ontwijken. Toen ze door een diepe geul knalden, vlogen ze allebei van hun zitplaats, maar ze hervonden hun evenwicht voordat ze door een volgende kuil raasden. Bij iedere dreun had Pitt het gevoel dat zijn nieren verbrijzeld werden, want de stugge vering van het harde leren zadel bood weinig comfort.

Een aantal keren helde de motor zo ver naar één kant over dat hij bijna omkiepte. Maar steeds slaagde Pitt erin het voorwiel zo te draaien dat ze rechtop bleven, terwijl Giordino razendsnel het gewicht van zijn lichaam naar de andere kant verschoof. Pitt kon niet alle obstakels ontwijken en de zijspan sloeg diverse malen bonkend over kleinere keien heen. De gestroomlijnde neus van de zijspan zag er al spoedig uit alsof hij met een moker was bewerkt.

Geleidelijk werd de helling minder steil en veranderde de ruige rotsachtige, met keien en boomtakken bezaaide ondergrond in een droge grasvlakte. Pitt merkte dat hij gas moest bijgeven om op het vlakkere terrein geen snelheid te verliezen. Er stond nog altijd een snijdende wind die ze voor Pitts gevoel recht tegen hadden. In de dichte opstuivende stofwolken bleef het zicht tot een meter of vijftig beperkt.

'Zitten ze nog achter ons aan?' riep Pitt.

Giordino knikte. Hij had om de paar seconden vluchtig omgekeken en gezien dat er een contingent ruiters aan de steile afdaling was begonnen. Hoewel de achtervolgers nu een flinke achterstand hadden opgelopen en door de jagende stofwolken niet meer te zien waren, besefte Giordino dat de echte jacht nog moest beginnen.

Dat was ook Pitt zich bewust. Zolang de oude motor bleef rijden, zouden ze de paarden wel voor blijven. Maar het zou een kwestie van afschudden worden en Pitt kon alleen maar hopen dat hun wielsporen door de storm zouden verwaaien. Feit bleef dat ze afhankelijk waren van een oude motorfiets met een beperkte hoeveelheid benzine in de tank.

Pitts gedachten dwaalden onwillekeurig naar de geschiedenis van de Tsjechische motorfiets af. De Jawa-fabriek stamde van voor de Tweede Wereldoorlog en produceerde aanvankelijk handgranaten en ander wapentuig. De vooroorlogse Jawa's waren beroemd om hun lichte, maar toch krachtige motor. Het waren snelle en technisch moderne motorfietsen die

25

De duisternis viel snel over het golvende steppelandschap. Het dikke wolkendek boven het opstuivende zand verduisterde de maan en de sterren, en hulde het weideland in een inktzwarte nacht. Slechts heel sporadisch priemde er een lichtbundel door de droge zandstorm, die vrijwel onmiddellijk weer werd opgeslokt door een woest wapperende deken van stof. Van de lichtstraal bleef alleen het ermee vergezeld gaande geluid van een tweecilinder viertaktmotor over, een regelmatig gebrom waarin niet de minste hapering klonk.

De Tsjechische motorfiets met zijspan stoof bonkend als een jetski over de zee van gras. De bejaarde motor kreunde bij iedere klap die hij te verwerken kreeg, maar scheurde onverstoorbaar door. Pitts hand deed pijn van het voortdurende gas geven, maar hij probeerde alle pk's uit de oude motor te halen. Ondanks het ontbreken van een weg en het trekken van de zijspan vloog de oude machine nog altijd met zo'n tachtig kilometer per uur over de open grasvlakte. Zolang ze deze snelheid volhielden, werd hun voorsprong op de achtervolgers met de kilometer groter. Maar vooralsnog zette dat in wezen weinig zoden aan de dijk. De banden van de motorfiets lieten een duidelijk spoor in het zomerse gras na en daarmee gaven ze maar al te duidelijk te kennen waar ze zich bevonden.

Pitt had gehoopt dat ze op een verharde weg zouden stuiten, waarop hun spoor niet meer te volgen zou zijn, maar meer dan af en toe een paardenpad dat te smal was om hun sporen te verbergen, vond hij niet. Op een gegeven moment zag hij een licht in de verte en stuurde er op aan, maar het verdween al snel weer in de zandstorm. Hoewel er in het zwakke schijnsel van de koplamp geen wegen opdoken, zag Pitt dat het landschap geleidelijk veranderde. De heuvels werden vlakker en het gras onder de banden werd dunner. Het terrein moest hier minder ruig zijn, merkte Pitt droogjes op, want hij had Giordino al een tijdje niet meer over kuilen horen vloeken. Niet veel later waren de heuvels volledig verdwenen en was het dikke helmgras in een harde stenige ondergrond overgegaan waarop alleen her en der wat laag, schraal struikgewas groeide.

Ze waren de noordrand van de Gobiwoestijn ingereden, een uitgestrekte, drooggevallen binnenzee, die in het zuiden van Mongolië een derde deel van het hele land bestrijkt. In het lege landschap dat niet zozeer uit golvende zandduinen bestaat, maar meer een stenige vlakte is, leeft een gevarieerde populatie van gazellen, haviken en andere wilde dieren, die gedijen in een streek waar het ooit wemelde van de dinosauriërs. Van dit alles zagen Pitt en Giordino niet veel meer dan wat rotsachtige uitsteeksels tussen zandverstuivingen en opgehoopt steengruis. Pitt zwenkte met een snelle ruk aan het stuur rakelings langs een scherpe steenrichel, waarna hij een smalle geul door een veld met reusachtige keien instuurde, die uiteindelijk in een brede, vlakke vallei uitmondde.

De motorfiets schoot nog sneller vooruit toen de banden op de hardere ondergrond meer grip kregen. Pitt werd nu door steeds dikkere zandwolken belaagd, waardoor het zicht alleen maar minder werd. Zo scheurde de driewieler nog een uur lang hotsend en botsend over stenen en door kuilen door de woestijn. Tot uiteindelijk de motor begon te stotteren en geleidelijk al sputterend langzamer werd. Toch wist Pitt de motor nog anderhalve kilometer op gang te houden totdat de benzinetank ten slotte net zo droog stond als de omringende woestijn en de motor met een laatste zucht afsloeg.

Ze kwamen tot stilstand aan de rand van een vlakke zandbedding en de plotselinge stilte daalde als een deken over hen heen. Alleen het fluiten van de wind door het lage struikgewas en het door schurende vlagen over de grond ruisende zand bewees dat hun door het constante kabaal van de uitlaat murw gebeukte gehoor nog functioneerde. De lucht boven hen begon op te trekken en storm zwakte af tot slechts zo nu en dan aanwakkerende windvlagen. Door de sluier van stof die nog in de lucht hing, schemerde een fonkelende sterrenhemel als een schamele lichtbron in de lege woestijn.

Pitt keek naast zich in de zijspan en zag Giordino daar als een soort zandpop zitten. In het halfduister gingen zijn haren, gezicht en kleren schuil onder een glinsterend laagje kakikleurig stof. Tot Pitts verbijstering was Giordino in de zijspan in slaap gevallen; zijn handen nog stevig om de stang geklemd. Door het wegvallen van de motorherrie en het constante gehobbel werd Giordino ten slotte wakker. Met knipperende ogen tuurde hij in de duistere, lege woestenij om zich heen.

'Ik hoop dat je me hier niet naartoe hebt gebracht voor het bekijken van een duikbotenrace,' zei hij.

'Nee,' antwoordde Pitt. 'Ik geloof dat er voor vanavond een paardenrace op het programma staat.'

Giordino sprong uit de zijspan en rekte zich uit, terwijl Pitt de wond aan zijn scheenbeen bekeek. De pijl was vlak langs zijn scheen de motor inge-schoten, waar hij achter een koelrib was blijven steken. De wond bloedde al enige tijd niet meer, maar als een straaltje opgedroogde bessensap liep er een rode stoffige streep over zijn been naar zijn voet.

'Been oké?' vroeg Giordino toen hij de wond zag.

'Door het oog van de naald. Ik was bijna aan de motor gespietst,' ant-woordde Pitt, terwijl hij de gebroken schacht van de pijl lostrok.

Giordino draaide zich om en keek in de richting waar ze vandaan waren gekomen. 'Hoever denk je dat ze achter ons zitten?'

Pitt probeerde het uit zijn hoofd uit te rekenen aan de hand van de tijd en de gemiddelde snelheid vanaf het moment dat ze van Xanadu waren weggevlucht. 'Dat hangt van hun snelheid af. Ik schat dat we zo'n dertig kilometer voorsprong hebben. Ze hebben een heel stuk in een langzame draf moeten doen.'

'Dan ga je ervan uit dat er geen kortere weg over die bergrug is en dat ze geen auto's achter ons aan hebben gestuurd.'

'Ik was eerder bang voor een helikopter, maar die had in die storm toch niet kunnen vliegen.'

'Hopelijk hebben ze zadelpijn gekregen en de handdoek in de ring ge-gooid. Of wachten ze in ieder geval tot het licht wordt, dan hebben wij tenminste wat meer tijd om te kijken of we hier ergens een lift kunnen krijgen.'

'Ik vrees dat we hier in de buurt niet zo snel een chauffeurscafé zullen vinden,' antwoordde Pitt. Hij ging staan en draaide het stuur een halve slag rond, zodat het licht van de koplamp over de woestijn zwaaide. Aan hun linkerhand strekte zich een hoge, rotsachtige heuvelrug uit, maar in de an-dere richtingen was de omgeving zo leeg en vlak als een biljartlaken.

'Als je het mij vraagt,' zei Giordino, 'zou ik er na al dat gehobbel door de bergen helemaal geen bezwaar tegen hebben om de benen eens flink te gaan strekken. Wil je met je kop in de wind gaan lopen?' vroeg hij in de richting van het spoor van de motorfiets wijzend.

'We zullen eerst een tovertruc moeten doen,' zei Pitt.

'Wat dan?'

'Nou,' antwoordde Pitt glimlachend, 'hoe tover je in de woestijn een motorfiets weg?'

De zes ruiters hadden hun poging om de snellere motor bij te houden al gauw opgegeven en hadden hun weg op een voor hun dieren minder vermoeiend tempo voortgezet, een tempo dat ze uren konden volhouden. Het Mongoolse paard is een uitzonderlijk taai dier dat eeuwenlang speciaal op duurvermogen is gefokt. Als afstammeling van het ras dat heel Azië had veroverd, is het Mongoolse paard spijkerhard. De dieren staan er om bekend dat ze op een karig rantsoen toch de hele dag door de steppe kunnen galopperen. Hoewel ze klein zijn, robuust en er over het geheel genomen weinig imposant uitzien, zijn ze qua taaiheid de westerse rassen verre de baas.

Toen het groepje ruiters de voet van de berg bereikte, had de voorste man een teken gegeven dat ze moesten stoppen. De streng kijkende patrouilleleider tuurde met de uitpuilende ogen van een brulkikker naar de grond. Hij richtte de lichtbundel van een zaklamp op een paar diepe sporen die door het gras liepen. Nadat hij ze zorgvuldig had bestudeerd, knipte hij de lamp uit, spoorde zijn paard tot een draf aan en volgde, met de overige ruiters in zijn kielzog, het spoor.

De commandant ging er vanuit dat de oude motorfiets het maximaal nog zo'n vijftig kilometer zou volhouden. Voor hen strekte zich een open steppe en woestijn uit waar zich over een afstand van minstens honderdvijftig kilometer maar weinig plekken bevonden waar je je zou kunnen verschuilen. Zonder de paarden al te veel te vermoeien zouden ze de vluchtelingen binnen acht uur te pakken hebben, schatte hij. Versterking aanvragen in de vorm van een terreinwagen was beslist niet nodig. Voor zijn ruiterploeg was dit een eitje. Ze hadden allemaal al leren paardrijden voordat ze goed en wel konden lopen en hun o-benen bewezen dat. De vluchtelingen zouden hen niet ontgaan. Nog een paar uur en de twee mannen die de bewakers van Xanadu in hun hemd hadden gezet, waren zo goed als dood.

In de donkere, stormachtige nacht vorderden ze gestaag, voortdurend het rechte spoor volgend dat de banden van de motorfiets hadden achtergelaten. Aanvankelijk hadden ze zo nu en dan het tergende, door de harde windvlagen meegedragen geluid van de voortrazende motor nog gehoord.

Maar al spoedig was het geluid achter de verre heuvels weggestorven en waren de ruiters aan hun eigen gedachten overgeleverd. Ze reden aan één stuk door en stopten pas toen ze de rand van de steenachtige woestijnvlakte bereikten. Het spoor van de motorfiets was op de harde woestijngrond moeilijker te volgen. De ruiters verloren het spoor herhaaldelijk uit het oog en het kostte tijd voordat ze de bandafdrukken in het spaarzame licht van de zaklamp hadden teruggevonden. Toen het licht werd, zwakte de storm die hen de hele tocht met zand had verblind eindelijk af. In het ochtendgloren was het spoor beter zichtbaar en de ruiters vorderden nu sneller. De patrouilleleider zond een verkenner vooruit om de anderen eerder te kunnen waarschuwen wanneer de bandafdrukken op stukken extreem harde ondergrond niet meer zichtbaar waren.

De ruiters volgden het spoor door een zanderige bedding tussen steile, rotsachtige randen door. Voor hen mondde de geul uit op een brede egale vlakte. Het spoor van de motor liep vanuit de bedding de vlakte op en strekte zich op de harde vlakke ondergrond tot in de verte kaarsrecht voor hen uit. De ruiters spoorden hun paarden weer aan tot de commandant zag dat zijn verkenner op een meter of vijftig voor hen plotseling inhield. Toen hij dichterbij was gekomen, draaide de verkenner zich met een vragende blik in zijn ogen naar hem om.

'Waarom ben je gestopt?' snauwde de patrouilleleider.

'De sporen… ze zijn helemaal weg,' stamelde de verkenner.

'Nou, rij door en kijk waar ze weer opduiken.'

'Ze duiken nergens meer op. Het zand… daar zouden ze toch in zichtbaar moeten zijn, maar ze houden hier gewoon op,' antwoordde de verkenner naar de grond wijzend.

'Idioot,' mompelde de patrouilleleider, waarna hij zijn paard de sporen gaf en naar rechts zwenkte. Met een wijde boog reed hij om de stilstaande groep heen tot hij weer op de plek was waar hij was begonnen, vanwaar hij naar de wachtende mannen terugreed. Nu was hij degene met een verbaasde trek op het gezicht.

Hij sprong van zijn paard en liep naar het spoor van de motor. De hakken van zijn laarzen zakten weg in het dunne laagje zand waarmee de harde ondergrond hier bedekt was. Aandachtig op de grond turend volgde hij het dubbele spoor van de motor en de zijspan tot die abrupt ophielden. Hij keek speurend om zich heen en zag dat de ondergrond in alle richtingen met een laagje zand was bedekt. Toch waren er geen andere afdrukken dan die van de paarden van de bewakers. Het spoor van de banden liep nergens door, er waren geen menselijke voetstappen en ook de motor zelf was nergens te zien.

Het was alsof de motor en zijn berijders van de grond waren opgepakt en in het niets waren verdwenen.

26

Als arenden in een te klein nest geperst bekeken Pitt en Giordino het tafereel vanaf een punt zo'n twintig meter boven de woestijnbodem. Nadat ze in het donker voorzichtig een in de buurt liggende rotsformatie waren opgeklommen, hadden ze daar een hoge uitstekende richel ontdekt die vanaf de grond niet zichtbaar was. In de holle stenen kom hadden de beide mannen languit liggend om beurten geslapen tot niet lang na zonsopgang de ruiters waren verschenen. Omdat ze ten oosten van de ruiters lagen, was de zon hen gunstig gezind. Hij scheen hun achtervolgers recht in het gezicht, terwijl zij nog in de schaduw van de heuveltop lagen.

Pitt en Giordino keken grinnikend toe hoe de ruiters bij het abrupte einde van het motorspoor volledig verdwaasd om zich heen staarden. Maar daarmee was het gevaar voor hen nog lang niet geweken. Ze volgden nieuwsgierig hoe twee ruiters rechtdoor reden, waarna er van de overige vier twee naar links en twee naar rechts gingen. Zoals Pitt had gehoopt, concentreerden de ruiters hun zoektocht op het gebied in het verlengde van het spoor zonder eraan te denken dat de twee vluchtelingen het spoor een stuk waren teruggegaan, voordat ze naar de rotsen afbogen.

'Zeg, Houdini, besef je wel dat je ze zo alleen maar steeds kwader maakt?' fluisterde Giordino.

'Dat is prima. Hoe kwader ze zijn, hoe eerder ze iets over het hoofd zien.'

Na een uur wachten zagen ze dat de ruiters zich, nadat ze de omgeving hadden afgezocht, weer rond het einde van het spoor verzamelden. Op bevel van de commandant verdeelden de ruiters zich langs het spoor en volgden hun eigen oorspronkelijke afdrukken terug. Ook nu reden er weer twee naar beide kanten weg, terwijl het derde tweetal naar de rand van de rotsformatie reed.

'Bukken,' fluisterde Pitt, waarop hij en Giordino zich in de holte zo plat mogelijk tegen de grond drukten. Ze hoorden het geklepper van de paardenhoeven dichterbij komen en verstijfden toen het geluid recht onder hen stopte. Voordat ze naar de richel waren geklommen, hadden ze hun sporen zo goed mogelijk weggeveegd, maar toen was het donker geweest. En dat was niet het enige waarmee ze zich zouden kunnen verraden.

Pitts hart bonsde in zijn keel toen hij de ruiters met elkaar hoorde praten. Vervolgens stapte een van de ruiters van zijn paard en begon de rotsformatie te beklimmen. De man vorderde langzaam, maar Pitt hoorde aan het geluid van zijn over het steen krassende laarzen dat hij dichterbij kwam. Pitt keek naar Giordino die zijn arm uitstak en een steen ter grootte van een honkbal pakte.

'Niets,' riep de man, die op een paar meter onder de verborgen richel stond. Giordino boog zijn arm met de hand waarin hij de steen vast had, maar Pitt greep hem bliksemsnel bij zijn pols. Een seconde later riep de man op het paard iets omhoog naar de klimmer. Uit de toon leidde Pitt af dat de klimmer gesommeerd werd terug te komen. Het krassen van hard leer over het zachte zandsteen verwijderde zich tot de man een paar minuten later de grond had bereikt en zijn paard weer besteeg. Daarop klonk het geklepper van paardenhoeven weer op en stierf geleidelijk in de verte weg.

'Dat had weinig gescheeld,' zei Giordino.

'Die klimmer had geluk dat-ie van gedachten veranderde. De *knuckleball* die jij in gedachten had, was hard aangekomen,' reageerde Pitt, naar de steen in Giordino's hand knikkend.

'Een *fastball*. Mijn specialiteit als pitcher was de *fastball*,' corrigeerde hij.

Terwijl hij naar het door de ruiters opgeworpen spoor van stofwolken keek, vroeg hij: 'Blijven we hier?'

'Ja. Ik voel aan mijn water dat ze nog een keer terugkomen.'

Pitt herinnerde zich wat hij over de Mongoolse veroveringen in de dertiende eeuw had gelezen. Een geveinsde terugtocht was een geliefde tactiek van Dzjengis Khan als hij tegenover een machtige tegenstander stond. Zijn leger organiseerde vaak bewust geënsceneerde terugtochten die soms verschillende dagen duurden. De nietsvermoedende vijand werd zo verleid hun verdedigingsposities te verlaten, waarna ze door een onverwachte tegenaanval werden verslagen. Pitt begreep dat als ze nu te voet de woestijn inliepen op dezelfde wijze het gevaar liepen door de snelle ruiters te worden verrast. Hij was niet van plan dat risico te nemen voordat hij er absoluut zeker van was dat ze definitief waren verdwenen.

Ineengedoken in hun stenen schuilplaats rustten de twee mannen uit van hun nachtelijke avontuur en wachtten geduldig tot het gevaar achter de horizon was verdwenen. Even later schrokken ze door een plotselinge donderslag wakker. Het klonk als ver verwijderd onweer, maar er was geen wolkje aan de lucht. In het noorden zagen ze opeens hoge stofwolken opstuiven in het spoor van de zes ruiters. De paarden galoppeerden op topsnelheid en denderden langs het oorspronkelijke spoor van de motorfietsbanden alsof ze het rechte stuk van de renbaan van Santa Anita afroffelden. Binnen enkele seconden was de troep onderlangs de richel van Pitt en Giordino geraasd tot ze het einde van het motorspoor bereikten. Daar aangekomen hielden ze in en waaierden, nogmaals de omgeving uitkammend in alle richtingen uit. De ruiters reden allemaal met gebogen hoofd en speurden de grond af naar voetafdrukken of andere aanwijzingen die het raadsel van Pitts en Giordino's verdwijning konden ontrafelen. Ze zochten nog bijna een uur zonder dat het hun ook maar iets opleverde. Tot de ruiters zich opeens, haast net zo onverwachts als ze gekomen waren, hergroepeerden en in handgalop langs het motorspoor in noordelijke richting wegreden.

'Een fraaie toegift,' zei Giordino toen de paarden eindelijk achter de horizon waren verdwenen.

'Ik geloof dat het feest nou wel voorbij is,' reageerde Pitt. 'Hoog tijd om de snelweg op te zoeken en ergens een hamburger te scoren.'

De mannen hadden al sinds de vorige dag niets meer gegeten en ze rammelden van de honger. Nadat ze van de rotsrichel naar beneden waren geklauterd, liepen ze een stuk langs het spoor tot ze bij een struikgewasachtig bosje van tamariskbomen kwamen. Pitt grinnikte toen hij zag dat er een dikke stam uit de begraven bak van de zijspan leek te groeien. Een ring van op het oog lukraak verdeelde keien omgaf de nog boven de aarde uitstekende delen van de motorfiets, die daardoor voor een toevallige voorbijganger niet zichtbaar waren.

'Niet slecht voor een middernachtelijke camouflageklus,' zei Pitt.

'We hebben ook wel geluk gehad, geloof ik,' reageerde Giordino. Hij tikte tegen zijn jaszak, waarin het hoefijzer zat dat hij uit de neus van de zijspan had gehaald.

Pitts idee om de motorfiets te laten verdwijnen, had beter gewerkt dan hij had verwacht. Toen de benzine opraakte, besefte hij dat er niets anders

261

opzat dan het ding te verstoppen. Hij was langs hun eigen spoor teruggelopen tot hij een kleine honderd meter verderop in de harde bodem een geul vond. Vervolgens was hij naar de motorfiets teruggegaan en had onderweg met een dichtbebladerde tak de oorspronkelijke bandensporen uitgewist. Daarna had hij de motorfiets samen met Giordino achteruit naar de geul geduwd, waarbij ze onderweg hun voetsporen in het licht van de koplamp zorgvuldig hadden uitgewist. Voor de achtervolgers die het spoor volgden, was het zo niet te zien dat de motorfiets vanaf het eindpunt van de bandensporen een heel stuk was teruggereden.

Vervolgens hadden Pitt en Giordino de motorfiets met zijspan zo ver mogelijk in de geul geduwd. Giordino had onder het stoeltje in de zijspan een kleine gereedschapsset gevonden. In het schijnsel van de koplamp hadden ze de zijspan van de motorfiets losgemaakt. Plat liggend paste de motorfiets in een nabijgelegen kuil, waarin hij onder een laagje zand volledig onzichtbaar was. Het graafwerk ging een stuk sneller nadat Pitt de achterkant van het stoeltje tot een soort schep had kunnen verbuigen. Het door de wind verstuivende zand, waar ze tot dan toe zo'n last van hadden gehad, kwam hen nu goed van pas en verborg alle oppervlakkige sporen al snel onder een dun laagje stof.

De zijspan bleek lastiger te begraven toen ze ontdekten dat de bodem op zo'n vijftien centimeter diepte uit een keiharde steenlaag bestond. Zodra ze beseften dat ze de zijspan zonder een houweel nooit diep genoeg de grond in zouden krijgen, sjouwden ze hem naar een dicht bosje tamariskbomen, waar ze hem zo goed mogelijk in het struikgewas verstopten. Giordino stapelde er wat keien omheen, terwijl Pitt een boompje uitgroef en zodanig in de bak op het stoeltje plantte dat de takken over de zijkanten hingen. Hoewel de zijspan zo allesbehalve onzichtbaar was, had de geïmproviseerde camouflagetruc toch gewerkt gezien de hoefafdrukken die erop wezen dat de achtervolgers er op een paar meter afstand langs waren gereden.

In de felle hitte van de middagzon die trillend tegen het woestijnzand kaatste, keken de beide mannen met enige weemoed naar de half begraven zijspan.

'Toch geloof ik niet dat ik het rijden in dat ding ga missen,' zei Giordino.

'Maar of het alternatief nou zo veel beter is,' vroeg Pitt zich hardop af, terwijl hij de horizon naar een teken van leven afspeurde. In alle richtingen strekte zich een eindeloze leegte uit, nog versterkt door een angstaanjagende stilte.

Pitt tilde zijn linkerarm voor zijn gezicht met zijn pols zodanig gedraaid dat hij zijn Doxa-horloge plat op ooghoogte hield. Vervolgens draaide hij zich om zijn as naar de zon toe tot de felgele bol recht in het verlengde van de uurwijzer van zijn horloge stond, die twee uur aangaf. Dit was een oude overlevingstruc; het zuiden bevond zich, wist hij, voor een waarnemer op het noordelijk halfrond precies tussen de uurwijzer en de 12. Over zijn horloge turend wees de één dus naar het zuiden, de zeven naar het noorden, en lag het westen in de richting van de vier.

'We gaan naar het westen,' zei Pitt, terwijl hij naar een paar rood getinte heuvels aan de horizon wees. 'Daar moet ergens de Trans-Mongoolse spoorlijn van Beijing naar Ulaanbaatar liggen. In westelijke richting moeten we daar een keer op stuiten.'

'Een keer,' herhaalde Giordino langzaam. 'Waarom klinkt dat alsof we geen flauw benul hebben hoe ver dat kan zijn?'

'Omdat we dat ook niet hebben.' Pitt haalde zijn schouders op, draaide zich om naar de heuvels en begon te lopen.

27

De Gobiwoestijn kent de meest verschrikkelijke temperatuurwisselingen ter wereld. De temperaturen van ver boven de veertig graden Celsius in de zomer kunnen in de wintermaanden dalen tot veertig graden onder nul. Zelfs op één dag zijn temperatuurwisselingen van meer dan vijftien graden niet ongewoon. De woestijn die met Gobi wordt aangeduid, het Mongoolse woord voor 'waterloze plaats', is de op vier na grootste woestijn ter wereld. Het droge land was ooit een binnenzee en in latere tijden een moerasgebied bevolkt door dinosauriërs. Het zuidwesten staat onder paleontologen van over de hele wereld hoog aangeschreven als favoriete locatie voor het zoeken naar fossielen uit de oertijd.

Voor Pitt en Giordino was de lege, licht golvende vlakte als een oneindige oceaan van zand, grind en stenen. Steile kliffen van roze zandsteen en ruige, roodachtige rotsformaties doorbraken de eindeloze grindvlakte, bezaaid met bruine, grijze en zwarte kiezelstenen. Scherp afstekend tegen de staalblauwe lucht straalde de hele omgeving een ongekende woeste schoonheid uit. Voor de beide mannen die door het desolate decor trokken, was deze bedrieglijke idylle een troostrijke afleiding van het feit dat ze zich in een potentiële zone des doods bevonden.

In de middag steeg de temperatuur tot boven de veertig-gradengrens. Meedogenloos teisterde de zon met haar verschroeiende stralen de rotsige grond. De wind was afgezwakt tot een lichte bries en bood de verkoeling van een verfafbrander. De mannen durfden hun mouwen of broekspijpen niet op te stropen, omdat ze wisten dat bescherming tegen de ultraviolette straling belangrijker was dan de kleine winst aan comfort die dat zou bieden. Ook besloten ze, al was het met enige tegenzin, hun jassen niet weg te doen. Met het oog op de komende koude nacht hadden ze hun jas om hun middel geknoopt. Uit hun jas hadden ze stukken voering gescheurd en die als een bandana om hun hoofd gewikkeld, waardoor ze eruitzagen als een stel wel erg ver uit koers geraakte piraten.

Maar wat hun vooruitzichten betrof viel er weinig te lachen. Op hun tweede dag zonder voedsel of water in een overdag verzengend hete woestijn, waarin de temperatuur 's nachts tot rond het vriespunt daalde, zagen ze zich met zowel het gevaar van uitdroging als van onderkoeling geconfronteerd. Vreemd genoeg was hun hongergevoel volledig verdwenen en had plaatsgemaakt voor een aanhoudende en onlesbare dorst. Het stof dat gedurende de rit op de motorfiets in mond en neus was gedrongen, had hun keel drooggeschuurd, iets wat ook al niet bepaald bijdroeg aan een verlichting van het dorstgevoel.

Pitt wist dat het voor het overleven van de woestijnhitte van cruciaal belang was dat ze hun krachten zoveel mogelijk spaarden. Ze konden drie dagen zonder water overleven, maar dat kon met de helft verminderen als ze zich te veel aan de hitte blootgaven. Omdat ze zich een groot deel van de ochtend verborgen hadden moeten houden, konden ze eerst een tijdje stevig doorlopen, oordeelde Pitt. Om te overleven was het terugvinden van de bewoonde wereld tenslotte pure noodzaak.

Pitt had een markant punt in de verte uitgekozen en liep daar nu met een ingehouden snelheid op af. Ongeveer om het halve uur zochten ze de schaduw van een rotsformatie op waar ze het lichaam even wat koelte en rust gunden. Deze afwisseling hielden ze vol tot de zon uiteindelijk achter de horizon zakte en de temperatuur van verzengend heet tot mild daalde.

De Gobi is een gigantische en uiterst spaarzaam bevolkte woestijn. Maar het is geen volstrekt lege ruimte. In streken waar ondiepe waterputten kunnen worden gegraven, zijn hier en daar dorpjes te vinden, terwijl nomadische herders door de her en der met kort stoppelig gras begroeide gebieden trekken. Als de mannen maar doorliepen, moesten ze uiteindelijk iemand tegenkomen. En Pitt had gelijk. Ergens in het westen liep de spoorlijn van Beijing naar Ulaanbaatar met erlangs een nauwelijks geplaveide weg. Maar hoe ver was dat nog?

Met behulp van de zon en zijn horloge zorgde Pitt ervoor dat hun koers steeds westwaarts bleef. Toen ze weer eens een uitgestrekt vlak gedeelte overstaken, stuitten ze op een dubbel bandenspoor dat loodrecht op hun pad liep.

'Halleluja, een teken van leven op deze vreemde planeet,' zei Giordino.

Pitt knielde en bestudeerde het spoor. Ze waren duidelijk van een terrein- of een vrachtwagen afkomstig, maar de randen van de sporen waren vaag en overdekt met een laagje poederzand.

'Die zijn hier niet gisteren voorbijgekomen,' zei Pitt.

'Dus niet iets om een omweg voor te maken?'

'Dit spoor kan vijf dagen maar net zo goed vijf maanden oud zijn,' antwoordde Pitt hoofdschuddend. De twee mannen weerstonden de verleiding om te kijken waar het spoor heen ging. Ze negeerden het en vervolgden hun tocht in westelijke richting. Daarna kruisten ze nog een aantal bandensporen die in diverse richtingen naar voor hen onzichtbare plaatsen liepen. Net als in vrijwel heel Mongolië waren er nauwelijks officiële wegen in de woestijn. Het reizen naar een bestemming was een kwestie van simpelweg een kompasrichting kiezen en die aanhouden. Als je op een satellietfoto de duizenden sporen die kriskras door Mongolië lopen zou kunnen zien, zou het beeld veel weg hebben van een op de grond gevallen bord spaghetti.

Nadat de zon achter de horizon was verdwenen, begon de woestijnlucht vrijwel onmiddellijk af te koelen. De door de hitte en het vochtgebrek ernstig verzwakte mannen voelden zich gesterkt door de koele lucht en voerden hun tempo geleidelijk weer wat op. Pitt had hen geruime tijd in de richting van een scherpgetande berg met drie toppen, die hij als oriëntatiepunt gebruikte, gestuurd tot ze de heuvel even na middernacht bereikten. Een onbedekte lucht met een heldere halvemaan had hen in het donker voldoende bijgelicht.

Voor een korte pauze stopten ze bij een gladde richel van zandsteen, waarop ze zich languit uitstrekten en de sterrenpracht aan het firmament bewonderden.

'Kijk, dat is de Grote Beer,' zei Giordino op de gemakkelijk te herkennen vorm van het bekendste sterrenbeeld wijzend. 'En de Kleine Beer zie je er vlak boven.'

'Met de Poolster, die ook wel de Noordster wordt genoemd, aan het uiteinde van de staart.'

Pitt kwam overeind en tuurde naar de Poolster, waarna hij zijn linkerarm naar opzij uitstrekte.

'West,' zei hij met zijn vinger naar een paar kilometer verderop gelegen donkere bergkam wijzend.

'Laten we er snel heen gaan, voordat de tent sluit,' reageerde Giordino in zichzelf brommend terwijl hij opstond. Het hoefijzer in zijn jaszak stak bij het opstaan in zijn zij en onwillekeurig klopte hij met een leep lachje op de zak.

Met een nieuw oriëntatiepunt aan de horizon, vervolgden ze hun weg. Pitt keek om de paar minuten naar de lucht en hield angstvallig in de gaten dat ze de Poolster aan hun rechterhand hielden. Het gebrek aan voedsel en water begon zijn tol te eisen: hun tempo zakte en hun toch al spaarzame conversatie viel helemaal stil. De wond in Pitts been begon sterker op te spelen en er schoot nu bij iedere stap een pijnscheut door zijn linkervoet. De koele nachtlucht werd ronduit kil en de mannen trokken de jas aan die ze om hun middel hadden geknoopt. Het lopen hield hen warm, maar verbruikte kostbare lichaamsenergie, een verlies dat niet werd aangevuld.

'Nooit meer woestijn, dat heb je me na Mali beloofd,' zei Giordino, terugdenkend aan de keer dat ze op zoek naar een lading radioactief afval bijna in de Sahara waren verdwaald.

'Volgens mij heb ik Saharawoestijn gezegd,' reageerde Pitt.

'Een formeel verschil. Maar wanneer mogen we erop hopen dat Rudi de kustwacht gaat inschakelen?'

'Ik heb hem gevraagd onze op de *Vereshchagin* achtergebleven spullen bij elkaar te zoeken en daarmee, als hij een vrachtwagen te pakken kon krijgen, naar Ulaanbaatar te gaan, waar hij dan aan het eind van de week zou kunnen zijn. Ik ben bang dat onze moederkloek ons pas over een dag of drie zal missen.'

'Als we stevig doorstappen zijn we dan al lang in Ulaanbaatar terug.'

Pitt moest lachen om het idee. Als ze water hadden gehad, had hij er niet aan getwijfeld dat het taaie Italiaantje zelfs met Pitt op zijn rug tot Ulaanbaatar was doorgewandeld. Maar dan moesten ze wel water zien te vinden, en snel ook.

Er waaide een kille bries uit het noorden en de temperatuur bleef dalen. Doorgaan werd de enige mogelijkheid om warm te blijven, maar het besef dat de nachten hier in de zomer vrij kort waren, gaf enige troost. Pitt hield hun koers recht op de heuvelrug in het westen aan, hoewel het lange tijd leek alsof ze geen stap dichterbij kwamen. Nadat ze ruim twee uur lang door een dal bezaaid met losliggende kiezels hadden gelopen, trokken ze een licht golvend heuvellandschap in. De heuvels werden geleidelijk steeds hoger tot ze op een hoge kam kwamen die doorliep tot aan de voet van de steile bergrug die zo lange tijd hun oriëntatiepunt was geweest. Na een korte pauze begonnen ze aan de klim, waarvan ze het grootste deel nog rechtop konden lopen tot ze zich vlak onder de top gedwongen zagen het laatste stuk op handen en knieën over keien en langs rotsrichels klauterend af te leggen. Het klimmen vergde de laatste krachten van de mannen en happend naar adem bleven ze staan toen ze ten slotte de top hadden bereikt.

Gedurende enkele minuten verduisterde een traag voortschuivende wolk de maan, waardoor de hele omgeving van de top in een pikzwarte duisternis was gehuld. Pitt was op een paddestoelvormige kei gaan zitten om zijn benen wat rust te gunnen, terwijl Giordino diep voorovergebogen stond uit te hijgen. Het waren spijkerharde mannen, maar de stoere krachtpatsers van een jaar of tien eerder waren ze niet meer. Allebei hadden ze last van een heel scala aan pijntjes die de kracht van het lichaam ondermijnden.

'Een luchtfoto, doe mij alsjeblieft een luchtfoto,' zei Giordino kuchend.

'Ik dacht eerder aan een paard,' reageerde Pitt.

Ondertussen schoof de zilverkleurige halvemaan vanachter de wolk tevoorschijn en hulde het omringende landschap in een wazig blauw schijnsel. Pitt stond op, rekte zich uit en keek omlaag langs de helling aan de andere kant van de heuvelrug. Het ging er steil naar beneden tot aan een paar scherp getande rotsformaties die uitkeken op een komvormig dal. Pitt tuurde naar het keteldal en ontdekte verschillende donkere ronde puntjes op de bodem van het dal.

'Al, hou onderweg mijn fata morgana in de gaten,' zei hij naar de bodem van het dal wijzend. 'En zeg me als-ie op die van jou lijkt.'

'Als er ook bier en broodjes zijn, kan ik je nu alvast vertellen dat dat zo is,' antwoordde Giordino, die overeind kwam en naar Pitt toeliep. Nadat hij enige tijd ingespannen in de aangegeven richting had gekeken, kon hij bevestigen dat ook hij een stuk of twintig zwarte stippen verspreid over de bodem van het dal zag liggen.

'Manhattan is het niet, maar wel een bewoonde wereld, zo te zien.'

'Die zwarte stippen zouden *gers* kunnen zijn. Een kleine nederzetting of misschien een groepje nomadische herders,' speculeerde Pitt.

'In ieder geval zo groot dat er wel iemand een koffiepot zal hebben,' reageerde Giordino, die in zijn handen wreef om warm te blijven.

'Ik zou liever thee nemen, als ik jou was.'

'Ik drink alles wat warm is.'

Pitt keek op zijn horloge en zag dat het bijna drie uur was. 'Als we nu doorgaan, zijn we tegen zonsopgang beneden.'

'Mooi op tijd voor het ontbijt.'

Daarop begonnen ze aan de afdaling naar het donkere kamp. Voorzichtig daalden ze in het steile ravijn af, waarna ze hun weg over de met stenen bezaaide heuvelhellingen vervolgden. Opgepept door de overtuiging dat ze het ergste deel van de tocht achter zich hadden, liepen ze met hernieuwde kracht stevig door. Er was ongetwijfeld voedsel en water in het dorp daarbeneden dat nu als zodanig herkenbaar was.

Nog diverse keren werden ze opgehouden door steile rotswanden die te steil waren om te beklimmen en waar ze dus omheen moesten. In de ruige rotsformaties vonden ze lagere gedeeltes van zandsteen waar ze overheen en langs konden klimmen. Nadat ze om zo'n stompe top waren gelopen, bleven ze aan de rand van een klein plateau staan. Onder hen zagen ze op nog geen anderhalve kilometer afstand het in diepe schaduwen gehulde kamp liggen.

Aan de oostelijke horizon gloorde het eerste daglicht, maar het schijnsel was nog te zwak om goed te kunnen zien. De grove contouren van het kamp waren duidelijk zichtbaar, donkere, grijze vormen die tegen de lichter gekleurde woestijnbodem afstaken. Pitt telde tweeëntwintig tenten van het type dat de Mongoliërs *gers* noemen. Vanuit de verte leken ze groter te zijn dan de tenten die ze in Ulaanbaatar en elders op het land hadden gezien. Merkwaardig genoeg was er helemaal geen licht te zien, nergens een lamp of een vuur. Het was pikkedonker in het kamp.

Verspreid rond het kamp zagen Pitt en Giordino de donkere contouren van dieren, die onmiskenbaar de bijbehorende kudde vormden. Ze waren te ver weg om te kunnen zien of het paarden of kamelen waren. Een deel van de dieren werd in een omheinde kraal in de buurt van de *gers* gehouden, terwijl andere vrij rondliepen.

'Jij vroeg toch om een paard?' zei Giordino.

'Hopelijk zijn het geen kamelen.'

Vlot overbrugden de twee het laatste stuk dat hen nog van het kamp scheidde. Toen ze tot op honderd meter genaderd waren, verstijfde Pitt opeens. Giordino zag dat en bleef ook onmiddellijk staan. Ingespannen keek en luisterde hij of hij iets verdachts waarnam, maar hij zag of hoorde niets bijzonders. Het was een doodstille ochtend. Er waren geen andere geluiden dan af en toe het ruisen van een windvlaag en in het kamp was geen beweging te zien.

'Wat is er?' vroeg hij ten slotte fluisterend aan Pitt.

'De kudde,' antwoordde Pitt zachtjes. 'De dieren bewegen niet.'

Giordino tuurde naar de dieren die in de duisternis verspreid stonden, maar ontdekte geen enkele beweging. Niet al te ver weg zag hij een drietal donzige, bruine kamelen met opgeheven hoofden bij elkaar staan. Hij keek er minstens een minuut lang naar, maar ze bewogen nog geen spier.

'Zouden ze slapen?' vroeg hij zich hardop af.

'Nee,' antwoordde Pitt. 'Ze verspreiden ook helemaal geen geuren.'

Pitt was in zijn leven vaak genoeg op boerderijen geweest om te weten dat het op plaatsen waar vee gehouden wordt altijd naar mest stinkt. Hij deed een paar passen naar voren en sloop behoedzaam door tot hij vlak naast de drie dieren stond. De beesten toonden geen enkele angst en bleven zelfs toen Pitt een van hen over de donzige huid aaide, doodstil staan. Giordino keek geschrokken toe hoe Pitt vervolgens een van de dieren bij de hals greep en omver duwde. De kameel verzette zich absoluut niet en tuimelde stijf op zijn zij. Giordino rende er naartoe en bekeek het dier, dat roerloos met stijve poten omhoog bleef liggen. Alleen waren het geen poten, maar vijf bij tien centimeter dikke balken.

De omgevallen kameel was, net als de rest van de kudde, van hout.

28

'**V**erdwenen? Wat bedoel je met ze zijn verdwenen?' Met het toenemen van Borjins woede zwol er een wormvormige ader in zijn hals steeds verder op. 'Uw mannen zijn hen tot in de woestijn gevolgd!'

Hoewel hij fysiek gezien ver boven Borjin uittorende, trok het hoofd van de beveiliging onder Borjins tirade als een timide muurbloempje lijkbleek weg.

'Hun sporen liepen gewoon dood in het zand. Er was geen enkele aanwijzing dat ze door een ander voertuig zijn opgepikt. Ze waren daar op vijftig kilometer afstand van het dichtstbijzijnde dorp, dat in oostelijke richting lag, terwijl zij naar het zuiden reden. De kans dat ze het daar in de Gobi overleven is gelijk aan nul,' verklaarde Batbold.

In de hoek van de werkkamer stond Tatjana bij de bar, waar ze meeluisterend een stel wodka-martini's mixte. Nadat ze een glas aan haar broer had gegeven, nam ze een slok van haar eigen cocktail en vroeg: 'Waren het spionnen voor de Chinezen?'

'Nee,' antwoordde Batbold. 'Dat denk ik niet. Ze hebben waarschijnlijk met smeergeld een plaats in het escorte van de Mongoolse nationale politie gekocht. De Chinese delegatie heeft bij hun vertrek de afwezigheid in de stoet kennelijk niet eens opgemerkt. En het is opmerkelijk dat hun uiterlijk overeenkomt met de beschrijving van de twee mannen die twee nachten geleden ons opslagterrein in Ulaanbaatar zijn binnengedrongen.'

'Chinezen zouden het niet zo onhandig hebben aangepakt,' concludeerde Borjin.

'Het waren ook geen Chinezen. Dat heb ik zelf gezien. Ze zagen er Russisch uit. Hoewel dr. Gantumur in het laboratorium beweert dat ze tegen hem Engels spraken met een Amerikaans accent.'

Tatjana verslikte zich in haar drankje, zette het glas neer en schraapte kuchend haar keel.

'Amerikanen,' stamelde ze. 'Hoe zagen ze eruit?'

'Voor zover ik het vanachter het raam heb kunnen zien, was de ene lang en slank met zwarte haren en de andere klein en fors met donker krullend haar,' zei Borjin.

Batbold knikte. 'Ja, dat is een adequate beschrijving,' mompelde hij zonder te vermelden hoe dicht hij bij de mannen was geweest toen hij flink door de spade werd geraakt.

'Het klinkt alsof dit die mannen van de NUMA zijn,' zei Tatjana tussen twee hikken door. 'Dirk Pitt en Al Giordino. Zij hebben ons op het Bajkalmeer van de vissersboot gered. Dezelfde mannen ook die aan boord van de *Primorski* kwamen en de Russische wetenschapper hebben weggekaapt voordat wij naar Siberië vertrokken.'

'Hoe hebben ze je hier kunnen vinden?' vroeg Borjin streng.

'Dat weet ik niet. Misschien via de verhuurder van de *Primorski*.'

'Ze steken hun neus in zaken die ze niets aangaan. Waar zijn ze hier op het terrein overal geweest?' vroeg hij zich tot Batbold wendend.

'Ze zijn met een lekke band de garage ingereden en daarna de onderzoeksafdeling binnengedrongen. Dr. Gantumur heeft direct de bewakingsdienst gebeld, dus ze zijn daar maar een paar minuten binnen geweest. Op de een of andere manier hebben ze de bewakers afgeschud en waren ze waarschijnlijk op zoek naar een mogelijkheid om het woonhuis in te komen, toen u ze het heiligdom in zag gaan.'

Borjins gezicht liep rood aan van woede en de ader in zijn nek zwol tot ongekende dikte aan.

'Ze zijn op zoek naar de mensen van de oliemaatschappij, dat weet ik zeker,' zei Tatjana. 'Ze weten niets van ons werk. Daar hoef je je geen zorgen over te maken, broertje.'

'Je had die mensen hier ook nooit naar toe moeten brengen,' siste hij.

'Dat is jouw schuld,' beet Tatjana terug. 'Als jij die Duitsers niet had vermoord voordat ze de gegevens van het veldwerk volledig hadden uitgewerkt, hadden we nu verder geen hulp meer nodig gehad.'

Borjin staarde zijn zus aan en weigerde toe te geven dat ze gelijk had. 'Dan moeten we ons nu ook van die oliemensen ontdoen. Zorg dat ze hun analyse zo snel mogelijk afronden. Voor het einde van de week zijn ze uit de weg geruimd, dat eis ik,' zei hij met van woede fel oplichtende ogen.

'Maak je geen zorgen. De Amerikanen weten absoluut niet waar we mee bezig zijn. En bovendien, een ten dode opgeschreven roepende in de woestijn wordt door niemand gehoord.'

'Misschien heb je gelijk,' reageerde hij alweer iets rustiger. 'Die zeelieden zijn voorlopig een heel eind van water verwijderd. Maar stuur de monnik daar nu ogenblikkelijk naartoe,' vervolgde hij tegen Batbold, 'zodat we daar zeker van kunnen zijn.'

'Heel verstandig, broertje.'

'Op een zanderig zeemansgraf in de woestijn,' zei hij peinzend, terwijl hij zijn glas oppakte en van de martini nipte.

Tatjana sloeg de rest van haar drank achterover, maar vroeg zich stilletjes af of die Amerikanen inderdaad zoals voorspeld de woestijn niet zouden overleven. Die kerels waren keiharde doorzetters, dat had ze onderhand wel begrepen. Die gaven zich niet zo snel gewonnen.

Het leek alsof ze zich in het decor van een Hollywoodwestern bevonden, alleen liepen ze hier niet tussen koeien, maar tussen kamelen. Nadat Pitt en Giordino over het hek van de kraal waren geklommen, werkte het feit dat daar een watertrog voor de houten veestapel stond onwillekeurig op hun lachspieren. In de vroege ochtendzon wierpen de dieren van de omvangrijke kudde die strategisch rond het hele dorp stond opgesteld, lange schaduwen over de grond. Pitt stopte met het tellen van de houten kamelen toen hij bij de honderd was gekomen.

'Dit doet me denken aan die vent in Texas met al die half begraven Cadillacs op zijn erf,' zei Giordino.

'Ik geloof niet dat dit hier is neergezet als een vorm van kunst, als je dat bedoelt.'

Ze liepen naar de dichtstbijzijnde *ger*, die meer dan twee keer zo groot was als normaal. De ronde vilten tent had een doorsnede van bijna dertig meter en was minstens drie meter hoog. Pitt vond een wit geverfde toegangsdeur, die zoals bij alle Mongoolse *gers* naar het zuiden was gericht. Terwijl hij hard met zijn knokkels op de deurpost klopte, riep hij vrolijk: 'Hallo.' De dunne deurplaat gaf geen millimeter mee onder zijn kloppen en het geluid klonk met een doffe echo. Pitt legde zijn hand tegen de vilten wand en drukte. Maar in plaats van dat het over vilt gespannen doek meegaf, was de wand stevig en hard.

'Zelfs de grote boze wolf blaast dit ding niet omver,' zei hij.

Hij greep een rand van het doek beet en rukte er een klein stukje van los.

Eronder was een laag vilt, die hij eveneens lostrok, waardoor er een koude, metalen, wit geschilderde wand zichtbaar werd.

'Dit is een opslagtank,' zei Pitt tegen het metaal tikkend.

'Water?'

'Of olie,' reageerde Pitt, die een stapje terugdeed en om zich heen keek naar de andere *gers* van het kamp.

'Als nomadententen mogen ze dan groot uitgevallen zijn, maar voor olietanks zijn ze toch relatief klein,' merkte Giordino op.

'Wedden dat dit nog maar het topje van de ijsberg is. Die dingen zijn misschien wel tot zo'n tien meter diep in de grond begraven en zien we er alleen de bovenkant maar van.'

Giordino schraapte met zijn schoen over de grond en trapte een kleine steen los, die hij opraapte om ermee tegen de tank te kloppen. Er weerklonk een diepe holle echo in de tank.

'Hartstikke leeg.' Hij deed een stap opzij en gooide de steen met een boog naar de aangrenzende tent. De steen plofte tegen de zijkant aan en er klonk eenzelfde holle galm.

'Ook leeg,' zei hij.

'Die pot koffie van jou kunnen we dus wel vergeten,' reageerde Pitt.

'Waarom zet iemand aan het einde van de wereld een stel olietanks neer en vermomt ze als een pseudo-nomadendorp?'

'Misschien zitten we hier vlak bij de Chinese grens,' antwoordde Pitt. 'Misschien is er iemand bang dat de Chinezen zijn olie stelen. Ik vermoed dat ze dit voor nieuwsgierige ogen vanuit de lucht of voor satellietwaarnemingen verborgen willen houden. En van bovenaf ziet dit er behoorlijk authentiek uit.'

'De bronnen zijn wellicht nog niet aangeboord, als al die tanks nog leeg zijn.'

Terwijl ze door het nepkamp wandelden, realiseerden de twee mannen zich dat er nergens voedsel of water was en dat maakte het mysterie op zich voor hen minder urgent. Ze werkten alle neptenten af in de hoop er noodrantsoenen te vinden of iets dat meer was dan een lege olietank. Maar alle *gers* waren gelijk en verhulden grote metalen, gedeeltelijk in de grond begraven tanks. Pas bij de allerlaatste tent gaf de deur mee en gaf toegang tot een pompstation dat tot een diepte van een meter of vijf, zes in de grond was ingegraven. Een heel web van pijpleidingen liep naar de opslagtanks. Het ontsproot aan één enkele, ruim een meter dikke buis die uit de woestijnbodem omhoogstak.

'Een ondergronds netwerk van oliepijpleidingen,' merkte Pitt op.
'Gegraven en gelegd met behulp van een tunnelboor, dat geloof je toch niet?' vroeg Giordino zich af. 'Maar goed, waar hebben we zo'n ding onlangs gezien?'

'Heel goed mogelijk dat onze vrienden van Avarga Oil weer hebben toegeslagen. Misschien heeft dit te maken met de deal die ze met de Chinezen willen sluiten, maar wat de bedoeling nou precies is, blijft gokken.'

De twee mannen zwegen; door de teleurstelling sloeg de vermoeidheid weer extra hard toe. Boven hen wierp de opkomende zon haar eerste brandende stralen op de met stenen en zand bezaaide woestijngrond in en rond het nepdorp. Doodop van alle nachtelijke inspanningen en verzwakt door honger en dorst waren de mannen zo verstandig om een rustpauze in te lassen. Van de lappen vilt die ze van een van de tanks afscheurden maakten ze zo goed en kwaad als het ging een stel matrassen, waarna ze zich in de schaduw van het pompstation te ruste legden. De zelfgemaakte bedden voelden voor hun vermoeide botten aan alsof ze op wolken zweefden en ze vielen dan ook snel in slaap.

De zon zakte als een fluorescerende biljartbal naar de westelijke horizon toen de twee mannen zich ten slotte overeind hesen. De rustpauze had hun nauwelijks nieuwe energie gegeven en door een lome lusteloosheid overmand vertrokken ze uit het dorp. Het lopen kostte hun zichtbaar moeite en ze kwamen slechts met een slakkengangetje vooruit, alsof ze in hun slaap veertig jaar ouder waren geworden. Pitt bepaalde de koers aan de hand van zijn horloge en de stand van de zon en leidde hen weer in westelijke richting, waarbij hij iedere gedachte aan een poging om het spoor van de ondergrondse pijpleiding te volgen van zich afzette. Ze zwoegden in een stilzwijgende eendracht voort, het lichaam bij iedere stap weer vooruit dwingend, terwijl de eerste tekenen van een naderend delirium zich aankondigden.

De wind begon geleidelijk weer aan te trekken en joeg het zand zo af en toe in plotse vlagen in hoge wervelingen op als voorbodes van de stormkracht die komen ging. De noordenwind voerde een kille lucht aan. De mannen hadden hun hoofd en lichaam allebei in lappen van de tenten gescheurd vilt gewikkeld, die nu als een soort poncho om hun lichaam wapperden. Pitt nam een s-vormige heuvelrug in de verte als oriëntatiepunt en concentreerde zich met al zijn krachten op het aanhouden van die koers. Toen het steeds harder begon te waaien, besefte hij dat de Poolster als oriëntatiepunt uit het zicht zou verdwijnen en het laatste wat ze in hun toestand konden hebben, was dat ze in cirkels gingen lopen.

In zijn hoofd begon een vreselijke mantra te malen: 'doorgaan of dood-gaan' dreunde in een eindeloze herhaling door zijn hersenen, een ultieme aansporing om door te blijven lopen. Pitt voelde achter in zijn uitgedroog-de keel een zwelling opkomen, terwijl hij uit alle macht het zich steeds weer opdringende dorstgevoel van zich af probeerde te schudden. Hij keek opzij naar Giordino, die met een doffe blik in de ogen voortsjokte. Bij bei-den waren alle energie en uitgeputte geestelijke vermogens puur op het doen van de ene stap na de andere gericht.

Pitt verloor het gevoel van tijd en ook bijna het bewustzijn. Hij strom-pelde door tot zijn ogen opeens opensprongen en hij zich afvroeg of hij soms al lopende in slaap was gevallen. Hij had geen idee hoe lang hij was weggedommeld, maar Giordino was er in ieder geval nog, zwijgend naast hem voortsjokkend. Zijn gedachten dwaalden af naar zijn vrouw, Loren, die in het verre Washington haar werk als Congreslid deed. Hoewel ze al jarenlang een relatie hadden, waren ze pas onlangs getrouwd, waarbij Pitt ervan uit was gegaan dat zijn leven als globetrotter wel zo'n beetje achter zich lag. Maar zij had steeds geweten dat zijn reislust in zijn bloed veran-kerd lag, ook al dacht hij dan zelf van niet. Binnen enkele maanden na zijn bevordering tot hoofd van de NUMA begon het leiden van de organisatie vanuit het hoofdkwartier in Washington hem te vervelen en werd hij steeds rustelozer. Het was Loren geweest die er bij hem op had aangedrongen weer veldwerk te gaan doen, omdat ze wist dat hij het gelukkigst was als hij weer met zijn eerste liefde, de zee, aan de slag kon. Een tijdje van el-kaar gescheiden zou hun liefde alleen maar sterker maken, had ze gezegd, maar hij betwijfelde of ze dat meende. En omdat hij haar carrière in het Congres niet in de weg wilde staan, had hij ten slotte haar raad opgevolgd. Nu vroeg hij zich af of dat besluit haar nu uiteindelijk tot weduwe zou maken.

Een uur later, maar misschien ook twee, besloot de wind de zaken nu echt goed aan te pakken en teisterde hen met snoeiharde vlagen vanuit het noordwesten. De sterren gingen verloren in het waas van opstuivend zand, dat zo hun enige lichtbron verduisterde. Nu het wervelende zand als een katoenen deken over hen heen daalde, verdween ook Pitts oriëntatiepunt aan de horizon uit het zicht. Maar uiteindelijk deed het er niet meer toe, want Pitt staarde overmand door een doffe vermoeidheid alleen nog naar zijn voeten.

Ze bewogen als zombies, uiterlijk levenloos maar niet bereid het lopen op te geven. Giordino liep als op een automatische piloot naast Pitt, alsof ze met een onzichtbaar tuig aan elkaar vastzaten. De wind bleef aanwakkeren. Het jagende zand sloeg hen bijtend in het gezicht en maakte het haast onmogelijk de ogen open te houden. Toch sjokten ze voort, ook al dwaalden ze af van hun westelijke koers. De uitgeputte mannen vervolgden hun weg zigzaggend naar het zuiden, onbewust op zoek naar dekking tegen de snijdende wind.

Zo strompelden ze voort in een tijdloze roes tot Pitt merkte dat Giordino over stenen struikelde en naast hem tegen de grond smakte. Pitt bleef staan en stak zijn hand uit om zijn vriend bij het opstaan te helpen. Er kwam een stevige knuist omhoog die de hand van Pitt greep, maar vervolgens een harde ruk in tegengestelde richting gaf. Pitt duikelde languit over Giordino heen en kwam in een zacht bed van zand terecht. Terwijl hij daar versuft bleef liggen, voelde hij dat het jagende zand niet meer in zijn lijf prikte. Zonder dat ze dat in de duisternis hadden gezien, was Giordino over een stel keien gestruikeld waarachter zich een tegen de gierende wind beschutte holte bevond. Pitt tastte om zich heen en raakte met zijn ene hand een stenen wand, terwijl hij met de andere voelde hoe Giordino dichter tegen hem aan kroop en in elkaar zakte. Met een allerlaatste krachtsinspanning wikkelde Pitt een van de lappen vilt van zijn lijf en sloeg die om hen beiden heen. Daarna strekte hij zich in het zachte zand uit en sloot zijn ogen.

Te midden van de gierende zandstorm verloren ze allebei het bewustzijn.

29

Giordino droomde. Hij droomde dat hij in een stille vijver in de tropen dreef. Het warme vocht was ongewoon dik, als stroop, waardoor al zijn bewegingen traag en moeizaam gingen. Plotseling sloeg het water als een reeks warme golfjes in zijn gezicht. Hij rukte zijn hoofd opzij in een poging het water te ontwijken, maar het warme vocht vloeide met de draaibeweging mee. Vervolgens werd er iets in zijn droom wel heel erg scherp. Het was een geur en een wel heel onaangename. Zo penetrant kon een geur in een droom nauwelijks zijn en de stank werd zo hevig dat hij er wakker van werd. Moeizaam trok hij een ooglid op.

De zon scheen, het felle licht stak in zijn oog, maar door zijn tot spleetjes toegeknepen ogen kon hij wel zien dat er geen helder blauw water om zijn lichaam golfde. In plaats daarvan sloeg er een enorme roze zwabber met een warme pets tegen zijn wang. Terwijl hij zijn hoofd wegrukte, zag hij de roze zwabber wegzwaaien achter een staketsel van grote gele tanden in een bek die wel een kilometer lang leek. Het dier blies een ademstoot uit die Giordino's gezicht in een naar uien, knoflook en overrijpe camembert stinkende wolk hulde.

Met nu wijd opengesperde ogen en de dufheid van zich afschuddend staarde hij langs de buitensporige bek in twee chocoladebruine ogen die achter lange harige oogleden schuilgingen. De kameel keek nieuwsgierig op Giordino neer en slaakte een blafje, waarna het dier achteruit stapte om aan een stuk vilt te knabbelen dat uit het zand opstak.

Giordino duwde zich overeind in zithouding en besefte dat het stroperige water in feite door de zon opgewarmd zand was. Door de zandstorm had zich die nacht in de kleine holte een zandwal van zeker dertig centimeter hoog gevormd. Nadat hij met enige moeite zijn armen uit het zandmoeras had bevrijd, gaf hij het lichaam dat naast hem eveneens onder vilt en zand bedolven lag, een duwtje en veegde wat van het bruine, stenige stof weg. Het vilt ritselde even en werd toen weggeslagen. Erachter dook het getekende en hologige gezicht van Pitt op. Zijn gezicht was door de zon verbrand, zijn lippen gezwollen en gebarsten. Maar de diepliggende groene ogen glinsterden van voldoening dat hij zijn vriend in leven zag.

'Een nieuwe dag in het paradijs,' perste hij met moeite uit zijn droge keel, terwijl hij om zich heen keek. De zandstorm van die nacht was uitgeraasd en nu lagen ze onder een staalblauwe hemel in de felle zon.

Ze drukten zich moeizaam op, waarbij het zand in straaltjes van hun lichaam gleed. Giordino schoof een hand in zijn jaszak en knikte tevreden toen hij voelde dat het hoefijzer er nog was.

'We hebben gezelschap,' zei hij zwaar ademend met een stem die klonk als een over schuurpapier raspende staalborstel.

Pitt hees zich zwakjes nog iets verder onder de deken van zand vandaan en bekeek het lastdier dat op een paar meter voor hem stond. Het was een huiskameel, zo leidde hij af uit het feit dat het dier twee bulten had die ietwat naar één kant opzij hingen. Het doffe vel van het dier was mokkabruin dat rond de flanken iets donkerder was. De kameel keek Pitt nog een paar seconden aan en nam daarna het knabbelen aan de deken weer op.

'Het schip van de woestijn,' zei Pitt.

'Lijkt me meer een sleepboot. Eten we hem op of laten we ons dragen?'

Pitt dacht erover na of ze daar überhaupt de kracht nog voor hadden, toen er opeens een schril fluitje vanachter een zandduin klonk. Boven de kam verscheen een jongetje op een vaalgele appelschimmel. Hij droeg een groene *del* en zijn korte zwarte haren gingen schuil onder een verbleekt honkbalpetje. De jongen reed naar de kameel en riep het dier bij zijn naam. Toen de kameel zijn hoofd ophief, wierp de jongen vlug een aan een stok gebonden lasso om de hals van het dier, waarna hij het touw straktrok. Pas daarna keek hij omlaag en zag Pitt en Giordino op de grond liggen. Met grote ogen van schrik staarde de jongen naar de twee afgepeigerde mannen die daar als uitgemergelde spoken in het zand lagen.

'Hallo.' Pitt keek de jongen vriendelijk glimlachend aan. Wankelend probeerde hij op te staan en schudde het zand van zijn kleren. 'Wil je ons helpen?'

'U... spreken Engels,' stamelde de jongen.

'Ja. Versta je me?'

'Ik Engels geleerd in klooster,' antwoordde hij trots, iedere lettergreep zorgvuldig articulerend.

'We zijn verdwaald,' zei Giordino schor. 'Heb je wat eten of drinken voor ons?'

De jongen liet zich van zijn houten zadel zakken en haalde een geitenleren zak gevuld met water tevoorschijn. Om beurten vielen Pitt en Giordino op het water aan, al namen ze eerst wat kleine slokjes voordat ze zich aan grotere slokken waagden. Terwijl zij dronken, diepte de jongen een sjaal uit zijn zak op, die om een brok in de zon gedroogde wrongel was gewikkeld. Nadat hij de homp in kleine stukjes had gesneden, bood hij ze de mannen aan, die de taaie gestremde melksubstantie dankbaar aannamen en met het laatste restje water naar binnen spoelden.

'Ik heet Noyon,' zei de jongen. 'En u?'

'Ik ben Dirk en dit is Al. We zijn heel blij dat we je tegenkomen, Noyon.'

'U bent dwaas, Dirk en Al, dat u zonder water en rijdier in de Gobi bent,' zei hij ernstig. Op zijn jeugdige gezicht brak een glimlach door en hij vervolgde: 'U komt met mij mee naar mijn huis, waar u bij mijn familie welkom bent. Het is nog geen kilometer van hier. Een korte rit voor u.'

De jongen haalde het kleine houten zadel van zijn paard en spoorde Pitt en Giordino aan op de paardenrug plaats te nemen. De Mongoolse pony was niet zo groot en Pitt hees zich er zonder al te veel moeite op, waarna hij Giordino bij het opstijgen hielp. Noyon pakte de teugels en leidde hen met de aangelijnde kameel achter hen aan sjokkend in noordelijke richting door de woestijn.

Nadat ze maar een kort stukje hadden afgelegd, leidde Noyon hen om een brede wal van zandsteen heen. Aan de andere kant stond op een schraal begroeide weide een grote kudde kamelen aan de stugge bosjes helmgras te knabbelen die her en der uit de stenige grond opsproten. In het midden van het veld stond een eenzame *ger* van vuilwit zeildoek. De naar het zuiden gerichte, verweerde voordeur was ooit oranje geverfd. Twee door een stuk touw met elkaar verbonden palen fungeerden als een soort kraal. Aan het touw stond een aantal stevige, bruine paarden aangelijnd. Een robuuste gladgeschoren man met priemende donkere ogen was een van de paarden aan het zadelen toen de kleine karavaan op hem afkwam.

'Vader, ik heb deze in de woestijn verdwaalde mannen gevonden,' zei de jongen in zijn moedertaal. 'Ze komen uit Amerika.'

De man wierp een korte blik op de uitgeteerde gestaltes van Pitt en Giordino en begreep dat ze met Erleg Khan, de Mongoolse heerser van de onderwereld, hadden geflirt. Hij hielp hen snel van het paard en schudde de slappe hand die de beide afgematte mannen hem ter begroeting toestaken. 'Stal het paard,' commandeerde hij zijn zoon, waarna hij de twee mannen naar zijn huis leidde.

Nadat ze gebukt de *ger* waren binnengegaan, verbaasden Pitt en Giordino zich over de warme uitstraling van het interieur, dat sterk contrasteerde met de sjofele buitenkant van de tent. Bontgekleurde tapijten bedekten iedere centimeter van de zandgrond en gingen vloeiend over in de met bloemmotieven versierde wandkleden waarmee het houten raamwerk van de tent was bespannen. De kasten en tafels waren in vrolijke rode, oranje en blauwe tinten geschilderd en de balken die het plafond droegen waren citroengeel.

De *ger* was op de traditionele wijze ingericht waaruit zo duidelijk de belangrijke rol blijkt die het geloof in het dagelijkse nomadenleven speelt. Links van de ingang stonden een rek en een kast voor het zadel en andere bezittingen van de man. Het rechterdeel van de *ger* was de 'vrouwen'kant met al het kookgerei. In het midden stonden een haard en een fornuis, van waaruit een ijzeren schoorsteenpijp door een gat in het plafond naar buiten stak. Langs de zijwanden stonden drie lage bedden en de gehele achterwand was voor het familiealtaar gereserveerd.

Noyons vader leidde Pitt en Giordino door de linkerkant van de tent naar een paar bankjes bij de haard. Een tengere vrouw met lang zwart haar en een montere oogopslag die met een gedeukte theepot in de weer was, keek de mannen glimlachend aan. Zodra ze zag hoe erg ze eraan toe waren, bracht ze hun warme doeken waarmee ze hun gezicht en handen konden wassen. Daarna liet ze een paar stukken schapenvlees in een pan met kokend water glijden. Toen ze het bloederige verband om Pitts been zag, verschoonde ze de wond, terwijl de mannen de ene kop waterige thee na de andere naar binnen werkten. Toen het schapenvlees gaar was, serveerde ze beide mannen vol trots een gigantische portie, plus een schaal met gedroogde kaasjes. Voor de uitgehongerde mannen smaakte deze voor hen ongebruikelijke maaltijd als Franse haute cuisine. Nadat ze het schapenvlees en de kaas tot op de laatste kruimel hadden verorberd, kwam de man met een leren zak gevuld met *airag*, een drank van gegiste merriemelk, en schonk drie bekers in.

Noyon kwam de tent binnen en ging achter de mannen zitten, zodat hij kon tolken voor zijn ouders, die geen Engels spraken. Zijn vader sprak traag met een lage stem, waarbij hij Pitt en Giordino recht in de ogen keek.

'Mijn vader, Tsengel, en mijn moeder, Ariunaa, heetten u hartelijk welkom in hun huis,' zei de jongen.

'We danken u zeer voor uw gastvrijheid. U hebt ons zeker het leven gered,' zei Pitt, waarna hij toostend voorzichtig een slokje van de *airag* nam. Hij concludeerde dat de drank naar warm bier vermengd met karnemelk smaakte.

'Vertel me wat u zonder eten en drinken in de Gobi deed,' vertaalde de jongen voor zijn vader.

'Tijdens een korte tocht door de woestijn zijn we van ons reisgezelschap afgedwaald,' verzon Giordino. 'We hebben geprobeerd onze sporen terug te volgen, maar zijn toen in de zandstorm van gisternacht verdwaald.'

'U hebt geluk gehad dat mijn zoon u gevonden heeft. Er zijn maar een paar nederzettingen in dit deel van de woestijn.'

'Hoe ver zijn we van het dichtstbijzijnde dorp?' vroeg Pitt.

'Ongeveer twintig kilometer hiervandaan is een kleine nederzetting. Maar nu geen vragen meer,' zei Tsengel, die de vermoeide blik in de ogen van de mannen zag. 'Na het eten moet u rusten. Later praten we verder.'

Noyon bracht de mannen naar twee van de smalle bedden, waarna hij zijn vader naar buiten volgde om zich weer aan de verzorging van de kudde te wijden. Pitt lag op zijn rug op het zachte bed en bewonderde de felgele steunbalken die langs het plafond liepen, voordat hij in een diepe slaap verzonk.

Hij en Giordino werden voor het invallen van de avondschemering gewekt door de scherpe geur van boven het haardvuur kokend schapenvlees. Om hun benen te strekken maakten ze een wandelingetje rond de *ger* tussen de kudde makke kamelen door die daar vrij rondliepen. Even later kwamen Tsengel en Noyon aangegaloppeerd, die de middag hadden doorgebracht met het bijeenbrengen van afgedwaalde dieren.

'U ziet er een stuk fitter uit nu,' zei Tsengel via zijn zoon.

'Ik voel me ook veel fitter,' reageerde Pitt. Door het eten, drinken en uitrusten waren de mannen weer aardig op krachten gekomen en ze voelden zich opmerkelijk goed hersteld.

'Dat is het eten van mijn vrouw. Dat doet wonderen,' zei de man grinnikend. Nadat ze hun paarden aan de paardenlijn hadden vastgebonden en zich bij een emmer met schuimend water hadden gewassen, liep hij met hen terug naar de *ger*. Daar wachtte hen opnieuw een maaltijd van schapenvlees en gedroogde kaas met daarbij nog gekookte noedels. Nu aten Pitt en Giordino de maaltijd met heel wat minder smaak. De *airag* was al van tevoren klaargemaakt en werd nu veel royaler geschonken in aardewerken kommetjes die om de haverklap werden bijgevuld.

'U hebt een imposante kudde,' merkte Giordino op als compliment voor de gastheer. 'Hoeveel stuks?'

'We hebben honderddertig kamelen en vijf paarden,' antwoordde Tsengel. 'Een redelijke kudde, maar het is nog maar een kwart van wat we vroeger aan de andere kant van de grens bezaten.'

'In Chinees Binnen-Mongolië?'

'Ja, het zogenaamde autonome gebied, dat in wezen niets meer is dan een ordinaire Chinese provincie.' Tsengel tuurde met van woede glinsterende ogen in het vuur.

'Waarom bent u daar weggegaan?'

Tsengel knikte naar een vergeelde zwart-witfoto op het altaar, waarop een jongen op een paard en een oudere man die de teugels vasthield te zien waren. De indringende ogen van de jongen verraadden dat dit een jeugdige Tsengel was naast zijn eigen vader.

'Minstens vijf generaties van mijn voorouders hebben kuddes gehoed op de oostelijke velden van de Gobi. Mijn vader had op een gegeven moment een kudde van ruim tweeduizend kamelen. Maar dat zijn lang vervlogen tijden. In die streken is voor een eenvoudige herder geen plaats meer. De Chinese bureaucraten blijven het land zonder oog voor het natuurlijk evenwicht hun wil opleggen. Steeds weer werden we van onze voorouderlijke graslanden verjaagd en verplicht onze kuddes naar de onvruchtbaarste delen van de woestijn te drijven. Ondertussen hebben ze overal waar ze maar konden het water weggezogen voor de nobele zaak van de industrialisering van het land. Met als gevolg dat al het grasland voor hun ogen is verdord. De woestijn groeit dagelijks, maar het is een dode woestijn. De dwazen willen het gewoon niet zien tot het zand een keer tot aan hun hoofdstad Beijing staat. Maar dan is het te laat. Voor het welzijn van mijn gezin had ik geen andere keuze dan de grens over te gaan. Er groeit minder gras, maar de herder wordt er tenminste wel gerespecteerd,' zei hij trots.

Pitt nam nog een slok van de bittere *airag*, terwijl hij de oude foto aandachtig bekeek.

'Iemand zijn levensonderhoud afpakken is altijd crimineel,' zei hij.

Zijn blik dwaalde af naar een ingelijste tekening die verder naar achteren op het altaar stond. Het was het in een ouderwetse stijl getekende portret van een dikke, turende man met een vlassige sik.

'Tsengel, wie is dat, daar op het altaar?'

'De Yuan-keizer Kublai. De machtigste heerser van de wereld en daarbij een weldadige vriend van het volk,' antwoordde Tsengel alsof de keizer nog leefde.

'Kublai Khan?' vroeg Giordino.

Tsengel knikte. 'De tijden waren heel wat beter toen de Mongoliërs over China heersten,' vulde hij weemoedig aan.

'De tijden zijn nogal veranderd, ben ik bang,' zei Pitt.

De *airag* begon bij Tsengel, die al diverse kommetjes met het sterke spul achterover had geslagen, zijn tol te eisen. Hij keek steeds glaziger uit zijn ogen en werd emotioneler naarmate er meer van de gegiste merriemelk door zijn keelgat gleed. Omdat hij vreesde dat dit geopolitieke gespreksonderwerp voor de man iets te gevoelig lag, probeerde Pitt op een ander onderwerp over te stappen.

'Tsengel, voordat de zandstorm opstak hebben we in de woestijn iets heel merkwaardigs gevonden. Een soort kunstdorp met allemaal houten kamelen eromheen. Weet u wat ik bedoel?'

Tsengel schoot in een schorre, bulderende lach.

'O ja, de rijkste herders in de Gobi. Alleen produceren zijn merries geen druppel melk,' zei hij lachend, waarna hij nog een fikse slok *airag* nam.

'Van wie is dat dan?'

'Op een gegeven moment dook daar een grote groep mensen met allerlei spullen, buizen en graafmachines op. Ze hebben tunnels onder de grond gegraven die echt kilometers lang zijn. Ik heb een fooitje gekregen om hun ploegbaas de dichtstbijzijnde bron te wijzen. Hij vertelde dat ze voor een oliemaatschappij uit Ulaanbaatar werkten, maar we moesten plechtig beloven daar niemand iets over te vertellen. Een aantal mensen van hun ploeg die iets te loslippig waren geweest, waren plotseling verdwenen en daar waren de andere arbeiders behoorlijk van geschrokken. Ze hebben pijlsnel die houten kamelen en als *gers* vermomde tanks daar neergezet en zijn 'm toen in allerijl gesmeerd. Die tanks zijn leeg en vangen alleen maar door de wind opgejaagd zand. Dat is nu alweer maanden geleden en ik heb daar sindsdien niemand meer gezien. Net als bij de andere.'

'Andere?' vroeg Pitt.

'Er zijn nog drie van die kampen met metalen *gers* hier in de omgeving langs de grens. Ze zijn allemaal hetzelfde. Behalve de houten kamelen is er verder niks.'

'Zijn er werkende oliebronnen in de buurt of wordt hier naar olie geboord?' vroeg Pitt.

Tsengel dacht een ogenblik na en schudde zijn hoofd. 'Nee. Jaren geleden heb ik in China wel oliebronnen gezien, maar in deze streken niet.'

'Hebt u enig idee waarom ze die opslagtanks camoufleren en er houten dieren omheen zetten?'

'Nee. Er wordt wel gezegd dat die metalen *gers* door een rijke herder zijn gebouwd om er regenwater in op te vangen zodat er met dat water weer weilanden kunnen terugkomen. Een sjamaan beweert dat de houten dieren een soort eerbetoon zijn ter compensatie voor de ontheiliging van de grond door al dat graafwerk. Weer anderen zeggen dat het puur het werk van een stam waanzinnigen is. Maar ze hebben 't allemaal mis. Het is gewoon het werk van de lieden die het in dit land voor het zeggen hebben en de rijkdommen van de woestijn willen exploiteren. En waarom ze hun bezigheden camoufleren? Om een slecht geweten te verhullen, wat anders?'

De *airag* had Tsengel nu bijna gevloerd. Hij slurpte zijn kom leeg, stond wankelend op en zei zijn gasten en gezin welterusten. Nadat hij naar een van de bedden was gewaggeld, plofte hij boven op de dekens en lag het volgende moment luid te snurken. Pitt en Giordino hielpen zijn vrouw en Noyon met het opruimen van de restanten van de maaltijd, waarna ze naar buiten de frisse lucht inliepen.

'Dit klopt van geen kant,' zei Giordino omhoog naar de nachtelijke hemel starend. 'Waarom verstopt iemand lege olietanks midden in de woestijn?'

'Waarschijnlijk zit er iets achter dat belangrijker is dan die verborgen olietanks op zich.'

'Wat zou dat dan zijn?'

'Misschien,' antwoordde Pitt met de punt van zijn schoen in het zand prikkend, 'de herkomst van de olie.'

285

30

Ondanks het luide snurken van Tsengel sliepen Pitt en Giordino uitstekend in de *ger,* waar Noyon zijn bed had afgestaan en zelf op kussens op de grond sliep. Bij zonsopgang ontwaakten ze allemaal en aten een gezamenlijk ontbijt van thee en noedels. Tsengel had voor Pitt en Giordino geregeld dat Noyon hen naar het dichtstbijzijnde dorp zou brengen, waar de locale jeugd drie dagen per week in een klooster naar school ging. Pitt en Giordino zouden met Noyon meerijden naar het klooster, waar op ongeregelde tijden een vrachtwagen met voorraden uit Ulaanbaatar langskwam.

Terwijl hij haar wat stoffige bankbiljetten in haar hand duwde, bedankte Pitt Ariunaa voor het eten en haar zorg en nam vervolgens afscheid van Tsengel.

'Uw gulle gastvrijheid is onbetaalbaar.'

'De deur van de *ger* van een herder staat altijd open. Heb een goede reis en ik hoop dat u bij gelegenheid met goede herinneringen zult terugdenken aan uw vrienden in de Gobi.'

De mannen schudden elkaar de hand, waarna Tsengel weggaloppeerde om zijn kudde te hoeden. Pitt, Giordino en Noyon bestegen drie van de stevige paarden en draafden weg naar het noorden.

'Je vader is een goede man,' zei Pitt toen hij het opdwarrelende zand van Tsengels spoor achter de horizon zag verdwijnen.

'Ja, maar het doet hem verdriet dat hij niet in zijn geboorteland kan leven. Het gaat ons niet slecht hier, maar ik weet dat zijn hart in Hulunbuir ligt, het land ten zuidoosten van hier.'

'Als je hier je kostje kunt verdienen, denk ik dat je dat overal wel kunt,' zei Giordino, terwijl hij een veelbetekenende blik op het barre landschap om hen heen wierp.

'Het is een harde strijd, maar als ik ouder ben, zal ik mijn vader helpen. Ik ga naar de universiteit van Ulaanbaatar en word dokter. Dan kan ik zoveel kamelen voor hem kopen als hij maar wil.'

Ze doorkruisten een stenige vlakte, waarna ze een veel ruiger terrein vol steile duinen van zandsteen inreden. De paarden zochten hun weg zonder dat ze geleid hoefden te worden en volgden een route zoals de muildieren in de Grand Canyon iedere stap langs de rivier de Colorado kennen. Al vrij snel kregen Pitt en Giordino last van hun ongemakkelijk schurende heupen. De paarden waren met traditionele Mongoolse zadels opgetuigd, die van hout zijn gemaakt. Net als de meeste kinderen die in de Mongoolse steppe opgroeien had Nyon al paard leren rijden voordat hij goed en wel kon lopen en was gewend aan het harde, bescheiden zitcomfort. Voor buitenstaanders als Pitt en Giordino was het alsof ze op een parkbankje over een eindeloze rij verkeersdrempels reden.

'Weet je zeker dat hier niet ergens een bushalte of een vliegveld is?' vroeg Giordino met een pijnlijke trek op zijn gezicht.

Noyon dacht serieus over de vraag na.

'Een bus niet, afgezien van die in het dorp. Maar een vliegtuig wel. Hier vlak in de buurt. Zal ik u er heen brengen?'

Nog voordat Giordino kon reageren, gaf Noyon zijn paard de sporen en galoppeerde weg naar een heuvelkam in het oosten.

'Een omweg, dat kan er ook nog wel bij,' zei Pitt. 'Een gescheurde milt meer of minder maakt nu ook niet meer uit.'

'Wie zegt dat er achter die heuvel niet een LearJet op ons staat te wachten?' pareerde Giordino.

Ze draaiden de richting van Noyons zandspoor op en gaven hun paarden de sporen die gretig achter het voorste paard aanrenden. Ze galoppeerden naar de voet van de heuvel, waar ze vervolgens aan de noordkant omheen reden. De paardenhoeven klepperden luid op de harde grond toen ze een platte zandstenen vlakte overstaken. Nadat ze tussen een aantal rotsformaties door waren gezigzagd, haalden ze eindelijk Noyon in, die in de schaduw van een hoge rotswand stond te wachten. Tot Giordino's ergernis was er in geen velden of wegen een vliegveld of toestel of ander teken van een mogelijkheid tot luchttransport te bekennen. Een vlakke stenige woestijn met hier en daar wat hoger oprijzende rotsformaties, meer was het niet. In één opzicht was de jongen in ieder geval wel eerlijk geweest, dacht Giordino. Ze waren maar een klein stukje van hun oorspronkelijke weg afgeweken.

287

Pitt en Giordino hielden hun paarden in toen ze Noyon naderden. De jongen keek hen glimlachend aan en gebaarde met zijn hoofd naar de achterkant van de rotswand waar hij voor stond.

Pitt staarde naar de rotsformatie en zag slechts een stenige wal die gedeeltelijk schuilging onder een laag roodachtig zand. Een aantal van de keien had nogal rare vormen en er lag een zilverachtige glans over.

'Een prachtige rotstuin,' gromde Giordino.

Maar Pitts interesse was gewekt en hij reed er dichter naar toe. Enkele van de uitsteeksels zagen er toch wel heel vreemd uit. Dichterbij gekomen zag hij opeens dat het helemaal geen stenen waren, maar een stel voor een deel ingegraven stermotoren. De ene zat op de stompe neus van een ondersteboven liggende romp, terwijl de andere aan een grotendeels onder het zand verborgen vleugel vastzat.

Noyon en Giordino reden naar Pitt toe, die afstapte en het zand van een van de begraven motorbehuizing begon te vegen. Met een verbaasde blik naar Giordino opkijkend zei hij: 'Dit is geen LearJet, maar een driemotorige Fokker.'

31

De Fokker F.VIIb lag onaangeroerd op de plek waar hij meer dan zeventig jaar geleden was neergestort. Het over de kop geslagen toestel had honderden stormen lang stuifzand opgevangen tot uiteindelijk de hele rechtervleugel en het grootste deel van de romp onder het zand waren verdwenen. Er vlak achter lag de andere vleugel met een motor bij de rotsen waartegen het toestel bij de noodlanding te pletter was geslagen. De neus van de romp was als een harmonica ingedrukt en de cockpit zat tot aan de nok toe vol zand. Eronder begraven zaten, voor Pitt verborgen, de verbrijzelde skeletten van de piloot en copiloot nog op hun stoelen vastgesnoerd. Pitt veegde onder het raam van de piloot een dikke laag zand weg tot hij de verschoten naam van het toestel kon lezen: *Blessed Betty.*

'Geen beste plek voor een landing,' zei Giordino. 'Ik dacht dat deze oude vogels onverwoestbaar waren.'

'Zo goed als. Dit type driemotorige Fokker was, net als de Ford Trimotor, een robuust vliegtuig. Admiraal Byrd is ermee over de Noord- en de Zuidpool gevlogen. Charles Kingsford-Smith is met zijn Fokker F.VII, de *Southern Cross*, in 1928 de Stille Oceaan overgestoken. Met hun Wright Whirlwind-motoren konden ze praktisch eeuwig door blijven vliegen.' Pitt was goed op de hoogte van de geschiedenis van het antieke toestel; zijn eigen Ford Trimotor stond keurig te midden van zijn collectie oldtimers in zijn hangaar in Washington.

'Dan zal-ie door een zandstorm zijn neergehaald,' gokte Giordino.

Noyon keek van eerbiedige afstand toe hoe Pitt en Giordino de onder het zand bedolven romp afzochten tot ze aan de zijkant een lichte verdikking vonden. Nadat ze er een paar centimeter zand hadden weggeveegd, zagen ze dat het de onderrand van de zijdeur was. De mannen sloegen aan het graven en hadden al snel een diepe kuil voor de deur vrijgemaakt. Na nog een paar minuten graven was de kuil zo groot dat ze deur open konden trekken. Terwijl Giordino nog een bergje zand wegschraapte, ontdekte Pitt een reeks kogelgaten naast de deur in de romp.

'Correctie voor wat de oorzaak van het neerstorten betreft,' zei hij, terwijl hij met zijn hand over de gaten streek. 'Ze zijn neergeschoten.'

'Waarom in hemelsnaam,' gromde Giordino.

Net toen hij de deurhendel wilde pakken, slaakte Noyon opeens een zachte waarschuwingskreet.

'De priesters zeggen dat daar doden zijn. Die mogen we van de lama's niet storen. Daarom zijn de nomaden het vliegtuig ook nooit ingegaan.'

'We respecteren de doden,' stelde Pitt hem gerust. 'Ik zal ervoor zorgen dat ze fatsoenlijk begraven worden zodat hun geest rust krijgt.'

Giordino draaide de hendel voorzichtig om en trok de deur zachtjes open. Een verstrengelde massa van versplinterd hout, zand en scherven aardewerk tuimelde door de opening naar buiten en bleef op een stapel liggen. Pitt pakte een scherf porselein uit de Yuan-dynastie op. Er stond een saffierblauwe pauw op afgebeeld.

'Geen doordeweeks eetservies,' zei Pitt, die het onmiddellijk als kostbaar antiek herkende. 'Minstens vijfhonderd jaar oud durf ik te stellen.' Hoewel hij toegaf dat hij geen deskundige was, had hij in de vele jaren dat hij naar scheepswrakken had gedoken wel enige praktijkkennis van aardewerk en porselein opgedaan. Vaak waren de potscherven die ze in het ruim vonden, de enige voorwerpen aan de hand waarvan ze de ouderdom en herkomst van een scheepswrak konden vaststellen.

'Dan hebben we hier dus de oudste en tevens grootste legpuzzel ter wereld,' concludeerde Giordino, terwijl hij bij de deur wegging, zodat Pitt naar binnen kon kijken.

In de cabine was het één grote chaos van door elkaar geworpen en versplinterde kratten half bedolven onder een dik tapijt van blauwwitte scherven. Slechts een paar kratten helemaal achter in de cabine hadden de onzachte lading heelhuids overleefd.

Pitt kroop naar binnen en wachtte even tot zijn ogen aan de duisternis gewend waren. Door de donkerte en de dikke stoflucht hing er een uitgesproken onaangename sfeer in het binnenste van de Fokker, nog versterkt door de lege rij rotanstoeltjes die in het ondersteboven liggende toestel naar beneden hingen. Pitt draaide zich om en begaf zich eerst met licht gebogen hoofd naar de onbeschadigde kratten achterin. De scherven porselein kraakten onder zijn voeten en hij besefte dat hij voorzichtig moest zijn.

Hij vond vijf nog hele kratten die van de sjabloonafdrukken BREEKBAAR en BESTEMD VOOR HET BRITISH MUSEUM waren voorzien. Het deksel van een van de kratten was losgeschoten. Pitt pakte het losse stuk beet en wrikte de krat open. Er lag een losjes met een doek omwikkelde porseleinen schaal in. De ruim zevenhonderd jaar oude schaal had een kartelrand en over het witte aardewerk lag een groenblauwe glazuurlaag. Pitt bewonderde het fraaie bloemmotief van de versiering, waarna hij de schaal in het krat teruglegde. Zoals de scherven op de grond al bewezen had het toestel een zorgvuldig verpakte lading antieke keramiek vervoerd en goddank geen passagiers.

Pitt liep terug naar het ondersteboven liggende gangpad, waar hij zich weer bij Giordino in de deuropening voegde.

'Kun je iets zeggen over de lading?' vroeg Giordino op fluistertoon.

'Alleen dat-ie onderweg was naar het British Museum. Achterin staan nog een paar onbeschadigde kisten. Zo te zien is het allemaal antiek porselein.'

Pitt liep naar voren, kroop onder de eerste rij stoelen door naar de tussenwand met de cockpit. Een groot deel van de lading was bij het neerkomen naar voren geschoven en lag nu op een chaotische hoop tegen de voorkant van de cabine aan. Pitt stapte over een grote, kapotte vaas en zag een stoffig leren jack tussen het puin op de grond liggen. Nadat hij voorzichtig langs de scherven was gelaveerd en een opengebroken krat opzij had geschoven, schrok hij van wat hij in het vage licht dat door de deuropening naar binnen scheen, zag: het jack zat om de schouders van de oorspronkelijke eigenaar.

Het gemummificeerde stoffelijke overschot van Leigh Hunt lag daar zoals hij was gestorven, vele decennia nadat hij zich geteisterd door de afschuwelijke pijn van een gebroken rug uit het neergestorte wrak had geprobeerd te bevrijden. Zijn linkerarm lag om een geel houten kistje geklemd en in zijn knokige rechterhand hield hij een opschrijfboekje vast. Op Hunts gezicht, dat door de droge woestijnlucht en een dun laagje kiezelaarde goed geconserveerd was, lag een verwrongen trek bevroren.

'Arme drommel. Hij heeft de noodlanding overleefd, maar niet lang,' zei Pitt op fluistertoon.

'Dat kistje en notitieboekje waren kennelijk nogal belangrijk voor hem,' merkte Giordino op.

Met enige schroom maakte Pitt het kistje en opschrijfboekje behoedzaam los uit de verstarde greep, waarna hij het kistje aan Giordino doorgaf. Naast het lijk zag hij een vuile versleten gleufhoed liggen, die hij oppakte en met een eerbiedig gebaar over het gezicht van de dode legde.

'Ik geloof niet dat de piloten het er veel beter van afgebracht hebben,' zei hij in de richting van de cockpit kijkend. Hij stapte voorzichtig over Hunts lijk heen en begaf zich naar de voorste tussenwand, waar hij door een opening in de cockpit probeerde te kijken. Het compartiment was volledig met zand gevuld dat na het neerstorten door de gebroken ruiten naar binnen was gewaaid.

'Dat uitgraven gaat ons het grootste deel van de dag kosten,' zei Giordino die over Pitts schouder keek.

'Als we terugkomen misschien,' zei Pitt. Hij twijfelde er niet aan dat ze onder de dikke laag zand de botten van de piloten zouden vinden.

De mannen liepen door de cabine terug naar achteren en stapten door de zijdeur het felle zonlicht weer in. Noyon liep zenuwachtig op en neer, maar bleef staan en glimlachte van opluchting toen hij Pitt en Giordino naar buiten zag komen. Giordino tilde het gele kistje op om het aan Noyon te laten zien en wrikte daarna het deksel open. Erin lagen de bronzen buis en het strak opgerolde luipaardvel in dezelfde conditie waarin Hunt ze had gevonden.

'Nou niet bepaald de kroonjuwelen,' zei Giordino, terwijl hij lichtelijk teleurgesteld de inhoud bekeek. Toen hij de bronzen buis in het licht ophield, zag hij dat er niets inzat.

'Als het goed is, vertelt dit ons meer,' zei Pitt, die het notitieboekje omhooghield. Hij sloeg het open en las hardop de titelpagina voor: 'Opgraving bij Shang-tu. Begin 15 mei 1937. Veldjournaal van dr. Leigh Hunt, expeditieleider.'

'Lees door,' zei Giordino. 'Ik ben benieuwd of dat luipaardvel bedoeld was als overtrek voor een poef in dr. Hunts bibliotheek of voor een kussen in het boudoir van zijn echtgenote.'

'Beste vrienden, we moeten echt verder als we de bus bij het klooster nog willen halen,' onderbrak Noyon.

'Voor dat raadsel zullen we dus nog even geduld moeten hebben,' zei Pitt. Hij stak het boekje in een zak van zijn hemd, waarna hij naar de Fokker terugliep en de zijdeur sloot.

'Wat doen we met die gasten daarbinnen?' vroeg Giordino.

'Als we in Ulaanbaatar terug zijn, zal ik dr. Sarghov bellen. Hij weet wel hoe het met de Mongoolse instanties geregeld moet worden dat de boel hier op een fatsoenlijke manier wordt uitgegraven. En we zijn het tegenover dr. Hunt verplicht ervoor te zorgen dat er op een professionele wijze met de artefacten wordt omgegaan waar hij zijn leven voor heeft gegeven.'

'En dat hij en de piloten een nette begrafenis krijgen.'

Pitt schoof met zijn voet een bergje zand voor de deur van het vliegtuig, zodat die niet kon open waaien, terwijl Giordino het houten kistje in een leren zadeltas opborg. Vervolgens bestegen ze de paarden, die Noyon al die tijd bij de teugels had gehouden, en namen weer op de ongemakkelijke houten zadels plaats.

'Weet je zeker dat er in die kratten daar achterin niet een lading kussens zat?' vroeg Giordino kreunend.

Glimlachend schudde Pitt zijn hoofd. Toen ze in de richting van het dorp wegdraafden, draaide hij zich om en wierp een laatste blik op de stoffige restanten van het oude vliegtuig, terwijl hij zich afvroeg wat voor onthullingen Hunts dagboek nog voor hen in petto had.

Na een uur rijden kwamen ze bij de minuscule nederzetting Senj. Er zijn maar weinig kaarten waar dit dorpje op aangegeven is, want het was weinig meer dan een paar *gers* die rond een kleine waterplas gegroepeerd stonden. De bron gaf het gehele jaar water en voorzag de plaatselijke herders en hun kuddes daarmee van het belangrijkste ingrediënt waarop hun bestaan was gebaseerd, waardoor zij niet gedwongen waren diverse keren per jaar op zoek naar vers grasland te verhuizen. Zoals op het platteland meestal het geval is, waren de kamelen en paarden die rond het dorp werden gehouden verre in de meerderheid boven het handjevol menselijke bewoners.

Noyon bracht Pitt en Giordino naar een *ger* waarboven een oranje vlag wapperde. Daar bonden ze hun paarden aan een paal. Een groepje kinderen dat daar vlakbij tikkertje speelde, bleef heel even staan om de vreemdelingen te bekijken, waarna ze hun spel weer voortzetten. Nadat hij van zijn paard was gestapt, stond Giordino door de pijn van de lange zit op het harde zadel als een dronken zeeman op zijn benen te wankelen.

'De volgende keer neem ik een kameel en hoop ik dat het tussen die bulten zachter zit.'

Pitt voelde dezelfde pijn en was blij dat hij weer vaste grond onder de voeten had.

'Na één seizoen bij de kudde rijdt u als een echte *arat*,' zei Noyon.

'Na één seizoen in dat zadel ben ik rijp voor de manuele therapeut, dat weet ik wel,' bromde Giordino.

Een oudere bewoner van het dorp had de mannen zien aankomen en kwam nu met een mank been aangehinkt en sprak tegen de jongen.

'Dit is Otgonbayar,' zei Noyon. 'Hij nodigt u uit in zijn *ger* om een kom *airag* met hem te drinken.'

Tussen de omringende heuvels weerkaatste het rammelende geluid van een vrachtwagen en het volgende moment dook er een vaalgroene bus vanachter een heuvelrug op, waarna de wagen een scherpe draai maakte en met een spoor van opdwarrelende stofwolken recht op het dorp afkwam. Noyon keek naar de naderende auto en schudde zijn hoofd.

'Ik ben bang dat daar de bus al aankomt,' zei hij.

'Zeg tegen Otgonbayar dat we zijn uitnodiging waarderen, maar dat we er graag een andere keer op terugkomen,' zei Pitt. Hij liep naar de oude man toe en schudde hem de hand. De oude man knikte en toonde met een brede, tandeloze glimlach dat hij het begreep.

Met luid piepende remmen kwam de bus tot stilstand en de chauffeur toeterde. De spelende kinderen stopten met stoeien en liepen achter elkaar naar de bus, waar ze met instappen wachtten tot de harmonicadeur was opengeklapt.

'Kom mee,' zei Noyon en ging Pitt en Giordino voor de bus in.

De bus, een uit de jaren tachtig stammende, in Rusland gefabriceerde KAvZ model 3976, was een door het sovjetleger afgedankt relikwie. Zoals de meeste voertuigen in Mongolië was ook deze, nadat hij na een lang werkzaam leven was afgeschreven, vanuit het grote buurland voor een tweede leven hier naartoe gehaald. Met zijn vale kleur, de gebarsten ruiten en gladde banden was de bus iedere kilometer van de half miljoen die hij op zijn conto had aan te zien. Als een oude bokser die niet wenst op te geven, was de afgeleefde kolos opgekalefaterd en voor een volgende ronde de weg opgestuurd.

Nadat hij achter Noyon het trapje was opgelopen, zag Pitt tot zijn verbazing dat de chauffeur een oudere blanke man was. Hij keek Pitt met een door een witte baard schemerende glimlach en olijk twinkelende staalblauwe ogen aan.

'Hallo, jongens,' begroette hij Pitt en Giordino. 'Noyon zegt dat jullie uit de vs komen. Ik ook. Zoek een plekje, dan kunnen we vertrekken.'

De bus had twintig zitplaatsen en zat na de kinderen van drie opeenvolgende kampen te hebben opgehaald vrijwel vol. Pitt zag dat de stoel achter de chauffeur in beslag werd genomen door een zwartbruin gevlekte teckel, die daar languit in een diepe slaap verzonken lag. De stoel aan de andere kant van het gangpad was onbezet, dus plofte hij daar maar neer, terwijl Giordino op de stoel naast hem schoof. De chauffeur sloot de deur en reed met een snelle draai het dorp uit. Nadat hij tussen de kudde door was gelaveerd, trapte hij het gaspedaal in en schakelde naar de hoogste versnelling. Met veel kabaal van de op volle toeren draaiende motor trok de bus geleidelijk op tot zijn maximumsnelheid en raasde met zo'n tachtig kilometer per uur over de harde woestijnbodem.

'Het klooster Bulangiin is niet bepaald een gewild vakantieoord,' zei de chauffeur, die Pitt en Giordino via de boven zijn zonneklep gemonteerde rechthoekige spiegel aankeek. 'Doen jullie mee met zo'n georganiseerde paardentrektocht door de Gobi?'

'Zo zou je 't kunnen zeggen,' antwoordde Pitt. 'Alleen hoop ik wel dat het gedeelte van de tocht te paard er nu opzit. We willen graag terug naar Ulaanbaatar.'

'Geen probleem. Morgen komt er een vrachtwagen van U.B. naar het klooster. Als je er geen bezwaar tegen hebt de nacht tussen een stel monotoon brommende monniken door te brengen, kunnen jullie morgenochtend met de vrachtauto meerijden.'

'Perfect,' zei Pitt, terwijl de bus door een diepe kuil bonkte. Hij moest lachen om de teckel die door de klap de lucht invloog en zonder ook maar een ooglid te bewegen weer op zijn plek terugviel.

'Als ik zo vrij mag zijn,' vroeg Giordino, 'maar hoe kom je hier zo in deze contreien terecht?'

'Ach, ik help een particuliere archeologische stichting uit de VS die hier boeddhistische kloosters restaureert. Voordat de communisten in 1921 in Mongolië de macht grepen, waren er ruim zevenhonderd kloosters in het land. In de jaren dertig van de vorige eeuw zijn ze vrijwel allemaal in een door de regering opgehitste beeldenstorm leeggeroofd en afgebrand. In die periode zijn duizenden monniken verdwenen, ter plekke geëxecuteerd of naar Siberische werkkampen afgevoerd, waar ze hun gevangenschap niet hebben overleefd. Degenen die niet werden vermoord, werden gedwongen hun geloof af te zweren, maar veel van hen hebben hun religieuze tradities in het geheim voortgezet.'

'Het zal voor hen wel lastig zijn om opnieuw te beginnen, zo zonder al hun alweer vele jaren geleden vernietigde religieuze attributen en heilige geschriften?'

'Een verbazingwekkende hoeveelheid oude teksten en kloostervoorwerpen zijn door gewiekste monniken tijdig begraven. Nog iedere dag duiken

295

er belangrijke relikwieën op als er weer een oud klooster wordt heropend. De plaatselijke bevolking raakt er eindelijk steeds meer van overtuigd dat de door de regering geregisseerde molestaties definitief verleden tijd zijn.'

'Maar hoe komt iemand die stenen stapelde, achter het stuur van een schoolbus terecht?' vroeg Giordino.

'Hier in de rimboe zijn de dingen nogal nauw met elkaar verweven,' zei de chauffeur lachend. 'De organisatie die ik help, dat zijn niet alleen archeologen, maar ook timmerlieden, leraren en geschiedkundigen. Een deel van de overeenkomst die we voor de restauratie van de kloosters hebben afgesloten, is dat we ook voor leslokalen voor de plaatselijke jeugd zorgen. Het officiële onderwijs voor de kinderen van de nomadische herders is nogal gebrekkig geregeld, zoals u zich kunt voorstellen. Wij leren de kinderen lezen, schrijven, rekenen en vreemde talen in de hoop deze plattelandskinderen zo een beter toekomstperspectief te geven. Neem je vriend Noyon bijvoorbeeld, hij spreekt drie talen en is een waar rekenwonder. Als wij hem de rest van zijn jeugd les kunnen blijven geven en voorkomen dat hij een PlayStation in handen krijgt, zal hij het hoogstwaarschijnlijk tot ingenieur of arts kunnen schoppen. En dat hopen we al die kinderen te bieden.'

De bus reed over de top van een heuvelkam, waarna ze aan de andere kant een smal dal inreden. In het midden gaven enkele met ruig gras en hier en daar een bosje struikgewas begroeide weilanden enige kleur aan het verder monotone woestijnlandschap. Te midden van deze begroeiing ontwaarde Pitt een verzameling stenen gebouwtjes met ernaast een aantal witte *gers*. In een aangrenzende kraal stond een kleine kudde kamelen en geiten bijeen en aan de zuidkant van de omheining stond een rijtje kleine SUV's geparkeerd.

'Het klooster Bulangiin,' kondigde de chauffeur aan. 'Er verblijven twaalf monniken, een lama, zeventien kamelen en zo nu en dan een hongerige vrijwilliger uit de Verenigde Staten van Amerika.' Hij manoeuvreerde de bus nu over een ruw uitgesleten bandenspoor tot vlak voor een van de *gers*, waar hij stopte.

'Dit is de school,' zei de chauffeur tegen Pitt en Giordino, terwijl de kinderen een voor een de bus uit sprongen. Noyon schoot voorbij en zwaaide naar de twee mannen, voordat ook hij het trapje afrende.

'Ik vrees dat ik nu aardrijkskunde moet gaan geven,' zei de chauffeur, nadat het laatste kind de bus had verlaten. 'Als jullie naar dat grote gebouw met de draak op de overhangende dakrand gaan, zul je lama Santanai daar aantreffen. Hij spreekt Engels en zal jullie met alle liefde van onderdak voor de nacht voorzien.'

'Zien we je straks nog?'

'Denk 't niet. Ik heb beloofd dat ik, nadat ik de kinderen weer naar huis heb gebracht, in een van de kampen blijf overnachten om de bewoners iets over westerse democratie te vertellen. Leuk even met jullie gesproken te hebben. Neem 't ervan, jongens.'

'Bedankt voor de lift en alle informatie,' reageerde Pitt.

De chauffeur tilde de slapende teckel op en trok een aardrijkskundeboek vanonder de stoel tevoorschijn, waarna hij naar de wachtende schoolklas in de *ger* banjerde.

'Aardige vent,' zei Giordino, terwijl hij opstond en de bus uitstapte. Pitt volgde hem en zag boven de zonneklep van de chauffeur een bordje hangen met de tekst: WELKOM, UW CHAUFFEUR IS CLIVE CUSSLER.

'Ja,' antwoordde Pitt met een peinzend knikje. 'Maar hij rijdt als Mario Andretti.'

Ze liepen door het dorp naar drie pagodevormige gebouwen waarvan de spits toelopende daken met verweerde blauwe tegeltjes waren bedekt. De middelste en grootste van de drie gebouwen was de hoofdtempel, geflankeerd door een gebedsruimte en een magazijn. Pitt en Giordino beklommen de traptreden die naar de ingang van de hoofdtempel leidden en bewonderden twee sierlijk gewelfde stenen draken die op de beide hoeken van de dakrand naar voren staken en waarvan de staarten langs de steil oplopende nokrand omhoog kronkelden. Door een reusachtige openstaande deur betraden de twee mannen bedachtzaam de tempel waar ze door zoemend gezang werden begroet.

Toen hun ogen aan de duisternis in de slechts door kaarsen verlichte ruimte gewend waren, zagen ze twee brede banken die over de hele lengte van de tempel doorliepen en bij een klein altaar eindigden. Op beide banken zaten tegenover elkaar zes monniken met een breed gangpad tussen hen in. De in oranjegele gewaden gehulde monniken zaten met gekruiste benen en hielden hun kaalgeschoren hoofden doodstil onder het chanten. Pitt en Giordino liepen op hun tenen met de wijzers van de klok mee langs de buitenmuur van de tempel, waar ze op een stoel gingen zitten om naar het mantrazingen te luisteren.

In Mongolië wordt het boeddhisme in de vorm van het Tibetaanse lamaïsme gepraktiseerd. Eeuwenlang bestonden er hechte religieuze banden tussen beide landen. In de tijd vóór de staatszuivering bestond de mannelijke bevolking van Mongolië voor bijna dertig procent uit praktiserende lama's die in een van de vele, over het gehele land verspreide eenvoudige kloosters een ascetisch bestaan leidden. Tijdens de communistische overheersing verdween het boeddhisme vrijwel volledig en een hele generatie Mongoliërs wordt nu weer vertrouwd gemaakt met de spiritualiteit van hun voorouders.

Terwijl ze de ceremonie bekeken die nauwelijks afweek van de manier waarop de lama's het honderden jaren geleden deden, lieten Pitt en Giordino zich onwillekeurig meevoeren door de mystieke sfeer die in de tempel hing. De brandende wierook verspreidde een indringende exotische geur en het interieur van de oude tempel glansde in de warme gloed van het kaarslicht, dat tegen het rood geverfde plafond en de felpaarse vlaggen aan de muren flakkerde. In alle nissen en op het altaar stonden dof verweerde beelden van boeddha's in verschillende incarnaties. En dan was er het monotone gezang dat over de lippen van de edele lama's galmde.

De monniken met hun verweerde koppen herhaalden in koor een regel uit hun gezangboek, dat opengeslagen voor hen lag. De mantra zwol geleidelijk aan en werd steeds luider met hardere stemmen gezongen tot een oude, met dikke glazen bebrilde lama opeens op een met een geitenvel bespannen trommel sloeg. De overige monniken sloten zich met kleine koperen belletjes rinkelend of in grote witte schelpen blazend bij het crescendo aan tot de muren van de tempel ervan trilden. Tot het galmende geluid plotsklaps, alsof een onzichtbare hand de volumeknop dichtdraaide, wegviel en er een diepe stilte over de aanwezigen neerdaalde. De monniken mediteerden nog een moment voordat ze van de bank opstonden.

De lama met de bril met dikke glazen zette de trommel neer en liep naar Pitt en Giordino toe. Hij was bijna vijfentachtig, maar liep nog met de kracht en gratie van een veel jongere man. Zijn donkerbruine ogen straalden warmte en intelligentie uit.

'De Amerikanen die door de woestijn zwerven,' zei hij in gebrekkig Engels met een zwaar Mongools accent. 'Ik ben Santanai. Welkom in onze tempel. We hebben in onze dienst vandaag een gebed voor uw veilige reis opgenomen.'

'Neemt u ons niet kwalijk dat wij u storen,' zei Pitt, die schrok van het feit dat de lama al van hun komst op de hoogte was.

'Het pad naar verlichting is open voor iedereen,' zei de lama glimlachend. 'Kom, dan zal ik u ons rijk laten zien.' De oude lama ging Pitt en Giordino voor en leidde hen na een korte rondleiding door de tempel naar buiten voor een wandelingetje over het terrein van het klooster.

'Het oorspronkelijke klooster stamt uit de jaren twintig van de negentiende eeuw,' verklaarde hij. 'De bewoners hadden meer geluk dan de meeste anderen tijdens de grote zuivering. Agenten van de regering hebben de woonverblijven en de voedselvoorraden vernietigd, waarna ze de gelovigen hebben verjaagd. Om onbekende redenen hebben ze de tempel verder met rust gelaten, waarna hij tientallen jaren heeft leeggestaan. Over de heilige geschriften en andere religieuze voorwerpen heeft een locale herder zich ontfermd, die ze hier in de buurt in het zand heeft begraven. Toen de regering zich toleranter tegenover de godsdienst toonde, hebben we de tempel als middelpunt van ons klooster weer in gebruik genomen.'

'De gebouwen zien er beter uit dan je zou verwachten na zoveel jaren van verwaarlozing,' merkte Giordino op.

'Herders uit de buurt en ondergedoken monniken hebben de tempel gedurende de jaren van onderdrukking onderhouden. Dit afgelegen oord bleef buiten het bemoeizuchtige beeld van de agressiefste staatsatheïsten. Maar er is nog veel werk te doen voordat alles hier is opgeknapt,' zei hij, terwijl hij op een stapel timmerhout en ander bouwmateriaal wees. 'We wonen nu nog in de *gers*, maar in de toekomst zullen we hier weer vaste woonverblijven hebben.'

'Voor u en twaalf volgelingen?'

'Ja, er zijn hier twaalf monniken plus een novice. Maar we hopen spoedig onderdak voor nog tien jongemannen te hebben.'

De lama bracht Pitt en Giordino naar een van de kleinere gebouwen naast de hoofdtempel. 'Ik kan u een onderkomen in onze opslagruimte aanbieden. De westerse archeologische ploeg die bij ons logeert, is een aantal weken op een locatie hier in de buurt aan het werk. Ze hebben een aantal veldbedden laten staan die u kunt gebruiken. Wilt u een lift met de bevoorradingswagen die morgen komt?'

'Ja,' antwoordde Pitt. 'We willen heel graag terug naar Ulaanbaatar.'

'Dat zal ik regelen. Ik moet nu terug naar de tempel om les te geven. Maak het uzelf gemakkelijk en met zonsondergang kunt u met ons de maaltijd gebruiken.'

De lama draaide zich om en schreed met rustige stappen en zijn wijde rode gewaad in de wind flapperend terug naar de tempel. Pitt en Giordino liepen een paar traptreden op en gingen het magazijn binnen; een kleine raamloze ruimte met een hoog plafond. Ze moesten om een enorme ijzeren klok heen lopen die vlak achter de ingang stond. Een verweerde relikwie dat daar kennelijk bij gebrek aan een klokkentoren was neergezet.

Achter de klok stonden tegen de ene muur zakken meel, noedels, thee en andere voedingsmiddelen opgestapeld. Voor de tegenoverliggende muur stonden manden met dekens en dierenhuiden voor gebruik in de koude wintermaanden die komen gingen. Achterin zagen ze onder een geschilderd portret van Sakyamuni, de op een troon van lotusbloemen gezeten boeddha, een aantal canvas veldbedden staan.

'Raar dat hij wist dat we in de buurt waren,' zei Pitt.

'De woestijn is klein,' reageerde Giordino. 'Bekijk 't van de zonnige kant. We hoeven niet op de grond te slapen en we hebben een zee van tijd om uit te rusten voordat we worden afgehaald. Met andere woorden, ik denk dat ik ons nieuwe onderkomen meteen maar eens ga uittesten,' zei hij, terwijl hij zich behaaglijk op een van de veldbedden uitstrekte.

'Ik heb hier eerst nog wat te lezen,' antwoordde Pitt, waarna hij naar de deuropening liep om aan het ongetwijfeld weldra opklinkende snurken te ontsnappen.

Hij ging op een van de traptreden voor het magazijn zitten en staarde enige tijd in gedachten verzonken naar de oude tempel en het met zand bestrooide landschap dat zich eromheen uitstrekte. Daarna trok hij de rugzak open en diepte er het dagboek van dr. Leigh Hunt uit op.

32

'Tot ziens, Dirk. En ook tot ziens voor uw vriend Al.' Noyon liep de treden op en boog. Pitt stond op en schudde de jongen de hand. Het verwonderde hem hoe volwassen deze tienjarige jongen eigenlijk al was.

'Vaarwel, mijn vriend,' reageerde Pitt. 'Ik hoop dat we elkaar nog eens tegenkomen.'

'Ja. De volgende keer rijdt u op een kameel,' zei de jongen grinnikend, waarna hij over het pad wegrende naar de oude schoolbus die aan de rand van het kloosterterrein stond te wachten. De deur klapte achter hem dicht en de bus reed ratelend over de heuvelkam de ondergaande zon tegemoet.

Door het kabaal schrok Giordino uit zijn dutje wakker. Hij slofte naar de deuropening en rekte gapend zijn armen uit.

'Zijn Noyon en de andere kinderen na school weer op weg naar huis?' vroeg hij toen hij nog net een glimp van de bus opving die in de verte uit het zicht verdween.

'Hij kwam zojuist afscheid nemen. Ik moet je van hem zeggen dat zijn beste kameel altijd voor een excursie voor je klaarstaat.' Pitt concentreerde zich weer op het dagboek van Hunt, waarin hij met een gebiologeerde trek op zijn gezicht verder las.

'En, nog spannende onthullingen in het relaas van onze verstarde archeoloog?'

'Zeker weten, dit ga jij niet geloven,' antwoordde Pitt.

Giordino zag de serieuze blik in Pitts ogen en kwam naast hem zitten. 'Wat heb je gelezen?'

'Dr. Hunt, zijn Mongoolse assistent en een ploeg Chinese arbeiders werkten aan het opgraven van de restanten van de verdwenen stad Shangtu in Noord-China.'

301

'Nooit van gehoord.'

'Waarschijnlijk ken je het wel als je de geromantiseerde westerse naam hoort: Xanadu.'

'Niet nog een alsjeblieft,' zei Giordino hoofdschuddend. 'Heeft 't echt bestaan?'

'Jazeker. Het was het zomerpaleis van Kublai Khan. Hij heeft dat landgoed zo'n tweehonderd kilometer ten noordwesten van Beijing laten bouwen om er de zomerhitte te ontvluchten. Er lagen ommuurde jachtgronden omheen en een aangrenzende stad met ruim honderdduizend inwoners. Toen Hunt er kwam, was het niet veel meer dan wat kale stenen in een dorre zandvlakte.'

'Dus die artefacten in het vliegtuig stammen uit de regeringsperiode van Kublai Khan? Dan zijn ze dus onvoorstelbaar veel waard. Dat wil zeggen, de paar stukken die bij de noodlanding niet te pletter zijn geslagen.'

'Heel goed mogelijk. Hoewel Hunt zelf nogal teleurgesteld was over de vondsten. Hij schrijft dat ze tot de laatste dag van de opgraving werkelijk niets van belang hadden ontdekt. Pas toen hebben ze dat houten kistje en het luipaardvel opgegraven.'

Pitt had het geopende kistje met het luipaardvel en de bronzen buis erin naast zich op het bordes gezet. Eerst pakte hij de dierenhuid eruit.

'Hunt vertelt niet veel over het luipaardenvel, maar moet je dit zien,' zei hij, terwijl hij het vel voor zich uitspreidde. Op de gevilde kant van de huid stonden acht afzonderlijk ingekaderde tekeningen afgebeeld. In het eerste vak voer een grote Chinese jonk op een rivier met twee kleinere schepen in zijn kielzog. Op de volgende prenten waren de schepen achtereenvolgens op zee en voor anker in een baai te zien. Aan de fokkenmast van het grote schip wapperde een brandende blauwe vlag. Aan wal stonden kisten opgestapeld, maar ook die waren door vuur omgeven. Al het land rond de baai was in vlammen gehuld.

'Dit lijkt het verhaal van een reis die in een vuurzee eindigde,' zei Giordino. 'Misschien zijn ze op een vijand gestuit die hen met Grieks vuur bestookte. Of ze hadden de schepen te dicht in de buurt van een op het land woedende bosbrand afgemeerd en is het vuur via gloeiende as op de schepen overgeslagen. Heeft de Britse archeoloog er niet een verklaring bij geschreven?'

'Niets. Ik vraag me af of hij de binnenkant van de huid voor zijn dood eigenlijk wel onder ogen heeft gehad.'

'Zegt hij wel iets over het kistje?'

'Het gaat niet zozeer om het kistje, maar om de bronzen buis. Of beter gezegd, wat er ín die buis heeft gezeten. Oorspronkelijk zat er een opgerolde zijden doek in en op die doek was een kaart getekend van de plek waar een onvoorstelbare schat verborgen ligt.'

'Dat ding was leeg toen we hem vonden. Denk je dat die doek nog bij Hunt in het vliegtuig is?'

'Hier, lees zijn laatste regels zelf maar,' zei Pitt, terwijl hij het dagboek aan Giordino gaf. Op de laatste beschreven pagina stonden drie korte fragmenten.

5 augustus 1937. In vliegtuig onderweg naar Ulaanbaatar. Tot mijn grote verdriet moet ik een verschrikkelijke ontdekking melden. Tsendyn, mijn plaatselijke assistent, compagnon en vriend, heeft me uiteindelijk bedrogen. De zijden rol is verdwenen, uit de buis gestolen die ik sinds hij was opgegraven steeds zorgvuldig had bewaakt. Tsendyn was de enige die hem heeft kunnen stelen en zo op de valreep voor het vliegtuig opsteeg een dolk in mijn rug heeft gestoken. Hiermee is het spoor naar D.K. verdwenen. Ik zal mijn best doen om de kaart met alle aanwijzingen zo goed mogelijk uit mijn herinnering te reconstrueren. Daarna zal ik in U.B. een kleine expeditie uitrusten en op zoek gaan. Als dat niet lukt, loop ik daar op de hellingen van de Burkhan Khaldun misschien Tsendyn wel tegen het lijf, zodat ik hem alsnog ter verantwoording kan roepen. Mijn enige hoop

Het fragment eindigde abrupt midden in een zin, die later met een beverige hand werd vervolgd. Giordino zag dat de stoffige pagina onder de bloedvlekken zat.

Datum onbekend. We zijn in de woestijn neergestort, neergehaald door een Japans gevechtsvliegtuig. Beide piloten dood. Ben bang dat mijn rug en benen zijn gebroken. Kan me niet bewegen. Wacht op hulp. Ik bid dat ze me gauw vinden. Pijn ondraaglijk.

En tot slot nog een woeste krabbel:

Laatste melding. Alle hoop verloren. Mijn gedachten zijn bij Leeds in het British Museum en mijn innig geliefde lieve vrouw Emily. God hebbe onze ziel.

303

'Arme drommel,' zei Giordino. 'Dit verklaart ook waarom hij in het vliegtuig boven op de rommel lag. Hij heeft daar voor hij stierf nog een paar dagen gelegen.'

'En zijn pijn werd nog verergerd doordat hij wist wat hij kwijt was.'

'Maar wat was de schat op die zijden kaart dan? En wie of wat is D.K.?'

'Hunt beschrijft de zijden rol in een eerdere aantekening, nadat ze hem hadden gevonden. Hij was er, net als zijn assistent Tsendyn, van overtuigd dat de kaart de locatie aangaf van een verborgen graf. De plek in het Mongoolse Chentejgebergte, de keizerlijke symbolen en zelfs een legende over een huilende kameel, het klopte allemaal met de historische feiten. Op de zijden kaart stond de laatste rustplaats van Dzjengis Khan aangegeven.'

Giordino floot tussen zijn tanden en schudde zijn hoofd. 'Dzjengis Khan zei je? Dat moet een nepkaart zijn geweest. De oude Dzjengis is nooit gevonden. Zijn graf is nog altijd een van de grootste archeologische mysteries van onze aardbol.'

Pitt staarde naar een opdwarrelende stofwolk aan de horizon. Er schoten hem duizenden beelden door het hoofd. Toen was het zijn beurt om zijn hoofd te schudden.

'Integendeel. Zijn graf is wel degelijk gevonden,' zei hij zachtjes.

Giordino keek hem ietwat verbaasd aan, maar hij kende Pitt goed genoeg om te weten dat je zijn beweringen serieus kon nemen. Pitt bladerde door het dagboek tot hij tamelijk voorin een pagina opensloeg en aan Giordino liet zien.

'Kijk, die Mongoolse assistent van Hunt, die Tsendyn. Zijn achternaam is Borjin.'

'Dat bestaat niet. Zijn vader?'

'Als ik me niet vergis hebben we onlangs voor de marmeren tombe van wijlen Tsendyn Borjin gestaan.'

'Als dat in die stenen kapel inderdaad Borjins vader was, dan was de sarcofaag die daar in het midden stond...'

'Correct,' zei Pitt meesmuilend. 'De tombe van Dzjengis Khan staat in Tolgoi Borjins achtertuin.'

Toen de zon onderging, voegden ze zich bij de lama en de monniken in een van de *gers*. Net als alle maaltijden van de afgelopen dagen kregen ze een sober maal dat uit een groentebouillon met noedels en een kop zwarte thee bestond. De monniken aten in een eerbiedige stilte en knikten alleen als reactie op de spaarzame woorden die de lama sprak. Pitt bestudeerde onop-

vallend de doorleefde gezichten van de monniken die zich met een stoï-
cijnse bevalligheid bewogen. De meesten waren boven de zestig met bedachtzaam turende bruine ogen in een diep doorgroefd gezicht. Hun haar
was bij allemaal tot vlak boven de schedel gemillimeterd, behalve bij een
jongere man die een dikke bos haar had. Hij sloeg zijn eten haastig naar
binnen, draaide zich opzij en bleef Pitt grijnzend aankijken tot ook de anderen klaar waren.

Na de maaltijd woonden Pitt en Giordino in de tempel een avondgebed
bij, waarna ze zich in het magazijn terugtrokken. Pitt kon de gedachten aan
de onthullingen over Dzjengis Khan in het dagboek van Hunt maar moeilijk van zich afzetten en zijn verlangen om naar Ulaanbaatar terug te kunnen gaan was er bepaald niet minder door geworden. Toen ze hun voorbereidingen troffen om te gaan slapen, sjouwde hij een van de veldbedden tot
vlak bij de ingang.

'Ben je het slapen onder een vast dak nu al verleerd?' vroeg Giordino
lachend.

'Nee,' antwoordde Pitt. 'Maar er zit me iets dwars.'

'Dat ik nu al bijna een week geen behoorlijke maaltijd heb gekregen, dát
zit mij dwars,' zei Giordino, terwijl hij onder de dekens kroop.

Pitt pakte een openstaande doos met wierook, kralen en andere beno-
digdheden voor de boeddhistische rituelen van een plank. Nadat hij er een
paar minuten in had gerommeld, draaide hij de kerosinelamp uit en voegde
zich bij Giordino in het rijk der slapenden.

De insluiper kwam na middernacht en opende zachtjes de deur van de
voorraadkamer net ver genoeg om hemzelf en een zilveren streep van het
maanlicht door te laten. Nadat hij heel even was blijven staan om zijn ogen
aan de duisternis te laten wennen, liep hij langzaam naar het veldbed dat
bij de ingang stond. Onderweg naar het bed stootte zijn voet tegen een ge-
bedsbelletje dat daar op de grond lag. De indringer schrok van het zachte
gerinkel dat in het doodstille vertrek opklonk. Hij verstijfde en hield gespannen zijn adem in. Seconden lang luisterde hij met gespitste oren of er
iets in de kamer bewoog, maar het bleef stil.

Op de plek waar hij stond, knielde de man neer en tastte met zijn hand
over de vloer naar het belletje, dat hij voorzichtig opzijschoof. Zijn knokkels raakten een tweede klokje, dat hij eveneens zachtjes wegschoof voordat hij naar het veldbed doorliep. Met enige moeite onderscheidde hij het
slapende lichaam dat daar roerloos onder de dekens lag. Terwijl hij zich

over het bed heen boog, hief hij met beide handen een glinsterend twee-snijdend zwaard op en sloeg met een dodelijke uithaal toe. Het vlijm-scherpe lemmet raakte het bed net onder het kussen ter hoogte van de hals van de slaper.

Maar er klopte iets niet. Het lemmet ondervond geen enkele weerstand van botten of taaie nekspieren, er spatte ook geen bloed op en er klonk geen laatste zucht van het stervende slachtoffer. In plaats daarvan schoot het zwaard ongehinderd door tot op het veldbed, waar het tot diep in het houten onderstel doordrong. Er maakte zich een ongelovige verwarring van de aspirant-moordenaar meester toen hij zich realiseerde dat hij was afgetroefd. Maar toen was het te laat.

Pitt was al van zijn veldbed achter in het vertrek opgesprongen. De ge-bogen gestalte naast het veldbed bij de ingang stak haarscherp af tegen de zilveren streep licht die door de kier van de deur scheen, en was voor Pitt een schitterend mikpunt. Pitt hield een schep met een houten steel in zijn handen die hij bij de opgraving had gevonden en onder zijn bed had ver-borgen. Toen hij tot op enkele passen van het met kussens volgepropte veldbed was gekomen, hief hij de schep tot boven zijn schouder en storm-de op de donkere gestalte af.

De indringer probeerde zich zo goed mogelijk te verweren. Nadat hij Pitts voetstappen hoorde naderen, trok hij het zwaard uit het veldbed en tilde het tot boven zijn hoofd. Dat Pitt hem naderde was iets dat hij meer voelde dan dat hij hem daadwerkelijk zag en hij zwaaide zijn zwaard met een wijde boog in Pitts richting.

Maar Pitt was al vlak bij hem. Uit de duisternis doemde het blad van de schep op en sloeg tegen de hand waarmee de indringer wilde uithalen. Het kraken van de knokkels die tegen het ijzer van het blad sloegen, werd di-rect gevolgd door een bloedstollende kreet van pijn die over het hele ter-rein schalde.

Het zwaard vloog uit de moordenaarshand en sloeg kletterend tegen de hardhouten vloer. Omdat hij een duel verder niet aandurfde, greep hij zijn verbrijzelde hand en deinsde wankelend achteruit naar de deur. Pitt haalde nogmaals met de schep uit, maar de indringer sprong uit de gevarenzone weg. Het veldbed stond tussen de beide mannen in en Pitt haalde nog een derde keer uit over het bed. Hij sloeg hard en laag in de richting waar hij de indringer zich naar de deur zag omdraaien. De rand van de schep raakte de man net onder de kuit tegen de achterkant van zijn been.

Opnieuw schoot er een pijnscheut door het lichaam van de moordenaar, die zijn evenwicht verloor en hard tegen de grond smakte. Omdat hij zijn verbrijzelde hand nog vasthield, had hij zijn val niet met zijn armen kunnen opvangen. In zijn val sloeg hij met zijn hoofd net onder de haarlijn tegen de rand van de in het donker onzichtbare ijzeren klok. Pitt hoorde een doffe tik als de klap van een honkbalknuppel, gevolgd door de plof waarmee het lichaam tegen de grond sloeg.

Naast Pitt dook Giordino op, die om het veldbed heen rende en de deur wijd opentrapte. In het volle licht van de maan zagen ze het levenloze lichaam van de indringer zijdelings op de grond liggen, het hoofd in een onnatuurlijke knik weggedraaid.

'Gebroken nek,' zei Giordino, terwijl hij zich over de roerloze gestalte boog.

'Een betere behandeling dan hij voor ons in gedachten had,' zei Pitt, die zijn schep tegen de muur zette en het zwaard oppakte.

Op de traptreden doemden lichten op en even later stapten de lama en twee monniken de ruimte binnen, beiden met een kerosinelamp in hun hand.

'We hoorden een gil,' zei de lama, waarna hij omlaag keek naar het lichaam dat daar aan zijn voeten lag. Het felrode gewaad dat het slachtoffer droeg lichtte hel op in het schijnsel van de lampen. Zelfs Giordino schrok toen hij zag dat de indringer de kleding droeg die je normaal gesproken om de schouders van geweldloze boeddhistische monniken verwachtte. De lama herkende het korte zwarte haar en het jeugdige gezicht onmiddellijk.

'Zenoui,' zei de lama emotieloos. 'Hij is dood.'

'Hij wilde ons doden,' zei Pitt, terwijl hij het zwaard ophield en ermee op de doorgesneden dekens op het veldbed wees. 'Ik heb hem met de schep onderuitgehaald, waarbij hij op de klok viel en zijn nek brak. Ik vermoed dat u op zijn lichaam meer wapens zult vinden.'

De lama wendde zich tot een van de monniken en zei iets in het Mongools. De monnik knielde en klopte op het gewaad van de dode. Vervolgens tilde hij een slip van de rode stof op en legde een riem bloot voorzien van een dolk en een automatisch pistool.

'Dit is niet volgens de dharma,' zei de lama geschrokken.

'Hoe lang was hij hier al in het klooster?' vroeg Pitt.

'Net een dag voordat u kwam. Hij zei dat hij uit de noordelijke provincie Orhon kwam en op zoek naar innerlijke rust door de Gobi trok.'

'Die heeft hij dan nu gevonden,' zei Giordino grijnzend.

De lama dacht een ogenblik na over een gesprek dat hij met de man had gevoerd. Vervolgens keek hij Pitt en Giordino argwanend aan. 'Bij zijn

307

aankomst vroeg hij naar twee vreemdelingen die door de woestijn zouden trekken. Ik heb hem gezegd dat we daar niets van wisten, maar dat er een grote kans was dat ze hier zouden opduiken, omdat de wekelijkse bevoorradingswagen hier in de buurt het enige betrouwbare vervoermiddel is waarmee je naar Ulaanbaatar kunt komen. Nadat ik hem dat had verteld, vroeg hij of hij hier enige tijd kon blijven.'

'Dat verklaart dat u van onze komst op de hoogte was,' zei Pitt.

'Maar waarom die moordaanslag?'

Pitt vertelde hem in het kort over hun bezoek aan het landgoed van Borjin op zoek naar de vermiste ploeg van de oliemaatschappij en hun daaropvolgende vlucht door de woestijn. 'Deze man was waarschijnlijk in dienst van Borjin.'

'Dan is hij dus geen monnik?'

'Nee, ik geloof niet dat het zijn eerste roeping was.'

'Hij kende inderdaad veel van onze gebruiken niet,' zei de lama. Met gefronst voorhoofd voegde hij eraan toe: 'Ik ben bang dat een moord in het klooster grote problemen met de overheid gaat geven.'

'Zijn dood is in feite een ongeluk. Zo kunt u het aangeven.'

'Op een gerechtelijk onderzoek zitten wij ook niet te wachten,' mompelde Giordino.

'Ja,' zei de lama, 'als dat de waarheid is, dan zullen we het als een ongeluk melden. Als u hier weg bent.' De lama liet de beide monniken het lijk in een deken wikkelen en naar de tempel brengen.

'Het spijt me dat uw leven tijdens uw verblijf in onze enclave in gevaar is geweest,' zei hij.

'Het spijt ons dat we uw klooster in de problemen hebben gebracht,' reageerde Pitt.

'Moge de rest van uw verblijf hier in vrede verlopen,' zei de lama, waarna hij zich haastig naar de tempel begaf waar hij voor de dode indringer een kort gebed uitsprak.

'Keurig staaltje detectivewerk,' zei Giordino, terwijl hij de deur sloot en met het beschadigde veldbed barricadeerde. 'Hoe wist je dat er een nepmonnik tussen zat?'

'Gewoon een voorgevoel. Hij had niet dezelfde ascetische uitstraling als de andere vrome monniken, plus dat hij onder het eten voortdurend naar ons keek alsof hij wist wie we waren. Ook leek het me helemaal niet onwaarschijnlijk dat Borjin nog iemand achter ons aan had gestuurd en waarom zou die dan niet als monnik vermomd zijn?'

308

'Dan maar hopen dat hij niet nog vriendjes bij zich had. Ik neem aan dat 't nu mijn beurt is,' zei Giordino.

'Jouw beurt voor wat?'

'Schepdienst voor de rest van de nacht,' zei hij, waarna hij de scherpe spade onder zijn veldbed schoof en behaaglijk onder de dekens kroop.

De bevoorradingswagen kwam aan het einde van de ochtend. Er werden diverse kisten met groente en gedroogde goederen uitgeladen en in het magazijn opgeslagen. Nadat ze bij het uitladen van de vrachtwagen hadden geholpen, trokken de monniken zich voor meditatie terug in de tempel. De lama bleef achter en sprak met de chauffeur, terwijl Pitt en Giordino zich opmaakten voor het vertrek.

'De chauffeur zegt dat u hem in de cabine gezelschap mag houden. Het is een rit van een uur of vijf naar Ulaanbaatar.'

'Hartelijk bedankt voor uw gastvrijheid,' zei Pitt. Hij keek naar de tempel, waar het ingepakte lijk van de moordenaar op een bankje lag. 'Heeft er al iemand naar uw andere bezoeker gevraagd?'

'Nee,' antwoordde de lama. 'Over vier dagen wordt hij gecremeerd, maar zijn as blijft niet op ons terrein. Hij had niet de geest van Sakyamuni in zijn hart.' De oude lama draaide zich weer om naar Pitt en Giordino. 'Mijn hart zegt me dat u mannen van eer bent. Ik wens u wijsheid en geestkracht toe en dat u zult vinden wat u zoekt.'

De lama maakte een diepe buiging, die Pitt en Giordino eveneens met een buiging beantwoordden alvorens ze in de cabine van de vrachtwagen plaatsnamen. De chauffeur, een oude Mongoliër met een gehavende rij voortanden, keek hen breed glimlachend aan, waarna hij de motor startte en langzaam het terrein van het klooster afreed. De lama bleef met gebogen hoofd roerloos staan tot de vrachtwagen uit het zicht was verdwenen en het opgedwarrelde zand op het gewaad en de sandalen van de oude man was neergedaald.

In de door de woestijn hobbelende vrachtwagen keken Pitt en Giordino zwijgend voor zich uit, allebei peinzend over de afscheidswoorden van de lama. Het leek haast alsof de oude doorgroefde man wist waar ze mee bezig waren en dat hij hun groen licht had gegeven.

'We moeten terug,' mompelde Pitt ten slotte.

'Naar Xanadu?' vroeg Giordino.

'Naar Xanadu.'

309

Deel drie

AARDSCHOKKEN

Dirks catamaran

33

De blauwgevlekte zaagbaars wierp een tersluikse blik op de grote vorm die op hem afkwam. Hij zwom te traag om een haai te zijn en de neonblauwe huid was voor een dolfijn te glanzend. Bovendien bewoog hij zich op een merkwaardige manier voort met twee gele aanhangsels op de plek waar de staart zou moeten zitten. Nadat hij tot de slotsom was gekomen dat de vorm vriend noch vijand was, ging de zaagbaars hem uit de weg en begaf zich op zoek naar voedsel naar een ander deel van het rif.

Summer Pitt sloeg nauwelijks acht op de grote vis die door het blauwe duister zwom. Haar blik was op een gele nylon lijn gericht die over de zeebodem lag en die ze als een gemarkeerd pad volgde. Haar lenige lichaam gleed soepeltjes met een gelijkmatige snelheid door het water en scheerde op een halve meter afstand over de knoestige toppen van het koraalrif. In haar handen hield ze een digitale videocamera, waarmee ze het bontgekleurde rif aan beide zijden van de gele lijn filmde.

Summer maakte de opnamen van het rif als onderdeel van een NUMA-onderzoek naar de toestand van de koraalriffen in de wateren rond Hawaï. Door bezinksel, overbevissing en algenplagen als gevolg van vervuiling en de opwarming van de aarde was overal ter wereld sprake van een langzame maar gestage achteruitgang van de koraalriffen. Hoewel de riffen van Hawaï nog grotendeels intact waren, was het niet gezegd dat ze niet ten prooi zouden vallen aan de ernstige ontkleuring en massale sterfte die in de riffen rond Australië, Okinawa en Micronesië was waargenomen. Door de gezondheidstoestand van de riffen te onderzoeken hoopte men de invloed van menselijk handelen hierop te achterhalen, zodat er actie kon worden ondernomen.

De methode die ze hanteerden was opmerkelijk eenvoudig. De videoopnamen van het te onderzoeken rif werden vergeleken met beelden die maanden of jaren eerder op dezelfde locatie waren gemaakt. Aan de hand van tellingen van vissen en op de zeebodem levende organismen kreeg men een wetenschappelijk beeld van de relatieve gezondheid van het rif. Dit NUMA-project richtte zich op tientallen riffen rond de eilanden en moest een uitgebreid overzicht opleveren van de toestand van de wateren in de hele regio.

Summer zwom langzaam langs de lijn tot ze in een zandgeul bij het door een in de zeebodem gestoken roestvrijstalen staak gemarkeerde eindpunt kwam. Aan de staak was een plastic met een waterbestendige pen beschreven label bevestigd. Summer reikte omlaag, draaide het label naar de camera en filmde de lijn en markering, waarna ze de camera uitzette. Toen ze het label losliet, viel haar oog op een nabijgelegen richel in het zand. Met een paar felle slagen van haar gele zwemvliezen gleed ze naar een kleine rotsformatie. Tussen de stenen bewoog een inktvis, die door zijn lijf op en neer te golven water langs zijn kieuwen liet stromen. Summer bekeek het intelligente ongewervelde dier dat van kleur veranderde en bijna doorzichtig werd toen het zijn mantel uitspreidde en in de richting van het rif wegzweefde. Toen ze haar blik weer op de rotsformatie richtte, zag ze een klein rond voorwerp uit het zand ernaast steken. Het leek alsof een glimlachend miniatuurgezichtje naar Summer opkeek en blij was dat het eindelijk werd ontdekt. Summer veegde een laagje zand weg, waarna ze het voorwerp oppakte en voor haar duikmasker hield.

Het was een porseleinen beeldje van een jonge, in een opwaaiende rode jurk geklede vrouw met zwart, hoog opgebonden haar. Haar bolle wangen bloosden als bij een cherubijntje, en de smalle ogen waren onmiskenbaar Aziatisch. Het artistieke handwerk was aan de grove kant en aan de jurk en houding te zien zou het beeldje wel eens heel oud kunnen zijn. Summer hield het ondersteboven maar zag op de onderkant niet MADE IN HONGKONG staan. Met haar andere hand door het zand woelend vond ze geen andere voorwerpen in de directe omgeving.

Haar aandacht werd getrokken door de zilverglinsterende luchtbelletjes die op een paar meter afstand van een andere duiker opstegen. Het was een man die bij de rand van het rif geknield een monster van het bezinksel nam. Summer zwom naar hem toe en hield het porseleinen beeldje voor zijn duikmasker omhoog.

De lichtgroene ogen van haar broer Dirk glommen van nieuwsgierigheid toen hij het voorwerp onderzoekend bekeek. Dirk, die net zo lang en slank was als zijn vader naar wie hij was vernoemd, borg het bezinkselmonster in een duiktas op, strekte zijn benen uit en gebaarde naar Summer dat ze hem moest aanwijzen waar ze het beeldje gevonden had. Ze leidde hem over de zandrichel weg van het rif naar de steenformatie waarbij ze het glimlachende gezichtje had zien liggen. Zij aan zij zwommen ze op een halve meter boven de bodem in een wijde boog om de hele zandrichel heen. Het golvende zand ging in de buurt van de kust abrupt over in een ruw bed van lavasteen. Wanneer ze van de kustlijn weg zwommen zakte de zandbodem steeds steiler weg naar een diepte van ruim vierenhalve kilometer. Halverwege de zandbank stak nog een klein koraalrif op en Dirk zwom er heen om het beter te bekijken.

Het koraal strekte zich in een rechte lijn over een lengte van ongeveer drie meter uit alvorens het onder het zand verdween. Dirk zag dat het zand langs een doorlopende streep tot aan het lavasteen donkerder leek. Summer zwom naar een kleine ronde vorm die van de bodem omhoogstak en gebaarde naar Dirk dat hij moest komen kijken. Dirk zwom met een paar krachtige slagen naar wat een rechthoekige steen van een kleine twee meter doorsnede leek. Hij liet zich zakken en bevoelde met zijn in een handschoen gestoken hand de ruw aangekoekte rand en tastte vervolgens het oppervlak af. De harde ondergrond gaf mee toen zijn vingers in het midden op een dichte begroeiing van zee-egels drukten. Omdat hij zich geïnteresseerd naar voren boog, kwam Summer dichterbij met haar videocamera en maakte een paar close-ups van het voorwerp. Vervolgens lieten de twee duikers het voorwerp voor wat het was en vervolgden hun rondgang langs de zandrichel zonder verder nog iets te vinden. Terug bij de duiklijn waar ze waren begonnen, stegen ze met ferme slagen van hun vinnen de negen meter omhoog naar het rimpelende wateroppervlak.

Hun hoofden doken op uit het saffierblauwe water van een brede inham bij Keliuli Bay aan de zuidwestkust van het Grote Eiland van Hawaï. Een paar honderd meter verderop sloeg de branding op een rotsachtige kustlijn, die als een hoge zwarte muur van lavasteen in een halve cirkel rond de inham steil uit het water oprees. De golven die met donderend geraas tegen de rotsen sloegen, spatten in een woest bruisende schuimlaag terug die zich als een witte ring over het wateroppervlak verspreidde.

Dirk zwom naar een kleine rubberboot die aan de duiklijn dobberde en hees zich over de zijrand aan boord. Nadat hij zijn persluchtfles en loodgordel had afgedaan, stak hij zijn arm over de rand van de boot en hielp zijn zus aan boord. Summer spuugde het mondstuk van de ademautomaat uit en vroeg voor ze goed en wel op adem was gekomen: 'Dat stuk koraal daar midden op die zandrichel, wat is dat volgens jou?'

'Het is wel erg recht, hè.'

'Dat dacht ik ook, ja. Ik wil graag langs de rand ervan wat zand weggraven om te kijken of er niet iets onderzit dat door het koraal is weggevreten.'

Ze haalde het porseleinen figuurtje uit haar duiktas tevoorschijn en bekeek het in het zonlicht.

'Jij denkt dat er een scheepswrak onder het koraal zit, hè?' zei Dirk op een licht laatdunkende toon, terwijl hij de ankerlijn ophaalde en de motor startte.

'Dit moet toch ergens vandaan komen,' reageerde ze, terwijl ze het beeldje ophield. 'Hoe oud is dit ding, denk je?'

'Ik heb geen flauw idee,' antwoordde Dirk. 'Mij persoonlijk lijkt die rechthoekige steen heel wat interessanter.'

'Heb jij een theorie dan?'

'Jazeker,' zei hij, 'maar ik ga me niet aan bizarre speculaties wagen voordat ik het een en ander in de computers van het schip heb onderzocht.'

Dirk draaide de gashendel open, waarop het bootje over de golven bonkend naar een in de verte afgemeerd schip voer. Het onderzoeksschip van de NUMA was turkooisblauw en toen ze dichterbij kwamen, werd de naam die in zwarte letters op de achtersteven stond leesbaar: MARIANA EXPLORER. Dirk stuurde de boot naar bakboordzijde tot onder de kabels die aan de arm van een kleine dekkraan tot vlak boven het water bungelden. Nadat Dirk en Summer de uiteinden van de kabels aan bevestigingshaken op de rubberboot hadden vastgeklikt, leunde er een stevige mannentorso over de reling. Met zijn dikke snor, gespierde bouw en staalblauwe ogen leek de man een reïncarnatie van Wyatt Earp, maar dan met een Texaans accent.

'Hou je vast,' riep hij, waarna hij zich op het bedieningspaneel van de kraan concentreerde. In een oogwenk had Jack Dahlgren de boot uit het water getild en op het dek neergezet. Terwijl hij hen hielp met het opruimen van de duikuitrusting, vroeg hij aan Summer: 'Zijn jullie hier nu klaar met het laatste rif? De kapitein wil weten of hij de voorbereidingen kan treffen om naar het volgende punt te verhuizen, Leleiwi Point, aan de oostkant van het eiland.'

'Het antwoord is ja en nee,' antwoordde Summer. 'Ja, we hebben alle gegevens die we hebben wilden, en nee, we kunnen nog niet weg, want ik wil hier nog één duik maken.'

Dirk hield het porseleinen beeldje op. 'Summer denkt dat daar een wrak met een schat voor het grijpen ligt,' zei hij grinnikend.

'Een culturele schat zou ik al heel mooi vinden.'

'Waarom denken jullie dat er een wrak ligt?' vroeg Dahlgren.

'Niks bijzonders, maar Summer heeft er een interessant stenen voorwerp gevonden,' zei Dirk. 'We moeten er eerst de videobeelden van bekijken.'

Nadat Dirk en Summer hadden gedoucht en zich hadden omgekleed, voegden ze zich bij Dahlgren in een van de laboratoria van het schip. Dahlgren had de camera op een computer aangesloten en bekeek de beelden op een groot scherm. Toen de rechthoekige steen in beeld kwam, boog Dirk naar voren en druk de pauzeknop in.

'Ik heb zoiets wel eens eerder gezien,' zei hij, waarna hij achter een andere computer plaatsnam en het toetsenbord naar zich toetrok. 'Dat was op een conferentie over onderwaterarcheologie tijdens een lezing over een wrak dat in Maleisië was ontdekt.'

Nadat hij enige tijd had gezocht, vond hij het hele verhaal op een website terug, inclusief foto's van de berging. Dirk bladerde door de foto's tot hij bij een onder water genomen foto van een platte steen kwam. Het was een rechthoekige, aan één kant spits toelopende granieten plaat met twee gaten in het midden.

'Als je de aangroei weghaalt, heb je iets wat verdacht veel lijkt op het voorwerp op Summers video,' verzekerde Dahlgren, nadat hij de beelden aandachtig had vergeleken.

'Ja, en niet alleen qua vorm maar ook het formaat,' merkte Dirk op.

'Oké,' zei Summer, 'ik zie 't ook. Maar wat is 't?'

'Een anker,' antwoordde Dirk. 'Of beter gezegd, het stenen gewicht dat in een houten werpanker past. Toen men nog niet met lood of ijzer werkte, was het 't gemakkelijkst om een anker van hout en steen te maken.'

'Dan heb je 't dus over de tijd dat men alleen nog met zeilschepen voer,' zei Dahlgren.

Dirk knikte. 'Daarom is het zo intrigerend. Het anker van Summer lijkt sprekend op dit,' zei hij op het scherm wijzend.

'Dat is duidelijk,' reageerde Summer. 'Maar waar komt het vandaan? Wat voor wrak hebben ze daar in Maleisië opgehaald?'

'Nou,' zei Dirk, terwijl hij snel een aantal computerpagina's doorliep tot hij bij een digitale tekening van een viermaster kwam. 'Wat dacht je van een dertiende-eeuwse Chinese jonk?'

34

Er hing een wazig bruine lucht boven het eiland Khark. De vettige rook die een week daarvoor tijdens de ramp bij Ras at Tannurah was vrijgekomen hing nog altijd als een verstikkende deken boven de Perzische Golf. Zelfs op Khark, een rotsachtig eiland van ruw kalksteen aan de Iraanse kant van de Golf op bijna driehonderd kilometer van Ras at Tannurah, proefde je de vieze smaak van aardolie in je mond als je er de dikke vervuilde lucht inademde.

De verontreinigde lucht viel milieutechnisch niet uit de toon bij de kwaliteit van het water ten oosten van het kleine eiland waarop een permanente laag olie dreef. Maar deze vervuiling van het water was plaatsgebonden en was het gevolg van lekkages in de laadinstallaties van de aangrenzende aardoliehaven. De enorme T-vormige aanlegsteiger die aan de oostkant uit het eiland stak, was voorzien van ligplaatsen voor maar liefst tien olietankers. Voor de westkust lag een kunstmatig eiland dat de installaties bevatte voor het laden van de allergrootste mammoettankers met ruwe aardolie die door pijpleidingen werd aangevoerd vanuit een verzameling hoog op het eiland geplaatste opslagtanks. Hoewel het maar een heel klein stukje land was, was Khark de grootste olie-exportterminal van Iran en tevens een van de grootste oliehavens ter wereld.

In de avondschemering tufte er een gehavend zwart boorschip langs de vloot tankers die in een lange rij bij de oostelijke terminal lagen. Het in noordelijke richting varende boorschip draaide naar links en voer op het eiland af, waar het vlak onder steile kliffen aan de noordpunt voor anker ging. De patrouilleboot van de Iraanse marine die even later voorbij voer, schonk geen aandacht aan het oude schip, dat onder Indiase vlag voer.

Ook de havenarbeiders aan wal hadden weinig oog voor het schip en na het invallen van de duisternis al helemaal niet meer. Maar juist toen kwam het boorschip tot leven. Het voer onopvallend heen en weer door het zwarte water tot het uiteindelijk op de gewenste plek bleef liggen. Aan de voor-, achter- en zijkanten werden stuwmotoren in werking gesteld die het schip onafhankelijk van wind en stroming stevig op haar plaats vastnagelden. In het schijnsel van een gedempte dekverlichting was de in zwarte overalls geklede scheepsbemanning druk in de weer met het bevestigen van boordelen aan een dekkraan, waarmee de boorbuis vervolgens door een openstaande boorkoker werd neergelaten. Aan het uiteinde van de boorbuis zat niet de gebruikelijke spits toelopende boorkop, maar een eigenaardig apparaat bestaande uit drie langwerpige, in de vorm van een driepoot aan elkaar bevestigde cilinders.

De driepoot werd tot op de bodem neergelaten, waarna de dekbemanning geleidelijk weer verdween en de rust op het schip terugkeerde. Tot er twintig minuten later opeens onder het schip een explosie klonk. Boven water hoorde men niet veel meer dan een harde, maar doffe dreun die voor de mensen aan de wal en op naburige schepen nauwelijks hoorbaar was. Maar zo'n vijftien meter onder het schip werd een ultrakrachtige geluidsgolf de zeebodem ingeramd. De omlaag gerichte seismische golf schoot ongevaarlijk trillend en brekend door de aardkorst. Ongevaarlijk zolang de door de drie cilinders strak gerichte golven een exact uitgekozen punt op een breuklijn nog niet hadden bereikt.

De korte akoestische explosie werd gevolgd door een tweede en nog een derde ontlading. Met uiterst precies gerichte seismische golven werd de diep onder de zeebodem gelegen breuklijn net zolang gebombardeerd tot er een onomkeerbare reactie optrad. Zoals Ella Fitzgerald met haar stem een glas kapot kon zingen, verbrijzelden de akoestische trillingen de bijna een kilometer onder de zeebodem gelegen breuklijn.

Het breken van de breuklijn veroorzaakte een aardschok die met een geweldige kracht tot aan het oppervlak doordreunde. De Amerikaanse geologische dienst registreerde een schok van 7,2 op de schaal van Richter en dat is, zoals iedereen weet, een beving die verwoestende gevolgen kan hebben. Toch was het aantal slachtoffers minimaal en bleef de belangrijkste schade beperkt tot slechts een paar Iraanse kustplaatsen in de buurt van het eiland Khark. Omdat de Perzische Golf zo diep was dat er geen tsunami kon ontstaan, werd er vrijwel uitsluitend schade aangericht aan de Iraanse kust in de noordpunt van de Golf. En aan het eiland Khark.

Op het piepkleine olielaadeilandje was de schade catastrofaal. Het hele

319

eiland schudde op haar grondvesten alsof eronder een atoombom was ontploft. Tientallen olietanks klapten als ballonnen uit elkaar, waarna de zwarte inhoud als klaterende rivieren langs de hellingen de zee instroomde. De reusachtige, op de zeebodem verankerde olieterminal aan de oostkust brak in verschillende stukken uiteen, die op de eraan afgemeerde tankers inbeukten. De mammoettankerterminal voor de westkust van Khark verdween volledig in zee.

Het kleine zwarte boorschip bleef niet wachten om de aangerichte schade op te nemen, maar vertrok in de kleine uurtjes van de nacht naar het zuiden. De zwermen helikopters en reddingsschepen die het eiland vanuit alle richtingen te hulp schoten, schonken weinig aandacht aan het oude schip dat van de ramp wegvoer. Toch had dit bescheiden boorschip eigenhandig de totale Iraanse olie-export vernietigd, met als gevolgd dat de olieprijs op de wereldmarkt opnieuw de hoogte in schoot en er in China een totale chaos uitbrak.

35

Op de toch al onstabiele oliemarkt sloeg de melding van de verwoesting van Khark in als een atoombom en veroorzaakte paniekreacties onder het motto pakken-wat-je-pakken-kan. Uit pure angst gooiden de handelaren de lopende termijncontracten overboord en joegen de prijs van ruwe aardolie op tot een ongekende hoogte van honderdvijftig dollar per vat. Op Wall Street zakte de Dow Jones-index in omgekeerde richting. De instortende aandelenmarkt moest voortijdig worden gesloten toen de index door de massale verkoop van aandelen binnen een halve dag meer dan twintig procent was gedaald.

In de hele vs reageerden de automobilisten al even panisch op het nieuws en raceten naar het dichtstbijzijnde benzinestation om de tank van hun auto's nog met de goedkope brandstof te vullen. Door deze stormloop was de bescheiden voorraad aan geraffineerde benzine al spoedig uitgeput en binnen de kortste keren waren er tekorten in vrijwel alle staten. Hier en daar liepen de gemoederen rond de snel slinkende voorraden uit de hand en braken er zelfs relletjes uit.

In het Witte Huis riep de president de hoogste veiligheids- en economische adviseurs voor een spoedzitting in de Cabinet Room bijeen. De president, een no-nonsense populist uit Montana, luisterde bedaard naar zijn belangrijkste economische adviseur, die een lange reeks rampzalige gevolgen van de onrust op de oliemarkt opsomde.

'Een verdubbeling van de olieprijs in minder dan een maand zal tot een ongekende inflatie leiden,' verkondigde de adviseur, een kalende man met een forse bril. 'Afgezien van de te verwachten problemen in de gehele transportsector zijn er talloze industriële en productieprocessen die van petroleum afhankelijk zijn. De fabricage van plastics, chemicaliën, verf, textiel... er is nauwelijks een industrie die niet rechtstreeks door de prijsstijging getroffen wordt. De dramatische stijging van de olieprijs zal aan de consument moeten worden doorberekend, die dat nu al bij de benzinepomp in zijn portemonnee voelt. Dat dit onmiddellijk tot een recessie leidt is een uitgemaakte zaak. Ik ben bang dat ons een enorme en langdurige wereldwijde economische depressie te wachten staat.'

'Is die prijsopdrijving niet een voorspelbare, maar overdreven reactie?' vroeg de president. 'Tenslotte importeren wij geen druppel olie uit Iran.'

'Paniek speelt een belangrijke rol, daar is geen twijfel over mogelijk. Maar de schade aan het eiland Khark verstoort de wereldwijde olievoorraad en dat is wel degelijk van invloed op de prijs in de vs, ook al blijft onze import op hetzelfde peil. Uiteraard hadden we al een teruggang van de import door de verwoesting van Ras at Tannurah. Als gevolg daarvan stond de markt al onder druk. De angst is deels ingegeven door geruchten, onder andere de bewering dat de verwoesting van beide installaties aan de Golf het gevolg van terroristische acties zouden zijn.'

'Is daar enig bewijs voor?' vroeg de president aan zijn adviseur van de inlichtingendienst, een ernstige man met een ingevallen gezicht.

'Nee, die zijn er niet,' antwoordde de man stellig. 'Ik zal Langley opdracht geven dit verder te onderzoeken, maar alles wijst op natuurlijke aardschokken. Het feit dat er vlak na elkaar twee zo verwoestende aardbevingen hebben plaatsgevonden, lijkt zuiver een speling van de natuur.'

'Dat is duidelijk, maar probeer te voorkomen dat binnenlandse fanatiekelingen op jacht naar spectaculair nieuws de situatie hier uit de hand laten lopen. Dennis, ik wil dat de binnenlandse veiligheidsdienst in alle zeehavens de bij een terroristische dreiging te nemen noodmaatregelen treft. En zorg ervoor dat de beveiliging van onze olieterminals wordt opgevoerd, met name die aan de Golfkust.'

'Komt voor elkaar, meneer de president,' antwoordde de directeur van de binnenlandse veiligheidsdienst, die recht tegenover het staatshoofd zat.

'Garner, ik denk dat een onmiddellijke vrijgave van een deel van de strategische oliereserves de beste manier zal zijn om de publieke hysterie in te dammen.' Dit voorstel kwam van vice-president James Sandecker, een gepensioneerde admiraal en voormalig hoofd van de NUMA. Hij was een kleine maar daadkrachtige man met een priemende oogopslag en een felrood puntbaardje. Als goede vriend van de president sprak hij zijn baas meestal nogal informeel bij zijn voornaam aan. 'De oliemarkt zal na verloop van tijd wel weer tot rust komen. De vrijgave van een deel van de reserves zou de acute angst van het volk voor een olietekort wegnemen en wellicht ook het vertrouwen in de overige markten opvijzelen.'

De president knikte. 'Zet daar onmiddellijk een presidentieel bevel voor op papier,' zei hij tegen een assistent.

'Een verkooppraatje vanaf de opperkansel zou ook geen kwaad doen,' vervolgde Sandecker, terwijl hij naar een enorm portret van Teddy Roosevelt aan een van de zijmuren keek.

'Ik zal mijn best doen,' stemde de president toe. 'Neem contact op met de televisiezenders en organiseer een toespraak tot het volk voor vanavond,' zei hij. 'Ik zal me sterk maken voor een vrijwillige benzinerantsoenering gedurende dertig dagen. Om de raffinaderijen de tijd te geven de voorraden aan te vullen. We moeten eerst het volk rustig zien te krijgen, dan zien we daarna wel hoe we de misère gaan aanpakken.'

'Toch zijn er maatregelen die we in overweging moeten nemen,' mijmerde de stafchef. 'We zouden met onmiddellijke ingang een tijdelijke prijzenstop en een verplichte brandstofrantsoenering kunnen instellen.'

'Misschien is het verstandig om publiekelijk een aantal bezuinigingen te promoten en ondertussen op de achtergrond de zaken wat dwingender aan te pakken,' suggereerde Sandecker. 'Waarschijnlijk kunnen we enkele van onze buitenlandse leveranciers overhalen de olieproductie op te voeren. Terwijl onze eigen producenten daar ook hun steentje toe kunnen bijdragen, hoewel ik heb begrepen dat de pijpleiding uit Alaska inmiddels weer op het oude peil functioneert.'

'Ja, de arctische velden hebben de productie verhoogd,' bevestigde de economische adviseur. 'Anders hadden we er op dit moment heel wat slechter voorgestaan. Maar dat betekent wel dat de bovengrens van onze productie is bereikt. De genoemde maatregelen zijn allemaal prachtig en goedbedoeld, maar op de binnenlandse vraag zullen ze nauwelijks van invloed zijn. De afschuwelijke realiteit is dat ze op de wereldmarkt geen enkel effect zullen sorteren. Wat we nodig hebben is een aanzienlijke toename van de aanvoer en het zal Saudi-Arabië en Iran nog maanden kosten, voordat ze aan die vraag kunnen voldoen. Het spijt me te moeten zeggen, maar ik ben bang dat we op zo goed als geen enkele zinnige wijze invloed op de olieprijs kunnen uitoefenen.'

Na dit sombere vooruitzicht werd het stil in het vertrek. Ten slotte nam de president het woord.

'Goed, heren, gooi alles op tafel. Ik wil alle alternatieven en alle noodmaatregelen in overweging nemen. En ik ga ervan uit dat we snel moeten handelen. Als de olieprijs op het huidige peil zou blijven, hoeveel tijd hebben we dan nog voor de boel volledig uit de hand loopt?' vroeg hij de econoom met zijn donkere ogen strak aankijkend.

'Moeilijk te zeggen,' antwoordde de adviseur nerveus. 'Het zal misschien een dag of dertig duren voordat de eerste belangrijke productieprocessen en daarmee samenhangende industrieën uitvallen. Zodra de markten de eerste schok verwerkt hebben, zal de druk op de olieprijs afnemen. Maar om een ernstige recessie te voorkomen zal een prijsreductie van minstens dertig à veertig dollar onontbeerlijk zijn. De keerzijde is dat de markt nu vreselijk zwak is. Nog één zo'n tegenslag en de ramp zal wereldwijd niet meer te overzien zijn.'

'Nog zo'n tegenslag,' zei de president zachtjes. 'God behoede ons daarvoor.'

36

Het lege stuk zand waarin Summers porseleinen beeldje verborgen had gezeten, leek nu een onder water gelegen bouwterrein. Er lagen aluminium roosters en gele lijnen in alle richtingen uitgespreid over de zeebodem, vastgepind met kleine oranje, in de grond gestoken vlaggetjes. Wat als een eenvoudige proefopgraving bij de rotsachtige richel was begonnen, was nadat Dirk en Summer een halve meter onder het zand een grote scheepsspant hadden gevonden, tot een volwassen opgravingsproject uitgegroeid. Andere proefopgravingen hadden de bevestiging opgeleverd dat het porseleinen beeldje en het stenen anker geen bij toeval overboord geworpen voorwerpen waren, maar deel uitmaakten van een volledig wrak dat daar tussen twee koraalriffen onder het zand lag.

Schitterend bewerkte blauwwitte porseleinen borden en schalen, votieftafels en beeldjes van jade, het lag allemaal verborgen in een uit China afkomstig wrak. Delen van de scheepsromp kwamen overeen met het ontwerp van een Chinese jonk van uitzonderlijk groot formaat. Tot Summers verbazing en ergernis had de mogelijke vondst van een oud Chinees schip in de wateren van Hawaï voor grote opschudding gezorgd. Journalisten uit de hele wereld hadden zich als hongerige gieren op haar gestort. Na een eindeloze reeks steeds weer dezelfde interviews was ze dolblij dat ze haar persluchtfles om kon gorden en het water in kon gaan, weg van alle commotie. Ze wist dat de belangstelling van de nieuwsjagers snel zou wegebben en dat ze de opgraving dan ongestoord konden voortzetten.

Summer gleed over de roosters en passeerde een paar duikers die zand wegbliezen van een grote balk waarvan ze vermoedden dat het de achtersteven was. Een paar meter verderop hadden ze met in het zand gestoken peilstiften een groot stuk hout gevonden dat het roer zou kunnen zijn.

Nadat ze naar de rand van het werkterrein was gezwommen, steeg ze langs een duiklijn, waaraan ze zich boven haar hoofd met een gebalde vuist vasthield, omhoog tot ze uit het wateroppervlak opdook.

Boven de plek van de opgraving lag een bruine, ijzeren werkboot en Summer zwom met en paar krachtige slagen naar de ladder die aan de zijkant overboord hing. De werkboot was niet veel meer dan een open dek met aan een van de uiteinden een haveloze ijzeren kajuit. Op het dek stonden een generator, een waterpomp en diverse compressoren. De twee surfplanken die op het dak van de kajuit lagen, waren de enige aanwijzing dat er in deze functionele omgeving ook tijd voor ontspanning was. De planken waren van Dirk en Summer en behoorden steevast tot hun standaarduitrusting als ze in Hawaï werkten.

'Hoe is het water?' klonk de lijzige stem van Jack Dahlgren. Hij stond met een schroevendraaier in zijn hand over een compressor gebogen, terwijl Summer haar persluchtfles en duikspullen opborg.

'We zijn in Hawaï,' zei ze glimlachend. 'Even lekker als altijd.' Ze stak haar haren op en liep naar Dahlgren toe.

'Kunnen we nog doorgaan of kappen we ermee?' vroeg ze.

'Ik verwacht nog een laatste bevoorrading van de *Mariana*. We gebruiken één compressor voor een airlift en eentje voor de persluchtvoorziening. Op die manier is het duiken in dit water een fluitje van een cent.'

'Ik zou de airlift graag gebruiken voor de laatste paar stukjes die we nog moeten doen.'

Een airlift was weinig meer dan een holle buis met perslucht aan het ene uiteinde. Door die aan één kant samengeperste lucht ontstond een vacuüm waarmee zand en losse deeltjes van een wrak konden worden weggezogen.

'*Mariana Explorer* voor *Brown Bess*,' klonk het krakend uit een aan de reling hangende mobilofoon. Het was duidelijk de stem van Dirk.

'Hier *Bess*. We horen je,' antwoordde Dahlgren.

'Jack, we hebben brandstof en hotdogs en we moeten nog zo'n vijftien kilometer. De kapitein zegt dat we aan lijzijde aanleggen om de brandstof over te hevelen.'

'We wachten 't af.' Dahlgren speurde de horizon af en ontdekte een turkooizen stip die snel dichterbij kwam. Opnieuw klonk er gekraak uit de mobilofoon.

'Zeg tegen Summer dat we weer een bezoeker hebben die met haar over het wrak wil praten. *Explorer* uit.'

326

'Niet weer een journalist alsjeblieft,' mokte Summer van ergernis met haar ogen rollend.

'Summer zegt dat ze zich nu al vreselijk verheugt. *Bess* uit,' antwoordde Dahlgren in de microfoon, terwijl hij Summer pesterig toelachte.

Het NUMA-schip arriveerde nog geen uur later en meerde langszij de werkboot af. Terwijl Dahlgren bij het overladen van een tweehonderd-litervat benzine assisteerde, klom Summer aan boord van de *Mariana Explorer* en liep naar de officiersmess. Daar zat Dirk koffie te drinken met een donker gekleurde Aziatische man in een wijde broek en een marineblauw polohemd.

'Summer, dit is dr. Alfred Tong,' zei Dirk gebarend dat ze dichterbij moest komen.

Tong stond op, boog en schudde de hand die Summer hem toestak.

'Prettig kennis met u te maken, mevrouw Pitt,' zei hij opkijkend naar de grijze ogen van de vrouw die groter was dan hij. Hij had een stevige handdruk, merkte ze, en een huid die net als de hare veel in de zon was geweest. Ze probeerde niet al te opvallend naar het litteken te kijken dat over zijn linkerwang liep, en staarde daarom naar de walnootkleurige ogen en pikzwarte haren.

'Godzijdank,' zei Summer blozend. 'Ik was al bang voor weer zo'n tv-verslaggever.'

'Dr. Tong is conservator van het Nationale Museum van Maleisië,' verklaarde Dirk.

'Ja,' zei Tong knikkend en vervolgde in steenkolenengels: 'Ik nam deel aan een congres van de universiteit van Hawaï toen ik van uw ontdekking hoorde. Een collega op de universiteit bracht me in contact met een locale agent van de NUMA. Uw kapitein en broer waren zo vriendelijk me vandaag uit te nodigen.'

'Het kwam toevallig heel goed uit,' verklaarde Dirk. 'De *Mariana Explorer* lag net in Hilo om brandstof en andere voorraden voor de werkboot op te halen en vaart vanavond weer terug.'

'Vanwaar uw belangstelling voor het wrak?' vroeg Summer.

'We hebben een grote collectie Zuidoost-Aziatische artefacten in het museum, waaronder een tentoongesteld exemplaar van een veertiende-eeuws Chinees schip dat in de Straat van Malakka is gevonden. Hoewel het niet mijn specialiteit is, weet ik wel iets van aardewerk van de Yuan- en Ming-dynastieën. Ik ben geïnteresseerd in wat u hebt gevonden en dacht dat ik misschien van dienst kon zijn bij het vaststellen van de ouderdom

327

van het schip aan de hand van de artefacten. Ik zou, net als veel anderen, met plezier meedoen aan de ontdekking van een dertiende-eeuws Chinees keizerlijk schip in het westelijk deel van de Stille Oceaan.'

'Het vaststellen van de ouderdom van het schip is van doorslaggevend belang,' antwoordde Summer. 'Maar ik vrees dat we nog niet al te veel keramiek hebben opgedoken. We hebben een voorbeeld voor onderzoek naar de universiteit van Californië gestuurd, maar ik ben graag bereid u de overige voorwerpen te laten zien.'

'Misschien is de omgeving waarin de voorwerpen werden aangetroffen niet onbelangrijk. Kunt u mij iets meer vertellen over de conditie en het uiterlijk van het wrak?'

Dirk rolde een enorm vel papier uit over de tafel. 'Net toen Summer kwam wilde ik een overzicht van de opgraving met u doornemen.'

Ze schoven alle drie hun stoel naar de tafel toe en bestudeerden het overzicht. Het was een computeruitdraai van een bovenaanzicht van de plek waar het wrak lag. Naast een lavabedding lagen in een hoefijzervorm delen van balken en de overblijfselen van artefacten bijeen. Tong verbaasde zich over het feit dat er maar zo weinig restanten van artefacten in de tekening te zien waren. Dat kwam niet overeen met de gebruikelijke inhoud van zo'n groot zeilschip.

'We hebben in samenwerking met archeologen van de universiteit van Hawaï nu vrijwel alle toegankelijke onderdelen van het wrak vrij gegraven. Helaas zien we maar een tiende deel van het totale schip,' zei Dirk.

'Ligt de rest onder het koraal?' vroeg Tong.

'Nee, het wrak ligt onder een zandbank loodrecht op twee riffen met de neus naar de kust,' zei Summer. Ze wees op het diagram, waarin aan de beide uiteinden van de opgraving een stuk koraalrif zichtbaar was. 'Het zand heeft ervoor gezorgd dat de aanwezige voorwerpen niet door het koraal zijn aangetast. We gaan ervan uit dat het zand een natuurlijke geul is die miljoenen jaren geleden, toen de zee hier lager was, in de klif is uitgesleten.'

'Maar als het koraal het wrak niet heeft overwoekerd, waarom is er dan niet meer van zichtbaar?'

'In één woord: lava.' Summer wees op de dichte kant van het hoefijzer, waar een steenachtige bedding naar de rand van het diagram aan de kustzijde liep. 'Als u uit het raam kijkt, ziet u dat de kust hier uit één grote laag lava bestaat. De rest van het wrak ligt, het spijt me te moeten zeggen, onder een lavabedding begraven.'

'Heel bijzonder,' zei Tong met opgetrokken wenkbrauwen. 'Dus de rest van het wrak ligt met de lading intact onder de lava?'

'De rest van het schip ligt onder de lava of is er door verwoest. Als het schip is gezonken en onder zand is begraven voordat de lava in zee is gestroomd, zou het inderdaad goed geconserveerd onder de lavabedding kunnen liggen. De balken die we tegen de lava aan vonden, liggen tamelijk diep begraven, wat erop wijst dat de rest van het schip er nog zou kunnen liggen.'

'Het positieve is dat de lava ons wellicht iets over de ouderdom van het wrak kan zeggen,' zei Dirk. 'We hebben een plaatselijke vulkanoloog gevraagd de geschiedenis van de vulkaanuitbarstingen uit te pluizen en uit te zoeken wanneer er lava over dit deel van het eiland is gestroomd. We weten wel dat er in de afgelopen tweehonderd jaar, en waarschijnlijk over een veel langere periode, in deze omgeving geen vulkanische activiteit is geweest. Over een paar dagen hopen we daar meer over te horen.'

'En wat hebt u van het schip kunnen identificeren?'

'Maar een paar dingen, die van het achterschip afkomstig lijken. De spanten zijn dik, wat op een vrij groot schip wijst van misschien wel zestig meter lang of langer. Dan is er een ankersteen, die overeenkomt met de Chinese ankers die we kennen, en die tevens op een groot schip wijst.'

'Een schip van zo'n omvang en ouderdom zal beslist Chinees zijn,' bevestigde Tong.

'Ja,' antwoordde Dirk, 'de Europese schepen van die tijd waren maar half zo groot. Ik heb de legende over de Chinese admiraal Zheng He gelezen, van wie wordt beweerd dat hij in 1405 met zijn enorme Schatvloot om de hele wereld is gevaren. Maar dit is geen honderdvijftig meter lange reus met zes masten waarop Zheng He zou hebben gevaren en je kunt je afvragen of dergelijke schepen ooit hebben bestaan.'

'Geschiedschrijvers zijn tot overdrijven geneigd,' zei Tong. 'Maar dat iemand honderd jaar vóór die zogenaamde reis van Zheng He de halve Stille Oceaan zou zijn overgestoken is op zich al opzienbarend genoeg.'

'De gevonden aardewerken voorwerpen zijn toch een vrij overtuigend bewijs dat het wrak inderdaad zo oud is,' zei Summer. 'Uit vergelijkend onderzoek van de motieven op onze vondsten is gebleken dat het schip uit de dertiende of veertiende eeuw zou moeten stammen. Als u de door ons gevonden keramiek onder de loep wilt nemen, kunt u dat misschien bevestigen.'

'Ik zou heel graag willen zien wat u gevonden hebt.'

Summer bracht hem via een trap naar een lager gelegen, helverlicht laboratorium. De achterwand van de ruimte werd in beslag genomen door rekken met plastic voorraadbakken gevuld met in schoon water geconserveerde artefacten uit het wrak.

'De meeste dingen die we hebben gevonden zijn delen van het schip zelf,' legde ze uit. 'De laadruimen en woonverblijven liggen waarschijnlijk onder de lava, want we hebben nauwelijks persoonlijke spullen aangetroffen. We hebben wel wat dagelijks kookgerei gevonden en een grote pan,' zei ze, wijzend op een rek in de hoek, 'maar dit zal u waarschijnlijk het meest interesseren.'

Ze trok twee opbergbakken uit het rek en zette ze op een roestvrijstalen tafel. In de bakken lagen diverse borden, een schaal en veel porseleinscherven. De meeste voorwerpen waren suikerachtig wit van kleur, maar de schaal was van zwart aardewerk. Met glinsterende ogen zette Tong een leesbril op en begon de artefacten te bestuderen.

'Ja, heel mooi,' mompelde hij, terwijl hij snel de hele verzameling doorkeek.

'Wat denkt u?' vroeg Summer.

'De motieven en het materiaal komen overeen met de producten van de Chinese pottenbakkersovens in Jingdezhen en Jianyang. De kwaliteit lijkt minder ontwikkeld dan het werk dat in de latere Ming-dynastie werd geproduceerd,' antwoordde hij, terwijl hij een van de borden ophield. 'Ik heb dit eerder op een schaal uit de Yuan-periode gezien. Ik sluit me aan bij uw conclusie dat deze keramiek karakteristiek is voor de producten uit de Song- en Yuan-dynastieën in de twaalfde en dertiende eeuw.'

Er verscheen een brede glimlach om Summers lippen en ze knipoogde vrolijk naar Dirk. Tong liep naar het rek en pakte het laatste artefact uit een bak, een grote witte schaal waarvan een stuk van de rand was afgebroken. In het midden stond een geglazuurde afbeelding van een pauw met eromheen tekeningen van een kudde herten die voor een luipaard wegvluchten. Tong bestudeerde de schaal met hernieuwde belangstelling, waarbij hij steeds maar weer naar de glazuurlaag en de geportretteerde dieren keek.

'Een van de medewerkers in het lab heeft een dergelijke tekening in de gegevensbestanden van keizerlijke gebruiksvoorwerpen uit de Yuan-tijd gevonden,' zei Dirk.

'Ja, dat kan,' mompelde Tong, waarna hij schaal teruglegde. 'Iets dergelijks, maar in ieder geval niet voor keizerlijk gebruik. Dit lijkt erop, maar is gemaakt voor de handel, hoogstwaarschijnlijk,' vervolgde hij. 'Maar ik ben het met u eens dat dit uit de Yuan-periode stamt, die zoals u weet van 1264 tot 1368 duurde. Ver vóór admiraal Zheng.'

'Dat denken wij ook, maar het blijft een merkwaardig idee dat we hier in de wateren van Hawaï een schip uit die tijd vinden.'

De deur van het laboratorium ging open en de kapitein van de *Mariana Explorer* stapte naar binnen. Bill Stenseth, een opvallend lange man met zandkleurig haar, werd door zijn rustige, intelligente voorkomen en zijn goedgemutste, onkreukbare redelijkheid door iedereen op het schip gewaardeerd.

'Dahlgren is klaar met het overladen van de brandstof en voorraden op jullie drijvend hotel. Als jullie overstappen, kunnen wij er weer vandoor.'

'We zijn zo klaar, kapitein. Dan pakken Dirk en ik onze spullen en gaan we naar Jack op de werkboot.'

'Werkt u nog aan het wrak?' vroeg Tong.

'We moeten nog één stuk van het houtwerk uitgraven, waarvan we denken dat het een deel van het roer is,' verklaarde Summer. 'Als dat inderdaad zo is, is dat misschien een betere indicatie van de omvang van het schip. De *Mariana Explorer* moet terug naar een rif-onderzoeksproject aan de andere kant van het eiland, dus Dirk, Jack Dahlgren en ik slaan nog een paar dagen ons kamp op de werkboot op om het opgravingswerk af te maken.'

'Ik begrijp 't,' zei Tong. 'Goed, dank u dat u mij de gevonden artefacten hebt willen laten zien. Als ik in Maleisië terug ben, zal ik in het archief van ons museum duiken en kijken of ik nog wat extra informatie over de keramiek die ik hier heb gezien voor u kan vinden.'

'Dank u dat u de tijd hebt willen nemen om hiernaartoe te komen en uw expertise met ons te delen. We vinden het fantastisch dat u onze conclusie over de ouderdom en mogelijke afkomst hebt kunnen bevestigen.'

Dirk en Summer zochten snel wat persoonlijke spulletjes bij elkaar en stapten over op de werkboot, waar Dahlgren al druk bezig was met het losgooien van de meertouwen. Met een stoot van de scheepstoeter zwenkte kapitein Stenseth de *Explorer* weg van de werkboot en even later was het turkooisblauwe schip op weg naar Hilo achter de bochtige kustlijn verdwenen.

'En, wat zijn jullie over ons Chinese lavaschip te weten gekomen?' vroeg Dahlgren, terwijl hij uit een koelkist een blikje bier opdiepte.

'Dr. Tong dacht dat de ouderdom van de keramiek inderdaad overeenkomt met wat wij aanvankelijk al dachten, wat betekent dat het wrak zo'n zeven- à achthonderd jaar oud is,' antwoordde Summer.

'De beste man leek heel geïnteresseerd in het bord waarvan onze mensen van het lab dachten dat er keizerlijke symbolen opstonden, maar echt toegeven wilde hij dat niet,' zei Dirk.

'Professionele jaloezie, denk ik,' zei Summer grinnikend. 'Het is een keizerlijk schip, dat weet ik gewoon.'

'Keizerlijk,' zei Dahlgren, terwijl hij zich met het biertje in een canvas stoel liet vallen en zijn voeten op de reling legde. 'Nou nou, beter kun je 't niet krijgen!'

37

Achtduizend kilometer naar het oosten klosten Pitt en Giordino als een stel uitgeknepen citroenen de foyer van het Continental Hotel in Ulaanbaatar in. Hun gekreukte kleren zaten onder het zand, dat tot in de diepste poriën van hun huid, haren en schoenen was doorgedrongen. Op het deel van hun gezicht dat door een onverzorgde stoppelbaard werd bedekt, vertoonde de huid brandblaren. Het enige wat ontbrak was een wolk om hun hoofd heen zwermende vliegen.

De hotelmanager nam hen met een onverholen blik van minachting op toen de twee landlopers met waterige ogen op de balie afkwamen.

'Zijn er nog berichten voor de kamers 4024 en 4025?' vroeg Pitt, terwijl hij achter zijn gebarsten lippen een rij blinkend witte tanden toonde.

De baliemedewerker trok met een blik van herkenning zijn wenkbrauwen op en verdween een kort moment in een zijkamertje.

'Eén bericht en een pakje,' zei hij, terwijl hij Pitt een velletje papier en een met expresszegels volgeplakt doosje overhandigde.

Pitt behield het bericht en gaf het pakketje door aan Giordino, waarna ze van de balie wegliepen.

'Het is van Corsov,' zei hij zachtjes tegen Giordino.

'Nou, zeg 't maar, wat heeft onze beste KGB-agent ons te vertellen?'

'Hij moest naar een bijeenkomst van het ministerie van Buitenlandse Zaken in Irkoetsk. Hij doet ons de groeten en hoopt dat ons uitstapje naar het zuiden iets heeft opgeleverd. Als hij over een paar dagen in de stad terug is, neemt hij contact met ons op.'

'Heel beleefd van hem,' merkte Giordino sarcastisch op. 'Ik vraag me af of Theresa en Jim zich de luxe kunnen veroorloven om zijn terugkeer af te wachten.' Hij scheurde het per expres verstuurde pakketje open, dat een oud, in leer gebonden boek en een potje vitaminepillen bleek te bevatten. Er viel een kaartje uit, dat hij opraapte en aan Pitt gaf.

'Van je vrouw?'

Pitt knikte en las zwijgend het met de hand geschreven briefje.

Je lievelingsboek en wat extra vitamines voor je gezondheid. Wees er zuinig mee, liefje. Je moet de groeten hebben van de kinderen in Hawaï. Ze hebben opzien gebaard met de vondst van een oud wrak. Washington is oersaai zonder jou, dus kom gauw terug.

Loren

'Een boek en vitamines? Nou niet echt romantisch van mevrouw Pitt,' zei Giordino schertsend.

'Ja, maar 't is wel mijn lievelingsverhaal. Het is altijd inspirerend.' Pitt hield de in leer gebonden roman omhoog, zodat Giordino de tekst op de rug kon lezen.

'Melvilles *Moby Dick*. Geen slechte keuze,' zei Giordino, 'hoewel de belevenissen van Archie en Veronica wat mij betreft ook prima zijn.'

Pitt sloeg het boek open en bladerde het door tot er een gat in de pagina's bleek te zijn uitgesneden. In het midden van het boek zat een automatische .45 Colt verborgen.

'Zo, Ahab, inclusief harpoen, zie ik,' fluisterde Giordino zachtjes tussen zijn tanden fluitend.

Pitt draaide het deksel van het vitaminepotje open en zag dat er een stuk of tien kogels van het kaliber .45 voor de Colt inzaten.

'Is 't niet een beetje link voor een Congreslid om zomaar wapens naar de andere kant van de wereld te sturen?' vroeg Giordino.

'Alleen als je gepakt wordt,' antwoordde Pitt glimlachend, terwijl hij het potje weer afsloot en het boek dichtsloeg.

'Als we een beetje zijn bijgetankt, heeft het weinig zin om op Corsov te wachten,' drong Giordino aan.

Pitt schudde loom zijn hoofd. 'Nee inderdaad, ik denk dat we snel terug moeten. Het lijkt me sowieso niet veilig om hier lang te blijven, want Borjin krijgt beslist argwaan als hij niets meer van zijn boeddhistische killer hoort.'

'Een douche en een biertje zouden de opknapbeurt wel versnellen.'

'Eerst nog wat feiten,' zei Pitt, terwijl hij door de foyer naar een krap bemeten hoekje met wat kantoorspullen voor de zakelijke gasten liep. Uit zijn zak diepte hij de zilveren hanger op die hij uit Borjins lab had meegenomen, en legde hem op een kopieermachine. Op de kopie krabbelde hij snel een paar woorden en stak het vel in een faxapparaat dat ernaast stond, waarna hij een telefoonnummer intoetste dat hij uit zijn hoofd kende. Vervolgens faxte hij de pagina's uit het boek met de seismische metingen naar een ander nummer.

'Daar zullen een paar van die luilakken de handen voorlopig wel even vol aan hebben,' mompelde hij in zichzelf toen hij naar zijn kamer liep.

De buitenkant van het koetshuis in Georgetown zag er niet anders uit dan de meeste huizen in deze chique woonwijk van Washington, D.C. De dakranden boven de verweerde bakstenen muren zaten goed in de verf, de ruiten in de negentiende-eeuwse ramen waren glanzend schoon en de kleine tuin eromheen was keurig verzorgd. Dit contrasteerde sterk met het interieur van het huis, dat eruitzag als het boekenmagazijn van de openbare bibliotheek van New York. Vrijwel alle muren gingen schuil achter glanzend geboende boekenplanken tot de nok toe volgestouwd met historische standaardwerken over schepen en de zeevaart. Ook op de eettafel en op het aanrecht in de keuken lagen stapeltjes boeken, nog aangevuld met in verloren hoekjes vanaf de grond strategisch opgestapelde boekentorens.

St. Julien Perlmutter, de excentrieke bewoner van het huis, zou het niet anders willen. Boeken waren nu eenmaal de grootste passie van deze excellente zeevaartdeskundige, die een naslagbibliotheek had opgebouwd waar bibliothecarissen en particuliere verzamelaars alleen maar van konden dromen. Hij was een genereuze archivaris die zijn kennis en bronnen met het grootste genoegen ter beschikking stelde aan iedereen die zijn liefde voor de zee met hem deelde.

Door het piepje en zoemen van het faxapparaat schrok Perlmutter wakker, nadat hij in een dik beklede lederen fauteuil was ingedut bij het lezen van het scheepsjournaal van het beroemde spookschip *Mary Celeste*. Hij hees zijn corpulente, bijna 180 kilo zware lijf uit de stoel overeind, liep naar zijn werkkamer en pakte de fax. Aan zijn dikke grijze baard plukkend las hij het korte berichtje dat op de kopie was geschreven:

St. Julien,
Ik heb een fles vers gebrouwen airag voor je als je dit kunt identificeren.
Pitt

'*Airag?* Dat is verdomme chantage,' mompelde hij grijnzend.

Perlmutter was een enorme gourmand die dol was op vet en exotisch eten. Zijn immense buik was er een overtuigend bewijs van. Met die fles gegiste merriemelk als steekpenning had Pitt feilloos zijn culinaire snaar geraakt. Perlmutter bestudeerde de gefaxte kopieën van de voor- en achterkant van de zilveren hanger aandachtig.

'Dirk, ik ben geen juwelier, maar ik weet wie hier misschien meer over kan zeggen,' zei hij hardop. Hij pakte een telefoon, toetste een nummer in en wachtte tot er werd opgenomen.

'Gordon? Met St. Julien. Luister, ik weet dat we voor dinsdag een lunchafspraak hebben staan, maar ik heb je hulp nu even nodig. Zouden we de afspraak naar vandaag kunnen verzetten? Mooi, mooi, dan zal ik reserveren en zie ik je om twaalf uur.'

Perlmutter hing op en bekeek de afbeelding van de hanger nog eens nauwkeurig. Als het van Pitt kwam, zat er ongetwijfeld een bizar verhaal aan vast. Bizar en gevaarlijk.

De Monocle bij Capitol Hill zat propvol met lunchende kantoormensen toen Perlmutter er binnenstapte. Het was in Washington een populaire tent voor senatoren, lobbyisten en stafmedewerkers van het Congres. Perlmutter zag onmiddellijk zijn vriend Gordon Eeten aan een tegen de muur geplaatst tafeltje zitten, omdat hij de enige aanwezige was die niet een blauw pak droeg.

'St. Julien, fijn je weer eens te zien,' zei Eeten. Ook hij was een grote forse man, die humoristische opgewektheid combineerde met de aandachtig observerende blik van een detective.

'Ik zie dat ik nog iets heb in te halen,' zei Perlmutter grinnikend toen hij een bijna leeg glas martini op tafel zag staan.

Perlmutter vroeg de barman om een Sapphire Bombay Gibson, waarna de beide mannen de lunch bestelden. Terwijl ze op het eten wachtten, liet Perlmutter de fax van Pitt aan Eeten zien.

'Sorry, maar we moeten eerst even zaken doen,' zei Perlmutter. 'Een vriend van me is in Mongolië deze broche tegengekomen en wil graag weten wat 't precies is. Kan jij er iets over zeggen?'

Eeten bestudeerde de kopieën met een pokergezicht. Als antiektaxateur voor het befaamde veilinghuis Sotheby's had hij letterlijk duizenden historische voorwerpen aan een oordeel onderworpen alvorens ze onder de hamer gingen. Hij was al sinds zijn jeugd met Perlmutter bevriend en hij tipte de maritiem historicus dan ook regelmatig wanneer er voor hem interessante artikelen ter veiling werden aangeboden.

'De kwaliteit is zo moeilijk te beoordelen,' begon Eeten. 'Ik taxeer niet graag aan de hand van een gefaxte kopie.'

'Mijn vriend kennende, weet ik dat het hem absoluut niet om de waarde te doen is. Ik denk dat zijn interesse voornamelijk naar de ouderdom en historische context uitgaat.'

'Waarom heb je dat niet meteen gezegd?' antwoordde Eeten zichtbaar opgelucht.

'Dus je weet wat het is?'

'Ja, dat geloof ik wel. Ik heb iets dergelijks gezien in een collectie die we een paar maanden geleden hebben geveild. Ik zou dit ding uiteraard zelf in de hand moeten hebben om te bepalen of het echt is.'

'Wat kun je me er wél over vertellen?' vroeg Perlmutter, terwijl hij in een boekje aantekeningen maakte.

'Het lijkt origineel Seldzjoeks te zijn. De tweekoppige arend, een uitzonderlijk motief, was in die dynastie een geliefd symbool.'

'Voor zover ik me herinner waren de Seldzjoeken een stam van Turkse moslims die korte tijd een groot deel van het oude Byzantium overheersten,' zei Perlmutter.

'Ja, rond 1000 na Christus veroverden ze Perzië en ongeveer tweehonderd jaar later bereikten ze het hoogtepunt van hun macht, voordat ze door het vijandelijke rijk der Chwarizmi-sjahs onder Ala ad-Din Muhammad in de pan werden gehakt. De Seldzjoeken waren bedreven handwerkslieden, vooral als steenhouwers, maar ook in de metaalbewerking. Ze hebben zelfs enige tijd zilveren en koperen munten geslagen.'

'Dus zij zouden deze hanger gemaakt kunnen hebben?'

'Absoluut. De minutieuze kalligrafie komt overeen met de manier waarop de Seldjoeken hun artistieke metaalbewerkingen van inscripties met een islamitische lofzang of gebed voorzagen. Aan de universiteit van Columbia ken ik een professor die de inscriptie, waarschijnlijk een tekst in het Koefische schrift, voor je kan vertalen. Wie weet, is het een persoonlijke inscriptie voor een sultan.'

'Van een vorstenhuis?'

'Ja. Kijk, de Seldzjoeken gebruikten zelden zilver en goud in hun kunst. Die materialen werden als luxueus gezien en pasten dus niet in het islamitische ideaal van eenvoud. Uiteraard gold dat niet noodzakelijkerwijs ook voor sultans, van wie sommigen helemaal gek van dat spul waren. Dus als deze hanger van zilver is gemaakt, en daar lijkt het erg op, is de kans heel groot dat dit aan een sultan gerelateerd is.'

337

'Dus we hebben het over een Seldzjoek-fabrikaat van ongeveer 1100 tot 1200 na Christus, vermoedelijk afkomstig uit het familiebezit van een sultan,' somde Perlmutter op, ondertussen druk in zijn boekje schrijvend.

'Hoogstwaarschijnlijk. De voorwerpen die we onlangs hebben onderzocht en geveild behoorden tot een verborgen voorraad die van Malik Sjah zou zijn geweest, een Seldzjoekse sultan die in 1092 stierf. Het is interessant dat je vriend dit stuk in Mongolië heeft gevonden. Zoals ik al zei, waren de Seldzjoeken onderworpen door de troepen van Ala ad-Din Muhammad, die op zijn beurt rond 1220 door Dzjengis Khan werd verslagen. Dit is waarschijnlijk onderdeel van de oorlogsbuit geweest die door de legers van Dzjengis Khan mee naar huis is genomen.'

Er kwam een ober naar hun tafeltje om het eten op te dienen, een ribeyesteak voor Eeten en een portie kalfslever voor Perlmutter.

'Dit is toch wel opmerkelijk, Gordon. Zo vaak zullen er geen Aziatische voorwerpen uit de twaalfde en dertiende eeuw op de markt worden aangeboden.'

'Het is grappig. Vroeger zagen we zelden artefacten uit die periode. Maar een jaar of acht, negen geleden werden we benaderd door een handelaar uit Maleisië die een voorraad voor de verkoop in consignatie had, en hij heeft ons daarna van een constante stroom van dit soort artefacten voorzien. Ik denk dat we sindsdien voor ruim honderd miljoen dollar van dergelijk spul voor hem hebben verkocht. En ik weet dat er bij Christie's ongeveer eenzelfde hoeveelheid is geveild.'

'Mijn hemel! Enig idee waar het allemaal vandaan komt?'

'Dat is pure speculatie,' antwoordde Eeten op een hap van zijn biefstuk kauwend. 'De Maleisische handelaar is een uiterst gesloten figuur en weigert ook maar iets over zijn bron prijs te geven. Ik heb de man nooit lijfelijk mogen ontmoeten. Maar hij heeft ons nooit vervalsingen geleverd. Alles wat hij ter verkoop aanbiedt, is van top tot teen origineel antiek.'

'Is het niet een beetje raar dat deze dingen in zulke grote hoeveelheden uit Maleisië komen?'

'Jazeker, maar het kan dat de goederen oorspronkelijk ergens anders vandaan komen. Hij is maar een tussenhandelaar. Zijn eigen naam noch die van zijn firma lijkt van Maleise origine.'

'Hoe heet dat bedrijf?' vroeg Perlmutter, waarna hij het laatste hapje kalfslever doorslikte.

'Een merkwaardige naam: Burjat Handelsmaatschappij.'

38

Theresa voelde iets van opluchting toen de deur van haar kamer openging en een bewaker gebaarde dat ze de gang in moest komen. Als ze haar gingen doden, dan moest dat maar, dacht ze. Alles was beter dan die eindeloze afzondering zonder te weten wat voor afschuwelijks haar te wachten stond.

Er waren twee dagen verstreken sinds ze zonder enige verklaring in deze kamer was opgesloten. Er was geen enkel contact geweest, afgezien van het dienblad met eten dat zo nu en dan in de kamer werd neergezet. Hoewel ze niets wist van het bezoek van de Chinese delegatie, had ze de komst en het vertrek van de stoet auto's wel waargenomen. Een groter mysterie was het hevige vuurgevecht dat ergens achter op het terrein was losgebarsten. Ze had geprobeerd of ze er door het kleine raampje achter in haar kamer iets van kon zien, maar het enige wat ze zag waren wat opdwarrelende stofwolken. Toen ze de volgende dag weer uit het raam tuurde, had ze de bewakers te paard op patrouille langs zien rijden en het leken er minder dan de vorige keren.

Nu ze haar deur uitliep, was ze blij dat ze Wofford op een stok steunend in de gang zag staan. Hij keek haar met een warme glimlach aan.

'De vakantie is voorbij,' zei hij. 'Ik denk dat we weer aan het werk moeten.'

Zijn woorden bleken profetisch, want ze werden naar de werkkamer gebracht. Daar zat Borjin met een ferme sigaar tussen zijn lippen op hen te wachten. Hij leek duidelijk meer ontspannen dan de vorige keer dat ze hem had gezien en de arrogantie die hij uitstraalde was sterker dan ooit.

'Gaat u zitten, beste mensen,' zei hij, naar zijn tafel gebarend. 'Ik hoop dat u een beetje hebt kunnen genieten van uw vrije tijd.'

'Nou en of,' zei Wofford. 'Naar vier muren staren is heel ontspannend.'

Borjin negeerde het commentaar en wees op een stapel nieuwe seismische rapporten.

'Uw werk zit er bijna op,' zei hij. 'Maar er is enige haast geboden bij de selectie van geschikte bronlocaties in deze regio.' Hij vouwde een topografische kaart van een gebied van ruim vijfhonderd vierkante kilometer open. Theresa en Wofford herkenden aan enkele markante punten op de kaart dat het een gebied was in het Chinese deel van de Gobiwoestijn ten zuidoosten van de Mongoolse grens.

'U hebt al gegevens uitgewerkt over een aantal binnen deze regio gelegen locaties. En ik moet zeggen, het resultaat van uw inspanningen is zeer leerzaam,' zei hij op een neerbuigende toon. 'Zoals u kunt zien, zijn de gedeelten die u al heeft onderzocht op deze kaart gemarkeerd. Ik vraag van u dat u die stukken in relatie tot de gehele regio evalueert en vaststelt welke boorlocaties de prioriteit hebben voor een zo groot mogelijke productie.'

'Maar deze locaties liggen toch in China?' vroeg Wofford, die daarmee een gevoelig punt aanboorde.

'Ja, dat klopt,' antwoordde Borjin kortaf zonder een verdere verklaring te geven.

'U weet dat de potentiële reserves nogal diep liggen?' vroeg Wofford. 'Dat is waarschijnlijk ook de reden waarom ze in het verleden over het hoofd zijn gezien.'

'Ja. We beschikken over apparatuur waarmee we tot de benodigde diepte kunnen boren,' antwoordde Borjin ongeduldig. 'Ik heb binnen zes maanden tweehonderd goed producerende bronnen nodig. Lokaliseer die.'

Borjins arrogantie werd Wofford nu toch te veel. Theresa zag aan zijn rood aanlopende gezicht dat hij op het punt stond de Mongoliër te zeggen dat hij de pot op kon. Gelukkig was ze hem net voor.

'Dat kunnen we niet zo snel,' riep ze uit. 'Daar hebben we minstens drie à vier dagen voor nodig,' voegde ze er in een poging tijd te winnen aan toe.

'U hebt tot morgen de tijd. Mijn bedrijfsleider komt dan in de middag bij u langs voor een gedetailleerd verslag van uw analyse.'

'Als we klaar zijn, kunnen we dan ongehinderd naar Ulaanbaatar terug?' vroeg ze.

'Ik zal ervoor zorgen dat er de volgende dag een wagen voor u klaarstaat.'

'Dan kunnen we beter maar meteen aan het werk gaan,' reageerde Theresa, waarop ze een map pakte en de inhoud over de tafel uitspreidde. Borjin knikte met een weinig vertrouwenwekkend glimlachje, waarna hij opstond en het vertrek verliet. Toen hij in de gang verdwenen was, wendde Wofford zich tot Theresa en schudde zijn hoofd.

'Nou nou, wat een welwillende coöperatie opeens,' fluisterde hij. 'Vanwaar die ommezwaai?'

'Het is beter dat hij denkt dat we hem geloven,' antwoordde ze, terwijl ze een rapport voor haar mond hield. 'Bovendien wilde ik voorkomen dat jij hem te lijf ging, want dan waren we allebei dood geweest.'

Wofford glimlachte schaapachtig in het besef dat ze maar al te zeer gelijk had.

Daarop trok Theresa, zich nog altijd bewust van de aanwezigheid van camera's, een map van onder de stapel tevoorschijn en sloeg hem op goed geluk open, waarna ze nog wat rapporten om zich heen uitspreidde. Ze pakte een pen en schreef op de blanco achterkant van een kaart: 'Ideeën voor ontsnapping'. Nadat ze er nog iets onder had gekrabbeld, schoof ze het papier over de tafel naar Wofford. Hij pakte het vel op en las Theresa's opmerkingen nieuwsgierig door. Terwijl hij de kaart ophield om Theresa's schrift te kunnen lezen, zag zij dat het een kaart van de Perzische Golf was. Er waren met rode inkt diverse rode, nogal grillige lijnen op getrokken. Rond twee plekken waar veel rode lijnen bijeenkwamen, was een rode cirkel getrokken. Een van de twee omcirkelde de stad Ras at Tannurah en met de andere cirkel was een eilandje voor de kust van Iran gemarkeerd.

'Jim, moet je deze kaart eens zien,' fluisterde ze, terwijl ze de kaart voor zijn neus omdraaide.

'Dit is een breuklijnenkaart,' zei Wofford, nadat hij de gekleurde lijnen had bestudeerd. 'Hierop zijn de grenzen aangegeven van een tektonische plaat die recht langs de Perzische Golf ligt, en de belangrijkste zones met breuklijnen die ervan weglopen.'

Omdat ze sinds hun ontvoering in afzondering hadden geleefd, wisten ze allebei niets van de recente catastrofale aardbevingen in het gebied rond de Golf. Terwijl Wofford de beide rode cirkels bestudeerde, doorliep Theresa haastig de rest van de stapel mappen en vond nog twee van dergelijke kaarten. De eerste was van het gebied rond het Bajkalmeer in Siberië.

'Mijn hemel, moet je dit zien,' zei ze, terwijl ze de kaart ophield. Haar vinger wees naar de top van het blauw ingekleurde meer. Net onder haar vingertopje was aan de noordoever van het meer een breuklijn rood omcirkeld. Een nieuw aangelegde oliepijpleiding die nog geen drie kilometer ten noorden langs het meer liep, was eveneens op de kaart gemarkeerd.

'Zouden ze daar bij die breuklijn iets hebben gedaan waarmee ze de vloedgolf op het meer hebben veroorzaakt?' vroeg ze.

'Daar heb je wel atoomkracht voor nodig, anders zou ik niet weten hoe,' antwoordde Wofford, maar hij klonk niet echt overtuigd. 'Wat staat er op die andere kaart?'

Theresa legde de derde kaart boven op de stapel. Allebei zagen ze onmiddellijk dat het een kaart van de kust van Alaska was, van Anchorage tot aan British Columbia. De Alaska-pijpleiding was vanuit het binnenland tot aan het eindpunt bij de havenstad Valdez met geel gemarkeerd. Door de één meter twintig dikke buis stroomde ruwe aardolie van de rijke velden bij Prudhoe Bay aan de noordkust van Alaska naar het zuiden. Een voorziening die de Amerikaanse binnenlandse markt van een constante aanvoer van een miljoen vaten per dag verzekerde.

Met een steeds sterker wordend angstig voorgevoel wees Theresa op een gemarkeerde breuklijn die onderlangs de zuidkust liep. En ook in de directe omgeving van de haven van Valdez was een punt op de breuklijn rood omcirkeld.

Zwijgend staarden ze naar de markering, terwijl ze zich angstig afvroegen wat Borjin voor de Alaska-pijpleiding in petto had.

39

Hiram Yaeger schrokte een broodje gegrilde kip naar binnen, sloeg een kop groene thee achterover en verontschuldigde zich bij zijn collega's aan het cafetariatafeltje. Het hoofd van de computerafdeling van de NUMA liet zijn digitale onderzoekswereld zelden langer dan nodig in de steek en hij snelde dan ook terug naar zijn hol op de negende etage van het hoofdkwartier in Washington. Toen hij de cafetaria uitliep, moest hij onwillekeurig glimlachen om de steelse blik die de twee in blauwe pakken gestoken binnenkomers op de vijftiger in zijn Rolling Stones T-shirt wierpen.

De slungelachtige computerfreak was zijn nonconformisme van verre aan te zien: hij liep in spijkerbroeken en cowboylaarzen en droeg zijn lange haar in een paardenstaart. Bij zijn vakmanschap viel zijn uiterlijk in het niet, zoals bleek uit het immense computercentrum dat hij vanaf het begin had opgebouwd en bestierd. Op zijn harde schijven was de meest uitgebreide verzameling onderzoeksgegevens op het gebied van de oceanografie en onderwatertechnologie ter wereld opgeslagen, naast de actuele gegevens van water- en weersomstandigheden afkomstig van honderden over de hele aardbol verspreide meetstations. Maar Yaeger ervoer het computercentrum als een aan twee kanten snijdend zwaard. Het enorme vermogen van de computer stimuleerde een voortdurende vraag vanuit het NUMA-arsenaal van onderzoekswetenschappers, die allemaal wilden dat de computer voor hun favoriete project werd ingezet. Toch stond Yaeger erom bekend dat hij verzoeken om computertijd van binnen de organisatie nooit afwees.

Toen de liftdeuren van de negende etage openschoven, liep Yaeger zijn spelonkachtige computerlaboratorium in, dat rond een gigantische, hoefijzervormige console was opgebouwd. Op een van de draaistoelen voor de console zat een forse, licht kalende man met een vriendelijk gezicht te wachten.

'Dit geloof ik niet,' zei de man glimlachend. 'Heb ik jou echt uit het eethuis moeten weghalen.'

'In tegenstelling tot mijn geliefde computers moet de mens nu eenmaal eten,' antwoordde Yaeger. 'Goed om je weer eens te zien, Phil,' vervolgde hij, de ander de hand schuddend. 'Hoe staan de zaken in de grindgroeve?'

Dr. Phillip McCammon grinnikte om de vergelijking. Als hoofd van de afdeling Zeegeologie was McCammon dé deskundige op het gebied van zeebodemsedimenten. Het toeval wilde dat zijn afdeling zich in een van de ondergrondse verdiepingen van het NUMA-gebouw bevond.

'We kloppen nog steeds op stenen,' antwoordde McCammon. 'Maar ik zou nu toch hulp van je elektronische brein kunnen gebruiken.'

'Mijn rijk staat tot je beschikking,' reageerde Yaeger met een brede armzwaai naar het computercentrum om hem heen, dat het verwerkingsvermogen van bijna een half dozijn supercomputers bevatte.

'Ik heb het kasteel niet zo lang nodig. Ik heb van een collega bij Langley het informele verzoek gekregen om wat seismische gegevens te checken. Ik neem aan dat de CIA wat meer wil weten over de twee aardbevingen die een deel van de Perzische Golf hebben verwoest.'

'Het is inderdaad een interessant toeval dat twee krachtige aardschokken zo vlak bij elkaar allebei zo'n rampzalig effect op de oliebevoorrading hadden. Als de benzineprijs zo blijft stijgen, zal ik binnenkort op de fiets naar mijn werk moeten,' mopperde Yaeger.

'En jij niet alleen.'

'Maar goed, wat kan ik voor je doen?'

'Ze hebben geregeld dat het National Earthquake Information Center in Golden, Colorado, een kopie maakt van hun complete historische archief voor wat betreft de mondiale seismische activiteit in de afgelopen vijf jaar,' zei McCammon, terwijl hij Yaeger een vel papier met de relevante contactinformatie overhandigde. 'Een van mijn analisten heeft speciale software ontwikkeld waarmee we de specifieke eigenschappen van de aardbevingen in de Perzische Golf kunnen evalueren. De resultaten hiervan wil ik met die wereldwijde seismische waarnemingen vergelijken om te zien of er overeenkomsten zijn met andere bevingen.'

'Je denkt dat dat iets oplevert?'

'Nee, ik zou niet weten wat. Maar zo helpen we onze aardige snuffelburen een beetje bij hun geheime bezigheden.'

Yaeger knikte. 'Geen probleem. Ik zal Max de bestanden van Golden vanmiddag laten binnenhalen. Als je ons jullie software stuurt, hebben we morgen in de loop van de ochtend de resultaten voor je.'

'Bedankt, Hiram. Ik stuur het programma meteen naar je toe.'

Terwijl McCammon naar de lift terugliep, trok Yaeger een toetsenbord naar zich toe en begon ijverig te typen. Daar hield hij mee op toen hij een fax tussen de binnengekomen post ontdekte. En hij slaakte een diepe zucht toen hij zag dat de fax vanuit het Continental Hotel in Ulaanbaatar was verzonden.

'Als het regent dan ook meteen pijpenstelen,' mompelde hij, waarna hij vluchtig de fax doorkeek en weer driftig aan het typen sloeg.

Het volgende ogenblik verscheen er een prachtige vrouw tegenover de console. Ze droeg een hagelwitte blouse en een wollen plooirok die tot net boven haar knieën reikte.

'Goedemiddag, Hiram. Ik begon me al af te vragen of je me vandaag nog zou roepen.'

'Je weet heel goed dat ik geen dag zonder je kan, Max,' antwoordde hij. Max was eigenlijk een luchtspiegeling, in feite een holografische projectie die Yaeger had gemaakt als een gebruiksvriendelijke interface in zijn computernetwerk. Max, die op Yaegers vrouw was geïnspireerd maar dan wel met het eeuwige uiterlijk van een twintigjarige, was voor Yaeger en alle anderen in het NUMA-gebouw die bij het oplossen van de ingewikkelde problemen op haar kunstmatige intelligentie vertrouwden, een reële persoonlijkheid geworden.

'Met complimentjes ligt de wereld aan je voeten,' lispelde ze speels-gemeen. 'Wat is 't vandaag: een groot of klein probleem?'

'Allebei een beetje,' antwoordde hij. 'Het zou wel eens de hele nacht kunnen gaan duren, Max.'

'Je weet dat ik nooit slaap,' reageerde ze, terwijl ze de mouwen van haar blouse oprolde. 'Waarmee beginnen we?'

'Ik denk,' zei hij, terwijl hij de fax naar voren haalde, 'dat we het beste maar met de baas kunnen beginnen.'

40

De tropische zon klom langzaam van achter de heuvels van lavasteen en de kokospalmen tevoorschijn en hulde de voor anker liggende werkboot in een gouden gloed. Aan boord van het schip schalde uit een luidsprekerbox de ritmische muziek van een Hawaïaanse steelband, die het brommen van een draagbare generator op de achtergrond overstemde.

Summer, Dirk en Dahlgren waren al uit hun kooien in de kleine dichte kajuit gekropen en bereidden zich voor op een lange dag onder water. Terwijl Dirk de benzinetank van de compressoren vulde, beëindigde Summer haar ontbijt van verse papaja's, bananen en een glas guavesap.

'Wie gaat eerst?' vroeg ze met samengeknepen ogen de gladde ochtendzee om zich heen afspiedend.

'Volgens mij heeft kapitein Jack een werkschema opgesteld,' zei Dirk met een hoofdknikje naar Dahlgren.

Gekleed in een zwembroek, slippers en een verbleekt hawaïhemd stond Dahlgren over de duikuitrusting gebogen en inspecteerde de tweede trap van de ademautomaat die aan een lichtgewicht duikhelm was bevestigd. Zijn bijnaam kapitein had hij te danken aan de vaalblauwe pet die hij op had. Het was een klassieke kapiteinspet, zoals je die vaak op het hoofd van rijke jachteigenaren ziet, inclusief de gouden gekruiste ankers op de voorkant. Maar een belangrijk verschil was dat de pet van Dahlgren eruitzag alsof er een tank overheen was gereden.

'Jep,' balkte Dahlgren met een knarsende stem. 'We werken met beurten van negentig minuten met steeds twee duikers tegelijk en we rouleren na een korte pauze. Dirk en ik doen de eerste duik en daarna ga jij met me mee voor de tweede, terwijl Dirk hier lekker van de zon geniet,' zei hij, zich expliciet tot Summer richtend.

'Dat doet me er opeens aan denken dat ik hier aan boord helemaal geen mixer heb gezien,' reageerde Dirk teleurgesteld.

'Het spijt me je te moeten meedelen dat de rumvoorraad vannacht is opgeraakt. Voor medicinaal gebruik,' voegde Dahlgren eraantoe.

Toen ze de gepijnigde trek op Dirks gezicht zag, rolde Summer met haar ogen. 'Oké, beste alcoholisten in spe, aan het werk dan maar. Als we met wat geluk het roer vinden, hebben we een hoop graafwerk te doen. We moeten ook de roosters en markeringspennen opruimen en ik had graag nog wat tijd over voordat de *Mariana Explorer* terugkomt voor de inspectie van nog wat extra locaties.'

Dahlgren rechtte zijn rug, nam zijn pet af en wierp hem over het dek. De pet vloog met een tollende zwaai recht op Summer af. In een schrikreactie wist ze de pet nog net voordat hij haar borst raakte op te vangen.

'Kijk eens,' zei Dahlgren. 'Jij bent een heel wat betere catcher dan ik.'

Dirk schoot in de lach en Summer reageerde blozend: 'Pas op, anders zou ik je luchtslang wel eens per ongeluk kunnen dichtdraaien als je beneden bent.'

Dirk draaide de twee luchtcompressoren open en schoot net als Dahlgren zijn warmwaterwetsuit aan. Bij deze duik zouden ze de lucht rechtstreeks via een slang uit een van de compressoren krijgen. Zonder de hinderlijke persluchtflessen op hun rug was het gemakkelijker werken en konden ze ook langer onder water blijven. Omdat het wrak op nog geen tien meter diepte lag, zouden ze theoretisch de hele dag zonder gevaar voor caissonziekte kunnen doorwerken.

Summer pakte de airlift op en liet de brede pvc-buis over het zijboord zakken. Het bovenstuk van de airlift was via een slang op de tweede compressor aangesloten. De luchttoevoer door de slang kon met een ventiel geregeld worden. Summer liet de buis langzaam aan de luchtslang zakken tot hij de bodem raakte en de spanning op de slang wegviel.

Dirk trok zijn zwemvinnen aan en keek op zijn horloge. 'Tot over negentig minuten,' zei hij tegen Summer, waarna hij zijn duikhelm over zijn hoofd zette.

'Ik zal het licht aanlaten,' riep Summer boven de herrie van de compressoren uit. Ze boog zich over de reling en hield de drie luchtslangen op die de navelstreng van de duik vormden. Dirk zwaaide naar haar en stapte aan de zijkant van de werkboot af, een seconde later gevolgd door Dahlgren.

Het kabaal van de compressoren stierf weg toen Dirk het turkooisblauwe water raakte en onder het oppervlak verdween. Nadat hij zijn oren had geklaard, drukte hij zijn hoofd omlaag en daalde met ferme slagen naar de bodem af, waar hij meteen de airlift opzocht. Met de buis in zijn hand spurtte hij achter Dahlgren aan, die naar dieper water zwom. Ze stopten bij een paar oranje vlaggetjes die rechtop in het zand stonden. Dirk tilde de airlift op, zette hem rechtop neer en draaide het kraantje van de luchtslang open. De samengeperste lucht spoot naar het uiteinde van de buis en steeg vandaar bruisend en zand en water wegstuwend naar de oppervlakte. Dirk zwaaide het mondstuk van de airlift boven de zeebodem heen en weer en groef op deze manier zand wegspuitend een kuil op een gemarkeerde plek.

Dahlgren keek een tijdje toe en verwijderde zich daarna een paar meter. In zijn hand had hij een roestvrijstalen staak met een kruishandvat aan het ene uiteinde. Hij begon de metalen peilstok in het zand te wrikken tot hij op zo'n zestig centimeter diepte op iets hards stuitte. Hij was hier zo ervaren in dat hij aan de trilling van de peilstok voelde dat hij hout had geraakt. Nadat hij de peilstift had teruggetrokken, verplaatste hij zich een twintigtal centimeters en drukte de stok opnieuw het zand in. Na nog een aantal peilingen markeerde hij de omtrek van het begraven voorwerp met oranje vlaggetjes.

Het gat dat Dirk met de airlift maakte, werd geleidelijk dieper. Hij moest door een bodemlaag heen die nogal stevig was aangekoekt. Toen hij de omtrek bekeek die Dahlgren met vlaggetjes had uitgezet, realiseerde hij zich dat het voorwerp een enorme omvang had. Als het inderdaad een roer was, zouden ze hun vermoedens over de grootte van het schip moeten herzien.

Aan dek van de werkboot controleerde Summer de compressoren nog maar eens, waarna ze zich in een strandstoel liet zakken die zo op het dek stond opgesteld dat ze de luchtslangen in de gaten kon houden. Ze rilde van de frisse zeebries die over het schip streek. Ze was blij dat de ochtendzon het dek nu snel opwarmde.

Ze genoot van de schitterende omgeving en bewonderde de ruige Hawaïaanse kust en de heerlijke bloemengeuren die haar van het nabijgelegen weelderig begroeide eiland tegemoet waaiden. Zeewaarts leek het alsof er een exotische, vanuit de blauwe diepte omhoogstralende schittering op het golvende water van de Stille Oceaan lag. Nadat ze afwezig in de verte een zwart schip zag varen, zoog ze een ferme teug frisse lucht in haar longen en leunde achterover in haar stoel.

Als dit werken is, dacht ze tevreden, dan heb ik verder geen vakantiegeld meer nodig.

41

Pitt was al wakker en aangekleed toen er bij het krieken van de dag op de deur van zijn hotelkamer werd geklopt. Toen hij licht geïrriteerd opendeed, zag hij tot zijn opluchting een glimlachende Al Giordino in de deuropening staan.

'Ik kwam deze luizige landloper in de foyer tegen,' zei hij met zijn duim over zijn schouder wijzend. 'Misschien weet jij wat we met hem aan moeten?'

Vanachter Giordino's forse schouderpartij gluurde een vermoeide en onverzorgd ogende Rudi Gunn met een blik van opluchting in zijn ogen.

'Zo, mijn uit het oog verloren onderdirecteur,' zei Pitt grinnikend. 'We dachten al dat je een leuke baboesjka tegen het lijf was gelopen en je met haar in de woestenij van Siberië had gevestigd.'

'Ik was maar wat blij dat ik eindelijk uit die woestenij van Siberië weg kon. Maar ik was er gebleven als ik had geweten dat Mongolië nog een graadje minder is geciviliseerd,' zei Gunn fel articulerend, terwijl hij de kamer inliep en zich in een stoel liet vallen. 'Niemand heeft me verteld dat er in dit hele land nergens fatsoenlijke wegen zijn. Ik heb de hele nacht gereden over iets wat je met de beste wil van de wereld geen weg kunt noemen. Ik voel me alsof ik op een springstok van New York naar Los Angeles ben gehupt.'

Pitt gaf hem een kop koffie uit het koffiezetapparaat dat op de kamer stond. 'Heb je onze onderzoeksapparatuur en duikspullen bij je?' vroeg hij.

'Ja, het zit allemaal in een vrachtwagen die het instituut me heeft geleend, of verkocht, dat weet ik ook niet precies. Aan de grens met Mongolië heb ik alle roebels die ik bij me had, besteed aan smeergeld om de Russische douaniers te bewegen me door te laten. Ze denken beslist dat ik van de CIA ben.'

'Daar moet je kraaloogjes voor hebben en die heb je niet,' mompelde Giordino.

'Maar ik geloof dat ik niet eens mag klagen,' zei Gunn, die Pitt vorsend opnam. Al heeft me over jullie voettocht door de Gobi verteld. Klonk niet bepaald als een picknick.'

'Nee, maar je leert het land zo wel kennen,' reageerde Pitt glimlachend.

'Die mafkees in Xanadu, houdt hij het olieteam nog steeds gevangen?'

'We weten dat Roy dood is. We kunnen alleen maar hopen dat de anderen daar nog in leven zijn.'

Het rinkelen van de telefoon onderbrak het gesprek. Pitt nam op en sprak een paar woorden, waarna hij het toestel midden in de kamer zette en het knopje van de meeluisterfunctie indrukte. Uit de luidspreker galmde de laconieke stem van Hiram Yaeger.

'Groeten uit Washington, waar de plaatselijke ambtenarij zich begint af te vragen hoe het toch met hun favoriete goeroes van de diepzee is gesteld,' zei hij.

'Die genieten gewoon met volle teugen van de wonderbare onderwaterschatten van Groot-Mongolië.'

'Zoals ik al dacht. En het sensationele politieke nieuws dat uit jullie deel van de wereld komt, daar zitten jullie achter, dat weet ik zeker.'

De drie mannen in de hotelkamer keken elkaar vragend aan.

'We zijn nogal druk bezig geweest,' zei Pitt. 'Wat voor nieuws?'

'China heeft vanochtend verklaard dat ze het gehele grondgebied van Binnen-Mongolië aan de staat Mongolië overdragen.'

'Ik heb wel gezien dat zich op het plein aan het einde van de straat groepjes mensen verzamelden die kennelijk iets te vieren hadden,' zei Gunn. 'Ik dacht dat het misschien om een lokale feestdag ging.'

'China doet het voorkomen als een vriendschappelijk diplomatiek gebaar ten gunste van een goede buur en heeft daar bij de Verenigde Naties en de westerse regeringen goede sier mee gemaakt. Ondergrondse verzetsbewegingen hebben zich jarenlang ingespannen voor onafhankelijkheid van Binnen-Mongolië of hereniging met Mongolië. Het is jarenlang een heikel punt geweest in de diplomatieke betrekkingen met China. Maar achter gesloten deuren zijn de analisten ervan overtuigd dat er niet zozeer een politieke, maar een economische reden achter steekt. Sommigen denken dat het met olie te maken heeft en dat het om een handelsovereenkomst gaat met betrekking tot de levering van olie en andere grondstoffen om de economie van China op peil te houden, hoewel niemand het idee heeft dat Mongolië nu over zulke aanzienlijke oliereserves beschikt.'

'Dat is precies waar het om gaat. Ik denk dat je inderdaad kunt zeggen dat Al en ik bij die onderhandelingen betrokken zijn geweest,' zei Pitt, die Giordino met een veelbetekenende blik aankeek.

'Zei ik 't niet?' reageerde Yaeger lachend.

'Maar in feite zitten het Avarga Oil Consortium en Tolgoi Borjin er achter. Al en ik hebben het een en ander van hun organisatie gezien. Langs de grens heeft hij een enorme opslagcapaciteit klaarstaan.'

'Nogal opmerkelijk dat hij dat zo snel heeft kunnen afdwingen,' zei Giordino. 'Hij moet behoorlijk sterke troeven in de hand hebben gehad.'

'Of valse informatie. Hiram, heb jij nog iets kunnen achterhalen over wat ik je heb gefaxt?' vroeg Pitt.

'Max en ik zijn de hele nacht bezig geweest en hebben wel iets opgediept. Die vent en zijn bedrijf zijn tamelijk ondoorgrondelijk. Degelijk georganiseerd, maar er zitten nogal wat clandestiene kantjes aan.'

'Een Russische informant hier ter plaatse had ook al dat idee,' zei Giordino. 'Wat ben je over zijn oliemaatschappij te weten gekomen?'

'Van het Avarga Oil Consortium is niet bekend dat ze olie uit Mongolië zouden exporteren. Maar ze doen sowieso nauwelijks aan export. Van hen is bekend dat ze slechts over een handjevol oliebronnen beschikken.'

'Dus wat zij oppompen is lang niet voldoende om aan de vraag van China of welke land dan ook te voldoen?'

'Daar is in ieder geval niets van bekend. Het rare is dat we wel een aantal contracten met diverse westerse leveranciers van pompinstallaties hebben gevonden. Nu de olieprijs tot boven de honderdvijftig dollar per vat is gestegen, is men overal als gekken aan het zoeken en boren naar nieuwe bronnen. De leveranciers van olie-installaties kunnen de vraag nauwelijks aan. Maar Avarga stond al vooraan in de rij. Ze hebben de afgelopen drie jaar gigantische voorraden aan onderdelen voor gespecialiseerde boorinstallaties en de aanleg van pijpleidingen ingekocht en dat allemaal naar Mongolië verscheept.'

'We zijn hier in Ulaanbaatar het een en ander tegengekomen.'

'Het enige waar we niets over konden vinden was de tunnelboor. We zijn maar één exportvergunning van zo'n ding tegengekomen en dat was een verscheping naar Maleisië.'

'Misschien via een mantelorganisatie van Avarga Oil?' gokte Pitt.

'Waarschijnlijk. Het type dat jullie hebben gezien, is ontworpen voor de aanleg van ondiep in de grond gelegen pijpleidinginstallaties. Met andere

351

woorden, perfect voor het verbergen van een pijpleiding in de zachte zandbodem van de Gobiwoestijn. Wat ik niet heb kunnen achterhalen, is waar Borjin de financiële middelen vandaan heeft voor de aanschaf van al deze spullen zonder dat er inkomsten zijn,' zei Yaeger.

'De rekening wordt door Dzjengis Khan betaald,' reageerde Pitt.

'Dat begrijp ik niet.'

'Klopt,' zei Giordino. 'Borjin heeft hem in zijn achtertuin.'

Terwijl Giordino Gunn en Yaeger over de tombe in het heiligdom van Borjin en hun vondst van het dagboek van Hunt in het neergestorte driemotorige vliegtuigwrak vertelde, haalde Pitt een tien pagina's tellende fax tevoorschijn die hij van Perlmutter had ontvangen.

'St. Julien heeft dat bevestigd,' zei Pitt. 'Bij Sotheby's en andere gerenommeerde veilinghuizen is in de afgelopen acht jaar een constante stroom aan twaalfde- en dertiende-eeuwse kunst en andere voorwerpen van het Aziatische vasteland ter veiling aan geboden.'

'Bij Dzjengis Khan begraven oorlogsbuit?' vroeg Gunn.

'In het totaal voor meer dan honderd miljoen dollar. Perlmutter heeft vastgesteld dat de artefacten allemaal afkomstig zijn uit streken die tot het veroveringsgebied van Dzjengis Khan behoorden. En ook de bron past in het plaatje. De artefacten zijn allemaal ingebracht door een obscure Maleisische firma: de Burjat Handelsmaatschappij.'

'Dat is exact het bedrijf dat de tunnelboor heeft gekocht,' riep Yaeger uit.

'Kleine wereld, nietwaar? Hiram, als we klaar zijn kunnen jij en Max dat Maleisische mantelbedrijf misschien eens onder de loep nemen.'

'Zeker. Maar ik neem aan dat we het ook nog even over die Duitse strudel moeten hebben die je me hebt opgestuurd?'

'O ja, die documenten in het Duits. Zijn Max en jij daar iets wijzer over geworden?'

'Over de documenten zelf niet zozeer. Zoals je al zei, lijken het de eerste pagina's van een technische handleiding te zijn. Je hebt ze bij een elektrisch apparaat gevonden?'

'In een kamer vol computerapparatuur die aangesloten is op een drie meter hoog toestel met drie in een punt naar elkaar toelopende buizen. Enig idee wat dat kan zijn?'

'De informatie was onvoldoende voor het bepalen de exacte functie. Op de pagina's staat een eenvoudige gebruiksaanwijzing voor de bediening van een akoestisch seismisch apparaat.'

'Leg dat eens uit in begrijpelijk Engels?' vroeg Giordino.

'Het gaat vooral om laboratoriumproeven. Von Wachter heeft bij de ontwikkeling van deze technologie kennelijk enorme vorderingen geboekt.'

'Wie is Von Wachter?' vroeg Pitt.

'Dr. Friedrich von Wachter. Een eminente geleerde op het gebied van de elektronica verbonden aan de universiteit van Heidelberg. Beroemd vanwege zijn onderzoek naar de grafische weergave van akoestische en seismische waarnemingen. Max heeft Von Wachter en het akoestisch seismisch apparaat met elkaar in verband kunnen brengen. Een van zijn laatste publicaties ging over de theoretische toepassing van een parametrisch akoestisch apparaat voor de weergave van onderaardse waarnemingen.'

Gunn schonk zichzelf nog een kop koffie in, terwijl de mannen in de hotelkamer aandachtig naar Yaegers stem uit de telefoonspeaker luisterden.

'Hoewel de feiten nogal vaag zijn, lijkt het erop dat dr. Von Wachter een functionerend model van zo'n apparaat heeft ontwikkeld,' zei hij. 'Zoals jullie weten, werkt men bij het zoeken naar oliereserves over het algemeen met mechanische explosieven, zoals dynamiet of een bonkwagen, waarmee schokgolven door de bodem worden gezonden. Het breken van de seismische golven op aardlagen wordt geregistreerd en door computers uitgewerkt tot een grafische voorstelling van het bodemprofiel.'

'Inderdaad. De onderzoeksschepen op zee gebruiken een luchtgeweer voor het veroorzaken van dat soort schokken,' zei Giordino.

'Von Wachter heeft het gebruik van explosieven kennelijk overbodig gemaakt met de ontwikkeling van een elektronische methode voor het opwekken van schokgolven. Een akoestisch apparaat dat, als ik het goed begrijp, geluidsgolven van een zeer hoge frequentie uitzendt, die zich onder de grond als seismische golven gedragen.'

'Onze ervaring met sonarsystemen voor dit doel is dat hoge-frequentiegolven niet zodanig in de bodem doordringen dat je daarmee erg diep in de grond kunt "kijken",' stelde Giordino.

'Dat is waar. De meeste golven breken al vlak onder het oppervlak. Maar de schokken van Von Wachter vormen kennelijk zo'n geconcentreerd bombardement, als je 't zo wilt noemen, van geluidsgolven dat er een bruikbaar percentage van de golven dieper in de aarde doordringt. Gezien de inleidende informatie in de handleiding en jullie visuele waarneming lijkt 't erop dat Von Wachter voor het uitzenden van de geluidsgolven drie tamelijk omvangrijke apparaten gebruikt.'

'Wedden dat ze Dzjengis op die manier hebben gevonden,' merkte Pitt op. 'Zijn tombe zou naar verluidt op een geheime locatie in de bergen begraven liggen, samen met Kublai Khan en andere vorstelijke familieleden.'

'En ze hebben er duidelijk ook mee naar olie gezocht,' voegde Gunn eraantoe.

'Een revolutionaire technologie waar de oliemaatschappijen maar al te graag diep voor in de buidel zullen tasten. Die Von Wachter moet inmiddels schatrijk zijn,' zei Giordino.

'Ik ben bang dat hij dood is. Hij is samen met een hele ploeg Duitse technici krap een jaar geleden om het leven gekomen bij een aardverschuiving in Mongolië.'

'Waarom vind ik dat nu weer onvoorstelbaar verdacht?' vroeg Giordino zich hardop af.

'Daar moet ik nog aan toevoegen dat ze daar werkten in opdracht van Avarga Oil,' zei Yaeger.

'Dus Borjin heeft nog veel meer bloed aan zijn handen,' merkte Pitt nauwelijks verbaasd op. De meedogenloze agressie van Avarga Oil en Tolgoi Borjin was inmiddels geen nieuws meer.

'Maar wat is de zin van dit alles?' zei Giordino. 'Een seismisch onderzoeksteam vermoord en een andere ontvoerd. Een tunnelboor, gespecialiseerde boorinstallaties, een grote gecamoufleerde opslagcapaciteit midden in de woestijn. Een van meerdere, volgens betrouwbare informatie van onze kamelenvriend Tsengel. Allemaal met elkaar verbonden door een heel netwerk van ondergrondse pijpleidingen dat in een lege woestijn verborgen ligt. Maar geen enkel teken van enige productie. Hoezo?'

Het was een ogenblik stil in de kamer, iedereen dacht zo diep na dat je de hersenen haast kon horen kraken. Tot Pitts gezicht opeens opklaarde.

'Omdat,' begon hij langzaam, 'ze de olie nog niet hebben kunnen aanboren.'

'Borjin heeft waarschijnlijk voldoende smeergeld in huis om in Mongolië overal waar hij maar wil te kunnen boren,' bracht Giordino er tegen in.

'Maar als die olie nu eens niet in Mongolië is?'

'Natuurlijk,' zei Gunn, die het antwoord opeens helder voor zich zag. 'Hij heeft olie in China gevonden, ofwel in Binnen-Mongolië om preciezer te zijn. Hoe heeft hij de Chinezen ertoe gebracht dat land aan hem af te staan? Dat zou ik weleens willen weten.'

'Zij zijn er niet best aan toe,' zei Yaeger. 'Door de aardbevingen in de Perzische Golf en de brand in hun belangrijkste olieterminal bij Shanghai is in China in één klap ruim de helft van de olie-import weggevallen. Ze verkeren in een nogal uitzichtloze situatie en zijn wellicht niet al te kritisch als het erom gaat daar een snelle oplossing voor te vinden.'

'Dat zou de opslagfaciliteit aan de grens verklaren. Misschien hebben ze al een aantal geheime bronnen in Binnen-Mongolië vanwaar ze olie naar zo'n opslagpunt pompen,' speculeerde Pitt. 'De Chinezen zien alleen het eindproduct dat uit Mongolië komt zonder te weten dat het uit hun eigen achtertuin komt.'

'Ik zou me niet graag aan deze kant van de Grote Muur bevinden als ze die zwendel op het spoor komen,' zei Gunn.

'Het zou wel verklaren waarom Borjin de olieploeg uit Bajkal heeft ontvoerd,' zei Giordino. 'Hij heeft hun expertise waarschijnlijk nodig om de boorlocaties te bepalen en de olie snel uit de grond te krijgen.'

'Die expertise had hij toch ook gewoon legaal kunnen inhuren,' merkte Yaeger op.

'Mogelijk. Maar hij wilde waarschijnlijk niet het risico lopen dat het geheim waar de oliereserves zich bevinden zou uitlekken.'

'Misschien laat hij ze wel vrij nu hij de deal met de Chinezen in zijn zak heeft,' zei Gunn.

'Lijkt me niet,' reageerde Pitt. 'Roy is al vermoord en ons hebben ze ook willen doden. Nee, ik vrees dat ze ten dode zijn opgeschreven zodra Borjin over alle informatie beschikt die hij van hen hebben wil.'

'Hebben jullie al contact opgenomen met de Amerikaanse ambassade? We moeten al onze politieke invloed inzetten om ze te redden,' zei Gunn.

Pitt en Giordino wisselden een blik van verstandhouding.

'Diplomatie is in dit geval zinloos, Rudi,' zei Giordino. 'Borjin is te goed beschermd. Onze Russische vrienden hebben die route al tevergeefs bewandeld en zij hebben in dit deel van de wereld heel wat meer in de melk te brokkelen dan wij.'

'We moeten toch iets doen,' stelde hij.

'Gebeurt ook,' zei Pitt. 'Wij gaan eropaf.'

'Dat kan niet. Als jullie in opdracht van de Amerikaanse autoriteiten optreden, kan dat tot een internationale rel leiden.'

'Niet als de Amerikaanse regering er niets vanaf weet. En bovendien, Al en ik gaan niet alleen, jij gaat met ons mee.'

Gunn voelde het bloed uit zijn gezicht wegtrekken en zijn hart draaide zich om in zijn lijf.

'Ik wist dat ik in Siberië had moeten blijven,' mompelde hij.

42

Dr. McCammon liep het computercentrum van de NUMA in toen Yaeger net de verbinding met Mongolië verbrak. Vanaf de muur tegenover de console richtte de holografische beeltenis van Max zich glimlachend tot de marien bioloog.

'Goedenavond, dr. McCammon,' zei ze. 'Zo laat nog aan het werk?'

'Uhhh, goedenavond,' reageerde McCammon een beetje onzeker of het niet dwaas was dat hij tegen een computer praatte. Nerveus draaide hij zich om en groette Yaeger.

'Hallo, Hiram. Lange dag geweest?' vroeg hij, omdat het hem opviel dat Yaeger nog dezelfde kleren als de vorige dag droeg.

'Behoorlijk,' antwoordde Yaeger een geeuw onderdrukkend. 'Een vraag van de baas heeft ons aan het werk gehouden. We hadden je al uren eerder verwacht.'

'Er kwamen een paar vergaderingen tussen, die hebben me het grootste deel van de dag gekost. Ik kan me voorstellen dat je de gegevens van het aardbevingscentrum nog niet hebt binnengehaald,' kwam McCammon hem tegemoet.

'Onzin,' antwoordde Yaeger haast beledigd. 'Max kan uitstekend meerdere taken tegelijk aan.'

'Ja,' kwam Max tussenbeide. 'Zo is er tenminste nog iemand van ons die het decorum in acht neemt.'

'We hebben de gegevens vannacht binnengehaald,' vervolgde Yaeger de opmerking van Max negerend, 'en vanochtend in jullie programma ingevoerd. Max,' vroeg hij, terwijl hij zich tot het portret van zijn vrouw wendde, 'draai jij voor dr. McCammon even een kopie van de uitkomst uit, alsjeblieft. Onderwijl kun je ons misschien mondeling verslag van je bevindingen doen.'

'Zeker,' antwoordde Max. Aan een zijmuur van het vertrek startte een grote laserprinter zoemend met het uitdraaien van een geprinte versie, terwijl Max het woord nam.

'Het National Earthquake Information Center heeft ons een volledig overzicht gestuurd van alle seismische activiteit op onze aardbol gedurende de afgelopen vijf jaar, inclusief de twee zware bevingen die recentelijk de Perzische Golf troffen. Ik heb de gegevens ingevoerd in uw programma, dat na een analyse van de twee aardbevingen de belangrijkste gemeenschappelijke kenmerken met het totale overzicht heeft vergeleken. Het is opmerkelijk dat die beide aardschokken diverse unieke kenmerken gemeen hebben.'

Max zweeg even om dit goed te laten doordringen en leek met haar gezicht naar Yaeger en McCammon toe te buigen alvorens ze verder sprak.

'Beide bevingen zijn als extreem ondiepe schokken geclassificeerd met een epicentrum dat zich nog geen drie kilometer onder het aardoppervlak bevond. Terwijl de meest ondiepe bevingen in het overzicht zich op een diepte tussen de vijf en vijftien kilometer voordoen.'

'Dat is een aanzienlijk verschil,' zei McCammon.

'Het is van minder belang, maar beide schokken waren tektonisch van oorsprong en niet vulkanisch. En zoals u al weet waren het behoorlijk zware bevingen van ruim 7,0 op de schaal van Richter.'

'Het is toch heel zeldzaam, twee van zulke zware schokken na elkaar?' vroeg Yaeger.

'Het is ongebruikelijk, maar niet ongekend,' antwoordde McCammon. 'Een aardbeving van die zwaarte zou in Los Angeles een hoop ellende veroorzaken, maar in feite is er gemiddeld één keer per maand wel ergens op aarde een beving van 7,0 of zelfs zwaarder. Maar omdat dat meestal in dunbevolkte gebieden is, horen we er niet veel over.'

'Dat klopt,' zei Max. 'Hoewel het statistisch gezien een opmerkelijke anomalie is dat twee schokken van die zwaarte zo vlak bij elkaar plaatsvonden.'

'Nog meer overeenkomsten, Max?' vroeg Yaeger.

'Ja. Hoewel het moeilijk in cijfers te vangen is, lijkt het alsof de schade die door deze bevingen is aangericht, afwijkt van wat normaal is bij deze zwaarte. Op beide locaties is de aangerichte schade vele malen groter dan gebruikelijk bij dit soort aardschokken. De feitelijke schade komt eerder overeen met de gevolgen die je bij een schok van 8,0 zou verwachten.'

'De schaal van Richter is niet altijd een accurate maatstaf voor de verwoestende kracht van een aardbeving,' merkte McCammon op. 'Vooral bij niet al te diepe schokken. In dit geval is er sprake van twee ondiepe bevingen die uitzonderlijk veel schade hebben aangericht. De intensiteit op het aardoppervlak was waarschijnlijk veel hoger dan de zwaartemeting aangaf.'

Met gefronst voorhoofd speurde Max razendsnel haar geheugen af, waarna ze McCammon toeknikte.

'U hebt volstrekt gelijk, doctor. De oorspronkelijke seismische golven waren bij beide bevingen veel minder heftig dan de golven aan de oppervlakte.'

'Nog iets, Max?' vroeg McCammon, die al aardig aan het praten met een computer gewend raakte.

'Ja, nog één ding. Bij beide bevingen zijn voorafgaand aan de schokken die de feitelijke beving veroorzaakten, tamelijk zwakke P-golven geregistreerd.'

'Voorschokken, neem ik aan,' zei McCammon. 'Helemaal niet ongebruikelijk.'

'Kan iemand me dit hele gedoe met oppervlaktegolven en P-golven even rustig uitleggen?' vroeg Yaeger vermoeid.

Max schudde haar hoofd. 'Moet ik je dan alles voorkauwen? Elementaire seismologie. Bij het slippen van een gewone tektonische beving komen drie vormen van seismische energie, ofwel schokgolven, vrij. De oorspronkelijke trilling wordt de primaire golf, ofwel P-golf genoemd. Deze heeft dezelfde eigenschappen als een geluidsgolf en kan door vast gesteente en zelfs de aardkern heen gaan. Een tragere en derhalve secondaire golf wordt S-golf genoemd. S-golven kunnen dwars op de voortplantingsrichting gesteente doorklieven wat tot verwoestende verticale en horizontale bewegingen van de bodem leidt zodra ze het aardoppervlak bereiken. Als beide soorten golven het aardoppervlak naderen, breken ze, wat tot oppervlaktegolven leidt, de zogenaamde L-golven, die de trillingen veroorzaken die we op de grond voelen.'

'Ik begrijp 't,' zei Yaeger. 'Vanuit het epicentrum van een aardbeving worden dus trillingen met volstrekt verschillende frequenties uitgezonden.'

'Dat klopt,' zei McCammon.

'Is er een noemenswaardige breuklijn in het gebied waar de twee aardschokken plaatsvonden?'

'De Perzische Golf ligt langs de grens van twee tektonische platen, de Arabische en de Eurazische. Vrijwel alle seismische activiteit op de wereld vindt plaats in smalle zones rond zulke tektonische plaatgrenzen. Gezien de zware aardbevingen die wel vaker in Iran, Afghanistan en Pakistan voorkomen zijn deze beide bevingen in de Golf, afgezien van hun nabijheid, niet uitzonderlijk.'

'Ik neem aan dat onze vriend bij Langley daar niet al te diep op in zal gaan,' zei Yaeger.

'Ik kan 't me niet voorstellen,' reageerde McCammon. 'Maar dankzij Max heeft hij voorlopig genoeg informatie om door te werken.'

Terwijl McCammon naar de printer liep om de uitdraai te pakken, richtte Yaeger nog een laatste vraag tot de computer.

'Max, heb je met het filterprogramma van Phil nog andere aardbevingen met dergelijke kenmerken gevonden?'

'Ja, inderdaad. Het is gemakkelijker als ik je dat grafisch laat zien, dus kijk even naar het scherm.'

Achter Max verscheen op een enorm wit beeldscherm een gekleurde wereldkaart. In de Perzische Golf knipperden twee rode puntjes die de locaties van de aardbevingen markeerden. Een paar seconden later flitsten er een hele reeks rode puntjes op. Ze lagen in groepjes bij elkaar en allemaal in een gebied in het noordoosten van Azië. Iets ten noorden ervan lichtte vervolgens nog een geïsoleerde rode stip op. McCammon legde het rapport neer en bestudeerde nieuwsgierig het scherm.

'Het National Earthquake Information Center heeft in totaal vierendertig seismische bewegingen geregistreerd waarvan de kenmerken overeenkomen met die van de twee Golf-bevingen. De meeste recente vond net een week geleden in Siberië plaats,' zei Max op de eenzame rode stip wijzend.

'Voornamelijk in Mongolië. Vijftien schokken in de bergen ten oosten van de hoofdstad Ulaanbaatar, tien in de zuidelijke Mongoolse provincie Dornogov, en nog eens negen in een gebied net over de grens in China. En dan was er nog een in Siberië, bij het Bajkalmeer.'

'Mongolië,' mompelde Yaeger ongelovig zijn hoofd schuddend. Hij stond langzaam op, wreef zijn ogen uit en richtte zich tot McCammon.

'Phil,' zei hij, 'ik geloof dat jij, ik en Max een kop sterke koffie nodig hebben.'

43

Summer luisterde naar de nieuwste cd van Nils Lofgren op haar mp3-speler en neuriede vrolijk met de muziek mee, terwijl ze de spanning op de luchtslangen die over de reling van de werkboot hingen, in de gaten hield. Ze begon zich een beetje te vervelen en keek verlangend uit naar het moment dat zij het water in kon om aan het andere uiteinde van de slangen aan het werk te gaan. Ze stond op, rekte zich uit en staarde over de zee, waar ze het zwarte schip zag dat ze al eerder had opgemerkt en dat nu Kahakahakea Point rondde. Ergens achter in haar hoofd zeurde een onbestemd gevoel toen ze het schip van koers zag veranderen, waarna het recht op de werkschuit van de NUMA afkwam.

'O nee, geen persmuskieten, alsjeblieft,' zei ze hardop, in de hoop dat het niet weer een boot vol journalisten was. Maar haar argwaan werd sterker en toen ze het schip beter bekeek, herkende ze wat het was.

Het naderende vaartuig was een boorschip. Het nog geen vijfenveertig meter lange schip was volgens de gangbare maatstaven vrij klein. Het was minstens dertig jaar oud en had duidelijk betere tijden gekend. Er zaten enorme roestplekken rond de spuigaten en over het dek en de voorsteven lag een dikke laag vettig vuil. Maar het was niet zozeer het uiterlijk als wel de functie van het schip die Summers argwaan wekte. Wat deed een boorschip in de Hawaïaanse wateren? Er bevonden zich geen noemenswaardige oliereserves onder de Hawaïaanse eilanden en de oceaan eromheen was ruim drie kilometer diep, wat het boren naar olie voor de kust tot een zeer prijzige aangelegenheid maakte.

Summer keek toe hoe het oude schip, waarvan de verweerde boeg het water met hoog opspattend schuim doorploegde, nog steeds recht op haar af koerste. Ondertussen was het schip tot op minder dan anderhalve kilometer genaderd en niets wees erop dat het vaart minderde. Toen het op een halve kilometer afstand nog altijd met dezelfde snelheid door bleef varen, wierp Summer een snelle blik op de geïmproviseerde vlaggenmast die ze op de kajuit van de werkboot hadden bevestigd. In top wapperde een grote rode duikersvlag met de waarschuwende witte schuine streep pontificaal in het midden.

'Hé, ik heb hier duikers in het water, idioot,' schold ze toen het schip recht op haar af bleef komen. Het was nu zo dicht bij dat Summer duidelijk een stel mensen op de brug zag staan. Ze snelde naar de reling en gebaarde heftig zwaaiend naar de duikvlag. Summer zag dat het schip vaart begon te minderen, maar het bleef gevaarlijk dichtbij komen. Ze begreep nu dat het boorschip langszij de werkboot wilde aanleggen.

Summer rende naar de kajuit waar een scheepszender aan de muur hing. Nadat ze de radio op kanaal 16 van de VHF-band had afgesteld, greep ze de microfoon.

'Naderend boorschip, dit is een onderzoeksvaartuig van de NUMA. We hebben duikers in het water. Ik herhaal: we hebben duikers in het water. Afstand houden, alstublieft, over.'

Ongeduldig wachtte ze op antwoord, maar dat kwam niet. Nog sterker aandringend herhaalde ze haar oproep. Ook nu kwam er geen antwoord.

Inmiddels was het schip tot op enkele tientallen meters genaderd. Summer rende naar de reling terug en gilde naar het schip, terwijl ze nadrukkelijk naar de duikvlag zwaaide. Het schip begon te wenden, maar aan de manier waarop zag Summer dat het langszij wilde komen. Half in de verwachting dat er een horde zeezieke verslaggevers en cameralieden aan de reling zouden staan, zag ze tot haar verbazing dat het dek aan stuurboord en op het achterschip leeg was. Er liep een koude rilling over haar rug toen ze niemand aan dek zag staan. De mannen voor in het schip maakten geen aanstalten de brug te verlaten.

Met de precisie van een geschoolde roergangershand gleed het boorschip langszij de werkboot tot de stuurboordreling net boven de lagere zijreling van de werkboot hing. Met behulp van de regelbare stuwmotoren van het boorschip kwam het boorschip zo keurig langszij te liggen dat het leek of het daadwerkelijk aan de werkboot was vastgelegd.

Het lege schip bleef een minuutlang roerloos liggen, terwijl Summer zowel nieuwsgierig als bezorgd toekeek. Opeens klonk er een gedempte roep uit het binnenste van het schip, waarna een zestal mannen door een zijdeur naar buiten stormden. Summer zag de mannen, stuk voor stuk vervaarlijk ogende Aziaten, en rilde van angst. Toen ze naar de reling renden en vandaar op de werkboot sprongen, draaide Summer zich om en spurtte naar de kajuit terug. Ze voelde dat er iemand achter haar aankwam, maar ze keek niet om toen ze de kajuit indook en de radio greep.

'*Mayday, mayday,* dit is...'

Haar stem stierf weg toen een paar eeltige handen de kajuit in reikten en de radio van de wand rukten, waarbij de microfoon uit Summers hand schoot. Met een gemene grijns op zijn gezicht deed de man een paar passen achteruit en slingerde de radio over de reling, waarna hij toekeek hoe het toestel in het water plonsde. Toen hij zich vervolgens met een zuinig glimlachje om een rij onverzorgde gele tanden weer naar haar omdraaide, was hij degene die schrok. Summer deed een stap in zijn richting en trapte hem zo hard als ze kon in zijn kruis.

'Smerige heks,' riep de man, terwijl hij van pijn ineenkrimpend op een knie viel. Zijn ogen puilden uit de kassen en Summer zag dat het hem duizelde. Snel ging ze iets achteruit en haalde uit voor een volgende trap, waarmee ze hem vol tegen de zijkant van zijn hoofd raakte. De aanvaller sloeg tegen het dek, waar hij kronkelend van de pijn bleef liggen.

Toen twee van de andere enteraars hem zagen neergaan, snelden ze op Summer af en grepen haar armen beet om haar in bedwang te houden. Ze vocht als een bezetene om los te komen tot een van de mannen een mes trok en het tegen haar keel hield, waarbij hij met zijn stinkende adem iets in haar oor gromde. De andere man vond een stuk touw en snoerde haastig haar handen en ellebogen voor haar borst bijeen.

Doodsbang en machteloos nam Summer haar aanvallers aandachtig op. Ze waren van Aziatische afkomst, maar hadden hoge jukbeenderen en hun ogen waren ronder dan je gewoonlijk bij Chinezen zag. Ze droegen allemaal een zwart T-shirt en een werkbroek en zagen eruit alsof ze zwaar lichamelijk werk gewend waren. Summer vermoedde dat het Indonesische piraten waren, maar wat ze met een spaarzaam uitgeruste werkschuit wilden, was haar een raadsel.

Toen ze naar de andere kant van de werkboot keek, kromp Summers maag ineen van schrik. Twee van de enteraars hadden bijlen bij zich, waarmee ze nu door de lucht zwaaiend de meertouwen bij de achtersteven te lijf gingen. Met een paar stevige houwen hakten ze de touwen door, waarna ze naar de boeg liepen en daar de handeling herhaalden. Een derde man stond met zijn rug naar Summer toegekeerd en leek de actie te leiden. Van opzij kwam de man haar vaag bekend voor, maar pas toen hij zich omdraaide en ze het litteken op zijn linkerwang zag, besefte ze dat het dr. Tong was. Hij liep langzaam naar haar toe, terwijl hij de spullen op het dek bekeek en zijn twee trawanten zich op de voorste ankertouwen wierpen. Toen hij vlak bij haar was, schreeuwde ze hem toe.

'Er zijn hier geen artefacten, Tong,' riep ze, nu ze ervan uitging dat hij geen doctor was, maar een doodordinaire artefactendief.

Tong negeerde haar en keek geïrriteerd naar de draaiende apparatuur. Hij keerde zich om en blafte een bevel naar de man die door Summer was toegetakeld en nu hinkend over het dek liep in een poging zo de pijn te onderdrukken. De aangeslagen man hinkte naar de kajuit, waar de kleine draagbare generator op volle toeren draaide. Net zoals hij dat met de radio had gedaan, tilde hij het apparaat op en gooide het over de reling. De generator zakte sputterend in het water, waarop de benzinemotor stilviel. Vervolgens richtte de man zich op de beide luchtcompressoren. Nadat hij naar de dichtstbijzijnde was gehinkt, boog hij zich over het apparaat en zocht naar de aan-en-uitknop.

'Nee!' gilde Summer wanhopig.

Toen hij de STOP-knop had gevonden, draaide de gewonde man zich naar Summer om en lachte haar met een gepijnigde grijns toe, waarna hij zijn duim op de knop drukte. De compressor sloeg onmiddellijk af.

'Er zitten mensen beneden aan de luchtslangen,' smeekte Summer.

Tong negeerde haar en knikte naar zijn handlanger. De man strompelde naar de tweede compressor en drukte, opnieuw uitdagend naar Summer grijnzend, de STOP-knop in. Zodra het geluid van de stilvallende compressor was weggestorven, stapte Tong naar voren en hield zijn gezicht vlak voor dat van Summer.

'Dan maar hopen dat je broer goed kan zwemmen,' siste hij.

Er welde een enorme woede in Summer op die haar angst verdreef. Maar ze zei niets. De man die het mes tegen haar keel hield, drukte het steviger tegen haar aan en sprak in een vreemde taal met Tong.

'Zal ik haar doden?'

Tong wierp een geile blik op Summers strakke gebruinde lichaam. 'Nee,' antwoordde hij, 'breng haar aan boord.'

De mannen met de bijlen hadden inmiddels de ankertouwen bij de boeg doorgehakt en kwamen met de bijlen over hun schouders naar Tong toe. De werkboot dobberde nu los op het water en werd door de stroming naar zee gestuwd. Aan boord van het boorschip manipuleerde de roerganger de zijdelings beweegbare stuwmotoren zodanig dat het schip langszij de wegdrijvende werkboot bleef. Nu deze niet meer vastlag, slingerde het boorschip af en toe wild heen en weer om te voorkomen dat het met de los drijvende werkboot in botsing kwam. Diverse keren raakten ze elkaar, waarbij de werkboot met een metalige klank tegen het grotere boorschip sloeg.

'Jij... verniel de rubberboot,' blafte Tong tegen een van de mannen met een bijl. 'Verder iedereen, terug aan boord!'

Aan de boeg van de werkboot lag een kleine Zodiac voor het geval een van de NUMA-mensen aan land wilde gaan. De man met de bijl liep erheen en hakte met een paar snelle slagen de bevestigingstouwen door. Vervolgens trok hij vanonder zijn riem een mes tevoorschijn, waarmee hij de met lucht gevulde drijvers op meerdere plaatsen lek stak. Voor alle zekerheid zette hij de luid sissend leeglopende boot rechtop en kieperde hem over de reling. De ineengeschrompelde rubberboot dobberde nog een paar minuten op het water tot er een golf overheen sloeg en de vernielde Zodiac naar de bodem drukte.

Summer merkte weinig van deze sabotagedaad, omdat de schurk die haar vasthield, haar ruw naar de reling duwde. Er maalden duizenden gedachten door haar hoofd. Moest ze met een mes op haar keel alle risico's trotserend terugvechten? Hoe kon ze Dirk en Jack nog helpen? Eenmaal aan boord van het boorschip, was er dan nog een greintje hoop voor haar? Wat ze ook deed, het was een snelle weg naar iets afschuwelijks. Maar ze had misschien nog één kans, bedacht ze, en dat was als ze in het water kon komen. Zelfs met haar geboeide handen zou ze zwemmend waarschijnlijk sneller zijn dan deze bandieten. Zodra ze in het water was, kon ze gemakkelijk onder de werkboot door naar de andere kant zwemmen. Misschien maakte ze het hen daarmee al zo lastig dat ze haar lieten gaan. En misschien kon ze dan ook Dirk en Jack aan boord helpen, waardoor ze al een stuk sterker stonden. Dat wil zeggen, als zij nog oké waren.

Summer deed alsof ze minder weerstand bood en volgde de andere mannen die op de reling klommen en zich vandaar aan dek van het boorschip hesen. De man met het mes gaf haar een duwtje omhoog en hield haar ellebogen vast terwijl ze op de reling stapte. Een van de mannen op het schip knielde en stak zijn armen uit om haar omhoog te trekken. Summer stak haar armen op, maar deed, net voordat de man haar kon vastpakken, alsof ze uitgleed. Met haar rechtervoet trapte ze naar achteren en raakte de man met het mes met haar hiel vol op zijn neus. Ze hoorde een dof gekraak, waardoor ze wist dat ze zijn neus had gebroken, maar ze keek niet om naar het bloed dat uit zijn neusgaten spatte. In plaats daarvan boog ze haar hoofd omlaag en dook in de smalle geul water tussen de beide boten.

Een fractie van een seconde zweefde ze gewichtloos door de lucht en wachtte op de plons in het koele water. Maar die kwam niet.

Alsof ze uit het niets opdoken, schoten er een paar handen over de reling die de achterkant van haar shirt en de band van haar broek vastgrepen. In plaats van dat ze omlaag viel, voelde ze dat ze opzij zwenkte en met een harde klap tegen de reling knalde, waarna ze met een dreun op het dek van de werkboot viel. Nog voordat ze goed en wel de grond raakte, werd ze door hetzelfde stel handen overeind gehesen. Het waren de handen van Tong, die opmerkelijk sterk bleek voor iemand die bijna dertig centimeter kleiner was dan zij.

'Jij gaat aan boord,' beet hij haar toe.

De klap kwam van links en Summer was net te laat om hem af te weren. Tongs vuist trof haar op haar kaak en ze zakte onmiddellijk door haar knieen. Ze zag sterretjes voor haar ogen, maar bleef bij bewustzijn. In half verdoofde toestand werd ze aan boord van het boorschip gesleurd en naar de brug gebracht, waar ze in een kleine opslagruimte aan de achterkant van de stuurhut werd opgesloten.

Achterover op een dikke rol touw liggend had Summer het gevoel dat de hele wereld om haar heen tolde. Ze was misselijk en gaf over in een roestige emmer die ze in een hoek zag staan. Hierna voelde ze zich direct een stuk beter en ze drukte zich omhoog tot ze door een kleine patrijspoort kon kijken. Ze zoog de frisse lucht op en geleidelijk kon ze weer helderder zien, waardoor het haar opviel dat het boorschip zich op dezelfde plek in de inham bevond waar de werkboot had gelegen.

De werkboot. Ze rekte haar hals uit en ontdekte de bruine platte boot ten slotte. Op ruim anderhalve kilometer dreef hij onverbiddelijk de open zee op. Met tot spleetjes samengeknepen ogen tuurde ze ingespannen naar de boot in de hoop er een teken van Dirk en Jack te ontdekken. Maar er was niemand te zien.

De lege werkboot dreef zonder hen stuurloos op zee.

44

Dirks armen voelden zo langzamerhand als lamme spaghettislierten aan. Er was veel kracht voor nodig om de airlift voortdurend tegen de onzichtbare druk van het omringende water op zijn plaats te houden. Hoewel Dahlgren hem een paar keer had afgelost, was hij nu al ruim een uur met de hogedrukbuis in de weer. Het werk was zwaarder geworden door de toenemende stroming van het terugtrekkende tij, die het oppervlaktewater met een snelheid van bijna twee knopen zeewaarts stuwde. De stroming was op de bodem veel minder sterk, maar het boven de kuil heen en weer bewegen van de airlift was alsof je een vlaggenstok op de kop van een speld probeerde te houden.

Dirk keek op zijn duikhorloge, terwijl hij de airlift met moeite op zijn plaats hield. Nog een kwartier tot het einde van de afgesproken tijd, dan hadden ze eindelijk even rust van het eentonige werk. Ze schoten minder snel op dan hij had gehoopt, maar toch had hij al een plek van bijna twee meter doorsnede vrijgemaakt. Het met een korst bedekte hout was vrij dik en plat, en had de vorm van een scheepsroer. Alleen het formaat was nogal verbluffend. Dahlgren had met zijn vlaggetjes een voorwerp van bijna zes meter lang gemarkeerd, een onvoorstelbare omvang voor het roer van een zeilschip.

Het borrelende spoor van naar het wateroppervlak opstijgende luchtbelletjes volgend keek Dirk nog eens goed naar de onderkant van het grote zwarte schip dat naast de werkboot afgemeerd lag. Hij en Dahlgren hadden het geronk van de naderende scheepsmotoren gehoord en keken nieuwsgierig toe hoe de donkere vorm schaamteloos langszij de werkboot kwam. Ze hadden gezien hoe het schip met de zijwaarts bestuurbare stuwmotoren manoeuvreerde en waren er nu enigszins gerust op dat de dwaas geen anker op hen zou laten vallen. Weer zo'n ploeg goed gesubsidieerde documentairemakers, gokte Dirk. Straks zou er ongetwijfeld weer een hele zwerm onderwaterfilmers over hen neerdalen. Hoera, dacht hij sarcastisch.

Hij zette de ergernis van zich af en concentreerde zich weer op het met de airlift wegzuigen van zand. Terwijl hij het mondstuk naar een kleine verhoging bewoog, viel het hem op dat er geen zand meer werd weggezogen. Nu merkte hij ook dat het trillen en het sissen van de samengeperste lucht was opgehouden. Summer had de airlift uitgezet, wat betekende dat ze wilde dat hij om de een of andere reden naar boven kwam, of de benzine in de compressor was gewoon op. Hij dacht er even over na en besloot een paar minuten te wachten of Summer de motor misschien toch weer zou starten.

Een paar meter verderop stak Dahlgren zijn peilstift in het zand. Vanuit zijn ooghoek zag Dirk hem opeens van de bodem opspringen. Iets aan die beweging beviel hem niet en Dirk keek opzij en zag dat zijn intuïtie goed was geweest. Dahlgren had zijn peilstift laten vallen en greep met zijn handen naar zijn duikmasker en luchtslang, terwijl zijn benen slap onder hem hingen. Hij werd van de bodem omhooggetrokken, besefte Dirk, als een marionet aan touwtjes.

Hij kreeg geen tijd om te reageren, want het volgende moment werd de airlift uit zijn eigen handen gerukt en schoot in de richting van Dahlgren weg. Toen Dirk omhoogkeek, zag hij nog net hoe ook zijn luchtslang strak kwam te staan en hem van de zeebodem wegrukte.

'Wel verd...' begon hij, maar zijn woorden verstikten in een amechtig happen naar adem. Hij inhaleerde nog een kleine teug en toen was er niets meer. Ook de compressor die de toevoer van de luchtslangen regelde was uitgezet. Net als Dahlgren greep hij naar de luchtslang om zijn bewegingen onder controle te houden en te voorkomen dat de slang van het duikmasker losscheurde. Naast hem zwiepte de airlift als een op hol geslagen slinger woest heen en weer. De dikke plastic buis kwam vervaarlijk dichtbij en sloeg tegen zijn been, waarna hij naar de andere kant weg zwaaide. Dirk, die zonder lucht als een lappenpop op en neer werd gesmeten en een op hem in beukende airlift van zich af moest houden, kreeg zo veel zintuiglijke aanvallen te verwerken dat de meeste mensen ervan in paniek zouden raken. En dan is een verdrinkingsdood onafwendbaar.

Maar Dirk raakte niet in paniek. Hij had een aanzienlijk deel van zijn leven als scubaduiker in het water gelegen. Technische mankementen onder water waren niets nieuws voor hem. Tijdens duiken in ondiep water had hij al heel wat keren zijn persluchtfles leeggezogen. De belangrijkste voorwaarde om in een noodsituatie te overleven, zowel onder als boven water, was, zo hield hij zichzelf voor, kalm blijven en logisch nadenken.

Lucht was de eerste zorg. Zijn natuurlijke neiging was om naar het wateroppervlak op te stijgen, maar dat was niet nodig. Ook als ze met luchttoevoer van boven werkten, hadden alle duikers een kleine persluchtfles voor noodgevallen bij zich. Deze zogenaamde 'pony-tank' was met een inhoud van nog geen halve liter nauwelijks groter dan een thermosfles en bevatte voor zo'n tien minuten lucht. Dirk liet de luchtslang los en tastte onder zijn linkerarm, waar de fles aan zijn trimvest was bevestigd. Nadat hij het ventiel bovenop de fles had opengedraaid ademde hij via de adem-automaat meteen een ferme teug lucht in. Na nog een paar teugen voelde hij zijn razende hart tot rust komen.

Zijn gedachten schoten naar Dahlgren, bij wie de luchttoevoer eveneens was afgesneden. Op tien meter afstand zag hij een wolk luchtbelletjes rond Dahlgrens hoofd opstijgen, waaruit hij afleidde dat ook hij nu lucht uit de noodfles ademde. De dansende airlift was in de richting van Dahlgren afgedwaald en tolde nu vlak bij hem door het water. De buis van de airlift slingerde aan de buigzame slang waardoor de lucht vanaf de werkboot werd aangevoerd, waardoor het apparaat als een balletje aan een elastiek woest op en neer zwiepte. De slang rekte door de druk van de met water gevulde buis uit, waarna hij terugschoot en de buis met een woeste beweging met zich mee sleurde. Dirk zag dat de buis Dahlgren van achteren vervaarlijk dicht was genaderd en hij probeerde met gebaren de aandacht van zijn vriend te trekken. Maar de Texaan was zo druk in de weer met zijn luchtslang dat hij Dirks waarschuwende gebaren noch de airlift opmerkte. Het volgende ogenblik kwam de buis aan het uiteinde van de zich uitrekkende slang recht op Dahlgren af. Tot Dirks ontsteltenis schoot de buis als een pijl uit een boog recht vooruit en trof Dahlgrens achterhoofd net onder zijn duikhelm. Terwijl de airlift afketste, verslapte Dahlgrens lichaam.

Dirk vloekte in zichzelf en voelde zijn hart weer als een gek tekeergaan. Hij merkte dat de zeebodem onder hen wegzakte en dat ze steeds krachtiger door het water werden getrokken. Aan het wateroppervlak hadden een stevige landwind en de stromingen rond het eiland de krachten gebundeld en stuwden de plompe werkboot met een snelheid van ruim vier knopen voort. Onder water vroeg Dirk zich af waarom de werkboot op drift was geraakt en wat er met Summer was gebeurd. Maar zijn eerste zorg was

Dahlgren. Er was geen sprake van dat ze zo naar boven konden. Hij moest naar Dahlgren toe om te kijken of hij nog ademde.

Met ongebroken vastberadenheid werkte Dirk zich aan de luchtslang sjorrend in de richting van Dahlgren. Zijn vermoeide armen deden pijn bij iedere haal, die extra werd bemoeilijkt door het gewicht van de zestien kilo zware loodgordel om zijn middel. Hij durfde de gordel nog niet af te doen, omdat hij op dezelfde diepte als zijn vriend moest blijven.

Zichzelf steeds weer als een onderwateralpinist optrekkend lukte het hem om Dahlgren tot op drie meter te naderen tot zijn oude plaaggeest opeens weer opdook. De dansende airlift kwam zijn richting op en schoot op armlengte langs zijn hoofd. De dikke buis zwaaide door naar Dahlgren, bleef een moment hangen, veranderde van richting en zwaaide weer terug. Deze keer stak Dirk een arm uit en ving de buis in het voorbijgaan op. Door het zware gewicht van de met water gevulde buis schoot hij bijna uit zijn zwemvinnen toen hij zijn benen om de buis haakte en woest werd meegesleurd. Alsof hij op een wild bokkend paard reed, werkte hij zich slingerend naar de bovenkant van de buis, waar deze aan de dikke rubberen slang vastzat. Nadat Dirk zijn duikmes uit de aan zijn kuit gebonden houder had getrokken, drukte hij het lemmet tegen de slang en begon hem door te snijden. Onder hem sloeg de buis woest heen en weer terwijl hij met inzet van al zijn krachten het dikke rubber van de slang te lijf ging. De zware plastic buis schoot na een laatste krachtige ruk los en zonk weg toen Dirk hem losliet en met een stevige trap de diepte in stuurde.

Nu hij zich van de stormram had bevrijd, richtte Dirk zijn aandacht weer op Dahlgren. Door zijn worsteling met de airlift was zijn greep op de luchtslang verslapt en was hij weer tot op een meter of tien bij Dahlgren weggezakt. Zijn vriend hing als een slappe vaatdoek aan de luchtslang die hem aan zijn nek door het water sleurde. Opnieuw trok Dirk zich met zijn van vermoeidheid verkrampende armen aan de luchtslang op tot hij op gelijke hoogte met Dahlgren was. Nadat hij zijn eigen luchtslang met een platte knoop om zijn middel had gebonden, zwom hij met een paar slagen naar zijn vriend. Hij greep hem bij zijn trimvest beet en trok zich op zodat hij in zijn duikmasker kon kijken.

Dahlgren was bewusteloos en had zijn ogen gesloten. Maar hij ademde zwakjes, dat was te zien aan de stoot luchtbelletjes die om de paar seconden uit het mondstuk van zijn ademautomaat opborrelden. Terwijl hij Dahlgren met één hand vasthield, ontdeed hij zich met de andere van zijn loodgordel. Vervolgens drukte hij op de knop van de inflator op zijn trimvest. De weinige lucht die nog in zijn ponytank zat, stroomde het trimvest in en vulde het voor de helft tot de noodfles leeg was. Dit bleek meer dan voldoende om hen naar de oppervlakte te stuwen, waarbij Dirk fel met zijn benen trapte om het opstijgen te bespoedigen.

Nog voordat ze goed en wel uit het water opdoken, werden ze weer onder water gedrukt en meegesleurd als een gevallen waterskiër die vergeten is de lijn los te laten. De volgende seconde doken ze weer op om direct daarna weer onder water te worden gesleurd. Terwijl ze zo door het water duikelden, lukte het Dirk om ook Dahlgrens loodgordel los te maken, waarna hij zelf zijn hoofd uit zijn duikhelm wrong. Steeds naar lucht happend zodra ze weer even boven water waren, greep hij het ventiel op Dahlgrens trimvest waarmee je het met de mond kunt opblazen. Als ze onder water waren, blies hij in het ventiel tot Dahlgrens trimvest na paar flinke teugen volledig opgeblazen was. Dit verkortte de tijd dat ze onder water werden gedrukt aanzienlijk.

Dirk was bang dat zijn vriend door de klap van de buis ernstig aan zijn hoofd of nek gewond was geraakt. Hij trok een paar centimeter van de duiklijn naar zich toe en trok het touw door een D-ring aan Dahlgrens trimvest, waarna hij het eraan vastknoopte. Zolang het touw niet brak werd hij zo veilig aan zijn vest meegetrokken.

Nu zijn duikmaat bleef drijven, liet Dirk hem los en richtte zich weer op zijn eigen luchtslang. Hij moest nu aan boord van de werkboot zien te komen en begon zich hand over hand langs de slang naar de op drift geslagen werkboot te trekken. Hij had nog ruim twaalf meter te gaan en was ondertussen doodmoe van alle eerdere inspanningen. Verbeten vocht hij om iedere centimeter. Herhaaldelijk moest hij de pijn van zich afschudden en zich tegen de opwelling verzetten om los te laten. Maar hardnekkig plaatste hij steeds weer zijn ene hand voor de andere en trok, een handeling die hij zonder onderbrekingen bleef herhalen.

Toen hij voor de eerste keer naar de werkboot opkeek, hoopte hij daar Summer aan de reling te zien staan. Maar op het open dek was niemand te zien. Dirk wist dat zijn zus hem nooit vrijwillig in de steek zou laten. Er was iets gebeurd toen het zwarte schip langszij kwam en Dirk was het angstig te moede. Opnieuw welde er een gevoel van ongeduld en woede in hem op en als een bezetene zwoegend overbrugde hij de laatste paar meter naar de werkboot.

Toen hij de zijrand ten slotte had bereikt, hees hij zich met een laatste krachtsinspanning tussen de spijlen van de reling door aan boord en zakte op het dek in elkaar. Hij gunde zich maar een paar seconden rust, daarna wrong hij zich uit zijn duikuitrusting en keek om zich heen of hij Summer zag, terwijl hij luidkeels haar naam riep. Toen er geen antwoord kwam, krabbelde hij overeind en greep de duiklijn waaraan hij Dahlgren had vastgemaakt. Terwijl hij hem naar zich toe trok, verdween de Texaan steeds een aantal seconden onder water voordat hij weer opdook, overspoeld door de op volle zee steeds hoger wordende golven. Hij was weer bij bewustzijn en sloeg traag met zijn armen en benen in een vrijwel vruchteloze poging vooruit te komen. Met armen die het nu haast begaven van vermoeidheid trok Dirk hem tot aan de romp van de werkboot, waarna hij de duiklijn aan de reling vastbond. Omlaag reikend greep hij Dahlgren bij zijn kraag en hees hem aan boord.

Dahlgren rolde over het dek, waarna hij zich tot zitpositie overeind drukte. Trillend wrikte hij zijn duikhelm van zijn hoofd en staarde Dirk met een lege blik in de ogen aan. Hij kreunde toen hij met zijn hand over de achterkant van zijn nek wreef en zijn vingers over een buil gleden van kippeneiformaat.

'Wat is hier in hemelsnaam gebeurd?' brabbelde hij haast onverstaanbaar.

'Voor- of nadat de airlift je schedel als doelwit had uitgekozen?' vroeg Dirk.

'Dus dat was de klootzak die me te grazen nam. Ik weet nog dat ik van de grond werd weggerukt en mijn lucht wegviel. Daarna had ik mijn ponytank ingeschakeld en stond op het punt om naar boven te gaan toen het licht opeens uitging.'

'Gelukkig was je al op de noodfles overgegaan. Het heeft een paar minuten geduurd voordat ik de airlift kwijt was en jou aan de oppervlakte had.'

'Bedankt dat je me niet aan mijn lot hebt overgelaten,' zei Dahlgren glimlachend. 'Maar waar is Summer? En waarom dobberen we hier dertig kilometer van de kust?' vroeg hij, toen hij de onregelmatige kust van Hawaï in de verte zag vervagen.

'Dat weet ik niet,' zei Dirk somber.

Terwijl Dahlgren uitrustte, doorzocht Dirk de kajuit en daarna ook de rest van de werkboot op zoek naar tekenen die op een oorzaak van Summers verdwijning konden wijzen. Toen hij bij Dahlgren terugkeerde, zag deze aan Dirks gezichtsuitdrukking dat er weinig positiefs te vermelden viel.

'De radio is weg. De Zodiac ook. Evenals de generator. En alle meertouwen zijn op dekhoogte doorgesneden.'

'En we drijven naar China. Zijn er piraten op Hawaï?'

'Of schatrovers die denken dat we een schip met goud hebben gevonden.' Dirk tuurde naar het eiland. De inham was niet herkenbaar meer, maar hij wist dat het zwarte schip er nog moest liggen.

'Het schip dat we hoorden aankomen?' vroeg Dahlgren die nog te wazig zag om goed in de verte te kunnen kijken.

'Ja.'

'Dan is Summer daar aan boord.'

Dirk knikte zwijgend. Als ze op dat schip was, ging het misschien goed met haar. Althans, daar kon je op hopen. Maar die hoop vervloog naarmate ze steeds verder van het eiland wegdreven. Ze moesten eerst zichzelf zien te helpen voordat ze Summer te hulp konden komen. Zoals ze nu midden op de Stille Oceaan op een motorloze werkboot ronddreven, zou het weken kunnen duren voordat er een schip langskwam. Hoop, dacht Dirk ontsteld, terwijl hij het eiland aan de horizon steeds kleiner zag worden, was er alleen als ze weer snel aan land wisten te komen.

45

De cabine van een over ongeplaveide wegen voort ratelende Russische vrachtwagen was wel het laatste waar Rudi Gunn naar had terugverlangd. Maar dat was precies waar hij zich nu weer bevond. Zijn rug, billen en benen deden pijn van het voortdurende gehobbel en steeds waren er weer richels en kuilen waardoor zijn tanden op elkaar klapten. Hij was ervan overtuigd geraakt dat de fabrikant van deze vrachtwagen uit oogpunt van bezuiniging de montage van schokbrekers had overgeslagen.

'De vering van deze rammelkast is ontworpen door de Markies de Sade, als je 't mij vraagt,' zei hij bedrukt toen ze weer eens op een steen knalden.

'Relax,' reageerde Giordino grinnikend vanachter het stuur. 'Dit is nog het beste stuk van de weg.'

Gunn zag dat deze zogenaamde snelweg nu al uit niet veel meer dan een uitgesleten spoor door het hoge steppegras bestond en trok zo mogelijk nog bleker weg. Sinds het middaguur hobbelden ze door de uitgestrekte graslanden op weg naar Borjins rijk Xanadu. Voor het vinden van de juiste route waren ze afhankelijk van het collectieve geheugen van Pitt en Giordino, en een aantal keren was het een pure gok geweest welk spoor ze door het golvende heuvellandschap moesten volgen. Er waren herkenningspunten waaruit ze afleidden dat ze op de goede weg waren, toen ze de kleine bergrug naderden waarin het landgoed zich moest bevinden.

'Nog twee uur, Rudi,' zei Pitt, nadat hij door de voorruit turend de nog af te leggen afstand had geschat, 'dan ben je er vanaf.'

Gunn schudde zwijgend zijn hoofd in het vage besef dat de echte ellende dan pas begon. Een telefoontje van Hiram Yaeger vlak voordat ze uit Ulaanbaatar waren vertrokken had hun missie nog extra op scherp gesteld.

De mededeling dat er een eigenaardige reeks aardschokken in Mongolië was waargenomen, kon onmogelijk als toeval worden afgedaan.

'We doen nog een oppervlakteonderzoek om te kijken of we een samenhang kunnen vinden, maar dit is wat we weten,' zei Yaeger met een vermoeide stem. 'Er zijn aardschokken in diverse regio's ten noorden van Centraal-Mongolië waargenomen, maar ook in een vrij groot gebied aan beide zijden van de zuidgrens met China. De schokken zijn in zoverre uniek dat het epicentrum steeds tamelijk dicht onder het oppervlak lag. Gemeten volgens de schaal van Richter waren het over het algemeen nogal zwakke bevingen, maar ze veroorzaakten heel krachtige oppervlaktegolven die bijzonder verwoestend kunnen zijn. Dr. McCammon heeft ontdekt dat de schokken die als een soort voorbode aan de eigenlijk beving voorafgaan, qua intensiteit allemaal exact hetzelfde waren, wat niet overeenkomt met de aard van natuurlijke bevingen.'

'Dus jullie denken dat deze aardbevingen het gevolg van menselijk handelen zijn?' vroeg Pitt.

'Hoe onwaarschijnlijk het ook klinkt, de seismologische waarnemingen wijzen sterk in die richting.'

'Ik weet dat het boren naar olie soms aardschokken veroorzaakt en dat geldt ook voor onderaardse kernproeven. Ik herinner me dat de omgeving van Denver door aardschokken werd getroffen toen het Rocky Flats Arsenal daar verontreinigd water in de grond begon te injecteren. Heb je al uitgezocht of in die streken momenteel belangrijke boorprojecten aan de gang zijn? Of dat de zuiderbuur van Mongolië wellicht met kernproeven bezig is?'

'De epicentra in het noordelijk deel van het land zijn allemaal gelokaliseerd in het bergachtige gebied ten oosten van Ulaanbaatar, een afgelegen woestenij, voor zover wij hebben kunnen vaststellen. En van een door boren veroorzaakte beving kunnen de voorschokken volgens Max onmogelijk een dergelijke seismische uniformiteit vertonen. Wat de bevingen in het zuiden betreft, hadden we het aan de seismische profielen moeten kunnen zien als er een kernproef aan vooraf was gegaan.'

'En als ik nu eens gok dat dit iets met wijlen dr. Von Wachter te maken kan hebben?'

'Die vent heeft z'n sporen verdiend,' zei Yaeger. 'Toen Max vertelde dat Von Wachter bij een aardverschuiving in het Chentejgebergte om het leven is gekomen, ging er een lampje branden. Dat kon geen toeval zijn. We zijn tot de conclusie gekomen dat zijn akoestisch seismische apparaat, of een daarvan afgeleide technologie, iets met deze bevingen te maken moet hebben.'

'Dat is toch onmogelijk,' zei Gunn. 'Daar heb je een enorme schokgolf voor nodig.'

'Dat wordt algemeen gedacht,' antwoordde Yaeger. 'Maar dr. McCammon heeft daar samen met Max en andere seismologen een theorie over ontwikkeld. We hebben contact gehad met een collega van Von Wachter, met wie de man zelf over het succes van zijn grafische reflectieweergave had gesproken. Het geheim van zijn gedetailleerde afbeeldingen, als je ze zo mag noemen, was het vermogen om de geluidsgolven die de grond in worden gezonden tot minimale bundels te comprimeren. Normaal uitgezonden geluidsgolven gedragen zich als de rimpels die concentrisch uitwaaieren wanneer je een steen in een vijver gooit. Von Wachter ontwikkelde een methode waarmee je de golven zo kunt bundelen dat ze in een smalle straal bijeen blijven als ze door de aardkorst dringen. De naar het aardoppervlak terugkaatsende golven leveren vervolgens een helder en gedetailleerd beeld op dat de kwaliteit van de bestaande technologieën verre overtreft. Althans, dat beweerde die collega.'

'En hoe kom je van een seismische weergave tot een aardbeving?' drong Gunn aan.

'Via twee stappen. De eerste is dat het systeem van Von Wachter een gedetailleerd beeld oplevert waarop actieve breuken en breuklijnen duidelijk herkenbaar zijn. Voor ondiepe breuken is dat niet zo opzienbarend, aangezien dat met bestaande technologieën nu ook al mogelijk is.'

'Goed, met het seismische apparaat van Von Wachter kun je onder het aardoppervlak dus uiterst precies actieve breuklijnen lokaliseren,' zei Gunn. 'Maar dan moet je de druk op die punten toch nog op de een of andere manier, met boringen of explosieven, zodanig verstoren dat er een verschuiving optreedt die tot een aardbeving leidt.'

'Dat is de tweede stap. Je hebt gelijk, de spanning in de breuk moet worden verstoord om een aardbeving in gang te zetten. Maar een seismische golf is een seismische golf. Voor de breuk maakt het geen verschil of er explosieven...'

'... of een akoestische stoot op inwerkt,' maakte Pitt Yaegers zin af. 'Het klinkt logisch. Die drie meter hoge driepoot is een transductieapparaat dat de akoestische stoot produceert. Gezien de omvang van het apparaat en de stroomvoorziening die ervoor nodig is, heb ik het idee dat er een supersone knal mee gemaakt kan worden.'

375

'Als die akoestische stoot exact op een breuklijn wordt gericht, kunnen de trillingen van de seismische golven een scheuring veroorzaken en dan – boem – een aardbeving. Het is slechts een theorie, maar McCammon en Max zijn het erover eens dat dit mogelijk is. Von Wachters weergavetechnologie is daar waarschijnlijk absoluut niet voor bedoeld, maar iemand heeft dit neveneffect ervan ontdekt.'

'Hoe dan ook, dit is nu in handen van Borjin. We moeten ervan uitgaan dat hij over deze technologie beschikt en de mogelijkheid die te gebruiken,' zei Pitt.

'Je hebt de effecten ervan al van heel dichtbij meegemaakt,' zei Yaeger. 'Een van de schokken die aan dit profiel voldeed, was de aardbeving bij het Bajkalmeer. Misschien is daar per ongeluk onder water de aardverschuiving door ontstaan die de voor jullie haast noodlottige vloedgolf tot gevolg had. We vermoeden nu dat hun eigenlijke doelwit een oliepijplijn langs de noordoever van het meer was die daarbij inderdaad is vernield.'

'Dat verklaart waarom ze geprobeerd hebben de *Vereshchagin* tot zinken te brengen en zo onze computers te vernietigen. We hebben Borjins zus Tatjana over ons seismisch onderzoek op het meer verteld. Ze moet toen beseft hebben dat onze apparatuur de onnatuurlijke signalen had geregistreerd die aan de aardbeving voorafgingen,' zei Giordino.

'Signalen die te herleiden zouden zijn als afkomstig van een schip op het meer… de *Primorski*,' vulde Pitt aan.

'Dus ze hebben de technologie al destructief gebruikt,' zei Gunn.

'Het is ernstiger dan je denkt. We kennen de bedoeling of motivatie die achter de aardschokken in Mongolië en China steekt niet, maar de kenmerken van die bevingen komen exact overeen met die van de beide schokken die recentelijk twee oliehavens aan de Perzische Golf hebben verwoest.'

De mannen in de hotelkamer reageerden geschokt. Dat de technologie om een aardbeving te veroorzaken bestond was op zich al angstaanjagend genoeg. Maar echt onvoorstelbaar was dat die technologie werd gebruikt voor het aanjagen van een wereldwijde economische crisis en dat het spoor naar een mysterieuze mogol leidde die in de binnenlanden van Mongolië leefde. Het spel van misleiding en verwoesting dat Borjin speelde, was voor Pitt nu een stuk helderder. Met zijn ontdekking van oliereserves in Binnen-Mongolië had hij zich een positie verworven die hem tot dé oliemagnaat van Oost-Azië moest maken. Pitt betwijfelde of zijn ambities daartoe beperkt zouden blijven.

'Zijn de hogere instanties al op de hoogte gesteld?' vroeg Pitt.

'Ik heb contact opgenomen met vice-president Sandecker en een afspraak met hem gemaakt. De ouwe baas wil wel iets concreets zien. Hij heeft beloofd ervoor te zorgen dat de president de Nationale Veiligheidsraad bijeen zal roepen als de feiten onmiddellijke aandacht vereisen. Ik heb hem verteld dat jullie erbij betrokken zijn, waarop hij om harde bewijzen heeft gevraagd waaruit blijkt dat er een rechtstreeks verband tussen Borjin en de aardschokken bestaat.' Admiraal James Sandecker, tegenwoordig vice-president Sandecker, was Pitts voormalige baas bij de NUMA en onderhield nog altijd een hecht contact met Pitt en diens staf van de mariene organisatie.

'Dat bewijs,' zei Pitt, 'bevindt zich in het laboratorium op Borjins landgoed. Daar heeft hij zo'n seismisch apparaat staan, hoewel ik niet denk dat het dezelfde is die hij op het Bajkalmeer heeft gebruikt.'

'Misschien is die apparatuur naar de Perzische Golf overgebracht. We moeten ervan uitgaan dat er minstens twee apparaten van die omvang bestaan,' zei Yaeger.

'Drie lijkt me een veiliger gok. Ik neem aan dat je aan de hand van de bevingen bij het Bajkalmeer en de Perzische Golf hebt kunnen vaststellen dat ze het apparaat ook op een schip kunnen inzetten?'

'Ja. De epicentra van beide schokken in de Perzische Golf lagen voor de kust.'

'Die schepen kunnen een aanwijzing zijn,' merkte Pitt op. 'De boot op het Bajkalmeer beschikte over een boorkoker in de romp en er stond een boortoren op het achterdek. Kijk eens of je in de Perzische Golf een onderzoeksschip met een dergelijke inrichting kunt vinden.'

'Het is een angstaanjagend idee dat ze mogelijk overal op aarde aardbevingen kunnen veroorzaken,' reageerde Yaeger. 'Wees voorzichtig, jongens. Ik weet niet of de vice-president veel voor jullie kan doen daar in Mongolië.'

'Bedankt, Hiram. Als jij probeert die schepen te vinden, dan zullen wij kijken of we Borjin kunnen ontmaskeren.'

Pitt had de resultaten van Yaegers overleg met Sandecker niet afgewacht. Hij wist dat er op de korte termijn weinig kon worden gedaan. Hoewel de betrekkingen tussen Mongolië en de Verenigde Staten steeds beter werden, zou het dagen, zo niet weken, vergen om de regering tot ingrijpen te bewegen. En de bewijzen tegen Borjin zelf waren nog te speculatief.

Omdat de levens van Theresa en Wofford op het spel stonden, bedacht Pitt met Giordino en Gunn een nieuw actieplan, waarna ze naar Xanadu vertrokken. Hij wist dat Borjin nu zeker geen bezoekers meer verwachtte. Met de juiste aanpak en een beetje geluk moest het mogelijk zijn om Theresa en Wofford te bevrijden en er met belastende bewijzen tegen Borjin weg te komen.

De bestofte vrachtwagen was net over een heuvelkam gereden toen Giordino bij het naderen van de zijweg op de rem trapte. De glad aangestampte weg die zich achter een kleine poort uitstrekte, was de oprijlaan naar Borjins schuilplaats.

'Het hemelse pad naar Xanadu,' zei Giordino.

'Hopelijk zijn er weinig tegenliggers vandaag,' reageerde Pitt.

Het begon te schemeren en Pitt leek het niet erg waarschijnlijk dat er zo laat op de dag nog iemand het landgoed zou verlaten, aangezien Ulaanbaatar toch minstens vier uur rijden was. Het risico bestond dat een van Borjins bereden patrouilles rondes langs het hek maakten, maar daar was weinig tegen te doen.

Giordino sloeg de zijweg in en volgde de lege weg die hen kronkelend naar het hart van het gebergte voerde. Nadat ze een steile pas waren overgegaan, minderde Giordino vaart toen de rivier naast de weg opdook. Er was zojuist een ongebruikelijk heftige regenbui op de bergkam neergekletterd, waardoor de rivier tot een woest kolkende stroom was opgezwollen. Na de aanhoudende droogte van de afgelopen dagen verraste het Giordino dat de weg hier opeens nat en modderig was.

'Als ik me goed herinner ligt het landgoed op ongeveer drie kilometer van het punt waar de rivier voor het eerst vanaf de weg zichtbaar is,' zei Giordino.

'Het aquaduct, dat moeten we goed in de gaten houden,' reageerde Pitt.

Giordino reed langzaam door, terwijl ze gespannen om zich heen keken, op zoek naar het aquaduct en eventuele patrouilles. Pitt zag ten slotte een enorme buis in de rivier uitsteken, die de toevoer vormde tot het uit beton opgetrokken aquaduct. Dit was het oriëntatiepunt waardoor ze wisten dat ze zich nu op minder dan een kilometer van het huis bevonden.

Giordino sloeg een berijdbare plek langs de weg in en reed tot achter een rij dennen, waar hij de motor afzette. De met zand en modder besmeurde vrachtwagen stak nauwelijks af tegen de omgeving en een toevallige voorbijganger zou vanaf de weg moeite moeten doen om hem te zien staan.

Gunn keek zenuwachtig op zijn horloge en zag dat het bijna acht uur was.

'Wat nu?' vroeg hij.

Pitt haalde een thermoskan tevoorschijn en schonk voor alle drie een kop koffie in.

'Relax, we wachten hier tot het donker is,' zei hij van het dampende vocht nippend, 'tot de kwelduivels tevoorschijn komen.'

46

De aanhoudende tropische wind blies kil over de werkboot toen Dirk en Dahlgren hun wetsuits uittrokken, hun vermoeidheid van zich afschudden en aan het werk gingen om te zien hoe ze terug aan land konden komen.

'Zelfs als we een mast en een zeil hadden, is deze bak te lomp om mee te zeilen,' zei Dahlgren.

'Dat proberen we dus ook niet,' reageerde Dirk. 'Bij het begin beginnen. Laten we eerst eens kijken of we het afdrijven kunnen stoppen.'

'Een zeeanker?'

'Daar dacht ik aan, ja,' zei Dirk, naar een van de luchtcompressoren lopend.

'Dat is een duur anker,' merkte Dahlgren op, terwijl hij de doorgesneden stukken meertouw bijeenzocht.

Ze bevestigden een tien meter lang touw aan de compressor en bonden het losse uiteinde aan een meerklamp op de achtersteven. Samen sjouwden ze de compressor naar de zijreling en kieperden hem overboord. Onder de waterspiegel bungelend werkte de compressor als een geïmproviseerd zeeanker en vertraagde de stuwende werking van de wind.

'Eén beet in dat ding en de haaien zorgen wel dat ze wegblijven,' zei Dahlgren.

'Dat is nog het minste van onze problemen,' reageerde Dirk. Hij speurde de horizon af op zoek naar een schip waarvan ze de aandacht konden proberen te trekken. Maar op de zee ten zuidwesten van de Hawaïaanse archipel was geen schip te bekennen.

'Zo te zien zijn we op onszelf aangewezen.'

De mannen richtten zich op de spullen die zich aan boord bevonden. De

Zodiac was verdwenen en een ander middel om mee naar de kust te varen was er niet. De tweede compressor en een waterpomp, een hele verzameling duikspullen, een kleine voedselvoorraad en wat kleren, veel meer was het niet.

Dahlgren klopte met een knokkel tegen de zijkant van de kajuit. 'Hier zouden we een vlot van kunnen maken,' zei hij. 'We hebben wat gereedschap en voldoende touw.'

Sceptisch overwoog Dirk deze mogelijkheid. 'Het kost ons een dag om hem te bouwen en het zal niet meevallen om ermee tegen de stroming en de wind in op te boksen. Waarschijnlijk is het toch beter om rustig hier te blijven en op een passerend schip te wachten.'

'Ik probeer alleen maar een manier te bedenken om bij Summer te komen.'

En dat was ook wat Dirk dacht. Het ging niet om hun overleven. Ze hadden voldoende eten en water aan boord. Zodra de *Mariana Explorer* naar de inham was teruggekeerd en daar de werkboot niet meer aantrof, zouden ze onmiddellijk een grote zoekactie op touw zetten. Dan zouden ze binnen een week worden gevonden, dat was zeker. Maar hoeveel tijd had Summer nog?

Die gedachte maakte hem ziek van angst en hij vroeg zich af wat voor lieden haar hadden ontvoerd. Hij vervloekte hun hachelijke situatie, waarin ze werkeloos moesten toezien dat ze steeds verder van de kust afdreven. Terwijl hij ongedurig over het dek ijsbeerde, viel zijn oog op Summers surfplank op het dak van de kajuit en weer voelde hij een steek van machteloosheid. Was er dan echt helemaal niets wat ze konden doen?

Opeens ging hem een lichtje op. Het lag vlak voor zijn neus. Of misschien had Summer hem het antwoord ingegeven.

Er verscheen een energieke trek op zijn gezicht toen hij zich tot Dahlgren wendde.

'Geen vlot, Jack,' zei hij met een zelfverzekerde glimlach. 'Een catamaran.'

De grijs met witte zilvermeeuw scheerde met een luide kreet over het water, kwaad dat hij bijna was overvaren. In de lucht rondcirkelend beloerde de vogel achterdochtig het vaartuig dat door het water kliefde, waarna hij zich weer liet zakken en in het kielzog neerstreek.

Dirks ingeving was om van zijn en Summers surfplank een catamaran te maken en de twee mannen hadden het bizarre plan in een uitvoerbaar ontwerp omgezet. De polyester planken vormden twee uitstekende drijvers. Dahlgren kwam met het idee dat ze hun stretchers als verbindingsstukken konden gebruiken. Nadat ze het doek ervan af hadden gescheurd, legden ze twee aluminium frames dwars over de planken en bonden ze met stukken touw vast, waarvan ze de knopen nog eens extra met breed plakband afplakten.

'Als we in het midden van de planken een gaatje kunnen boren en hakken, kunnen we de frames met een touw zo vastmaken dat ze niet bij de eerste de beste golf verschuiven,' stelde Dahlgren voor.

'Ben je gek geworden? Dit zijn originele Greg Noll-planken. Summer vermoordt ons als we haar plank beschadigen.'

Het frame van het derde veldbed bevestigden ze met behulp van een aantal tuien bij wijze van mast rechtop in het midden. Samen met het doek dat ze van de twee andere frames hadden afgescheurd improviseerden ze een felblauw gekleurd zeil. Binnen twee uur hadden ze een slecht gelijkende, maar functionerende kopie van een hobbycat in elkaar gezet.

'Een zeilwedstrijd zullen we er niet mee winnen, maar het Grote Eiland halen we er waarschijnlijk wel mee,' zei Dirk, hun werk met een kritische blik opnemend.

'Jep,' reageerde Dahlgren. 'Spuuglelijk, maar zo functioneel als de hel. Dat ding is om te zoenen.'

De mannen trokken hun wetsuits weer aan en bonden een tas met eten en water aan de mast. Daarna lieten ze de boot over de rand te water. Vervolgens stapten ze voorzichtig aan boord en testten uit of de boot stabiel genoeg was. Ten slotte maakte Dahlgren het touw los waarmee ze nog aan de werkboot vastlagen. Terwijl de twee de catamaran met hun voeten in het water trappend schuin op de wind manoeuvreerden, dreef de werkboot snel van hen weg. Dirk trok het geïmproviseerde zeil strak en bond het aan de achterste dwarsverbinding vast. Tot zijn verrassing sprong het bootje door de druk van de wind op het rechthoekige blauwe zeil over de golven vooruit.

De mannen lagen elk op een van de planken tot ze ervan overtuigd waren dat de stretcherframes goed vastzaten. De touwverbindingen bleken sterk genoeg en de twee planken schoten als een strak geheel door de golven zonder dat de dwarsverbindingen noemenswaardig verschoven. Nadat ze allebei op hun plank rechtop waren gaan zitten, werden ze nog steeds door de boeggolven overspoeld.

'Ik voel me alsof ik op een tuinstoel aan het waterskiën ben,' zei Dahlgren grinnikend, nadat er weer een enorme golf over hem heen was geslagen.

De kleine hobbycat hield stand en scheerde over het water, terwijl Dirk de boot op koers hield met behulp van een peddel die hij als een roer aan de achterkant had vastgemaakt. Toch was de wendbaarheid beperkt en bleef hij minstens twee uur lang in een strakke lijn doorvaren voordat hij overstag ging. Nadat Dirk het zeil had laten zakken, draaiden de twee mannen de neus van de boot met hun voeten in het water trappend negentig graden om. Even later bolde het zeil weer in de wind.

'Nou, misschien zouden we hier best een wedstrijd mee kunnen winnen. Ze vaart als een zonnetje,' merkte Dahlgren monter op.

'Zeker weten. Maar dan zou ik toch liever een droogpak aantrekken.'

Ze waren oprecht verbaasd over de efficiëntie van het bootje. Al snel was de werkboot volledig uit het zicht verdwenen, terwijl het Grote Eiland aan de horizon groter leek te worden. Nu ze enigszins tot rust waren gekomen, dwaalden Dirks gedachten weer af naar Summer. Als twee-eiige tweeling hadden ze een band met elkaar die hechter was dan een broer en een zus over het algemeen met elkaar hebben. Hij voelde haar aanwezigheid en wist vrijwel zeker dat ze nog leefde. Nog even volhouden, zei hij in gedachten tegen haar. Hulp is onderweg.

De donkere lavahellingen van de Mauna Loa schemerden in de paarse gloed van de ondergaande zon, terwijl ze de zuidwestkust van Hawaï naderden. Dit grillige deel van de kust was vrijwel onbewoond, omdat de lavaklippen er, afgezien van een paar minuscule zwarte strandjes, te steil waren om er aan land te gaan. Dahlgren wees naar een rotspunt die een kleine drie kilometer zuidelijker als een gebalde vuist in de oceaan uitstak.

'Is dat niet Humuhumu Point?'

'Dat lijkt er wel op,' antwoordde Dirk, terwijl hij in de toenemende duisternis de omtrekken probeerde te herkennen. 'Dan moet Keliuli Bay daar vlak achter liggen. We zijn bijna precies terug op de plek waar we vandaan kwamen.'

'Een knap staaltje surfplanknavigatie,' zei Dahlgren. Vervolgens speurde hij de kustlijn in de andere richting af. 'Dat betekent dat Milolii de dichtstbijzijnde plaats is waar we de autoriteiten kunnen waarschuwen.'

'Dat is dan een kilometer of tien hiervandaan.'

'Dat moet te doen zijn. Tenzij je de andere kant op wilt om de gasten die ons op dit fijne uitstapje hebben getrakteerd met een bezoekje te vereren.'

47

Voor Summer, die nog altijd in de kleine opslagruimte opgesloten zat, verstreek de middag tergend traag. Nadat ze de ruimte vergeefs had afgezocht naar een stuk gereedschap of een ander voorwerp waarmee ze misschien zou kunnen ontsnappen, zat er niets anders op dan af te wachten en zich af te vragen wat er met Dirk en Jack gebeurd kon zijn. Ten slotte schoof ze een lege kist tot onder de patrijspoort en vormde van het dikke touw een soort stoel, van waaruit ze enigszins comfortabel zittend met een fris windje in het gezicht over het water uit kon kijken.

Vanuit haar verborgen hoekje kon ze net volgen wat er op het achterdek gebeurde. Er werd een rubberboot te water gelaten en ze zag dat diverse duikers een kijkje bij het wrak gingen nemen. Summer putte nog iets van genoegdoening uit het feit dat ze bij het blootgelegde deel van het schip geen artefacten zouden vinden, omdat ze bij de opgravingswerkzaamheden meteen alles hadden meegenomen.

Nadat de duikers op het schip waren teruggekeerd, zag en voelde ze dat het schip zich verplaatste. Tegen zonsondergang kwam men opeens weer in actie en hoorde ze geschreeuw en het geratel van een kraan op het dek onder haar. Ze schrok toen de deur van de opslagruimte plotseling openzwaaide en er een vent met een stierennek en een rottend gebit in de opening verscheen. Op zijn ruwe aansporingen volgde ze hem naar de brug en een kaartentafel, waaraan Tong in het felle licht van een draailamp een diagram bestudeerde. Hij keek op en wierp haar een laatdunkende blik toe.

'Mevrouw Pitt. Mijn duikers hebben bevestigd dat u bijna klaar bent met de opgraving. En u hebt niet gelogen. Het grootste deel van het schip ligt onder het lavagesteente. Het zal een heel werk zijn om de werkelijke omvang te bepalen.'

Hij wachtte op een reactie, maar Summer keek hem slechts met een kille blik in haar ogen aan. Tot ze uiteindelijk haar nog steeds om haar polsen geboeide armen opstak.

'O ja, goed. Ik ga er maar van uit dat je hier toch geen kant meer op kan,' zei hij met een knikje naar Stierennek. Het knechtje trok een mes tevoorschijn en sneed met een snelle haal het touw door. Over haar polsen wrijvend wierp Summer een terloopse blik om zich heen. Bij de voorruit stond alleen een stuurman over een radarscherm gebogen. Verder was de brug op de twee mannen naast haar na leeg. Tong gebaarde dat ze naast hem moest komen zitten, wat ze aarzelend deed.

'Ja,' zei Summer kalm. 'Zoals we u aan boord van de *Mariana Explorer* hebben verteld, die overigens nu ieder moment kan terugkomen. We hebben alle artefacten van het deel van het schip dat niet onder de lava ligt, meegenomen en veel waren dat er niet.'

Tong keek Summer glimlachend aan, leunde naar voren en legde een hand op haar knie. Ze wilde hem een klap geven en weglopen, maar ze deed geen van beide. In plaats daarvan keek ze ijzig terug en deed haar uiterste best niets van haar angst en walging te laten merken.

'Schatje, we zijn de *Mariana Explorer* voor de kust van Hilo gepasseerd,' zei hij vuil grijnzend. 'Ik denk dat ze nu zo ongeveer op hun bestemming in de buurt van Leleiwi Point zijn aangekomen. Dat is aan de andere kant van het eiland,' voegde hij er met een gemeen lachje aan toe.

'Waarom is dit wrak zo belangrijk voor u?' vroeg ze in een poging zijn aandacht van haar af te leiden.

'Je hebt echt geen idee, hè?' antwoordde hij ongelovig. Hierop nam hij zijn hand van haar knie en richtte zich weer op de kaart die op tafel lag. Het was een sonarbeeld van de zeebodem waarop het uitgegraven deel van het schip en het aangrenzende lavaveld te zien waren. Iets uit het midden van de versteende lavastroom was een x getekend.

'Ben je bij je opgravingen ook tot in het lavasteen doorgedrongen?' vroeg hij.

'Nee, natuurlijk niet. Ik begrijp niet wat u wilt, dr. Tong. De artefacten zijn allemaal weg en de rest van het wrak ligt onbereikbaar onder de lava. Daar kunt u of wie dan ook echt niets aan veranderen.'

'O, ja hoor, schatje, reken maar.'

Summer keek Tong angstig maar tegelijkertijd nieuwsgierig aan. Wat waren deze huurmoordenaars in hemelsnaam van plan?

Tong liet Summer onder het wakend oog van haar bewaker achter en liep naar de brugvleugel, waar hij de trap afging. Van daaruit begaf hij zich naar het achterdek, opende een zijdeur en stapte een grote open ruimte binnen die langs de wanden helemaal vol stond met computers en bedieningspanelen, in een opstelling die vrijwel overeenkwam met die in het proeflaboratorium op het landgoed in Mongolië. Bij een lange tafel vol monitors keek een kleine man met een kille blik in de ogen over zijn schouder naar een groot scherm boven het belangrijkste bedieningspaneel. Het was de man die de afgebroken zoekpogingen naar olie in het Chentejgebergte had geleid, nadat ze de Russische seismische zoekploeg hadden vermoord. Hij knikte toen Tong binnenkwam.

'We hebben een kleine breuk ontdekt en de coördinaten ervan vastgesteld,' zei hij met een omfloerste stem. 'Hij ligt hier redelijk in de buurt, maar of hij groot genoeg is voor de gewenste scheur in het lavagesteente betwijfel ik. Wat u wilt is een mission impossible, ben ik bang. We moeten hier verder geen tijd verspillen, maar doorgaan naar Alaska, zoals uw broer al voorstelde.'

Tong liet zich hierdoor niet uit het veld slaan. 'Een dag of twee uitstel kan geen kwaad. En als het wel lukt en dit inderdaad het keizerlijke Yuanschip is, valt die hele missie in Alaska daarbij in het niet.'

De kleine man knikte gehoorzaam. 'Ik stel vier tot vijf in sterkte oplopende detonaties voor, waarna de duikers gaan kijken of het iets heeft opgeleverd. Aan de hand van hun waarnemingen kunnen we zeggen of er hoop is dat we het lavagesteente kapot krijgen.'

'Goed, begin maar met de akoestische stoten. We gaan de hele nacht door. Als het niet lukt, gaan we hier morgen weg en varen we door naar Alaska.'

Tong deed een stap naar achteren en liet de technici hun werk doen. Net als in de Perzische Golf lieten ze een seismisch akoestisch apparaat door de boorkoker van het schip tot op het lavagesteente zakken, waar het zware gevaarte recht overeind op de zeebodem werd geplaatst. Vervolgens werd het apparaat met behulp van de computerapparatuur exact op de onderaardse breuk gericht. Met een muisklik werd er een elektrisch signaal via drie omvormers naar het apparaat op vijf vadem diepte gestuurd. Een seconde later trok er een zachte trilling door het schip als gevolg van de akoestische schokgolf die met een gedempte knal diep de bodem inschoot.

Tong bekeek de inspanningen van zijn mannen met een verwachtingsvolle grijns op zijn gezicht, in de hoop dat deze reis tot een dubbel succes zou leiden.

Anderhalve kilometer verderop scheerde de laag op het water liggende catamaran onder de donkere nachthemel de inham in. Dirk en Dahlgren hadden hun liggende positie op de surfplanken weer ingenomen en voeren het laatste stuk peddelend langs de hoge rotskust. Toen ze een smalle, net boven het water uitstekende richel zagen, zetten ze de boot daar onder een haast verticale wand van lavagesteente aan de grond. Dirk stond op en keek naar het felle licht van het nabijgelegen boorschip. Vervolgens legde hij de mast en het zeil plat neer, zodat ze minder goed zichtbaar waren.

De twee mannen gingen zitten en rustten, naar het schip turend, wat uit van de lange dag op het water. Ze waren zo dichtbij dat ze goed konden zien dat er rond de boortoren op het verlichtte achterdek een tiental mannen druk in de weer was. Ze zagen hoe er een hoge driepootachtige installatie door de boorkoker te water werd gelaten.

'Zouden ze echt gaan proberen door de lavalaag heen te boren?' vroeg Dahlgren.

'Ik begrijp niet wat ze op die manier denken te bereiken.'

De mannen deden zich tegoed aan hun rantsoen eten en water, waarna ze hun vermoeide ledematen uitrekten. Zo weer enigszins aangesterkt overlegden ze over een aanvalsplan, toen ze een laag rommelend geluid bij het schip hoorden. Het klonk heel gedempt, alsof het diep uit het binnenste van het schip of ergens eronder kwam.

'Nondeju, wat was dát nou weer?' zei Dahlgren.

'Een explosie onder water?' mompelde Dirk. Hij keek naar het wateroppervlak rond het schip in de verwachting dat daar schuim en belletjes zouden opspatten, maar er gebeurde niets. Het water in de inham bleef haast rimpelloos glad.

'Raar dat die knal geen enkel effect op het water had. Dan moet hij dus in het schip zijn geweest,' concludeerde hij.

'Aan boord lijkt men er niet erg over in te zitten,' merkte Dahlgren op, die zag dat het dek zo goed als verlaten was. Er was geen teken van paniek. 'Wat dacht je, zullen we een kijkje gaan nemen?'

Toen ze de catamaran het water in wilden duwden, klonk er een tweede gedempte knal. Net als de eerste had hij geen enkel effect op de waterspiegel in het midden van de inham. Terwijl ze nog over deze mysterieuze knallen nadachten, rommelde er een veel luider, donderend geluid diep onder hun voeten. De aarde trilde zo krachtig dat ze maar nauwelijks hun evenwicht konden bewaren. Van de steile klip achter hen kletterden kleine brokken afgebroken lava en ander gesteente naar beneden.

'Pas op!' riep Dirk, die een enorm rotsblok zag afbreken en vervolgens recht op hen af zag komen. De twee mannen doken nog net op tijd weg voor het langsrazende rotsblok dat de voorkant van de catamaran schampend in het water plonsde.

De grond trilde nog een paar seconden na. Wild schuimend sloegen er een paar door de aardschok opgestuwde golven tegen de steile rotskust, maar direct daarna kwam het wateroppervlak in de inham weer tot rust.

'Ik was even bang dat de hele klip hier naar beneden zou komen,' zei Dahlgren.

'Dat kan nog steeds,' reageerde Dirk, terwijl hij een bezorgde blik op het hoog boven hen uittorenende lavagesteente wierp. 'Laten we daar niet op wachten.'

Dahlgren tuurde naar het boorschip. 'Zij hebben die aardschok veroorzaakt,' stelde hij nuchter vast. 'Ze hebben hem met die detonatie opgewekt.'

'Laten we hopen dat het een ongelukje was. Ze proberen natuurlijk dat lavaveld kapot te breken om zo bij het wrak te komen.'

'Ze doen maar. Laten we Summer gaan zoeken en zorgen dat we hier weg zijn voordat we het hele eiland op onze kop krijgen.'

Snel duwden ze de catamaran het water in en hesen zich aan boord. Zachtjes van de rotswand weg peddelend naderden ze behoedzaam het boorschip. Dahlgren zag dat de punt van de surfplank waar hij op lag, zo plat als een dubbeltje was geslagen.

Hij durfde Dirk niet te vertellen dat het zíjn plank was, die door het neerstortende rotsblok was geraakt.

48

Summer zat in de stuurhut aan de kaartentafel over een ontsnappings-mogelijkheid na te denken, toen de eerste akoestische stoot de bodem in werd gezonden. De doffe dreun klonk recht onder het schip en ze nam net als Dirk aan dat het een soort explosie was. Hieruit trok ze de conclusie dat de criminelen de lavalaag boven het wrak probeerden weg te breken.

Stierennek zat haar met een onheilspellende blik in de ogen over de tafel aan te staren en reageerde met een vuil glimlachje op de verwarring en woede die van Summers gezicht afstraalden. De grijns rond de door het vele roken bruin uitgeslagen tanden verbreedde zich toen er een paar minuten later een tweede dreun trillend door het schip trok.

Hoewel Summer van haar ontvoerders walgde, intrigeerde het haar waar ze mee bezig waren. Dat ze niet terugschrokken voor moord en moedwillig het risico namen het wrak te vernielen betekende dat ze dachten dat er in het ruim iets heel kostbaars te vinden zou zijn. Summer herinnerde zich Tongs opmerkelijke belangstelling voor de porseleinen schaal en de mogelijk keizerlijke kenmerken ervan. Maar als hij het lavagesteente opblies om bij het ruim te komen, kon het hem onmogelijk om aardewerk te doen zijn.

Toen er na de tweede schok een lichte trilling door de brug ging, concentreerde ze zich weer op een mogelijke ontsnapping. Van het schip af zien te komen, dat was de eerste vereiste als ze het er levend vanaf wilde brengen. Summer was een goede zwemster. Eenmaal in het water was ze binnen de kortste keren bij de rotsachtige oever van de inham. Daar aan land zien te komen zou, gezien de steilte en ruigte van de kustlijn, geen sinecure zijn, maar wellicht kon ze zich daar tussen de stenen verstoppen tot de *Mariana Explorer* terugkwam. Hoe moeilijk het ook was, de kans te overleven was op die manier groter dan wanneer ze bij die schurken op het schip bleef.

Hier op de brug, met alleen de stuurman en haar onverkwikkelijke bewaker, was de kans op succes waarschijnlijk het grootst, concludeerde ze. De stuurman leek haar niet echt gevaarlijk. Het was nog een jochie, nogal fragiel gebouwd en hij had iets onderdanigs over zich. Hij stond de ruim een meter tachtig lange Summer al de hele tijd aan te gapen alsof ze Aphrodite was.

Ze richtte haar aandacht op Stierennek aan de andere kant van de tafel. Hij was het probleem. Geweld ging deze bruut met zijn slechte gebit beslist niet uit de weg. Het was hem aan te zien dat hij een mooie vrouw met genoegen pijn zou doen en ze huiverde bij die gedachte. Ze moest hem op zijn eigen talent zien af te troeven en daarbij had ze in ieder geval het verrassingselement aan haar kant.

Moed vattend hield ze zichzelf voor dat het nu of nooit was. Ze stond langzaam van tafel op en wandelde nonchalant naar de voorkant van de brug alsof ze haar benen wat wilde strekken en staarde door de ruit in de nachtelijke duisternis. Meteen imiteerde Stierennek haar bewegingen en bleef op een paar meter achter haar staan.

Summer aarzelde een moment, haalde diep adem om zich te ontspannen en draaide zich om naar de brugvleugel aan bakboordzijde. Met een paar lange passen snelde ze naar de openstaande deur alsof ze nog net een lift wilde halen. De bewaker gromde onmiddellijk dat ze moest blijven staan, maar dat negeerde ze. Soepeltjes voortsnellend had ze de deur bijna bereikt. De overdonderde bandiet sprong achter haar aan, boog naar voren en legde een groezelige hand op Summers schouder om haar tegen te houden. Ook zijzelf verbaasde zich over de snelheid waarmee ze reageerde.

Omdat ze zijn aanval verwachtte, draaide ze zich half om en greep de man met beide handen bij zijn pols beet. Doordraaiend duwde ze zijn pols omhoog en rukte hem vervolgens met de palm omlaag naar de grond. Daarna deed ze een stap naar voren en liet zich op een knie zakken. De bandiet anticipeerde op de judoworp en hupte opzij, maar ze had hem in een pijnlijke polsgreep en ze hoorde het bot knappen, toen ze doordrukte. De getergde man haalde met zijn vrije arm naar Summer uit, maar hij had te weinig ruimte om de klappen waarmee hij op Summers rug beukte voldoende kracht te geven. Summer reageerde door weer overeind te komen en sleurde de man met een nieuwe draai van zijn hand naar achteren. De man hapte naar adem van de pijn en haalde met zijn linkerarm nog eens

391

vruchteloos naar Summer uit. Maar de stekende pijn werd hem te veel en ten slotte deed hij een paar wankelende passen achteruit. Hij sloeg tegen de bedieningsconsole naast het stuurrad, waar hij machteloos op zijn knieen zakte. Zolang Summer hem in die greep vasthield, kon de bruut geen vin verroeren.

Op de console flitste een rood lampje aan, terwijl er een nieuwe trilling door het schip trok. Door de klap waarmee hij tegen het bedieningspaneel was gevallen, had hij de knop van de automatische stuwmotoren ingedrukt, met als gevolg dat deze op handbediening overschakelden. De jeugdige stuurman deinsde geschrokken van Summers fysieke overmacht op de grotere man van het stuurrad weg en brabbelde iets in rap Mongools terwijl hij opgewonden naar het rode knipperende lampje gebaarde. Met haar hart bonkend in haar keel van de korte maar hevige inspanning, haalde Summer diep adem en keek op de console.

Bij alle knoppen en hendels op het bedieningspaneel stonden de functies met Chinese karakters aangegeven, maar eronder had iemand op plastic strookjes de Engelse vertaling geplakt. Summer keek naar wat er op het plastic strookje onder het rode lampje stond en las MANUAL THRUSTER CONTROL. Plotseling kreeg Summer een idee.

'Even iets anders doen,' mompelde ze tegen de niet-begrijpende stuurman. 'We gaan eerst een stukje varen.'

Summer liet haar blik over het hele paneel gaan tot ze twee metertjes zag waaronder op het plastic BAKBOORD THRUSTER VOOR en BAKBOORDTHRUSTER ACHTER stond. Met haar vrije hand draaide ze beide knoppen op nul. Vrijwel op datzelfde ogenblik klonk er onder hen een derde knal van een akoestische stoot uit het seismische apparaat. Dit was wat Summer betreft perfect getimed. De knal maskeerde de verandering in het geluid van de stuwmotoren. Met een beetje geluk zou de bemanning niet meteen doorhebben dat het schip zich nu zijwaarts door de inham verplaatste. Over een paar minuten zou het schip op de lavarotsen langs de kust lopen. Van de commotie die dat ongetwijfeld teweeg zou brengen, kon zij gebruikmaken om er onopvallend tussenuit te knijpen.

'Achteruit jij,' blafte ze tegen de nerveuze stuurman, die een paar passen dichterbij was gekomen. De jongeman sprong met een angstige blik op het van pijn vertrokken gezicht van Stierennek bij het stuurrad weg.

Het boorschip schoof rustig, haast onmerkbaar, door de inham, gelijkmatig voortgedreven door de stuwmotoren aan stuurboordzijde. Summer dacht dat ze onder de waterlijn iets hoorde bonken, maar het schip vervolgde haar zijwaartse weg door de duisternis. Ik moet dit nog even volhouden, dacht ze, terwijl haar greep om de pols van de bandiet langzaam verkrampte van vermoeidheid.

Zenuwachtig telde ze de seconden af in de hoop nu ieder moment het schurende geluid te horen van de scheepsromp die over lavagesteente schoof. Maar de moed zonk haar in de schoenen toen er een heel ander geluid vanuit de deuropening klonk. Het was een schorre mannenstem.

'Wat krijgen we nou?' gromde de stem.

Toen Summer zich geschrokken omdraaide, zag ze dat het Tong was. En in zijn hand hield hij een automatisch pistool op haar hart gericht.

49

Op de catamaran met gestreken mast waren ze het boorschip in het water trappend en peddelend tot op honderd meter genaderd en ze stuurden nu met een boog op de boeg aan bakboordzijde af om zo het felle licht van de lampen op het achterdek te vermijden. Toen ze het schip afspeurden om te zien of er bewakers op de uitkijk stonden, boog Dahlgren zich opeens opzij naar Dirk en fluisterde: 'Kijk eens naar de brug. Vlug!'

Dirk keek op naar de voorkant van de bovenbouw van het schip. Door de openstaande deur van de brugvleugel ving hij een glimp op van een persoon die daar langsliep. Een lange gestalte met golvend rood haar dat tot over de schouders viel.

'Summer?'

'Dat kan niet anders,' zei Dahlgren.

Er viel een pak van zijn hart nu Dirk zeker wist dat zijn zus nog in leven was. Met hernieuwde kracht trappelden ze de catamaran sneller naar het schip. 'Laten we meteen aan boord gaan om te zien wat daar aan de hand is.'

Dat was gemakkelijker gezegd dan gedaan. Het laagste dek van het schip lag nog altijd minstens drie meter boven hen. En omdat het schip door middel van stuwmotoren op haar plaats werd gehouden, was er geen ankerketting waarlangs ze omhoog konden klimmen. Dirk hoopte dat er bij de achtersteven een vaste, in de romp uitgespaarde ladder zat, iets wat bij dit soort werkschepen niet ongebruikelijk was.

Ze bereikten de boeg en peddelden stilletjes naar achteren toen onder hen de derde detonatie klonk. Ze voelden een lichte trilling door het schip gaan en zagen een paar rimpels over het water gaan, maar er volgde geen woest opspattende waterfontein die je na een onderwaterexplosie zou verwachten. Het licht van de lampen scheen door de boorkoker en verlichtte de onderkant van het schip. Daar zagen ze een hele streng kabels omlaag gaan naar de driepoot die recht overeind op de zeebodem stond.

Ze schoven nog een paar meter verder langs de zijkant van het schip tot Dirk merkte dat de zijwaartse stuwmotoren waren stilgevallen. Voordat hij besefte wat er gebeurde, sloeg de zijkant van het schip met een dreun tegen de catamaran, waarna deze op een wal van water omhoog werd gestuwd. Het boorschip bewoog zich zijwaarts en drukte de catamaran steeds sneller voor zich uit. Dirk, die op de surfplank lag die omhoog werd geduwd, zag dat de catamaran ieder ogenblik kon omslaan. De andere plank werd omlaag gedrukt en binnen enkele seconden zou het hele bootje onder de romp van het schip worden gezogen.

'Van de plank af!' schreeuwde Dirk naar Dahlgren.

Net toen Dirk zich van de plank wilde laten rollen, zag hij boven zijn hoofd een touw hangen. Het was een niet in gebruik zijnde meertros, die in een lus over de rand van het schip hing en daar op zo'n anderhalve meter boven het water bungelde. In een wanhopige poging sprong Dirk van de omkiepende catamaran en graaide naar het touw dat hij nog net met zijn linkerhand te pakken kreeg. Zich aan het touw optrekkend greep hij het met beide handen stevig vast. Door zijn gewicht zakte het iets omlaag tot het op een meter boven het water strak kwam te staan.

Hij keek achter zich en zag de catamaran omslaan, waarna het bootje onmiddellijk onder het schip verdween. Dahlgren lag er vlak achter op de top van de omkrullende golf en zwom als een bezetene.

'Hier! Ik heb een touw,' drong Dirk met een niet al te luide stem aan, omdat hij geen aandacht op hun aanwezigheid daar wilde trekken.

Maar Dahlgren had het gehoord. Verwoed probeerde hij dichterbij te komen, met een tomeloze krachtsinspanning waarvan ze allebei wisten dat hij die niet lang vol zou kunnen houden. Het door de scheepsromp voortgestuwde water wervelde alle kanten op en slingerde Dahlgren van de ene naar de andere kant. Toen hij eindelijk dicht genoeg was genaderd, wist Dirk hem met zijn uitgestoken hand aan zijn wetsuit vast te grijpen, waarna hij hem met inspanning van al zijn krachten naar zich toe sleurde. Het was net ver genoeg, zodat Dahlgren een arm over het in een lus hangende touw kon haken. Volledig uitgeput bleef hij zo een minuut zwaar uithijgend hangen.

'Dat was spannend,' prevelde hij.

'En dit is de tweede keer al vandaag dat ik je uit het water heb moeten vissen,' zei Dirk. 'Als dit zo doorgaat, wil ik toch echt dat je op dieet gaat, hoor.'

'Ik zal 't in overweging nemen,' antwoordde Dahlgren hijgend.

Nadat ze nog even hadden uitgerust, klommen ze allebei aan hun kant langs het touw naar het dek, waar ze een paar meter van elkaar onder de reling door kropen. Hoewel ze vaag stemmen op het achterdek hoorden, bleek dat ze ongezien aan boord waren gekomen. Ze bevonden zich midscheeps aan bakboordzijde en Dirk wierp een vluchtige blik op de hoge lavaklip die in de duisternis snel dichterbij kwam. In de stuurhut was kennelijk iets niet in orde, want het schip lag duidelijk op ramkoers, zonder dat iemand dat in de gaten had.

'Kom,' fluisterde Dirk. 'Ik geloof niet dat we nog lang op dit schip zitten.'

Net toen ze wegliepen, klonk er weer zo'n rommelende donder in de verte. Deze keer kwam het geluid vanaf de kust.

Achtduizend kilometer verderop schoven op de negende etage van het NUMA-hoofdkwartier de liftdeuren open en stapte een slaperige Hiram Yaeger met een thermoskan Sumatra-koffie in zijn hand zijn computerrijk binnen. Hij keek verbaasd op toen hij dr. McCammon met een bezorgd gezicht achter de console zag zitten.

'Ben je me nu alweer te snel af, Phil?' vroeg Yaeger.

'Sorry dat ik je zo vroeg al stoor. Maar het National Earthquake Information Center heeft iets gestuurd dat me belangrijk leek.'

Hij vouwde een seismogram op tafel open, terwijl Yaeger zich op een draaistoel naar de tafel trok.

'Een paar minuten geleden is het Grote Eiland van Hawaï door een aardbeving getroffen,' begon McCammon. 'Met een sterkte van iets boven de 7,0 en het was een ondiepe beving. Het epicentrum lag net anderhalve kilometer voor de kust in een inham, de Keliuli Bay.'

'En de voorschokken?'

McCammon fronste zijn wenkbrauwen. 'Vrijwel gelijk aan die we al eerder zagen. Ogenschijnlijk door de mens veroorzaakt. Ik heb de gegevens net voor een analyse aan Max doorgegeven. Ik hoop dat je het niet erg vindt dat ik haar tijdens jouw afwezigheid aan het werk heb gezet.'

Max stond met haar armen over elkaar boven een computerpaneel en leek diep in gedachten verzonken. Ze draaide zich om en keek McCammon glimlachend aan.

'Dr. McCammon, ik sta met het grootste genoegen te allen tijde ter uwer beschikking. Ik vind het heel plezierig eens voor een echte heer te mogen werken,' voegde ze eraan toe, terwijl ze naar Yaeger lichtjes haar neus optrok.

'Goedemorgen, Max,' zei Yaeger. 'Heb je de analyse voor dr. McCammon al klaar?'

Max knikte. 'Zoals dr. McCammon je kan laten zien, zijn er voorafgaand aan de bevingen twee voorschokken geregistreerd. Qua seismische waarden kwamen ze exact overeen, hoewel de tweede net ietsje krachtiger was dan de eerste. En de oorsprong van beide voorschokken lag vlak onder het aardoppervlak.'

'Hoe verhouden deze schokken zich ten opzichte van de voorschokken die bij de aardbevingen in de Perzische Golf zijn waargenomen?' vroeg Yaeger.

'Ze zijn vrijwel identiek. En ook van die voorschokken lag de oorsprong vlak onder het aardoppervlak.'

Yaeger en McCammon keken elkaar met een sombere blik veelbetekenend aan.

'Hawaï,' zei Yaeger ten slotte. 'Waarom Hawaï?'

Hij schudde zijn hoofd en vervolgde: 'Ik geloof dat het tijd wordt om het Witte Huis in te schakelen.'

50

Hoewel Summer de loop van een Glock automatisch pistool op haar gericht wist, hield ze haar handen stevig om de pols van Stierennek geklemd. Tong stond roerloos in de deuropening en probeerde de situatie te overzien. Achter hem weerkaatste er een rollende donder over het water, maar hij schonk geen aandacht aan het geluid. Zwijgend bewonderde hij de onverschrokken kracht waarmee Summer een van zijn krachtpatsers had overmeesterd.

Aan de andere kant van de brug hervond de stuurman zijn spraak, terwijl hij op veilige afstand van Summer bleef.

'De stuwmotoren aan bakboordzijde zijn uitgezet,' schreeuwde hij tegen Tong. 'We slaan op de rotsen.' Wild gesticulerend wees hij naar de lavaklippen die nu uit de duisternis opdoemden.

Tong begreep het niet goed en keek door de brugvleugel naar buiten in de door de zo wild gebarende stuurman aangewezen richting. Terwijl hij zich omdraaide, doken er ongezien een paar stevige, in zwart neopreen gehulde armen uit de duisternis op, die Tong van achteren om zijn borst grepen. De Mongoliër haalde instinctief de trekker van zijn pistool over, maar het schot knalde zonder veel schade aan te richten door het plafond van de brug. Vervolgens probeerde Tong zich van zijn aanvaller te ontdoen door met zijn pistool als een knuppel om zich heen te zwaaien. Maar hij was te laat. Zijn aanvaller was al naar voren gestapt en had hem uit zijn evenwicht geduwd. Tong viel struikelend naar voren en probeerde niet te vallen, wat de horizontale valsnelheid alleen maar verhoogde. Zijn aanvaller gebruikte deze snelheid voor een draaiende beweging omhoog, waarmee hij Tong van de grond hief. Met een half struikelende afzet tilde hij Tong met een zwaai op, waarna hij tot boven de reling doorschoot. Pas daar liet de aanvaller hem los. De verblufte Mongoliër slaakte een gil die het volgende moment werd gesmoord door de luide plons waarmee hij in het donkere water verdween.

Op de brugvleugel draaide de voormalige in het kalveren vangen gespecialiseerde rodeorijder zich weer om naar de brug en knipoogde met een brede grijns naar Summer. Op datzelfde moment stoof Dirk, zwaaiend met een ijzeren haak die hij van het benedendek had meegegraaid, langs hem de stuurhut in.

'Alles oké met jullie?' vroeg Summer naar adem happend.

'Geradbraakt, maar we leven nog,' antwoordde Dirk glimlachend.

De vreugde over de hereniging werd abrupt verstoord door een scheurende dreun waardoor ze allemaal tegen het dek sloegen. Het vierduizend ton zware boorschip was voortgedreven door de stuwmotoren aan stuurboordzijde op de oever van de inham geslagen. Het knarsende dreunen van over lavagesteente schurend staal galmde over de waterspiegel. Het scherpe vulkanische gesteente sneed dwars door de scheepsromp en doorboorde het plaatstaal op meer tien plaatsen. Het zeewater spoot als door een zeef geperst het ruim in, waardoor het schip al snel naar bakboord begon over te hellen. Ergens in het donkere water onder het schip tolde het levenloze lichaam van Tong rond, die het onfortuinlijke lot had getroffen dat hij zich op het moment van de inslag tussen het schip en de rotsen bevond.

De jeugdige stuurman was als eerste weer overeind, waarna hij de scheepsbel luidde en via de brugvleugel aan stuurboord wegvluchtte. Summer liet nu eindelijk de pols van Stierennek los, maar de bandiet kwam niet in de verleiding de strijd weer op te nemen. Dirk plantte de pikhaak tegen zijn ribben en duwde hem de brugvleugel aan bakboord op. Buiten klonk het geschreeuw van de bemanning boven het kabaal van de op de rotsen in beukende scheepsromp uit.

'Hoe komt 't toch dat ik al meteen het gevoel had dat jij je met de besturing van dit schip bemoeide?' Dirk keek zijn zus grijnzend aan.

'Een wanhoopsoffensief,' reageerde Summer.

'We krijgen gezelschap,' zei Dahlgren, die op de brugvleugel naar beneden tuurde. Twee etages lager stormde een groepje gewapende mannen de trappen naar de brug op.

'Een stukje zwemmen, zou dat nog lukken?' vroeg Dirk, terwijl hij over het hellende dek naar de brugvleugel aan stuurboord rende.

'Met mij is alles goed,' antwoordde Summer. 'Ik had m'n inzinking net voordat jullie kwamen.'

Het drietal snelde de trap af naar het lager gelegen dek, waar het schreeuwen en gillen van de bemanningsleden door de nachtlucht schalde. Op de voorsteven was een aantal bemanningsleden druk in de weer met het te water laten van een reddingsboot, terwijl het water aan bakboord over de rand van het steeds verder overhellende dek golfde. Aan de andere kant van het schip verspilde Summer geen tijd aan een nieuwe confrontatie met de bemanning. Haastig klom ze over de reling en liet zich over de bolronde zijkant van de romp in het water glijden. Dirk en Dahlgren volgden haar voorbeeld en even later zwommen ze zo hard als ze konden van het schip weg.

Het donderen aan de kust bleef doorgaan tot een nieuwe aardbeving de grond deed schudden. Deze schok was krachtiger dan de vorige. Overal langs de inham trilden brokken lavasteen los van de klippen en denderden ratelend langs de steile rotswanden tot ze in het woest kolkende en schuimend opspattende water plonsden.

Ook het deels broze gesteente van de hoog boven het boorschip uittorenende klip barstte door de schok uiteen, waardoor er een enorm brok van de vulkanische rotswand los scheurde en na een lange vrije val met een geweldige klap midden op het schip terechtkwam. De punt van het rotsblok schampte de achterkant van de brug en doorkliefde het dek tot in de computerruimte die eronder lag. De onderkant van het rotsblok sloeg midscheeps op het dek en verbrijzelde het schip over de volle breedte. In paniek doken bemanningsleden aan alle kanten het water in, terwijl de enige reddingsboot eindelijk van de boeg loskwam.

De rommelende donder van de aardschok stierf ten slotte weg, waarna ook de afbrokkelende rotswanden geleidelijk tot rust kwamen. In de nachtelijke duisternis klonk nu alleen nog het gorgelende geluid van het zinkende boorschip en zo nu en dan een gil van een bemanningslid. Op ruim honderd meter afstand keken Dirk, Summer en Dahlgren watertrappelend naar de laatste stuiptrekkingen van het oude schip.

'Dat kan later een mooi rif worden,' merkte Dahlgren op terwijl het schip steeds schuiner overhellend in het water wegzakte. Na nog enkele minuten kiepte het boorschip volledig op haar zij, gleed van de rotsen af en verdween onder de golven, waar het naar de twintig meter dieper gelegen bodem zakte. Alleen de hoge boortoren was door het vallende rotsblok van het dek losgerukt en lag nog als een soort markering van de laatste rustplaats van het schip op de rotsen.

'Wat zochten ze nou eigenlijk in het wrak?' vroeg Dirk.

'Daar ben ik niet achter gekomen,' antwoordde Summer. 'Maar ze zijn wel tot het uiterste gegaan om het lavagesteente open te breken.'

'En veroorzaakten daarbij en passant een aardbeving alsof het niks is,' zei Dahlgren. 'Ik zou wel eens willen weten wat voor zwarte doos ze daarvoor gebruikten.'

'En ik wil gewoon weten wat voor lieden dat waren,' zei Summer.

Vanaf de kust hoorden ze het geluid van een vliegtuig naderen, dat even later boven de inham verscheen. Het was een laagvliegende Hercules HC-130 van de Kustwacht die met zijn landingslichten het wateroppervlak aftastte. Het toestel begon boven hun hoofd rond te cirkelen, waarbij het laag over de reddingsboot en de verwrongen stellage van de boortoren scheerde alvorens zich op het zoeken naar overlevenden in het water te concentreren. Een paar minuten later raasden er een paar F-15's van de Hawaïaanse Air National Guard, afkomstig van Hickam Field op het eiland Oahu, op niet al te grote hoogte over, waarna ze ter ondersteuning van de Hercules op lagere snelheid terugkeerden en in de buurt bleven rondcirkelen. Zonder dat hij wist dat er NUMA-mensen in het water lagen, had Hiram Yaeger er na de tweede aardschok bij de vice-president op aangedrongen ter plekke een onderzoek naar het gebeuren in te stellen. Daarop waren er gevechtsvliegtuigen van de luchtmacht naar de omgeving van het epicentrum van de aardbeving gestuurd.

'Een geschenk uit de hemel,' zei Summer, terwijl de Hercules boven hen doorging met zoeken. 'Ik weet niet waarom ze hier naartoe zijn gekomen, maar ik ben blij dat ze er zijn.'

'Wedden dat er ook al een schip van de Kustwacht en helikopters onderweg zijn,' zei Dirk.

'Kom op zeg, we hebben toch geen Kustwacht nodig om ons op te pikken,' zei Dahlgren opeens grinnikend. 'We hebben zelf een reddingsboot.'

Hij zwom naar een voorwerp dat vlak bij hen in het water dreef, en kwam een minuut later terug met de gehavende, maar grotendeels intact gebleven catamaran op sleeptouw.

'De cat! Hij leeft nog!' riep Dirk verbaasd uit.

Summer bekeek het voorwerp, fronste haar wenkbrauwen en zei: 'Mijn surfplank. Wat doet die hier?'

Ze staarde vorsend naar het verwrongen aluminium frame dat met touw vastzat aan de plank van Dirk, die vol met lelijke butsen zat.

'En wat is er met jouw plank gebeurd?'

'Zusje,' zei Dirk met een schouderophalen, 'dat is een héél lang verhaal.'

51

De wijzers van de klok stonden stil. Althans dat gevoel had Theresa. Ze wist heel goed dat de tijd, door steeds maar weer een ongeduldige blik op het prachtige uurwerk aan de muur van Borjins werkkamer te werpen, heus niet sneller ging. Ze was zenuwachtig door de ontsnappingspoging die ze zouden ondernemen, en ze moest zich dwingen niet voortdurend op de klok te kijken en op zijn minst te doen alsof ze zich op het geologische rapport dat voor haar lag concentreerde.

Dit was de tweede dag dat ze opgesloten in de werkkamer en alleen onderbroken door een paar maaltijden tot in de avond hadden doorgewerkt. Zonder dat hun ontvoerders dat wisten, hadden Theresa en Wofford de booranalyses al uren eerder afgerond. Ze veinsden dat ze nog druk bezig waren in de hoop dat de avondbewaking net als de vorige dag slechts uit één bewaker zou bestaan. Een van de beide bewakers, de man die steeds bij de deur had gestaan, was inderdaad nadat het avondeten was afgeruimd, verdwenen.

Theresa keek naar Wofford, die met een haast blij stralend gezicht over een seismogram gebogen stond. Vol bewondering voor Von Wachters innovatieve technologie zoog hij de uitzonderlijk gedetailleerde profielen als een hongerig wroetend zwijn in zich op. Theresa wenste stilletjes dat zij haar angst net zo gemakkelijk van zich af zou kunnen zetten als Wofford dat kennelijk kon.

De wijzers van de klok waren net over negen uur gekropen toen Tatjana, gekleed in een zwarte wijde broek en een bijpassend dun wollen truitje, de werkkamer binnenkwam. Haar lange haren waren verzorgd bijeen gekamd en ze droeg een schitterende gouden ketting om haar hals. Maar haar aantrekkelijke uiterlijk maskeerde volgens Wofford lang niet de kille en gevoelloze persoonlijkheid die eronder lag.

'Bent u klaar met uw analyse?' vroeg ze kortaf.

'Nee,' antwoordde Wofford. 'Deze bijgevoegde profielen zijn direct van invloed op onze eerdere conclusies. Voor het correct vaststellen van de boorlocaties zijn nu correcties noodzakelijk.'

'Hoe lang gaat dat duren?'

Wofford geeuwde veelbetekenend. 'Nog een uur of drie, vier, dan zijn we een heel eind.'

Tatjana keek naar de klok. 'U kunt morgenochtend doorgaan. Ik verwacht dan dat u rond het middaguur klaar bent en aan mijn broer verslag uitbrengt.'

'En dan worden we daarna naar Ulaanbaatar gebracht?' vroeg Theresa.

'Natuurlijk,' antwoordde Tatjana met een zuinig glimlachje waar de huichelachtigheid van afdroop.

Ze keerde hun haar rug toe en sprak kort met de bewaker bij de deur, waarna ze in de gang verdween. Theresa en Wofford begonnen treuzelend het werkblad op te ruimen. Ze legden alle mappen omstandig op keurige stapeltjes en probeerden zoveel mogelijk tijd te rekken. De beste kans, en waarschijnlijk de enige, hadden ze als ze daar alleen en ongezien met de bewaker achterbleven.

Nadat ze dit zolang hadden volgehouden dat ze bang werden argwaan te wekken, stonden ze op en liepen naar de deur. Wofford stak een stapel rapporten onder zijn arm om mee te nemen, maar de bewaker wees op de mappen en schudde zijn hoofd. Hierop legde Wofford de stapel op de tafel terug, pakte zijn stok en hinkte achter Theresa aan de deur uit, op de voet gevolgd door de bewaker.

Theresa's hart ging als een razende tekeer toen ze door de lange gang liepen. Het was doodstil in het huis en de verlichting was gedempt, wat betekende dat Tatjana en Borjin zich waarschijnlijk in hun privévertrekken in de zuidelijke vleugel hadden teruggetrokken. De stilte werd verbroken door de kleine portier die met een fles wodka zwaaiend uit een zijkamer opdook. Hij wierp een hautaine blik op de gevangenen, waarna hij zich via een trap naar de lager gelegen personeelsverblijven haastte.

Wofford liep veel moeizamer mank dan nodig was en buitte zijn handicap als een volleerd acteur ten volle uit. Aan het einde van de hoofdgang gekomen hield hij bij de bocht in en keek met een vluchtige blik om zich heen om zich ervan te vergewissen dat er in de beide zijgangen geen andere bewakers of bedienden waren. Toen ze door de foyer liepen, wachtte Wofford tot ze vlak bij hun kamers in de noordelijke gang kwamen.

Wat hij toen deed leek een simpele onachtzaamheid. Hij prikte zijn stok iets te ver naar voren, waardoor deze naar opzij weggleed en vlak voor Theresa's rechtervoet langs schoof. Terwijl Theresa zogenaamd niets vermoedend doorliep, bleef ze met haar voet achter de stok haken en viel struikelend voorover met een buiteling die een stuntman in Hollywood haar niet beter had nagedaan. Wofford struikelde met haar mee, dook wankelend naar voren alsof hij viel en liet zich op zijn goede knie zakken. Hij keek opzij naar Theresa, die languit plat op de grond lag en zich nauwelijks bewoog. Nu was de bewaker aan zet.

Zoals Wofford had verwacht, bleek de Mongoliër toch meer heer dan barbaar en hij boog voorover om Theresa overeind te helpen. Wofford wachtte tot de bewaker met beide handen Theresa's arm greep. Toen sloeg hij als een kat toe. Zich met zijn goede been afzettend sprong hij op de bewaker af, terwijl hij zijn wandelstok in een soort pendelzwaai van zich af slingerde. De gebogen handgreep van de stok raakte de bewaker vol op zijn kin, waardoor zijn hoofd naar achteren sloeg. Door de kracht van de klap brak de stok doormidden en beide helften vielen kletterend op de marmeren vloer. Wofford zag de ogen van de bewaker glazig worden alvorens hij achterwaarts tegen de grond sloeg.

Theresa en Wofford bleven roerloos liggen en wachtten zenuwachtig af of ze ergens in het stille huis bewakers in actie hoorden komen. Maar alles bleef stil; het enige geluid dat Theresa hoorde was het bonzen van haar hart.

'Alles in orde?' fluisterde Wofford, terwijl hij over Theresa heen boog om haar bij het opstaan te helpen.

'Ja hoor. Is hij dood?' vroeg ze met een trillende vinger naar de gevloerde bewaker wijzend.

'Nee, hij ligt even uit te blazen.' Wofford trok een gordijnkoord, dat hij uit zijn kamer had meegenomen, tevoorschijn en boeide de man snel aan handen en voeten. Met Theresa's hulp sleepte hij de man over de gladde vloer naar de dichtstbijzijnde kamer en trok hem over de drempel naar binnen. Hij rukte een kussensloop van het bed, waarmee hij de bewaker knevelde. Daarna liepen ze de kamer weer uit en draaiden de deur achter zich op slot.

'Ben je klaar voor het praktijkgedeelte van je pyromaanexamen?' vroeg hij aan Theresa.

Ze knikte nerveus en samen slopen ze terug naar de foyer.

'Succes,' fluisterde hij, voordat hij achter een zuil wegdook, waar hij haar terugkomst zou afwachten.

Theresa had erop gestaan dat zij in haar eentje naar de werkkamer zou teruggaan. Dat was zinvoller, had ze Wofford voorgehouden. Door zijn manke been liep hij te langzaam en te luidruchtig.

Dicht tegen de muur aan sloop ze zo vlug als ze durfde en zo lichtvoetig mogelijk over de stenen vloer stappend door de hoofdgang, waarin het afgezien van het tikken van een oude klok nog altijd doodstil was. Theresa was snel bij de werkkamer terug. Stilletjes stapte ze door de openstaande deur naar binnen en ze was blij dat de bewaker bij het weggaan het licht had uitgedaan. In de donkere kamer was ze tenminste uit het directe schijnsel van het licht in de gang en ze gunde zich een moment om op adem te komen en de ergste angst van zich af te zetten.

Op de tast zocht ze haar weg door het vertrouwde vertrek naar de achterste boekenkast. Daar aangekomen greep ze een paar willekeurig boeken van een plank en begon de pagina's er met tientallen tegelijk uit te scheuren. Toen ze een hele stapel losse vellen voor zich had liggen, bouwde ze er een piramidevormige toren omheen van opengeknakte boeken, die ze met de uitwaaierende vellen naar binnen gericht rond de stapel losse en tot proppen verfrommelde pagina's opstelde. Toen ze tevreden was met het resultaat, zocht ze het achterste deel van de werkkamer af tot ze een klein hoektafeltje had gevonden. Op het tafeltje stonden een humidor en een kristallen karaf met cognac. Theresa greep de karaf en goot de inhoud om zich heen door de kamer en het laatste restje over haar papieren piramide. Ze liep terug naar het tafeltje, waar ze de humidor openklapte en de inhoud betastte tot ze het doosje lucifers vond, dat Wofford daar al eerder had ontdekt. Met de lucifers stevig in haar hand sloop ze op haar tenen door de kamer terug naar de deur en gluurde voorzichtig om de deurpost. De hoofdgang was nog altijd leeg.

Terug bij de boekenstapel boog ze zich voorover en streek een lucifer aan die ze op het met cognac doordrenkte papier gooide. Er vlamde niet meteen een hele vuurzee op, maar er flakkerden wat kleine blauwe vlammetjes die zich als riviertjes over de met cognac besprenkelde pagina's verspreidden.

'Branden, kom op!' spoorde Theresa de vlammen hardop aan. 'Brand deze vervloekte gevangenis tot op de grond toe af.'

52

Ze zagen eruit als boze geesten, zwarte rubberachtig glanzende schimmen die zich als zwevende spoken tussen de stammen van het duistere bos bewogen. Zwijgend staken de drie donkere gestalten met lange, vluchtige passen de straat over, waarna ze hun weg langs het aquaduct vervolgden. Een tiental meters verderop kolkte het water van de bergbeek met donderend geraas langs de helling. Een van de gestalten stak een arm over de rand van het aquaduct en knipte een kleine zaklamp aan. Het heldere water gleed in tegenstelling tot de bulderende beek eronder rustig stromend door de betonnen goot. Pitt deed de lamp uit en knikte naar zijn metgezellen.

Na zonsondergang hadden ze een uur gewacht tot de beboste heuveltop in een inktzwarte duisternis was gehuld. De maan, die pas later zou opkomen, gunde hun nog zeker twee uur een beschermende duisternis. In de laadruimte van de vrachtwagen lag hun uitrusting in drie stapeltjes voor Pitt, Giordino en Gunn klaar.

'Hoe diep is het aquaduct?' vroeg Gunn, terwijl hij zich in een zwart DUI-droogpak van neopreen wurmde.

'Eén meter tachtig, maximaal,' antwoordde Pitt. 'Met snorkels zou het waarschijnlijk ook wel lukken, maar we nemen de ademautomaat voor het geval we toch wat langer onder water moeten blijven.'

Pitt had zijn droogpak al dichtgeritst en sjorde het draagstel van een Dräger-persluchtapparaat om zijn schouders. Met dit ongeveer veertien kilo wegende apparaat is de duiker verzekerd van een voortdurende toevoer van gezuiverde lucht waaruit de CO_2 is verwijderd. Door de grote stalen persluchtfles door een kleinere in een licht draagstel weggewerkte fles te vervangen komen er nog nauwelijks luchtbelletjes vrij uit de ademautomaat. Vervolgens gespte Pitt een loodgordel om waaraan hij een waterdichte duiktas bevestigde. Hierin zaten zijn schoenen, twee mobilofoons en zijn Colt .45. Nadat hij uit de vrachtwagen was gestapt, checkte hij de directe omgeving en stak zijn hoofd weer in de laadruimte.

'Zijn de heren klaar voor een nachtduik?' vroeg hij.

'Ik ben klaar voor een lekker warm bad en een glas bourbon,' antwoordde Gunn.

'Alleen nog even m'n inbrekerstuig inladen, dan ben ik zo ver,' reageerde Giordino. Hij rommelde wat in een gereedschapskist en haalde er een ijzerzaag, Engelse sleutel, koevoet en een duiklamp uit, die hij aan zijn gordel vastklikte. Nadat hij uit de vrachtwagen was gesprongen, werd hij door een ernstig kijkende Gunn gevolgd.

De mannen liepen in hun zwarte droogpakken en ieder met een paar zwemvinnen onder de arm naar het aquaduct. Bij de rand van de v-vormige goot keek Pitt voor een laatste keer speurend om zich heen. De maan moest nog opkomen en onder de halfbewolkte lucht was het zicht nauwelijks een meter of tien. In het aquaduct waren ze praktisch onzichtbaar.

'Probeer niet te snel te gaan. We gaan er uit onder het bruggetje dat zich net achter de muur bevindt,' zei Pitt, terwijl hij zijn vinnen aantrok. Hij controleerde zijn ademautomaat, trok het duikmasker voor zijn gezicht en liet zich behoedzaam in het aquaduct zakken, een paar seconden later gevolgd door Gunn, waarna Giordino als laatste het water in gleed.

In het ijskoude bergwater zou iemand zonder duikpak binnen enkele minuten dood zijn geweest, maar voor Pitt in zijn droogpak voelde het water aan als een frisse wind. Toen ze naar het aquaduct liepen had hij het in zijn geïsoleerde droogpak zelfs knap warm gekregen en ondanks de bijtende kou rond zijn mond en duikmasker was hij blij met het verkoelende effect van het water.

Het in het aquaduct aanmerkelijk minder steil omlaag geleide water stroomde sneller dan hij had verwacht en daarom schoof hij zijn benen naar voren, waardoor hij op zijn rug kwam te liggen. Loom met zijn vinnen tegen de stroom in trappend wist hij zijn snelheid tot een rustig wandeltempo af te remmen. Het aquaduct liep parallel aan de kronkelende weg en Pitt werd in de afdaling voortdurend heen en weer geslingerd. De betonnen goot was met een dun laagje algen begroeid en Pitt gleed soepeltjes bonkend langs de gladde wanden.

Het leek haast een ontspannen ritje in een attractiepark, dacht hij, terwijl hij boven zich de lucht en overhangende dennentakken langs zag glijden. Tot de bomen geleidelijk verdwenen en het aquaduct kaarsrecht een open veld overstak. Voor hem dook het vale schijnsel van een lamp op en Pitt zag in de verte de bovenrand van de muur oprijzen.

In feite waren het twee lampen, de ene stond boven op de muur en de andere scheen door het raam van het wachthok. In het hok zaten twee bewakers voor een groot beeldscherm geanimeerd te kletsen. Op het scherm waren de beelden van een lange reeks camcorders te zien die overal langs het terrein stonden opgesteld, waaronder eentje recht boven de doorgang van het aquaduct. Op de korrelige groene beelden van de nachtzichtcamera's bewoog af en toe de schim van een wolf of een gazelle, maar verder gebeurde er weinig op deze afgelegen plek. De ijverige bewakers weerstonden de natuurlijke drang om een dutje te doen of met een spelletje kaart de verveling te verdrijven, omdat ze drommels goed wisten dat Borjin bij nalatigheden geen enkele consideratie met hen zou hebben.

Zodra hij het landgoed in zicht kreeg, liet Pitt een stoot lucht uit zijn droogpak ontsnappen, waardoor zijn lichaam een paar centimeter onder het oppervlak wegzakte. Net voordat hij onderdook, keek hij achter zich en zag dat de donkere gestalte van Gunn hem op een paar meter volgde. Hij hoopte dat ook Giordino zijn voorbeeld om onder te duiken zou volgen.

Het water was zo helder dat het schijnsel van de lampen bij de poort in de muur voor Pitt zichtbaar bleef. Toen hij dichterbij kwam zette hij zijn voeten rechtop en boog zijn knieën iets om een eventuele botsing op te kunnen vangen. En wat hij verwachtte, gebeurde ook. Terwijl hij langs de lampen aan zijn rechterkant gleed, stootte hij met zijn vinnen tegen een metalen rooster dat daar was aangebracht om drijvende rotzooi en indringers tegen te houden. Pitt draaide zich pijlsnel om, liet zich op zijn knieën zakken en keek stroomopwaarts. Op hetzelfde ogenblik zag hij een zwart voorwerp op zich afkomen en met een snelle uithaal hield Pitt de donkere gestalte van Gunn tegen, nog net voordat hij tegen het rooster zou knallen. Direct achter hem verscheen Giordino, die de botsing tegen het rooster op dezelfde manier als Pitt met zijn voeten opving.

In het wachthok hadden de bewakers niets gemerkt van de drie indringers die zich op een paar meter afstand in het aquaduct bevonden. Als ze de beelden van de boven het aquaduct geplaatste camera goed hadden bekeken, hadden ze misschien een paar donkere voorwerpen in het water gezien en waren ze een kijkje komen nemen. Als ze hun warme hok waren uitgekomen en goed hadden geluisterd, hadden ze een zacht schurend geluid uit de richting van het water kunnen horen komen. Maar de bewakers merkten niets.

Het rooster bleek een gemakkelijker te overwinnen obstakel dan ze hadden verwacht. In plaats van een fijnmazig rasterwerk, dat ze hadden moeten doorsnijden, was het een eenvoudig traliehek met verticale, vijftien centimeter uit elkaar geplaatste ijzeren staven. Op de tast vond Giordino de middelste staaf en trok zichzelf naar de bodem, waar hij de tralie met zijn ijzerzaag te lijf ging. De staaf was behoorlijk geroest en met een twintigtal halen was hij er doorheen. Hierna nam hij de staaf ernaast en ook deze zaagde hij vrijwel even moeiteloos door. Vervolgens zette hij zich schrap op de bodem van het aquaduct, greep de beide tralies net boven de zaagsnede beet en drukte zich op. Met een felle krachtsinspanning van zijn stevige dijen boog hij beide tralies omhoog en weg van het rooster, zodat er net boven de bodem een nauwe doorgang ontstond.

Gunn zat op zijn knieën uit te rusten tot Giordino hem bij zijn arm greep en naar de doorgang leidde. Gunn schoot er met een paar trappen van zijn vinnen snel doorheen, waarna hij onmiddellijk opzij ging en zich aan de overige tralies vasthield. Hij draaide zich, tegen de stroom in trappend, om tot hij de gestalten van Pitt en Giordino langs zag glijden, waarna hij zich ontspande en zich met de stroom mee liet drijven. In het pikkedonker gleden ze door een betonnen buis die aan de andere kant van de muur weer in een open goot overging.

Gunn duwde zich met een paar trage slagen van zijn vinnen naar het oppervlak, waar hij nog net het voetgangersbruggetje over zich heen zag glijden. Hij probeerde uit alle macht af te remmen, maar op datzelfde moment dook er een arm uit het niets op die hem naar de kant trok.

'Einde van de rit, Rudi,' hoorde hij Pitt fluisteren.

De zijwanden van het aquaduct waren steil en glibberig, maar de mannen slaagden erin met behulp van de steunbalken van het bruggetje uit de goot te klauteren. In de schaduw van de brug trokken ze snel hun droogpakken uit, die ze vervolgens onder het bruggetje verstopten. Om hen heen leek alles rustig en in de onmiddellijke omgeving was geen patrouille te paard te zien.

Gunn ritste zijn duiktas open en haalde er zijn bril, schoenen en een kleine digitale camera uit tevoorschijn. Naast hem had Pitt zijn .45 en de twee mobilofoons gepakt. Hij controleerde of het geluid zo zacht mogelijk stond, klikte er vervolgens een aan zijn riem en gaf de andere aan Gunn.

'Sorry, we hebben niet genoeg wapens voor ons alle drie. Als er iets is, roep je ons op,' zei Pitt.

'Reken maar dat ik daar in een vloek en een zucht weer weg ben.'

Gunns taak was het om het laboratorium in te sluipen, daar het seismische apparaat te fotograferen en alle documenten mee te graaien die hij maar te pakken kon krijgen. Pitt had hem op het hart gedrukt de poging, wanneer er mensen aan het werk waren, meteen op te geven en bij de brug hun terugkomst af te wachten. Pitt en Giordino hadden de lastigere opgave om het woonhuis binnen te dringen en daar Theresa en Wofford op te sporen.

'We proberen hier weer bij elkaar te komen, tenzij een van ons dat niet ongezien lukt. Daarna gaan we naar de garage en nemen we een van Borjins auto's.'

'Hier, Rudi, neem deze maar,' zei Giordino, terwijl hij Gunn zijn koevoet overhandigde. 'Voor het geval de deur op slot zit... of zo'n overijverige laboratoriumrat je voor de voeten loopt.'

Gunn knikte met een vreugdeloos lachje. Hij pakte de koevoet aan en sloop weg in de richting van het laboratorium. Het liefste had hij Pitt en Giordino vervloekt dat ze hem hierheen hadden gebracht, maar hij wist dat het 't beste was wat ze konden doen. Ze moesten proberen Theresa en Wofford te bevrijden. En omdat ze ook informatie over het seismische apparaat moesten zien te vergaren, was dit iets waar drie man voor nodig waren. Verdorie, honderd man was nog te weinig, dacht Gunn, terwijl hij omhoogkeek in de hoop dat er op miraculeuze wijze opeens een groep parachutisten van de Special Forces op het landgoed zou neerdalen. Maar aan de hemel fonkelden slechts een paar sterren door de spaarzame openingen in het wazige wolkendek.

Gunn zette alle wensdromen van zich af en sloop haastig over het open terrein, steeds weer gebukt van struik naar struik hollend. Pas toen hij de oprijlaan moest oversteken hield hij in en kroop met een slakkengang over het grind om te voorkomen dat er te luid steentjes onder zijn voeten zouden knarsen. Hij volgde de instructies van Pitt en liep langs een helverlichte, openstaande garage. Uit het gerinkel van gereedschap maakte hij op dat er minstens één monteur zo laat op de avond nog aan het werk was.

Hij liep door naar het aangrenzende laboratorium tot het snuiven van een paard hem deed verstarren. Maar er bewoog niets in zijn onmiddellijke omgeving en hij kwam tot de conclusie dat het geluid uit de stallen aan de andere kant van het gebouw moest komen. Hij bekeek het laboratorium en zag tot zijn opluchting dat er op de benedenverdieping alleen een gedempte nachtverlichting brandde. Achter de hoger gelegen ramen scheen een feller schijnsel en hij hoorde er ook zachte muziek. Daarboven waren kennelijk de woonverblijven van de wetenschappers die in het lab werkten.

Nadat hij zich er nogmaals van had vergewist dat er geen patrouilles te paard in de buurt waren, sloop hij naar de glazen deur en duwde ertegen. Tot zijn verrassing zat de deur niet op slot en kwam uit in de testruimte. Hij glipte snel naar binnen en sloot de deur achter zich. De ruimte werd door een stel bureaulampen verlicht en er zoemden een tiental oscilloscopen, maar er was niemand. Gunn zag een kapstok bij de ingang en pakte een van de witte laboratoriumjassen met lange mouwen die er hingen. Hij trok hem over zijn eigen zwarte kleren aan. Dat is misschien wel handig, dacht hij. Iemand die van buiten naar binnen keek zou zo minder snel argwaan krijgen.

Hij liep naar de hoofdgang, die over de hele lengte van het gebouw doorliep, en zag dat er hier en daar in een kantoor licht brandde. Uit angst dat hij in de lange gang gezien zou worden, aarzelde hij geen moment meer en snelde de gang door. Hij liep zo vlug als hij kon zonder te rennen, met zijn hoofd omlaag en zijn blik recht vooruit gericht. Voor de drie andere mensen die zo laat nog werkten, was hij niet meer dan een schim die achter de ruit voorbijschoot. Iemand in een witte laboratoriumjas, een collega, waarschijnlijk op weg naar de wc.

Gunn had snel de dikke deur aan het einde van de gang bereikt. Hijgend en met het hart in zijn keel trok hij de grendel open en duwde. De massieve deur zwaaide geluidloos open en gaf toegang tot de enorme galmvrije kamer. Onder een kring van felle schijnwerpers stond in het midden van de ruimte het akoestisch seismische apparaat van Von Wachter, precies zoals Pitt en Giordino het hadden beschreven.

Blij dat er niemand aanwezig was, stapte hij naar binnen en liep de loopbrug op.

'Het moeilijkste zit erop,' mompelde hij, terwijl hij de digitale camera uit zijn zak opdiepte. Toen hij de mobilofoon aan zijn riem zag hangen, vroeg hij zich af hoe het met Pitt en Giordino zou gaan.

411

53

'Als jij voor wat afleiding aan de voorkant zorgt, sluip ik naar de andere kant en verras ik ze daar,' fluisterde Pitt, terwijl hij de twee bewakers bestudeerde die als boekensteunen ieder aan een kant van de voordeur van het woonhuis stonden.

'Met inzet van m'n lievelingsspeeltje moet dat lukken,' antwoordde Giordino op de forse rode Engelse sleutel tikkend die aan zijn riem hing.

Pitt keek omlaag en ontgrendelde de veiligheidspal van zijn Colt. Dat ze de bewakers bij de hoofdingang moesten uitschakelen om het woonhuis binnen te komen was onontkoombaar. De uitdaging was het te doen zonder dat er een schot bij viel, omdat ze anders meteen al het hele legertje veiligheidsmensen dat Borjin op zijn landgoed had rondlopen, achter zich aan kregen.

De twee mannen slopen geluidloos, steeds kleine stukjes sprintend, langs een van de glinsterende watergoten die naar het huis liepen. Ze lieten zich op de grond vallen en kropen naar een rozenperk dat rond de overdekte entree lag. Ze waren nu binnen zichtafstand van de bewakers en tuurden voorzichtig door een perk met ivoorgele Damascusrozen.

De bewakers leunden ontspannen tegen de muur van het woonhuis, vertrouwd met het feit dat er gedurende de nachtdienst nu eenmaal weinig gebeurde. Heel soms maakten Borjin en zijn zus een avondwandelingetje of kwamen laat terug uit Ulaanbaatar, maar verder lieten ze zich hier na tienen zelden nog zien.

Pitt gebaarde naar Giordino te blijven liggen en hem vijf minuten te geven om een andere positie te kiezen. Giordino knikte en verschool zich in het rozenperk, terwijl Pitt stilletjes naar de andere kant van de ingang sloop. Het rozenperk volgend kwam hij bij de oprijlaan, die hij net als

Gunn heel voorzichtig overstak zonder dat er kiezels onder zijn voeten knarsten. Het stuk naar het huis lag helemaal open en Pitt stak het terrein zo diep mogelijk in elkaar gedoken hollend over. Voor de voorgevel van het landhuis stonden her en der heesters en hij dook weg achter een grote jeneverbesstruik, vanwaar hij voorzichtig naar de voordeur gluurde. De bewakers hadden zich nauwelijks verroerd en kennelijk niets gemerkt van wat zich op zo'n dertig meter voor hun neus in de duisternis afspeelde.

Behoedzaam sloop Pitt van struik naar struik steeds dichterbij tot hij de zijkant van de overdekte portiek had bereikt. Hij knielde, verstevigde zijn greep op de .45 en wachtte tot Giordino het bal zou openen.

Nadat hij zich ervan had vergewist dat de bewakers nog altijd niet argwanend reageerden, gaf Giordino Pitt nog een extra minuut de tijd voor hij van het rozenperk weg sloop. Het was hem opgevallen dat de voorste zuilen die de overkapping van de portiek droegen een blinde vlek in het zicht van de bewakers vormden waarin hij ongezien dichterbij kon komen. Hij kroop een stukje opzij tot een van de zuilen het zicht op de bewakers blokkeerde. Daar stapte hij uit het rozenperk.

Hij ging er vanuit dat als hij de bewakers niet zag, zij hem ook niet konden zien en dus liep hij rechtdoor naar de zuil. Hij was de voordeur nu tot op zes meter genaderd en voor beide bewakers zou hij heel goed zichtbaar zijn. Zonder een woord te zeggen of ook maar het minste geluid te maken stapte hij vanachter de zuil tevoorschijn, mikte op een van de bewakers, zwaaide zijn arm naar achteren en slingerde de Engelse sleutel als een tomahawk van zich af.

Beide bewakers zagen de ineengedoken Italiaan naar voren stappen, maar ze waren te overdonderd om te reageren. Ongelovig staarden ze naar het rode voorwerp dat op hen afvloog en een van hen met een ribbenkrakende klap vol op de borst raakte. Happend naar adem en kreunend van pijn zakte de getroffen bewaker op zijn knieën. De andere bewaker schoot hem instinctief te hulp, maar toen hij zag dat zijn collega niet ernstig gewond was, draaide hij zich naar Giordino om. Maar die was er niet meer. Hij had zich meteen weer achter de zuil verborgen. De bewaker rende naar de zuil, maar bleef staan omdat hij voetstappen achter zich hoorde. Toen hij zich omdraaide, zag hij nog net de kolf van Pitts .45 die hem het volgende ogenblik net onder zijn helm hard tegen zijn slaap trof.

Terwijl hij knock-out ging, kon Pitt hem nog met beide armen onder de oksels grijpen voordat hij tegen de grond sloeg. Giordino dook vanachter de zuil op en kwam toegesneld, terwijl Pitt de bewusteloze man naar een dichtbegroeide struik sleepte. Pitt zag een plotselinge glinstering in Giordino's ogen, onmiddellijk gevolgd door een indringend gefluisterd: 'Bukken!'

Pitt dook weg, terwijl Giordino twee stappen naar voren deed en recht op hem af sprong. Het volgende moment vloog Giordino languit gestrekt over Pitt heen naar de tweede bewaker die achter Pitt was opgedoemd. De gewonde man was de klap met de Engelse sleutel te boven gekomen en overeind gekrabbeld met in zijn hand een mes dat hij in Pitts rug wilde planten. Giordino stootte zijn linkervuist recht vooruit en sloeg het mes van de bewaker opzij voordat hij met zijn volle gewicht boven op hem viel. Samen klapten ze hard tegen de grond, waarbij Giordino ervoor zorgde dat zijn gewicht vooral op de borst van de man terechtkwam. Deze druk op zijn gebroken ribben bezorgde de man een ondraaglijke pijn. En voordat er nog een jammerkreet uit zijn opengesperde mond kon komen, haalde Giordino met zijn rechtervuist uit voor een stoot in zijn nek, waarmee hij hem definitief buiten westen sloeg.

'Dat was op het nippertje,' zei Giordino hijgend.

'Bedankt voor het vertrouwen dat je in me had bij die sprong,' reageerde Pitt. Hij kwam overeind en keek speurend om zich heen. Zowel binnen als buiten het huis leek alles rustig. Als de bewakers een alarm in werking hadden gesteld, was daar in ieder geval niets van te merken.

'Laten we deze gasten verstoppen,' zei Pitt, terwijl hij zijn slachtoffer weer oppakte en verder naar de struiken sleurde. Giordino volgde zijn voorbeeld, greep zijn bewaker bij de kraag en sleepte ook hem achterwaarts weg.

'Nu maar hopen dat de aflossing niet al te snel komt,' zei hij zachtjes snuivend.

Nadat Pitt zijn bewaker in de struiken had neergelegd, wendde hij zich met een twinkeling in zijn ogen tot Giordino.

'Dat zou wel eens sneller kunnen zijn dan je dacht,' zei hij met een veelbetekenende knipoog.

414

54

Theresa keek toe hoe de vlammetjes van de losgescheurde pagina's op-flakkerden en geleidelijk steeds hoger en feller opvlamden toen ze op de opengeslagen boeken oversloegen. Zodra het duidelijk was dat het vuur niet zo snel meer uit zou gaan, begaf Theresa zich haastig naar de deur van de werkkamer, waarbij ze onderweg de stapel mappen van tafel graaide die Wofford al eerder had willen meenemen. Er zaten mappen met de gedetailleerde bodemprofielen van Von Wachter in, evenals de kaarten met breuklijnen en de onwaarschijnlijke rode markeringen, inclusief de kaart van Alaska. Na nog een laatste blik op de geeloranje vuurgloed die zich achter in het vertrek steeds verder uitbreidde, draaide Theresa zich om en holde de gang in.

Ze bewoog zich voort met een schuifelende pas, waarmee ze zo snel als ze kon zonder op de marmeren vloer te bonken wegvluchtte. De adrenaline spoot door haar aderen nu ze eindelijk het gevoel had dat hun vluchtpoging zou kunnen slagen. Het plan was eenvoudig. Ze zouden zich in de foyer verstoppen tot het vuur de bewakers bij de voordeur had weggelokt. Nadat ze naar buiten waren gerend, wilden ze van de commotie die ongetwijfeld zou losbarsten, gebruikmaken om ongezien een auto te kapen en daarmee een uitweg door de hoofdpoort te forceren. Het vuur was nu aangestoken en Theresa begon er vertrouwen in te krijgen dat hun bescheiden ontsnappingsplan een kans van slagen had.

Ze vertraagde haar pas toen ze bij de foyer kwam en naar de plek zocht waar Wofford zich had verborgen. Hij stond waar ze hem had achtergelaten, naast een dikke, gecanneleerde zuil. Toen hij haar zag aankomen, keek hij haar angstig aan. Theresa beantwoordde zijn bezorgde blik met een glimlach en gaf met een knikje te kennen dat het was gelukt. De gewoonlijk zo joviale Wofford bleef haar met een strak gezicht aankijken en verroerde geen vin.

Het volgende ogenblik stapte Tatjana uit Woffords schaduw tevoorschijn en wapperde met een klein automatisch pistool naar zijn rug. Met een gemeen glimlachje om de lippen siste ze tegen Theresa: 'Een goed moment voor een avondwandelingetje, hè?'

Theresa schrok en de koude rillingen liepen haar als prikkende ijspegels over de rug. Maar toen ze het vuile lachje om Tatjana's lippen zag, sloeg haar angst in woede over. En ze besloot dat ze, als haar tijd gekomen was, met deze dame beslist geen medelijden meer zou hebben.

'Ik kon niet slapen,' blufte ze. 'We hadden de analyse bijna rond. Ik heb van de bewaker toestemming gekregen om een paar mappen te gaan halen, zodat we in onze kamers door konden werken,' zei ze, terwijl ze de stapel mappen onder haar arm ophield.

Het was een tactische gok, maar Theresa zag aan Tatjana's ogen dat ze er geen woord van geloofde.

'En waar is die bewaker dan?'

'Hij moest de werkkamer nog afsluiten.'

Vanuit de gang klonk een perfect getimede dreun van vallende boeken. Een van de lagere boekenplanken was onder het vuur bezweken. Er verscheen een verbaasde blik in Tatjana's ogen en ze deed een paar passen opzij naar het midden van de foyer om zo beter in de gang te kunnen kijken. Haar pistool bleef op Wofford gericht, die Theresa aankeek. Ze beantwoordde zijn blik met een knikje.

Alsof ze het geoefend hadden, slingerde Theresa Tatjana de bundel papieren in haar gezicht, terwijl Wofford op haar rechterarm met het pistool afdook. Met een slangachtig snelle beweging, waar ze allebei van schrokken, draaide Tatjana zich een halve slag om en stapte uit Woffords baan, terwijl de mappen zonder enig effect tegen haar achterhoofd afketsten. Ze deed een flitsende stap in Theresa's richting en drukte het pistool tegen haar wang, terwijl de papieren in een uitwaaierende wolk naar de grond dwarrelden.

'Eigenlijk zou ik jullie nu meteen moeten doodschieten,' siste ze in Theresa's oor, terwijl ze Wofford met haar andere hand gebaarde dichterbij te komen. 'Maar laten we eerst maar eens kijken wat jullie verder nog van plan waren.'

Met de loop van het pistool, een Makarov PM, in Theresa's wang prikkend leidde Tatjana haar naar de voordeur. Met haar vrije hand tastte ze naar de deurknop en trok de deur open.

'Bewakers,' riep ze. 'Kom me helpen.'

De beide bewakers, die gekleed in Mongools krijgstenue met hun dunne helmen tot diep over de ogen getrokken in de portiek stonden, kwamen meteen toegestormd en begrepen onmiddellijk wat er aan de hand was. De eerste bewaker liep op Wofford af en trok een handwapen dat hij de geofysicus tegen de ribben drukte. De tweede bewaker, een kleinere man, nam Theresa voor zijn rekening en greep haar bij haar arm.

'Neem haar mee,' beval Tatjana, terwijl ze haar pistool van Theresa's gezicht wegtrok. De bewaker gehoorzaamde en rukte haar ruw bij Tatjana weg. Een gevoel van diepe machteloosheid overviel Theresa en ze wierp een wanhopig blik op Wofford. Maar vreemd genoeg was de bezorgde trek van Woffords gezicht verdwenen en hij keek haar juist heel hoopvol aan. Opeens verslapte de ijzeren greep om haar arm. Met een onverwachte beweging liet de bewaker Theresa's arm los en greep Tatjana beet. Met een snelle draai van zijn sterke hand klemden zijn vingers zich als een bankschroef om Tatjana's pols. Voordat ze goed en wel begreep wat er gebeurde, gleed het pistool uit haar hand en kletterde met een knal op de marmeren vloer. Vervolgens draaide de bewaker haar pols nog iets verder door, waarbij hij haar omlaag drukte met als gevolg dat ze met een gil van pijn languit op de grond viel.

'Wat is dit, verdomme?' schreeuwde ze, terwijl ze overeind krabbelde en haar pijnlijke pols tegen zich aan drukte. Nu pas nam ze de bewaker goed op en zag dat de mouwen van zijn hemd minstens twee maten te lang waren. Hij keek haar glimlachend aan en het ongepast grijnzende gezicht kwam haar ergens bekend voor. Ze draaide zich naar de andere bewaker en zag dat zijn uniform te klein was voor zijn lange lijf. Het wapen dat hij droeg, was nu op haar gericht. Ze keek hem recht in het gezicht en staarde vol ongeloof naar de indringende groene ogen die met een onheilspellende glinstering van plezier terugstaarden.

'Jij!' kraste ze met een van schrik verstikte stem.

'Had je Broer Konijn verwacht?' reageerde Pitt, terwijl hij zijn .45 strak op haar buik gericht hield.

'Maar jij bent in de woestijn omgekomen,' stamelde ze.

'Nee, dat was die namaakmonnik van u,' reageerde Giordino, die de Makarov opraapte. Tatjana leek ineen te krimpen van schrik.

'Al, je bent teruggekomen,' zei Theresa, die bij deze plotselinge wending van het lot haast in tranen uitbarstte. Giordino kneep in haar hand.

'Sorry dat ik je even zo stevig moest aanpakken,' zei hij. Theresa knikte begrijpend en kneep in zijn hand terug.

'We zijn beslist blij u te zien, meneer Pitt,' zei Wofford. 'We hadden de hoop al bijna opgegeven dat we hier nog heelhuids weg zouden komen.'

'We hebben gezien wat er met Roy is gebeurd,' zei Pitt, terwijl hij een ijzige blik op Tatjana wierp. 'Dit is niet bepaald een meisjeskamp van de padvinderij. Hoe dan ook, jullie hebben ons de moeite bespaard dat we jullie in dit paleis moesten gaan zoeken.'

'Ik denk dat we 'm maar beter snel kunnen smeren, voordat er echte bewakers opduiken,' zei Giordino, terwijl hij Theresa naar de deur begeleidde.

'Wacht,' zei ze. 'De seismische rapporten. We hebben aanwijzingen gevonden dat ze mogelijk van plan zijn tektonische breukzones in de Perzische Golf en Alaska te ontwrichten.'

'Dat is absurd,' verklaarde Tatjana.

'U werd niets gevraagd, zus,' reageerde Giordino, die de Makarov op haar gericht hield.

'Het is echt waar,' zei Wofford, terwijl hij zich bukte om Theresa met het oprapen van de over de grond verspreide papieren te helpen. 'Zij hebben de oliepijplijn ten noorden van het Bajkalmeer vernield op een manier waarbij ze ook de vloedgolf hebben veroorzaakt. Bovendien hebben ze het op bepaalde breuklijnen in de Perzische Golf en een in de buurt van de pijplijn door Alaska voorzien.'

'De aanval in de Golf hebben ze al succesvol uitgevoerd, ben ik bang,' zei Pitt.

'Deze gegevens sluiten waarschijnlijk naadloos aan bij de foto's die Rudi nu aan het maken is,' vulde Giordino aan.

Pitt zag de verbaasde blik in de ogen van Theresa en Wofford.

'Er staat een akoestisch seismisch apparaat in het laboratorium aan de andere kant van de oprijlaan. We vermoeden dat ze zo aardschokken veroorzaken, waarmee ze al zeer aanzienlijke schade aan oliehavens in de Perzische Golf hebben aangericht. Jullie documenten zullen dat vermoeden waarschijnlijk bevestigen. We wisten niet dat Alaska als volgende op de lijst stond.'

Theresa kwam met haar armen vol mappen overeind toen er opeens een oorverdovende sirene door de gang schalde. De rook van de steeds feller brandende boeken had een rookmelder buiten de werkkamer bereikt met als gevolg dat nu in het hele huis het brandalarm afging.

'We hebben de werkkamer in brand gestoken,' verklaarde Theresa. 'Als afleiding, zodat Jim en ik konden ontsnappen... hoopten we.'

418

'Misschien lukt dat nog wel,' zei Pitt. 'Maar laten we niet op de brand-weer wachten.'

Hij stapte haastig door de openstaande deur naar buiten, waarna Theresa en Wofford hem volgden. Tatjana deed een paar stappen achteruit in de hoop ongezien te kunnen wegglippen. Maar Giordino keek haar glimlachend aan, liep naar haar toe en klemde zijn vuist om de stof van haar trui.

'Nee dame, u gaat netjes met ons mee. Gaan we lopen of vliegen?' vroeg hij, terwijl hij haar ruw in de richting van de deur duwde. Tatjana draaide zich grommend naar hem om en liep vervolgens tegensputterend het huis uit.

Buiten leidde Pitt de groep snel door de portiek tot bij de buitenste zuilen, daar bleef hij staan. In de verte klonk het geluid van paardenhoeven en daaruit leidde hij af dat een patrouille aan de noordelijke rand van het landgoed het alarm had gehoord en op het huis kwam afgestormd. Recht voor hen uit en van links kwam geschreeuw uit de stallen en de verblijven van de bewakers. Pitt zag lampen aanflitsen die vervolgens op het woonhuis afkwamen.

In zichzelf vervloekte Pitt het feit dat Theresa in het huis brand had gesticht. Als ze vijf minuten eerder weg waren geweest, had de commotie in hun voordeel gewerkt. Maar nu was het hele beveiligingsleger gealarmeerd en kwam op hen afgestormd. Hun enige kans was dat ze zich schuilhielden in de hoop dat de bewakers zonder hen te zien het huis in renden.

Pitt gebaarde naar de rozenstruiken achter de zuilen. 'Plat op de grond gaan liggen allemaal. We wachten tot ze allemaal binnen zijn, pas daarna gaan we verder,' zei hij zachtjes.

Theresa en Wofford doken meteen naar de grond en kropen achter de takken van de doornige heesters weg. Giordino duwde Tatjana achter een pas uitgelopen struik en drukte een hand tegen haar mond. Met zijn andere hand bewoog hij de loop van de Makarov naar zijn lippen en zei: 'Ssst!'

Pitt knielde, klikte de mobilofoon van zijn riem los en hield hem voor zijn lippen.

'Rudi, hoor je me?' zei hij zachtjes.

'Ik ben een en al oor,' reageerde Gunn eveneens op fluistertoon.

'We zijn klaar om te vertrekken, maar er staat hier een feestje op losbarsten. We moeten nu snel bij elkaar komen, over een minuut of vijf!'

'Ik stop hier en ga naar de garage. Over en uit.'

Pitt zag een drietal bewakers uit de stallen naderen en liet zich op de grond vallen. Op een paar meter afstand renden ze langs Pitt en holden door de niet meer bewaakte voordeur het woonhuis in. De portiek was slechts spaarzaam verlicht, waardoor Pitt en de anderen in de beschutting van het struikgewas vrijwel onzichtbaar waren.

De patrouille te paard was tot op een meter of honderd genaderd. Pitt overwoog heel even om nog snel voordat ze te dichtbij zouden zijn, achterlangs het rozenperk verder het terrein op te rennen, maar zette dit idee onmiddellijk weer uit zijn hoofd. De ruiters zouden niet verwachten dat er mensen bij de ingang op de grond lagen. Met een beetje geluk was het vuur van Theresa al zo ver opgelaaid dat ze zich direct op de bluswerkzaamheden moesten concentreren.

De patrouille te paard, die uit acht man bestond, kwam in volle galop op de voorkant van het gebouw af tot ze bij de oprijlaan gekomen plotseling met een harde ruk aan de teugels inhielden. Pitt voelde zich allesbehalve op zijn gemak toen hij zag dat de ruiters in een grote halve cirkel uitwaaierden en stopten toen ze de rand van de portiek hadden bereikt. Twee paarden snoven onrustig, terwijl de ruiters ze stil probeerden te houden. In het woonhuis viel de rinkelende sirene opeens stil, terwijl er van de andere kant nog vier bewakers te voet naderden, die vlak voor de oprijlaan bleven staan. Het vuur was ofwel onbeheersbaar geworden, ofwel, wat Pitt vreesde, gedoofd voordat het zich goed en wel had kunnen verspreiden.

Het antwoord kwam met een verblindende flits van hel wit licht. Door het overhalen van een schakelaar flitste een tiental in de overkapping van de portiek gemonteerde schijnwerpers aan. Het schijnsel van de halogeenlampen verlichtte de hele directe omgeving van het huis. De languit tussen de rozenstruiken uitgestrekte lichamen van Pitt en de anderen waren in het felle licht nu duidelijk zichtbaar.

Pitt verstevigde zijn greep op de .45 en richtte de loop onopvallend op de dichtstbijzijnde ruiter. De bewakers te voet stonden een stuk verder weg en leken ongewapend. Dat was met de ruiters beslist niet het geval. Tot zijn ergernis zag Pitt dat ze, afgezien van hun dodelijke pijl en boog, allemaal over een geweer beschikten, dat ze hadden aangelegd en op hem en de anderen gericht hielden. Hoewel hij zag dat Giordino de Makarov ook op een ruiter gericht hield, was hun situatie niet bepaald rooskleurig te noemen.

Maar een schietpartij bleef uit, omdat er op datzelfde moment vanuit het huis het galmende geluid van over de marmeren vloer rennende voeten opklonk en er vier mannen door de deur de portiek in stoven. De drie bewakers, die eerder naar binnen waren gerend, bleven na een paar stappen stokstijf staan. Hun kleding was met zwarte vegen van rook en as besmeurd, maar er straalde geen paniek van hun gezichten. Zorgwekkender voor Pitt en de zijnen waren de AK-74 geweren die ze nu in hun handen hadden.

Van achter de drie schutters stormde een vierde man naar voren, die met grote, zelfverzekerde passen naar het midden van de portiek liep, alsof het zijn eigendom was, en dat was ook zo. Borjin was gekleed in een blauw zijden gewaad, dat nogal contrasteerde met zijn van woede hoogrood aangelopen gezicht. Hij wierp een vluchtige blik op de struiken aan de zijkant, waar nu goed zichtbaar de ontklede en bewusteloze lichamen lagen van de wachten die aanvankelijk bij de deur stonden. Borjin staarde Pitt en de anderen met van razernij vuur schietende ogen aan en beet hen met een afgemeten stem toe: 'Dit zal ik jullie betaald zetten.'

55

De angst die Gunn bekroop toen hij de galmvrije kamer binnenging, maakte algauw plaats voor nieuwsgierigheid. Hij had eerder echoloze testruimtes gezien, maar geen enkele had zo vol gestaan met geavanceerde elektronische apparatuur als deze uitzonderlijk hoge ruimte. De enorme, rond het platform opgestelde rekken met lange rijen computerschermen en bedieningspanelen deden hem denken aan de opeenhoping van computerapparatuur in een Trident-onderzeeër. Interessanter was de eigenaardige stellage in het midden van het vertrek, de drie meter hoge constructie van drie taps naar elkaar toelopende buizen. Gunn bekeek de akoestische transducers en de koude rillingen liepen hem over de rug bij de gedachte aan Yaegers bewering dat je met dit ding een aardbeving kon veroorzaken.

Maar ondanks de rillingen brak het zweet hem uit, want met een temperatuur van tegen de veertig graden was het snikheet in het vertrek. Tot zijn verbazing zag hij dat de apparatuur aanstond en kennelijk een of andere voorgeprogrammeerde test afwerkte. De hitte van de transformatoren die de stroomvoorziening van alle elektronica verzorgden, had de ruimte in een droge sauna veranderd. Nadat hij zijn geleende laboratoriumjas en het zwarte windjack eronder had uitgetrokken, haalde hij zijn digitale camera tevoorschijn en betrad het platform in het midden. Vervolgens begon hij met het fotograferen van de apparatuur. Van achteren naar voren werkend sloeg hij geen enkele detail over. Hierbij transpireerde hij zo hevig dat hij naar de deur terugliep en deze opendeed zodat er wat koele lucht binnen kon stromen. In het besef dat hij zo ook naderende voetstappen kon horen, evenals oproepen via de mobilofoon, liet hij de deur openstaan en ging door met het maken van foto's.

Gunn stopte toen hij bij een grote console kwam met ervoor een chique leren bureaustoel. Dit was de plek van de procesoperator die het seismische apparaat bediende. Gunn ging op de stoel zitten en bestudeerde het felgekleurde beeld op de grote monitor die op ooghoogte voor hem hing. Midden op het beeld stond een pop-upvenster met in het Duits de mededeling: TESTPROGRAMMA ACTIEF. Gunn beschikte over een bescheiden kennis van de Duitse taal die hij zich had eigen gemaakt toen hij enige tijd met een Duits onderzoeksteam aan een onderzoek naar het in de Tweede Wereldoorlog gezonken passagiersschip *Wilhelm Gustloff* had samengewerkt. Hij begreep dat het om een softwaretest ging en klikte op het vakje ABBRECHEN. Hierop verscheen er een helder, op het eerste oog abstract beeld op het scherm.

Het was een driedimensionale afbeelding van sedimentlagen die allemaal in een verschillende goudgele tint waren weergegeven. Een schaalverdeling aan de zijkant gaf vijfhonderd meter aan en Gunn concludeerde correct dat dit een stratigrafisch profiel van de sedimentlagen recht onder het laboratorium was. Gunn zag een draadloze muis op tafel liggen en trok hem naar zich toe. Terwijl hij de cursor over het beeld bewoog, klonk er uit de transducers die op een paar meter afstand stonden, een luid getik op. Het tikken stopte zodra er op de monitor een nieuw profiel van bodemlagen was verschenen. Gunn zag dat de schaalverdeling nu vijfhonderdvijftig meter aangaf.

Von Wachter had inderdaad een opzienbarend nauwkeurig seismisch weergavesysteem ontwikkeld. Met een simpele muisklik toverde Gunn steeds weer een kristalheldere afbeelding op het scherm van sedimentlagen die zich honderden meters onder hem bevonden. Naast hem veranderde het akoestische apparaat, aangedreven door een elektrische motor, voortdurend van stand en richtte zich onder een andere invalshoek op de onderliggende aardlagen. Zoals een kind zich in een computerspel kan verliezen, zo ging Gunn volledig op in de beelden die het apparaat naar het scherm zond, waarbij vooral de afwijkingen in de aardlagen zijn aandacht trokken. Toen Pitt hem via de radio opriep, hoorde hij dat maar nauwelijks en geschrokken rende hij naar de openstaande deur om het in de geïsoleerde kamer zwakke signaal niet te verliezen.

Na het gesprek zette hij de mobilofoon uit en wierp een vluchtige blik in de gang. Toen hij daar geen teken van leven ontdekte, holde hij terug naar het platform en maakte nog een snel een paar foto's van het seismische apparaat en de bijbehorende apparatuur. Hij trok zijn windjack weer

56

Pitt kwam langzaam overeind en hield zijn Colt omlaag gericht naast zich om de schietgrage vingers van Borjins met automatische geweren bewapende bewakers niet tot actie te provoceren. Hij wachtte tot Giordino Tatjana overeind had gehesen en haar naar haar broer toe keerde, waarbij hij de Makarov goed zichtbaar tegen haar oor gedrukt hield. Tatjana probeerde zich tevergeefs uit zijn greep los te wrikken.

'Laat me gaan, varken. Jullie zijn allemaal ten dode opgeschreven,' siste ze.

Glimlachend trok Giordino haar hoofd aan haar haren naar achteren en duwde de loop van de Makarov nog wat harder tegen haar oor. Tatjana kreunde van de pijn en gaf het tegenstribbelen op.

Terwijl alle ogen op Tatjana gericht waren, hief Pitt zijn Colt langzaam op tot het wapen op het middel van Borjin wees. Met zijn linkerhand drukte hij onopvallend op de ZEND-knop van zijn mobilofoon in de hoop dat Gunn zo zou horen in wat voor hachelijke situatie ze verkeerden.

Borjin wierp een vluchtige, nauwelijks geïnteresseerde blik op zijn zus, maar toen hij Pitt en Giordino wat aandachtiger opnam, lichtte er opeens een flits van herkenning in zijn ogen op.

'U weer?!' riep hij uit, waarna hij zich meteen vermande. 'U hebt uw tocht door de woestijn overleefd om me nu nog eens te komen lastigvallen? Waarom bent u zo stom? Neemt u dat risico om uw vrienden te redden?' Hij knikte naar Theresa en Wofford, die wijselijk achter Tatjana waren gaan staan.

'We zijn hier om een eind aan die aardschokken van u te maken en al die aanslagen op olievoorzieningen,' antwoordde Pitt. 'We zijn hier voor onze vrienden. En voor Dzjengis.'

Pitts opmerking over de aardschokken leverde nauwelijks een reactie op. Maar toen hij de Mongoolse krijgsheer noemde, trok er een zichtbare huivering door Borjin. Zijn ogen vernauwden zich tot spleetjes en zijn gezicht liep vuurrood aan. Pitt verwachtte half dat hij uit zijn mond vuur zou spuwen.

'Maar u gaat er als eerste aan,' fulmineerde hij met een knikje naar de bewakers om hem heen.

'Mogelijk. Maar u en uw zus zullen ons daarbij dan wel vergezellen.'

Borjin keek de man die hem zo brutaal durfde aan te spreken strak aan. Uit de onwrikbare vastberadenheid die uit Pitts ogen sprak, begreep hij dat deze man de dood vele malen eerder in de ogen had gezien. Net als zijn held Dzjengis toonde hij geen angst in de strijd. Maar hij ging ervan uit dat Pitt ook een zwakke plek had en dat hij die kon benutten om zich voor eens en voor altijd van hem te ontdoen.

'Mijn mannen hebben u in een oogwenk uitgeschakeld,' zei hij dreigend. 'Maar ik zie mijn zus niet graag sterven. Als u Tatjana vrijlaat, kunnen uw vrienden ook ongehinderd vertrekken.'

'Nee,' antwoordde Theresa, die zich voor Giordino opstelde. 'U moet ons allemaal laten gaan.' En tegen Giordino fluisterend voegde ze eraantoe: 'Als jullie hier achterblijven, worden jullie vermoord.'

'U bent niet in een positie waarin u eisen kunt stellen,' reageerde Borjin. Hij deed alsof hij onrustig heen en weer liep, maar Pitt begreep dat hij uit het schootsveld probeerde weg te komen. Pitt verstevigde zijn greep op de .45 toen Borjin tot achter een van de bewakers liep en daar bleef staan.

De knal dreunde als een moker op een ijzeren ketel, maar dan met een galmende echo. Maar het was geen schot uit een van de wapens die rond de portiek in de aanslag werden gehouden. Het geluid klonk nadreunend uit de richting van het laboratorium. Er verstreken twintig seconden, waarin iedereen van schrik als aan de grond genageld stond, tot er een tweede explosie klonk, identiek aan de eerste. Tatjana was de eerste die het geluid herkende. Met een van angst trillende stem schreeuwde ze naar haar broer.

'Het apparaat van Von Wachter. Iemand heeft het aangezet.'

Als de galmende slag op een tempelgong volgde er een derde knal, die haar woorden overstemde, waarna er vanuit het laboratorium een denderende echo over het landgoed schalde.

Gunn was onder de druk opmerkelijk kalm gebleven. Hij wist dat Pitt van hem verwachtte dat hij zich met de foto's als bewijsmateriaal uit de voeten zou maken om de autoriteiten te waarschuwen en Borjins plannen aan het oordeel van de wereldopinie voor te leggen. Maar hij kon niet zomaar weglopen en zijn vrienden in de handen van deze moordenaars achterlaten. Met als wapen slechts een armzalige koevoet begreep hij ook wel dat hij zijn eigen doodvonnis tekende wanneer hij als een kip zonder kop de anderen te hulp zou snellen. Maar misschien, dacht hij, heel misschien kreeg hij het voor elkaar dat Borjins demon zich tegen zijn meester zou keren.

Gunn liep de galmvrije kamer weer in, trok de deur achter zich dicht en holde naar de console. Hij was nu heel blij dat hij het apparaat niet had uitgezet en eerder een paar minuten de tijd had genomen om even met het bedieningspaneel te spelen. Terwijl hij zich op de stoel van de operateur liet vallen, graaide hij de muis naar zich toe en bladerde snel door de pagina's op zoek naar een beeld dat hem daarvoor was opgevallen. Het statiefvormige apparaat volgde tikkend en zoemend de commando's die hij met de cursor op het beeldscherm aanvinkte. Ten slotte zag hij de stratum waar hij naar op zoek was. En in het bijzonder een rare barst in de sedimentaire laag die als een diepe snee tussen twee sedimentlagen in lag. Rond de snede zag hij een tiental ronde vlekjes, die in feite barstjes in het gesteente waren. Hij had geen flauw benul of dit echt een breuk was of dat er sprake was van samengebalde druk op dit punt. Maar met het akoestisch seismische apparaat was dat misschien ook niet van belang. Gunn wist het niet precies, maar dit leek hem onder de gegeven omstandigheden het beste wat hij kon doen.

Hij bewoog de cursor naar de top van de sedimentaire snede en dubbelklikte op dat punt. Er flitste een vizierkruis op en de driepoot sloeg weer aan het tikken. Gunn schoof de cursor naar de bovenrand van het scherm, waar hij snel door een aantal menu's klikte. Terwijl hij in de hete kamer ijverig doorwerkte, parelde het zweet in dikke druppels op zijn voorhoofd. In deze door Von Wachter en zijn team ontwikkelde software waren alle commando's in het Duits. Gunn pijnigde zijn hersens op zoek naar de juiste vertaling van al lang weer vergeten woorden en uitdrukkingen. Van Yaegers verslag herinnerde hij zich dat Von Wachter in zijn weergavesysteem met tot bundels geconcentreerde golven van zeer hoge frequenties werkte. Dus selecteerde hij de hoogste frequenties. Hij gokte erop dat WEITE amplitude betekende en koos voor de krachtigste mogelijkheid. Ten slotte selecteerde hij een zich herhalende interval van twintig seconden. In dikke rode letters knipperde in een pop-upvenster het woord AKTIVIEREN. Gunn deed een schietgebedje en klikte op het venster.

Eerst gebeurde er niets. Vervolgens rolde er op hoge snelheid een eindeloze tekst over het scherm. Het kon dat Gunns door de spanning overgevoelige zintuigen een loopje met hem namen, maar alle apparatuur en computers in de kamer leken met een plotseling aanzwellend laag gezoem letterlijk tot leven te komen. Terwijl hij het zweet van zijn voorhoofd veegde, was hij ervan overtuigd dat de temperatuur in het vertrek minstens een graad of tien gestegen was. Het viel hem op dat de driepoot weer tikte, maar nu in een veel hoger tempo. Het volgende moment barstte er in het licht van opflakkerende lampen een explosieachtige knal uit de punt van de omgekeerde driepoot. Het leek alsof er op nog geen meter afstand een bliksemschicht was ingeslagen. Door de akoestische stoot schudde het hele gebouw op zijn grondvesten en Gunn werd haast uit zijn stoel geworpen. Met een afgrijselijke gepiep in zijn oren strompelde hij naar de deur, waar hij een moment bleef staan en ontsteld een laatste blik om zich heen wierp.

De galmvrije kamer. Speciaal ontworpen om geluidsgolven te absorberen. Zelfs de geconcentreerde knallen van het akoestische apparaat werden door de geluiddempende vloerpanelen aanzienlijk afgezwakt. Zijn inspanning om het systeem te activeren was zinloos geweest.

Gunn sprong van de loopbrug op de schuimrubberen vloer en holde met verende passen naar het voetstuk van de driepoot. Hij wist dat er een volgende stoot zou komen en bedekte zijn oren nog net voordat er met een oorverdovende knal een tweede akoestische stoot uit het apparaat de bodem indrong.

Door de donderslag viel Gunn op zijn knieën, maar hij herstelde zich snel en kroop naar het voetstuk van de driepoot. Terwijl hij verwoed de schuimrubberen vloerplaten onder het apparaat wegscheurde, telde hij, anticiperend op de volgende knal, hardop tot twintig. Hij had het geluk dat de vloerpanelen niet aan de bodem vastzaten en met grote stukken tegelijk konden worden weggerukt. Onder het schuimrubber bleek de bodem betegeld, maar aan de doffe zilverachtige kleur zag Gunn dat de tegels als extra geluiddempers van lood waren. Gunn was met het tellen bij elf toen hij naar de console sprong en de koevoet weggraaide, die hij daar op tafel had laten liggen. Pijlsnel stak hij het breekijzer in een naad, wrikte een van de zware tegels los en schoof hem opzij. Bij achttien gekomen wierp hij zich nogmaals op de tegels en wist in een vloeiende beweging nog drie loden tegels weg te schuiven die met de eerste erbij een vierkant hadden gevormd dat recht onder het akoestisch apparaat lag.

Gunn had door de adrenaline die door zijn lichaam spoot te snel geteld en hij stapte net op tijd achteruit toen de derde akoestische stoot losbarstte. Met zijn handpalmen stijf tegen zijn oren gedrukt keek hij omlaag en zag dat het apparaat de akoestische bundel nu nog slechts door de dunne laag beton van de fundering van het gebouw schoot.

'Daar kan ik ook niks aan doen,' mompelde hij nadat het geluid was weggeëbd en hij weer naar de deur liep.

Toen hij de zware deur opentrok, verwachtte hij daar half een heel legioen zwaarbewapende bewakers te zien. Maar de voltallige bewakingsdienst was, althans voorlopig, naar het woonhuis gesneld. In plaats daarvan zag hij dat er aan het einde van de gang een groepje wetenschappers, van wie enkelen in pyjama, samendromde. Toen hij de kamer uitstapte, werd hij door een scherpe gil van een van de wetenschappers begroet, die de woedende groep vervolgens aanspoorde hem te lijf te gaan. Met nog net een paar meter voorsprong bereikte Gunn het dichtstbijzijnde kantoor aan zijn rechterhand en glipte er naar binnen.

Net als de meeste kantoren in het laboratoriumgebouw was ook deze ruimte spaarzaam ingericht met een grijsmetalen bureau aan de ene kant en een lange laboratoriumtafel vol elektronische apparatuur aan de tegenoverliggende muur. Maar hiervoor had Gunn geen enkele belangstelling. Voor hem was alleen het kleine raam van belang dat uitkeek op het voorterrein van het landgoed. Terwijl hij erop afliep was hij Giordino enorm dankbaar dat hij hem de koevoet had meegegeven die hij nu stevig in zijn handen geklemd hield. Met een krachtige uithaal ramde hij het stompe uiteinde van de staaf in een hoek van de ruit, die rinkelend uiteenspatte. Nadat hij de scherpste scherven uit de sponning had verwijderd, dook hij door het raam naar buiten. Nog voor hij goed en wel de grond raakte, schoot de vierde en laatste stoot uit het akoestische apparaat, maar voor Gunn was de knal, nu hij zich buiten het gebouw bevond, aanzienlijk minder heftig.

Door de gebroken ruit klonk een koor van schrille kreten. De wetenschappers negeerden Gunn en renden naar de testkamer. Hij besefte dat ze het systeem zouden deactiveren voordat er nog een stoot kon volgen. Zijn doldrieste poging om zo een aardbeving te veroorzaken was dus mislukt. Evenals, zo vreesde hij, zijn enige kans de levens van Pitt en Giordino te redden.

57

Toen het geluid van de tweede knal over het landgoed schalde, beval Borjin twee van de bereden bewakers erop af te gaan. Onmiddellijk galoppeerden ze over het duistere terrein het in de verte wegstervende gerommel tegemoet. Het zich snel verwijderende geluid van de paardenhoeven werd even later alweer overstemd door de harde dreun van de derde seismische stoot.

'U hebt ook nog vriendjes meegebracht?' snauwde Borjin tegen Pitt.

'Voldoende om u voorgoed de mond te snoeren,' antwoordde Pitt.

'Dan gaan die er met u ook aan.'

Uit het laboratorium klonk het gerinkel van glas, gevolgd door de vierde stoot van het akoestisch seismische apparaat. Daarna werd het stil.

'Zo te horen hebben uw vrienden inmiddels met mijn bewakers kennisgemaakt,' zei Borjin glimlachend.

De spottende grijns lag nog op zijn gezicht toen er in de verte vanuit de heuvels een heel andere rollende donder als van een naderend onweer klonk. Maar in dit geval bleef het donderen aanhouden en zwol aan tot het bulderend geraas van een voortdenderend lawine. Buiten de muren van het landgoed sloeg een troep wolven in een onheilspellende samenzang aan het huilen. De paarden binnen het landgoed namen de onrust over en begonnen luid te hinniken in nerveuze afwachting van het dreigende onheil dat hun menselijke tegenhangers niet voelden aankomen.

Zo'n duizend meter onder het aardoppervlak kwamen de drie gecomprimeerde, door de transducers afgevuurde geluidsgolven op het door Gunn bepaalde breukvlak bijeen. De sedimentaire scheur was inderdaad een oude schuine breuk. De eerste tweede stoten van het seismische apparaat waren voor een groot deel door de isolatie van de testkamer geabsorbeerd en hadden de breuk slechts met een minimale slag getroffen. Maar de derde stoot was met de volle kracht van de gebundelde schokgolven de bodem ingedrongen. Hoewel de sedimentlaag stevig standhield waren de seismische golven met een geweldige vibrerende kracht op de breuklijn ingeslagen. Toen de vierde stoot nogmaals op hetzelfde punt insloeg, was dat voldoende om het sedimentaire verzet te breken.

Een breuklijn is van nature een scheur in gesteente die onder spanning staat. De meeste aardbevingen ontstaan door de energie die vrijkomt bij een onderlinge verschuiving van breukvlakken. Door dieperliggende tektonische bewegingen wordt de druk op een bepaald punt op de breuklijn opgevoerd tot die spanning zich in een plotselinge verschuiving ontlaadt. Die verschuiving gaat met trillingen gepaard die tot aan het aardoppervlak reiken en deze schokgolven veroorzaken daar de verwoestende aardbevingen.

In de breuk onder het Mongoolse berglandschap sloeg het vierde en laatste salvo van geluidsgolven in als een torpedo. De seismische trillingen kraakten de scheur, waardoor hij zowel in verticale als horizontale richtingen verschoof. De knik was klein, maar een paar centimeter over de hele lengte van de vierhonderd meter lange scheur, maar omdat hij zo dicht onder het oppervlak lag, waren de gevolgen desastreus.

De schokgolven trokken in een afschuwelijke chaos van verticale en horizontale bevingen door de bodem. Op de magnitudeschaal van Richter had de schok een sterkte van 7,5, maar de schaal hield geen rekening met de daadwerkelijke intensiteit van de schok aan het aardoppervlak, waar de beving voor de mensen die zich er bevonden als tien keer krachtiger werd ervaren.

Voor Pitt en de anderen werd de aardschok voorafgegaan door een rommelende donder die steeds luider aanzwol tot het leek of er door een ondergrondse tunnel een goederentrein kwam aangedenderd. Tot de schokgolven het aardoppervlak bereikten en de grond onder hun voeten begon te trillen. Eerst schudde de bodem heen en weer, maar daarna leek de grond met een voortdurend toenemende kracht in alle richtingen uiteen te scheuren.

Pitt en de bewakers keken elkaar, toen de aarde begon te trillen, achterdochtig aan, maar door de krachtige bevingen die volgden, lag al snel iedereen op de grond. Pitt zag een van de bewakers achterover tegen de treden voor de ingang vallen, waarbij zijn automatische geweer op een armlengte afstand naast hem neer kletterde. Pitt deed geen moeite overeind te blijven, maar liet zich met zijn armen vooruit en zijn .45 strak naar voren gericht op de grond vallen. Met het kleine lichte wapen was hij opeens in het voordeel ten opzichte van de bewakers en hij richtte op de dichtstbij-zijnde man die nog overeind stond en haalde de trekker over. Ondanks het schudden van de grond trof Pitt zijn doel en de man sloeg wijdbeens achterover tegen de grond. Bliksemsnel richtte Pitt zijn wapen op een tweede bewaker, die op handen en knieën zijn evenwicht probeerde te bewaren. Pitt loste drie schoten achter elkaar, die de bewaker met een salvo uit zijn AK-74 beantwoordde. Twee van Pitts schoten troffen de bewaker dodelijk, terwijl het op goed geluk afgevuurde salvo van de bewaker een meter links van Pitt in de grond sloeg.

Onmiddellijk zwaaide Pitt de loop van zijn wapen terug naar de eerste bewaker die vlak voor Borjin was neergevallen. De Mongoolse magnaat was al na het eerste schot de treden naar de voordeur opgekropen en dook net achter de deur weg toen Pitt zich weer in die richting wendde. De bewaker kroop achter Borjin aan en had juist de drempel bereikt toen Pitt opnieuw een schot loste. Achter hem klonk een volgend schot, dat door Giordino was afgevuurd, nadat hij Tatjana met een krachtige zwaai tegen de grond had geslingerd. De beving was nu op z'n allerhevigst en was te krachtig om nog goed te kunnen richten. Met een katachtige sprong dook de bewaker ongedeerd door de deur het huis in.

Aan de andere kant van de oprijlaan hadden de bereden bewakers de handen vol aan zichzelf. Er klonk een woest snuiven en hinniken van de paarden, die geen flauw benul hadden waarom de grond onder hun hoeven beefde. Drie van de doodsbange paarden sloegen wild aan het steigeren en hun berijders hadden de grootste moeite in het zadel te blijven. Een vierde paard sloeg op hol en stormde in volle galop over de oprijlaan, waarna het half over de lijken van de bewakers struikelend in de richting van de paardenkraal uit het zicht verdween.

De krachtige bevingen hielden bijna een minuut lang aan en gaven iedereen op de grond het gevoel dat ze hoog in de lucht werden opgeworpen. In het huis van Borjin klonk een chaotisch kabaal van brekend glas en omvallend meubilair. Met een felle flikkering viel het licht uit. Van de andere kant van het landgoed klonk vaag de eenzame sirene van het alarm in het laboratoriumgebouw.

En toen viel alles stil. De rommelende donder stierf weg, de schokken hielden op en er daalde een onheilspellende rust over het landgoed neer. De verlichting rond de portiek was uitgevallen, waardoor Pitt en de anderen zich weer in een veilige duisternis verborgen wisten. Maar hij begreep dat dit nog lang niet het einde van de schietpartij betekende.

Om zich heen spiedend zag hij dat Theresa en Wofford ongedeerd waren, maar dat er langs Giordino's linkerbeen een straaltje bloed liep. Giordino bekeek de wond met een blik alsof het hem weinig uitmaakte.

'Sorry, baas. Een verdwaalde kogel van mister Schietgraag. Maar er is geen bot geraakt.'

Pitt knikte en richtte zijn aandacht op de ruiters die hun dieren nu beter onder controle hadden.

'Zoek dekking achter de portiekzuilen. Snel,' dirigeerde Pitt. Hij had dit nauwelijks gezegd of er klonk al een schot van een van de ruiters.

Lichtjes hinkend sleurde Giordino Tatjana naar de voet van een zuil, terwijl Theresa en Wofford achter de eerstvolgende zuil wegdoken. Pitt vuurde lukraak een paar schoten in de richting van de schutter alvorens hij zich ijlings achter een derde zuil terugtrok. Weggedoken achter de marmeren zuilen waren ze voorlopig weg uit de vuurlinie van zowel de ruiters als de bewakers in het woonhuis.

Nu hun paarden gekalmeerd waren, konden de vijf overgebleven bereden bewakers ongehinderd het vuur openen en ze bestookten de drie zuilen dan ook met een spervuur van kogels. Maar terwijl hun prooi zich uit het zicht had teruggetrokken, stonden zij ongedekt in de open ruimte. Met een snelle uitval langs zijn zuil vuurde Giordino twee schoten af op de dichtstbijzijnde ruiter, waarna hij zich onmiddellijk weer terugtrok. Hij had de bewaker in zijn been en schouder getroffen en zijn collega's beantwoordden de schoten met daverende salvo's in de richting van de zuil waarachter Giordino dekking had gezocht. De gewonde ruiter liet zijn geweer vallen en trok zich haastig terug achter struikgewas aan de overkant van de oprijlaan. Terwijl Giordino zich een moment stilhield, voerde Pitt ook een dergelijke uitval uit en schoot twee keer op een andere bewaker, die hij in zijn arm raakte. De patrouilleleider blafte een bevel, waarop de overgebleven ruiters zich achter de struiken terugtrokken.

Giordino keek om naar de plek waar Pitt zich bevond. 'Die komen zo terug. Ik durf te wedden dat ze afstappen en ons te voet gaan aanvallen.'

'Waarschijnlijk zijn ze nu al bezig met een omtrekkende beweging,' antwoordde Pitt. Hij dacht aan Gunn en tastte naar zijn mobilofoon, maar die was er niet meer. Die was tijdens de aardbeving van zijn riem gevallen en lag nu ergens onvindbaar in het donker.

'Ben de mobilofoon kwijt,' zei hij in zichzelf vloekend.

'Ik betwijfel of Rudi verder nog iets voor ons kan doen. En ik heb nog maar vijf patronen over,' voegde Giordino eraantoe.

433

Ook Pitt had nog maar een paar kogels in zijn Colt. En nu behalve Wofford ook Giordino mank liep, zat een snelle aftocht er niet meer in. De bewakers waren zich ongetwijfeld in een halve cirkel over het terrein aan het verspreiden en zouden hen zo van drie kanten steeds verder insluiten. Pitt keek naar de openstaande voordeur en besloot dat het woonhuis hun waarschijnlijk de beste verdedigingsmogelijkheid bood. Het was er eigenaardig stil. Misschien hadden hij en Giordino de bewaker toch wel getroffen en was Borjin de enige die zich daar verborg.

Pitt kwam half overeind en stond op het punt om met de anderen naar de ingang te rennen, toen er een schaduw in de deuropening bewoog. In het zwakke licht ving Pitt nog juist een glimp op van wat de loop van een naar buiten gericht geweer bleek te zijn. En toen hij opeens geritsel in de rozenstruik achter zich hoorde, begreep hij dat het te laat was. De val was gezet, er was geen ontkomen meer aan. Tegenover een overmacht aan wapens en mensen en zonder een schuilplaats zat er niets anders op dan de confrontatie aan te gaan op de plek waar ze zich bevonden.

Op dat moment weerklonk er opnieuw een rommelende donder van de berghellingen. Het was eenzelfde soort geluid, maar op een vreemde manier toch ook anders dan het donderend geraas dat aan de aardbeving vooraf was gegaan. En daarmee kwam er een volgende onverwachte onheilsdreiging op hen af.

434

58

Pitt luisterde en het viel hem op dat de donder eerder van hoog uit de bergen kwam dan onder uit de grond. Het was een donderend geraas dat niet afzwakte, maar integendeel met iedere seconde aanzwol. Het geluid leek naarmate het dichterbij kwam van een rommelende donder steeds meer in een bulderend geraas te veranderen. Alle aanwezigen op het terrein staarden naar de hoofdingang waar het geluid op af leek te komen. Het denderen bleef aanzwellen tot het leek alsof er tien 747-jumbojets tegelijk over een startbaan stoven.

In het helse kabaal was nog maar nauwelijks het panische geschreeuw hoorbaar dat bij de hoofdingang opklonk. Aan de andere kant van de muur snelden twee poortwachters naar de enorme stalen poort in een wanhopige poging die tijdig open te rukken. Maar hun gegil ging teloor in het bulderende tumult van een voortrazende muur van water.

Een halve kilometer stroomopwaarts had de aardbeving een diepe kloof dwars op de rivierbedding opengereten. Het ziedende water kolkte in wilde wervelingen in een nieuwe, door de zwaartekracht gestuurde richting. Bij de invoer van het aquaduct was de gehele rivier een stuk opzijgeschoven en volgde nu een nieuwe koers vlak langs de verhoogde toegangsweg.

De rivier was recht op Borjins landgoed afgestormd, maar was vlak ervoor in een diep natuurlijk gevormd bekken gestroomd. Een hoge berm, die als een soort werkpad tussen de weg en het aquaduct was aangelegd, fungeerde als een onbedoelde dam die het aanstormende water vlak voor het terrein tegenhield. Maar het bruisende water had het natuurlijke reservoir spoedig tot de rand gevuld, waarna het begon over te lopen. Door de druk van het snel stijgende water ontstonden er scheuren in de aarden wal, die het even later in een flits begaf, waarna er opnieuw met bulderend geweld een muur van water op het landgoed afkwam.

De aldus samengebalde watermassa stortte zich in een ijskoude zwarte, drie meter hoge golf op de toegangspoort. De wachters, die het aanstormende water pas opmerkten toen het te laat was, werden meegesleurd door het water dat met een overweldigende kracht door de poort en over de muur stroomde. De golf had zich door de poort en de stenen omheining nauwelijks in zijn vaart laten stuiten en sloeg een groot gat in de muur boven het aquaduct. De beide stromen kwamen op het terrein van het landgoed weer bijeen en raasden met vereende krachten in een twee meter hoge golf op het woonhuis af.

Toen Pitt de muur van water zag aankomen, begreep hij onmiddellijk dat een poging om weg te rennen zinloos zou zijn, zeker voor Giordino en Wofford. Nadat hij een snelle blik om zich heen had geworpen, zag hij maar één kans om dit te overleven.

'Grijp een zuil beet en hou je goed vast!' schreeuwde hij.

De Dorische marmeren zuilen die de overkapping van de portiek droegen, waren gecanneleerd, dat wil zeggen van diepe verticale groeven voorzien die een uitstekend houvast boden. Theresa en Wofford sloegen hun armen om een zuil en haakten de handen in elkaar. Giordino klemde een van zijn sterke armen om een zuil, terwijl hij de Makarov stevig in zijn andere hand hield. Toen ze de allesverslindende watermassa op zich af zag komen, verloor Tatjana haar angst om te worden neergeschoten en sloeg in paniek haar armen om Giordino's middel. Pitt had nog net de tijd om zich languit op de grond te laten vallen, de zuil vast te grijpen en met ingehouden adem de stortvloed af te wachten die zich het volgende moment op hem zou storten.

Maar eerst klonk nog het gegil van de bewakers. Nadat ze stilletjes de oprijlaan voor de hoofdingang van het huis hadden omsingeld, werden ze volledig verrast door het aanstormende water. De mannen waren machteloos tegen de golf die met een verwoestende kracht over het landgoed spoelde en hen in het kolkende water met zich meesleurde. Pitt hoorde de wanhopige kreten van een bewaker die op nauwelijks een meter afstand langs hem raasde en in de ziedende watermassa naar het huis werd gestuwd.

De golf volgde de weg van de minste weerstand naar het noordelijk deel van het landgoed en had het laboratorium en de garage links laten liggen. Met een oorverdovende dreun sloeg de voortdenderende watermassa tegen het woonhuis. Zoals Pitt had gehoopt vingen de zuilen het grootste deel van de klap op, maar zijn benen werden van de grond gerukt en in de richting van het huis geslingerd. Toen de golf over hem heen spoelde, hield hij de zuil zo stevig mogelijk omklemd tot de geweldige zuigkracht van het water al snel weer afnam. De aanvankelijke angst om door de golf te worden meegesleurd werd tenietgedaan door het ijskoude water, dat hem de adem benam en met de bijtende kracht van duizenden scheermessen over zijn huid schuurde. Zich aan de zuil optrekkend hees hij zich overeind en merkte dat het stromende water tot aan zijn dijen kwam. Hij zag dat Giordino bij de dichtstbijzijnde zuil een luid proestende Tatjana uit het water omhoogtrok. En bij de zuil daarachter doken een seconde later ook Theresa en Wofford op.

De muur van water was op zoek naar een nieuwe loop over de helling dwars door het huis geraasd. Hoewel er een halve meter hoge waterstroom door het kratervormige gat kolkte dat ooit de voordeur was geweest, was de grootste massa van de stortvloed tegen het stevige bouwwerk afgeketst. Het ziedende water was langs het gebouw naar de noordgrens van het landgoed gestroomd, waar het als een brede waterval over de steile rand het ravijn in stortte. In het geraas van de bruisende rivier klonk vaag het geschreeuw van de mannen die de klap van het water hadden overleefd, maar nu machteloos in de stroming werden meegesleurd. Uit het donderend geraas dat vanachter het huis opklonk, concludeerde Pitt dat de noordelijke vleugel van het woonhuis onder de druk van het water was bezweken.

De stroming van het water kwam aan de voorkant van het huis tot rust en Pitt waadde naar de anderen die zich rond de zuil van Giordino hadden verzameld. Tot zijn afgrijzen zag hij bij de oprijlaan de verstijfde lijken van een aantal bewakers drijven. Bij de zuil gekomen zag hij dat Theresa hem over haar hele lichaam bevend met holle ogen aanstaarde. Zelfs de ijzersterke Giordino leek verstijfd van de kou. Door de schotwond in zijn been en de ijzige kou verkeerde hij op de rand van een shocktoestand. Pitt besefte dat ze allemaal aan onderkoeling zouden bezwijken als ze niet snel zorgden dat ze uit het water wegkwamen.

'We moeten een droge plek opzoeken. Die kant op,' zei hij naar het laboratorium wijzend, dat op een kleine verhoging was gebouwd. Wofford begeleidde Theresa, terwijl Pitt erop lette dat Tatjana niet van Giordino's zijde week. Maar daar had hij zich geen zorgen over hoeven maken, want het ijskoude bad had elk verzet van Borjins zus volledig gebroken.

De rivier had zich op het terrein van het landgoed over twee lopen verdeeld. De eerste stroomde van de hoofdpoort naar de noordvleugel van het woonhuis, waar het water nog steeds brokken van de ingestorte muren wegspoelde. De tweede stroom liep in eerste instantie naar het laboratorium, maar boog dan af naar de portiek voor het woonhuis. Een deel van het water stroomde door het huis, terwijl de rest zich aan de zijkant van het huis weer bij de hoofdstroom voegde.

Pitt en de anderen waren door die tweede stroom overspoeld. Hij leidde de groep zo snel mogelijk uit het diepste gedeelte weg, maar overal om hen heen was toch een enkelhoge laag water blijven staan. Uit alle richtingen klonk gegil en geroep over het terrein. Ook de wetenschappers waren nu druk in de weer en probeerden met vereende krachten het water buiten het laboratoriumgebouw te houden. In de garage riep iemand, waarop er een auto werd gestart. Overal was het één grote chaos. De paarden van de bewakers waren tijdens de aardbeving uit de kraal ontsnapt en de doodsbange kudde rende nerveus als opgejaagd wild over het landgoed heen en weer.

Giordino had zo zijn eigen problemen. Toen hij Theresa op haar knieën zag vallen, snelde hij toe om haar samen met Wofford weer op de been te helpen.

'Ze valt flauw,' fluisterde hij tegen Pitt.

Pitt keek in haar ogen en zag een lege blik. Ze beefde nog steeds over haar hele lichaam en haar huid was bleek en klam. Ze dreigde aan onderkoeling te bezwijken.

'We moeten haar warm en droog zien te krijgen, en snel ook,' zei Wofford.

Daar, midden op het ondergelopen landgoed, waren hun mogelijkheden beperkt. En die werden er niet beter op toen er plotseling een auto met de lichten aan door de opengeschoven deuren van de garage naar buiten scheurde.

Er stond bijna dertig centimeter water rond de garage, maar de auto ploegde er als een tank doorheen. Pitt zag tot zijn schrik dat de auto hun kant opdraaide en op de ingang van het woonhuis afstuurde. De chauffeur deed het grote licht aan en zwenkte met felle stuurbewegingen als een dronken slang van links naar rechts. Nog geen minuut later zwaaide het licht van de koplampen over Pitt en de anderen, waarop de chauffeur vrijwel onmiddellijk het slingeren stopte en met verhoogde snelheid recht op hen afkwam.

De verkleumde groep stond midden op een stuk open terrein. In de directe omgeving was niets waar ze zich achter konden verschuilen. Maar ook als er wel dekking in de buurt was geweest, had het zwarte water dat om hun enkels klotste, een snelle aftocht onmogelijk gemaakt. Pitt bekeek de naderende auto en wendde zich tot Wofford.

'Neem Theresa even van me over,' zei hij, terwijl hij haar arm van zijn schouder liet glijden. Vervolgens hief hij zijn .45 op en richtte het pistool op de voorruit van de auto en de onzichtbare chauffeur achter het stuur.

Pitt hield het pistool met zijn vinger stevig om de trekker voor zich uit. De chauffeur negeerde het dreigende gebaar en reed met aan beide zijden hoog opspattende waterstralen zonder vaart te verminderen door. Toen de auto vlakbij was gekomen, draaide hij iets opzij en remde af. Pitt hield de auto onder schot. Het was een pikzwarte, oersterke Range Rover die een wijde bocht maakte en ten slotte slippend op een paar meter voor hen tot stilstand kwam. Pitt richtte zijn pistool nu op het zijraam naast de chauffeur en liep er behoedzaam met de Colt in zijn voor zich uitgestrekte arm naar toe.

De auto bleef met stationair draaiende motor en vanonder de hete onderkant sissend opwalmende stoomwolkjes staan. Vervolgens zakte het donkergetinte zijraam in de deur weg en dook er een vertrouwd, bebrild gezicht uit het duistere interieur op.

'U had een taxi gebeld?' vroeg Rudi Gunn met een brede grijns.

59

Pitt tilde Theresa op de achterbank van de Range Rover, terwijl Giordino Tatjana naar binnen schoof, waarna hij zelf naast Theresa ging zitten. Wofford dook op de passagiersplaats voorin, terwijl Gunn de verwarming hoger draaide en het pijlsnel bloedheet in de auto werd. Giordino trok Theresa's schoenen en bovenkleding uit, waarmee hij ook de rillerige kou uit zijn eigen lijf verdreef. In de plotselinge warmte kwamen ze allemaal weer tot leven en tot ieders verbazing zat Theresa even later alweer monter rechtop en hielp Giordino bij het verbinden van zijn been.

'Moeten we jou bedanken voor het opschudden van Borjins onderkomen?' vroeg Pitt, die nog bij het openstaande zijraam naast de auto stond, aan Gunn.

'Dr. Von Wachter eigenlijk. Zijn seismische apparaat werkt echt en is bijzonder gebruiksvriendelijk. Het was een gok, maar ik heb op de knop gedrukt en voor je het weet: meteen een beving.'

'En geen seconde te laat, kan ik wel zeggen.'

'Goed werk, Rudi,' gromde Giordino van de achterbank, 'maar die koudwaterdouche had er wat mij betreft niet bij gehoeven.'

'Ik kan niet ook nog eens de verantwoording voor bijkomende zaken als water en vuur op me nemen,' antwoordde Gunn met gespeelde deemoed.

Pitt draaide zich om naar het laboratorium en zag nu pas dat er rook en vlammen uit de ramen van de tweede verdieping sloegen. Ergens in het gebouw was vuur bij een gebroken gasleiding gekomen, waarna de brand zich als een razende vuurbal had verspreid. Een groepje wetenschappers deed een wanhopige poging om voordat het hele gebouw in vlammen was opgegaan nog zoveel mogelijk apparatuur, gereedschappen, onderzoeksmaterialen en persoonlijke spullen naar buiten te brengen.

Nu de kou in de warme auto ook uit Tatjana's botten was weggetrokken, kreeg ze opeens weer praatjes.

'Eruit jullie,' siste ze. 'Dit is de auto van mijn broer.'

'Dat leek mij ook geen slechte keuze,' reageerde Gunn. 'Help me herinneren dat ik hem bedank voor het feit dat hij de sleutel in het contact had laten zitten.'

Gunn opende het portier en maakte aanstalten om uit te stappen. 'Wilde jij rijden?' vroeg hij aan Pitt. 'Dan stap ik wel achterin bij dat heethoofdje.'

'Nee,' zei Pitt, terwijl hij naar het woonhuis keek. 'Ik wil Borjin.'

'Ga je gang,' snauwde Tatjana, 'dan kan hij je vermorzelen.'

Giordino was het onderhand meer dan zat. Met een snelle stoot trof hij Tatjana vol op haar kaak. Het gekrijs stierf weg terwijl ze bewusteloos onderuitzakte.

'Dat had ik al veel eerder willen doen,' zei hij enigszins verontschuldigend. Vervolgens wendde hij zich tot Pitt. 'Heb je hulp nodig?'

'Niet van iemand met een gewonde kuierlat,' antwoordde hij met een knikje naar Giordino's verbonden been. 'Nee, jij kunt beter bij Rudi blijven en zorgen dat iedereen hier veilig wegkomt, voor het geval er nog problemen opduiken. Ik wil alleen even zeker weten dat onze gastheer 'm niet is gesmeerd.'

'In dat koude water hou jij 't ook niet meer zo lang uit,' zei Gunn, die zag dat Pitt rilde. 'Neem dan tenminste m'n jas,' bood hij aan, terwijl hij zich uit zijn dikke windjack wurmde. 'Of wilde je dat carnavalspak liever aanhouden?' Grinnikend keek hij naar de kletsnatte oranje *del* die Pitt droeg. Pitt stroopte de doorweekte overjas van zijn lijf en verving die door Gunns droge jack, dat hij tot aan de kraag dichtritste.

'Bedankt, Rudi. Zorg dat je weg bent voordat de hele boel hier de berghelling aflazert. Als ik niet binnen een uur terug ben, smeer 'm dan maar zonder mij naar Ulaanbaatar.'

'We wachten op je.'

Gunn stapte vlug de Range Rover weer in, schakelde en scheurde naar de hoofdpoort van het landgoed. Het oorspronkelijke hek plus zo'n zes meter van de aangrenzende muur waren door de vloedgolf weggeslagen en de brokstukken lagen her en der over het terrein verspreid. Pitt keek toe hoe Gunn de Rover met vaste hand door het enorme gat in de muur laveerde, waarna de terreinwagen wild over het puin hobbelend doorreed en de achterlichten al snel in de verte verdwenen waren.

Toen hij vervolgens naar het duistere en ondergelopen woonhuis waadde, voelde hij zich opeens alleen en huiverend van de kou vroeg hij zich af wat Borjin nog voor hem in petto had.

60

Hoewel het meeste water met de eerste golf was weggespoeld, stond er nog altijd een traag stromende laag van zo'n vijftien centimeter in het huis toen Pitt de paar treden naar de voordeur opliep. Hij bleef voor de openstaande deur staan en zag daar een lijk met het gezicht omlaag en de benen achter een plantenbak gehaakt in het water liggen. Pitt liep er naartoe en bekeek de man beter. Dit was niet een van de schutters die Pitt had neergeschoten, maar kennelijk een andere bewaker die in de overstroming was verdronken. Het viel Pitt op dat de man nog een speer in zijn hand hield, de vingers in een verstijfde greep om de houten schacht geklemd. Pitt bukte zich en stroopte de oranje tuniek van het lichaam, waarna hij ook de speer uit de linkerhand wrikte. Vervolgens stak hij de speer door de mouwen van het uniformjasje en drapeerde het alsof het aan een knaapje hing. Een armzalige noodmaatregel, dacht hij, maar meer had hij nu eenmaal niet ter beschikking.

Angstvallig om zich heen kijkend sloop hij naar de deur en glipte de foyer in, waar hij met zijn .45 in zijn rechterhand voor zich uit houdend een snelle zwaai maakte. De hal was leeg en afgezien van het ruisen van water dat ergens diep in het huis van een trap af stroomde, was het stil in het huis. De elektriciteit was uitgevallen, maar in het plafond van de gang gloeide een rij rode noodlampjes. Kennelijk was er nog ergens een generator in werking. De noodverlichting gaf weinig licht en verspreidde slechts een karmozijnrode gloed in de lege gangen.

Pitt wierp een blik in alle drie de gangen. Aan het einde van de noordelijke gang zag hij de ingestorte muur waardoor het water nog steeds delen van de noordvleugel wegspoelde. In deze richting had Borjin dus niet kunnen ontsnappen, tenzij hij een kajak had gehad en een wel heel urgent doodsverlangen. Pitt herinnerde zich dat Theresa had verteld dat de werk-kamer zich aan het uiteinde van de hoofdgang bevond. Dus liep hij behoedzaam die kant op.

Pitt sloop zo dicht mogelijk langs de zijmuur met de Colt in zijn rechterhand voor zich uit. De speer hield hij onder zijn elleboog geklemd en hij zwaaide de punt met zijn linkerhand schuin voor zich uit heen en weer. Op deze manier leek het alsof de tuniek als een soort verkenner in het midden van de gang een paar meter voor Pitt uit liep.

Pitt vorderde maar langzaam, omdat hij zijn voeten voorzichtig vooruitschoof om te voorkomen dat het plonzen van water zijn aanwezigheid zou verraden. In feite kon hij ook niet anders, want zijn voeten waren door het koude water zo verdoofd dat hij het gevoel had dat hij op stompjes liep. Terwijl hij angstvallig zijn best deed zijn evenwicht niet te verliezen, besefte hij dat een snelle aftocht er voor hem dus ook niet meer inzat.

Geduldig vervolgde hij zijn weg en passeerde diverse kleinere zijvertrekken zonder er naar binnen te gaan. Voorbij iedere deur bleef hij staan en wachtte een paar minuten tot hij er zeker van was dat hij niet werd gevolgd. Toen zijn pad door een omgevallen dressoir en een paar beelden werd versperd, liep hij een kort stukje door het midden van de gang. In de buurt van de keuken bewoog hij zich weer langs de zijmuur en volgde stilletjes de tuniek die hem in het midden van de gang voorging.

Verkleumd van het ijskoude water ging Pitt volledig op zijn ogen en oren af. Toen zijn oren een zacht suizend geluid opvingen, bleef hij stokstijf staan en pijnigde zijn hersens of het geluid hem niet ergens aan deed denken. Terwijl hij stilstond, bewoog hij de houten speer lichtjes heen en weer.

De knal kwam uit de keuken, een ratelend geweersalvo dat met een oorverdovend kabaal tegen de muren weerkaatste. In het gedempte rode licht zag Pitt dat de oranje tuniek aan flarden ging terwijl de kogels er dwars doorheen vlogen en met dodelijk geweld een paar meter voor hem in de muur sloegen. Heel kalm draaide Pitt zijn .45 naar de openstaande keukendeur, richtte op de vlammetjes die uit de geweerloop flitsten en haalde drie keer de trekker over.

Terwijl de knallen van de Colt nog door de gang galmden, hoorde Pitt in de keuken een rochelende zucht, gevolgd door het gekletter van een automatisch geweer dat tegen stalen pannen viel en een luide plons van de bewaker die morsdood tegen de grond sloeg.

'Barsijar?' schalde de stem van Borjin door de gang.

Pitt grinnikte in zichzelf en liet op de vraag slechts stilte volgen. Hij had het stellige gevoel dat er zich nu geen handlangers meer tussen Borjin en hemzelf bevonden. Hij liet de speer met de tuniek vallen en liep met krachtige passen op het geluid van Borjins stem af. Zijn verdoofde voeten voelden aan alsof het loden stompen waren. Bijna door het water huppend hield hij zich met zijn vrije hand tegen de muur steunend overeind. Opeens hoorde hij de plonzende voetstappen van Borjin aan het einde van de gang niet meer.

Het volgende ogenblik galmde er een enorme dreun door het huis. Opnieuw was er een groot stuk muur van de noordelijke vleugel onder de druk van de rivier bezweken. Het hele huis schudde door het geweld van het sloopwerk dat steeds dichter naar het midden van het landhuis oprukte. Omdat het zo vervaarlijk dicht op de rand van een ravijn was gebouwd, begreep Pitt dat er een reëel gevaar bestond dat het hele gebouw de afgrond in zou storten. Maar hij zette iedere gedachte om rechtsomkeert te maken van zich af. Borjin was nu vlakbij en hij kon hem levend te pakken krijgen.

Pitt passeerde nog een paar kleine zijkamers en aarzelde toen hij de zwartgeblakerde werkkamer bereikte. Huiverend schudde hij de rillingen van de bijtende, natte kou van zich af en dwong zichzelf zich op zijn omgeving te concentreren en niet meer aan zijn eigen ongemak te denken. Naarmate hij dichter bij het einde van de gang kwam, was het constante ruisen van water steeds luider geworden. In de vale gloed van de noodverlichting zag hij dat het geluid werd veroorzaakt door het water dat even voorbij de werkkamer van een trap af stroomde. Hoe vaag de afdrukken ook waren, toch zag Pitt dat er een spoor van voetstappen naar de droge vergaderzaal aan het einde van de gang liep.

Pitt sloop zachtjes langs de trap en stapte uit het wegkolkende water, blij dat hij eindelijk van die bijtende kou om zijn enkels verlost was. Behoedzaam naderde hij de deurpost en gluurde naar binnen. De maan was opgekomen en wierp een helder wit schijnsel door de hoge ruiten van de vergaderzaal. Pitt speurde ingespannen de spelonkachtige ruimte af of hij Borjin ergens kon ontdekken, maar er bewoog niets. Kalm stapte hij naar binnen, waarbij hij de loop van zijn Colt met zijn blik meebewoog.

Borjins timing was perfect. De Mongoliër dook van achter de andere kant van de vergadertafel op, terwijl Pitt met zijn gezicht naar de andere kant van de ruimte gekeerd stond. Te laat draaide Pitt zich naar de richting van het geluid om. *Ploink,* klonk het uit die hoek. Door de plotselinge draai op zijn verstijfde voeten uit zijn evenwicht gebracht vuurde Pitt nog een

445

schot op Borjin af, maar hij miste jammerlijk en de kogel verbrijzelde de ruit achter hem. Borjins schot bleek daarentegen veel beter gericht.

Pitt ving nog een glimp van een gevederde pijl op alvorens die zich met een doffe plof net onder zijn hart in zijn borstkas boorde. De klap was zo hard dat hij achteroversloeg. Tijdens zijn val zag Pitt in een flits hoe Borjin met een kruisboog in zijn armen stond. Een onvergetelijke aanblik. Het maanlicht glansde op zijn tanden, die blikkerden in een zelfgenoegzame, moorddadige grijns.

61

Nadat hij de terreinwagen tussen de brokstukken van de ingestorte muur bij de hoofdingang had gemanoeuvreerd, stuurde Gunn de Range Rover naar een niet al te hoge heuvel even buiten het landgoed en reed in één ruk door naar de top. Daar keerde hij de auto en deed de lichten uit. Vanaf deze verhoging hadden ze een uitstekend uitzicht over het instortende landgoed onder hen. De ziedende bergstroom stortte zich bulderend door de gaten in de kapotgebeukte muur, waar het langs het nog voortdurend afkalvende woonhuis kolkte, terwijl er aan de andere kant enorme rookwolken en steeds hogere steekvlammen uit het laboratorium opstegen.

'Wat mij betreft blijft er geen spaan heel van die troep,' zei Wofford, terwijl hij de verwoesting met een tevreden gezicht bekeek.

'Gezien het feit dat de dichtstbijzijnde brandweerpost hier zo'n tweehonderd kilometer vandaan is, zit dat er dik in,' reageerde Gunn. Omdat hij door de op volle toeren blazende verwarming zweette als een otter, stapte hij de auto uit. Achter hem volgde Giordino zijn voorbeeld en kwam met zijn been trekkend naast hem staan. Er klonken schoten, die vanuit het woonhuis leken te komen, en een paar minuten later hoorden ze nog een schot.

'Hij had niet in zijn eentje terug moeten gaan,' zei Giordino vloekend.

'We hadden hem toch niet kunnen tegenhouden,' reageerde Gunn. 'Hij redt 't heus wel.'

Maar een onbestemd gevoel in zijn maag ondermijnde die uitspraak.

Borjin zette de middeleeuwse kruisboog terug in de kast met zijn collectie antieke wapens, deed een paar passen naar het kapotgeschoten raam en wierp een vluchtige blik naar buiten. Achter het huis had het snelstromende water zich in een enorme poel verzameld tot het over de achterrand van het terrein heen stroomde en in een brede waterval het dal instortte. Voor Borjin was het stijgende water dat zich op de binnenplaats ophoopte en het heiligdom angstwekkend dicht was genaderd, van groter zorg. Met een zorgelijke blik bekeek hij het stenen bouwwerk. Het hoofdgebouw was nog intact, maar het gewelfde voorportaal was door de aardbeving ingestort.

Zonder Pitt, die aan de andere kant van het vertrek languit op de grond lag, nog één blik waardig te keuren, snelde hij de vergaderzaal uit en waadde naar de nabijgelegen trap. Terwijl hij naar beneden liep, zoog het neerkletterende water aan zijn benen en hij moest zich krampachtig aan de leuning vasthouden om niet te worden meegesleurd. Halverwege bleef hij heel even staan om naar het donkere portret te kijken, dat daar boven de overloop hing. Na een kort knikje naar het schilderij van de Grote Khan vervolgde hij zijn weg. Beneden stond het water bijna tot aan zijn middel, totdat hij de zijdeur opendeed en er een enorme gulp ijskoud water de binnenplaats op stroomde. Strompelend als een dronken zeeman kloste hij over het ondergelopen erf naar de ingestorte ingang van het heiligdom. Nadat hij over een stapel puin was geklauterd, ging hij de met fakkels verlichte ruimte binnen en zag tot zijn opluchting dat er maar een paar centimeter water over de ietwat verhoogde vloer stroomde.

Nadat hij had vastgesteld dat de graftombes onbeschadigd waren, controleerde hij de zijmuren en het plafond. Over het koepelvormige plafond liep een heel spinnenweb van enorme scheuren. Het oude bouwwerk stond door de aardbeving op instorten. Nerveus liet Borjin zijn blik van het plafond naar de middelste tombe zakken en hij vroeg zich af hoe hij zijn kostbaarste bezit het beste kon beschermen. De schim die langs een van de fakkels schoot, zag hij niet.

'Uw wereld stort om u heen in elkaar, Borjin. En sleept u met zich mee.'

De Mongoliër tolde om zijn as en verstijfde alsof hij een spook voor zich zag. De geest van Pitt stond fier overeind midden in het vertrek. Met de pijl van de kruisboog die uit zijn borst naar voren stak, bood hij een onwezenlijke aanblik. Alleen de Colt .45 in zijn hand, die strak op Borjins borst was gericht, verjoeg ieder idee aan een bovennatuurlijke wederopstanding. Borjin kon alleen maar vol ongeloof terugstaren.

Pitt stapte opzij naar een van de marmeren tombes aan de zijkant van de ruimte en wees er met de loop van zijn pistool op. 'Mooi van u dat u uw verwanten zo in uw buurt houdt. Uw vader?' vroeg hij.

448

Borjin knikte zwijgend en probeerde zich tegenover de pratende dode weer iets van een houding te geven.

'Uw vader heeft die kaart van het graf van Dzjengis Khan van een Britse archeoloog gestolen,' zei Pitt, 'maar daar stond de vindplaats niet goed genoeg op aangegeven.'

Borjin keek Pitt met een opgetrokken wenkbrauw aan. 'Mijn vader had informatie over de globale vindplaats vergaard. Maar er was speciale apparatuur voor nodig om de exacte plek van het graf te vinden.'

'Het akoestisch seismische apparaat van Von Wachter?'

'Inderdaad. Met een prototype hebben we de begraven tombe ontdekt. Verdere verbeteringen aan het apparaat bleken uiterst effectief, zoals u hebt waargenomen.' De ironie droop ervan af, terwijl Borjins ogen de ruimte afspeurden op zoek naar een ontsnappingsmogelijkheid.

Pitt liep langzaam naar het midden van het vertrek en legde zijn vrije hand op de granieten tombe die op een voetstuk stond. 'Dzjengis Khan,' zei hij. Hoe moe en verkleumd hij ook was, toch voelde hij iets van een merkwaardige eerbied nu hij zich zo dicht bij de beroemde veroveraar bevond. 'Ik vermoed dat het Mongoolse volk er niet echt van gecharmeerd zal zijn dat u hem in uw achtertuin bewaart.'

'Het Mongoolse volk zal met volle teugen genieten van nieuwe hoogtijdagen,' antwoordde Borjin, die de laatste woorden haast uitschreeuwde. 'In de naam van Temujin zullen we ons tegen al die dwaze wereldleiders te weer stellen en hun plaats in het pantheon van de wereldheerschappij overnemen.'

Hij had dit nog niet gezegd of er weerkaatste een laag rommelend geluid over de binnenplaats. Het gerommel zwol gedurende enkele seconden aan tot een donderend geraas toen de gehele noordvleugel van het woonhuis, of wat er van over was, van de fundamenten afbrak en het ravijn in gleed.

De klap die hierop volgde, joeg een denderende dreun door het hele landgoed, en het overgebleven deel van het woonhuis en het heiligdom stonden op hun grondvesten te schudden. De vloer van het mausoleum trilde zichtbaar onder de voeten van Pitt en Borjin, waardoor ze uit hun evenwicht raakten. Pitt, die van de uitputting en kou toch al wat beverig op zijn benen stond, hield zich stevig vast aan de tombe om zijn pistool op Borjin gericht te kunnen houden.

Borjin viel op een knie, maar krabbelde toen het schudden ophield onmiddellijk weer overeind. Zijn ogen sperden zich open toen er boven hem een scherp krakend geluid klonk. Hij keek omhoog en zag een brokstuk uit het plafond vallen dat vlak naast hem op de grond kletterde.

Pitt drukte zich tegen de zijkant van de tombe toen vervolgens de hele achterkant van het heiligdom instortte. In dichte opdwarrelende stofwolken kletterde er een lawine van stenen en cement op de vloer. Pitt voelde dat er stukken van het plafond op het deksel van de tombe naast hem vielen, maar hijzelf werd niet geraakt. Hij wachtte een paar seconden tot het stof wat was opgetrokken, waarna hij frisse lucht langs zijn huid voelde strijken. Zoals hij daar midden tussen de puinhopen van het nu duistere heiligdom stond, zag hij dat het halve plafond en de gehele achtermuur door de aardverschuiving waren weggeslagen. Tussen de stapels puin door kon hij duidelijk de kraal erachter zien en de oldtimer die er geparkeerd stond.

Het duurde even voordat hij Borjin tussen het puin terugvond. Alleen zijn hoofd en een deel van zijn bovenlichaam staken onder een stapel stenen uit. Toen Pitt er naartoe liep, sloeg Borjin zijn ogen op en staarde met een lege, matte blik omhoog. Er liep een straaltje bloed uit zijn mond en Pitt zag dat de nek van de Mongoliër in een onnatuurlijke knik lag. Geleidelijk richtte zijn blik zich op Pitt en er flitste woede in op.

'Waarom… waarom ga jij niet dood?' stamelde Borjin.

Maar het antwoord hoorde hij niet meer. Er borrelde een verstikte rochel uit zijn keel op en over zijn ogen zakte een mat waas. Met een door zijn eigen overwinningsmonument vermorzeld lichaam stierf Tolgoi Borjin in de schaduw van Dzjengis Khan.

Pitt bekeek het geknakte lichaam zonder medelijden, terwijl hij de nog altijd stevig in zijn hand geklemde Colt langzaam liet zakken. Hij tastte naar zijn borst en trok de rits van de grote jaszak open. In het maanlicht zag hij de dikke handleiding van het seismische apparaat met het metalen klembord dat Gunn daar had opgeborgen. Maar nu stak er een pijl dwars doorheen, helemaal tot aan het klembord, dat hem als een schild had beschermd tegen een ogenblikkelijk dodelijke steek in zijn hart.

Pitt keek op het levenloze lichaam van Borjin neer.

'Soms heb ik gewoon geluk,' zei hij hardop als antwoord op Borjins laatste vraag.

Door het instorten van de noordvleugel van het woonhuis stroomde er nu meer water door de binnenplaats. De stroming langs het heiligdom was zo krachtig dat ook het restant dreigde in te storten. Het was slechts een kwestie van tijd tot de grond onder het heiligdom zo door het water doordrenkt was geraakt dat de hele binnenplaats langs de helling weg zou glijden. De tombe van Dzjengis Khan zou in het geweld worden meegesleurd en zijn botten zouden ditmaal voorgoed verloren gaan.

Pitt draaide zich om en wilde wegrennen voordat ook de andere muren zouden instorten, maar hij aarzelde toen hij door de weggeslagen muur de er achter gelegen kraal zag. Hij draaide weer terug en keek naar de tombe van Dzjengis, die op wonderbaarlijke wijze tussen het puin nog onbeschadigd overeind stond. In een flits vroeg Pitt zich af of hij wellicht de laatste was die ooit nog een blik op het graf zou werpen. Hij kreeg een idee. Het was een zotte gedachte en onwillekeurig grinnikend liepen de koude rillingen hem over de rug.

'Oké, beste jongen,' mompelde hij tegen de tombe, 'laat maar eens zien of je nog een verovering in je hebt.'

62

Met een pijnlijke tinteling kwam het gevoel in Pitts ijskoude voeten terug toen hij over de restanten van de achtermuur van het heiligdom naar buiten klauterde en naar de kraal liep. Licht wankelend bereikte hij de zijkant en rukte snel een paar planken van de omheining weg om een opening te maken. Vervolgens maakte hij, hardhandig kisten en kratten wegschuivend en gooiend, een weg vrij door alle opgeslagen troep tot hij zijn doel bereikte: de met een dikke laag stof bedekte oldtimer.

Het was een Rolls-Royce Silver Ghost cabriolet uit 1921 met een door de Engelse constructeur Park Ward op bestelling vervaardigde carrosserie. Onder een in vele tientallen jaren opgehoopte laag vuil ging nog de originele auberginepaarse lak schuil. De dof geworden kleur sloot naadloos aan bij de gladde aluminium motorkap en wieldoppen. Pitt vroeg zich af hoe een auto, die je toch eerder in de straten van Londen verwachtte, hier in het verre Mongolië verzeild was geraakt. Hij herinnerde zich dat T.E. Lawrence ooit een gepantserde en op het chassis van een Silver Ghost uit 1914 gebouwde Rolls-Royce had bezeten die hij bij zijn veldtochten in de Arabische woestijn tegen de Turken had gebruikt. Wellicht was de reputatie van onverwoestbaarheid in woestijnachtige omstandigheden van de Rolls daarna tot in de Gobi doorgedrongen. Of anders was deze van vóór de Mongoolse revolutie stammende auto misschien het enige symbool van rijkdom dat Borjins familie van de communistische partij had mogen behouden.

Maar Pitt brak er verder zijn hoofd niet over. Voor hem was van belang dat hij een slinger met zilveren handvat uit de neus naar voren zag steken. De slinger diende als noodhulp voor de allereerste elektrische startmotoren en bood Pitt de mogelijkheid de auto, ook al was de accu waarschijnlijk leeg, toch te starten. Onder de voorwaarde natuurlijk dat het motorblok niet bevroren was.

Pitt opende aan de chauffeurskant het rechterportier en zette de versnelling in zijn vrij. Vervolgens liep hij naar de voorkant van de auto, bukte zich en pakte de slinger met beide handen beet. Hij zette zich schrap en trok de slinger omhoog, maar die zat stevig vast. Kreunend probeerde hij het nog een keer, waarop de slinger een paar centimeter meegaf. Hij rustte een moment uit en gaf een derde ruk. Nu schoot de slinger door en bracht de zes zuigers in de cilinders in beweging.

Door zijn eigen bescheiden collectie oldtimers in zijn huis in Washington kende Pitt de fijne kneepjes van het starten van een ouderwetse automobiel. Nadat hij weer achter het stuur was gaan zitten, stelde hij het gaspedaal, de ontsteking en de toerenregelaar af met behulp van de hendels die zich aan het stuur bevonden. Daarna opende hij de motorkap en draaide een ventiel open op een koperen bus, waarin hij hoopte dat benzine zat. Vervolgens liep hij terug naar de slinger en maakte zich op om de motor met de hand aan te zwengelen.

Met iedere slingerbeweging klonk er gehijg en gepuf waarmee de motor lucht en brandstof probeerde op te zuigen. Door de kou ondermijnd boette Pitt bij iedere zwengel aan kracht in. Desondanks zette hij door, na steeds weer een zucht van de motor. Na de tiende keer kuchte de motor. En na nog een paar zwengels sputterde hij heel even. Ondanks zijn verkleumde voeten parelde het zweet op zijn voorhoofd. Opnieuw gaf Pitt een ruk aan de slinger. In de motor kwam de brandstof tot ontbranding en ploffend sloeg de motor aan.

Pitt pauzeerde even, terwijl de oude motor warmdraaide en er een dikke, vettige rookzuil uit de roestige uitlaatpijp walmde. In de kraal rondstruinend vond hij een klein vat met kettingen, dat hij op de achterbank zette. Nadat hij weer achter het stuur had plaatsgenomen, drukte hij met zijn verkleumde voet het koppelingspedaal in, schakelde in de eerste versnelling en reed de Rolls hortend en stotend de kraal uit.

63

'**H**et is nu ruim een uur geleden,' merkte Gunn op, nadat hij een bezorgde blik op zijn horloge had geworpen.

Hij stond met Giordino op de verhoging en keek naar de verwoesting die zich voor hen afspeelde. Er woedde een hevige vuurzee in het laboratorium, die het hele gebouw plus de aangrenzende garage in de as legde. De in de donkere rookwolken hoog oplaaiende vuurtongen hulden het landgoed in een gele gloed. Aan de overkant van de tuinen was een groot gedeelte van het woonhuis weggeslagen en stroomde het kolkende water door een geul waar ooit de noordvleugel van het gebouw had gestaan.

'Laten we nog snel even terugrijden,' stelde Giordino voor. 'Misschien is hij gewond en kan hij lopend niet wegkomen.'

Gunn knikte. Het was bijna een uur geleden dat ze de schoten in het huis hadden gehoord. Pitt had daar allang weg moeten zijn.

Net toen ze naar de auto terug wilden lopen, hoorden ze in de diepte een donderend geraas opklinken. Dit was geen aardbeving, begrepen ze, maar meer het eroderende effect van het stromende water. Ze bleven staan en keken omlaag naar wat zij vreesden dat nu zou volgen. Vanaf hun standpunt leek het een instortend kaartenhuis. Aan de noordkant van het hoofdgebouw stortten de muren een voor een in. Naar het leek in een steeds snellere opeenvolging, als de wave in een stadion van achteren naar voren. De muren van het middengedeelte van het woonhuis vouwden zich met dreunende klappen over elkaar heen en verdwenen in het water. De enorme witte spits boven de ingang zakte weg en viel in het stromende water in duizenden brokstukken uiteen. Gunn en Giordino zagen alleen nog puinhopen uit het water opsteken, terwijl er grote brokken van het woonhuis losraakten en over de rand van het terrein langs de helling wegspoelden. Het was in enkele seconden gebeurd. Er stond alleen nog een klein deel van de zuidvleugel overeind, aan de rand van een brede waterstroom die over de plek kolkte waar eens het woonhuis had gestaan.

Nu het huis weg was, was ook iedere hoop dat ze Pitt levend terug zouden zien vervlogen. Gunn en Giordino begrepen dat niemand in en bij het huis dit overleefd kon hebben. Zwijgend bleven ze roerloos staan. Samen staarden ze in sombere gedachten verzonken naar de van richting veranderde rivier, die nu bruisend over de fundamenten van het huis stroomde en zich kolkend over de rand in het ravijn stortte. Het bulderen van de woeste waterstroom en het knetterende geraas van het verzengende vuur verstoorden de rust van het middernachtelijk uur. Tot Gunns oren in het helse kabaal een ander geluid opvingen.

'Wat is dat?' vroeg hij. Hij wees naar een stuk muur van de zuidvleugel die nog op droge grond stond en bij het instorten van het hoofdgebouw niet was meegesleurd. Vanaf een wal erachter klonk het hoge gierende geluid van een op hoge toeren lopende motor. Af en toe sputterde de motor even, maar verder leek hij op maximaal vermogen te lopen. Het geluid zwol aan tot ze een stel lichten zagen die langzaam over de helling bewogen.

Door de rook en de vlammen van het brandende laboratorium leek het alsof er een reusachtige voorwereldlijke tor uit een gat in de grond kwam gekropen. Twee ronde, gedempt schijnende lampen doorboorden als een stel grote gele ogen het nachtelijke duister. Erachter volgde een glanzend metalen romp die gedeeltelijk schuilging in de door het klauwende achterlijf opgeworpen stofwolken.

Door de witte wolk die rond zijn kop hing, leek het zelfs of het bewegende dier stoom afblies.

Het beest ploegde moeizaam voort tot het ten slotte ogenschijnlijk vechtend voor iedere meter de rand van de wal bereikte. Plotseling blies een felle windvlaag de rook weg en in het licht van het oplaaiende vuur zagen Gunn en Giordino dat het niet een uit zijn krachten gegroeid insect was, maar de antieke Rolls-Royce uit de kraal.

'Er is maar één vent die zo'n oude brik op zo'n manier aan de praat kan krijgen,' riep Giordino opgetogen uit.

Ze sprongen in de Range Rover, waarna Gunn de terreinwagen langs de helling omlaag stuurde en terug naar het landgoed scheurde. Toen ze de koplampen op de Rolls richtten, zagen ze dat de oude auto nog steeds vooruit worstelde en dat er een aan de achterbumper bevestigde ketting strak stond. Het zwoegende beest probeerde wanhopig iets zwaars over de wal te trekken.

In de Rolls zwaaide Pitt naar de naderende Range Rover, waarna hij zich weer vol overgave aan het voortploegen van de oude auto wijdde. Met een gevoelloze voet hield hij het gaspedaal tot op de bodem ingedrukt. In de eerste versnelling tolden en maaiden de versleten en haast lege banden op zoek naar grip voortdurend wegslippend door de losse aarde. Maar het gewicht bleek te zwaar en de enorme personenwagen leek de strijd te verliezen. Onder de motorkap begon de afgejakkerde motor met luide knallen tegen te sputteren. Alle koelvloeistof die nog in het motorblok en de radiator had gezeten, was verdampt en Pitt begreep dat de motor het elk moment kon begeven.

Verbaasd zag hij Giordino opeens naast zich opduiken, die met een knipoog en een brede glimlach de rand van het portier greep. Ondanks zijn verbonden been wierp hij zich met zijn hele gewicht tegen de auto en duwde met de rijrichting van de auto mee. Nu doken ook Gunn, Wofford en zelfs Theresa op, die ieder een plekje rond de auto zochten en uit alle macht begonnen mee te duwen.

Deze extra mankracht was precies voldoende om de auto over het dode punt heen te krijgen. Met een plotselinge ruk sprong de enorme bak vooruit en tien meter erachter wipte een groot granieten blok over de rand van de wal, waarna het soepel meegleed met de herwonnen snelheid van de Rolls. Nadat hij naar een veilige en droge plek was doorgereden, zette Pitt in een sissend vrijkomende witte walm gehuld de motor af.

Toen de damp was opgetrokken zag Pitt dat hij door een tiental wetenschappers en technici werd omringd, plus een paar bewakers die de pogingen om het vuur in het laboratorium te blussen hadden opgegeven om te gaan kijken wat hier gebeurde. Hij stapte voorzichtig uit en liep naar de achterkant van de Rolls. Giordino en de anderen stonden daar bijeen en bevestigden dat het aan de ketting meegesleepte voorwerp Pitts actie onbeschadigd had overleefd.

Omdat de omstanders dichterbij drongen, greep Pitt uit angst voor een onverhoedse aanval zijn .45. Maar hij had zich geen zorgen hoeven maken.

Toen ze zagen dat de sarcofaag van Dzjengis Khan uit de overstroming was gered, barstten de bewakers en wetenschappers in luid gejuich uit en applaudisseerden voor hem.

EEN REIS NAAR
HET PARADIJS

De graftombe van Dzjengis Khan

64

De kruiser *Anzio* van de Amerikaanse marine draaide vanuit haar basis voor de kust van de Verenigde Arabische Emiraten, zo'n honderdzestig kilometer in de Straat van Hormuz, naar het noorden en volgde een strakke koers door de Perzische Golf. Hoewel het allesbehalve het grootste schip in de Golf was, was de Aegis-kruiser van de Ticonderoga-klasse verreweg de meest dodelijke. Met het *phased array*-radarsystem dat zich onzichtbaar in de doosachtige opbouw van het schip bevond, was het mogelijk ieder vijandelijk doel te land, ter zee en in de lucht binnen een straal van ruim driehonderd kilometer feilloos te lokaliseren en aan te vallen. Met één druk op een knop kon een van de 121 Tomahawk- of Standard-raketten uit de benedendeks gesitueerde verticale lanceerinstallatie de lucht in worden gezonden om het aan te vallen doel binnen enkele seconden te vernietigen.

Het hightech-arsenaal werd aangestuurd vanuit het Combat Information Center, een schemerige controlekamer diep in het binnenste van het schip. In het schijnsel van de gedempte blauwe plafondverlichting bestudeerde kapitein-ter-zee Robert Buns een van de grote projectieschermen aan de wand. Op het scherm was in full colour een fotografische weergave van de directe omgeving van de Golf te zien, waarover zich allerlei geometrische vormen en symbolen al dan niet knipperend bewogen. Al deze symbolen waren schepen of vliegtuigen die door het radarsysteem werden gevolgd. Een van de symbolen, een felrode stip, schoof van links naar rechts in de richting van de Straat van Hormuz; een koers die het pad van de *Anzio* zou kruisen.

'Onderschepping over twaalf mijl,' zei Buns. Hij was een nauwgezette, maar tevens geestige commandant die door zijn bemanning op handen gedragen werd, en tot dan toe had hij zijn taak hier in de Golf met plezier vervuld. Afgezien van het feit dat hij zijn vrouw en twee kinderen miste, beschouwde hij zijn werk in de Golf als een inspirerende en door het gevaar af en toe spannende uitdaging.

'Over drie mijl zijn we in de territoriale wateren van Iran,' waarschuwde de jonge taco-officier die naast hem stond. 'Het is duidelijk dat zij de Iraanse kust voor alle zekerheid zoveel mogelijk mijden.'

'Na de ramp op het eiland Khark geloof ik niet dat de Iraniërs deze gasten hartelijk welkom zullen heten,' reageerde Buns. 'Pat, ik denk dat ik 't maar eens vanaf de brug ga bekijken. Jij hebt hier het commando.'

'Oké, kapitein. We houden radiocontact voor het geval dat.'

Buns liep van het schemerige commandocentrum naar de hoger gelegen brug, die baadde in het felle zonlicht dat van het omringende wateroppervlak weerkaatste. Naast het stuurrad stond een donkerharige officier door een verrekijker naar een zwart schip te turen dat voor hen voer.

'Is dat het bewuste object?' vroeg de commandant.

Kapitein-luitenant-ter-zee Brad Knight, de inlichtingenofficier aan boord van de *Anzio*, knikte.

'Ja, dat is het boorschip. Luchtverkenning heeft bevestigd dat het de *Bayan Star* uit Kuala Lumpur is. Hetzelfde schip dat onze satellieten vlak voor de aardbevingen bij Ras at Tannurah en het eiland Khark hebben waargenomen.'

Knight keek omlaag naar het voordek van de kruiser, waar een contingent mariniers in aanvalsuitrusting een tweetal Zodiac-boten in gereedheid bracht.

'We zijn klaar om aan boord te gaan, commandant.'

'Goed, laten we maar eens kijken of de *Bayan Star* coöperatief is.'

Buns liep naar de achter zijn apparatuur gezeten radio-officier en gaf een bevel door. De kruiser begon het boorschip op te roepen, eerst in het Engels en daarna in het Arabisch, met het bevel te stoppen en zo te manoeuvreren dat de inspectieploeg aan boord kon komen. Het boorschip negeerde beide oproepen.

'Geen verandering van snelheid,' meldde de man aan de radar.

'Ik begrijp het niet. Ze hebben ook al niet op de Hornets gereageerd,' zei Knight. Twee F/A-18's van het vliegdekschip *Ronald Reagan* hadden het boorschip een uur achtervolgd en voortdurend met oproepen bestookt.

'Dan moet het maar op de ouderwetse manier met een schot voor de boeg,' zei Buns. De kruiser beschikte over twee kanonnen met een kaliber van twaalfenhalve centimeter, waarmee een dergelijk schot, en nog veel meer, kon worden afgevuurd.

De kruiser was het boorschip tot op minder dan twee mijl genaderd, toen de man aan de radar riep: 'Ze mindert vaart, commandant.'

Buns boog opzij en keek op het radarscherm, waar hij zag dat het in zuidwestelijke richting bewegende knipperende puntje tot stilstand kwam. 'Leg ons langszij. Hou de inspectieploeg paraat.'

De gestroomlijnde grijze kruiser zwenkte naar het noordoosten, zodat ze, gescheiden door een strook water van zo'n achthonderd meter breed, parallel kwam te liggen met het boorschip. De mariniers sprongen in de Zodiacs, die vervolgens pijlsnel te water werden gelaten. Toen ze van de *Anzio* naar het boorschip wegvoeren, richtte een gealarmeerde Knight zich opeens tot Buns. 'Commandant, ik zie twee boten in het water bij het achterschip. Volgens mij is de bemanning het schip aan het verlaten.'

Buns pakte een verrekijker en tuurde naar het boorschip. Er voeren twee reddingsboten vol in zwarte overalls geklede bemanningsleden weg van het schip. Toen Buns zijn verrekijker naar het haveloze schip terugzwenkte, zag hij nog juist dat er witte rookwolkjes uit de lagere dekken opstegen.

'Ze willen het schip tot zinken brengen,' zei hij. 'Roep de inspectieploeg terug.'

Terwijl de bemanning van de *Anzio* verbaasd toekeek, kwam het schip steeds dieper te liggen. Binnen enkele minuten spoelde het zoute water van de Perzische Golf over de boeg. Naarmate de boeg dieper wegzakte, kwam het achterschip verder omhoog, totdat het volgelopen schip met een plotselinge schok naar de bodem schoot.

Knight keek hoofdschuddend naar de woest schuimende kolk die boven het scheepsgraf opbruiste.

'Dit zal het Pentagon niet leuk vinden. Ze wilden per se dat we het schip intact zouden opbrengen. Ze waren nogal nieuwsgierig naar de technologie daar aan boord.'

'We hebben in ieder geval de bemanning,' zei Buns, terwijl hij naar de twee reddingsboten knikte die nu gewillig op de kruiser afvoeren. 'En het Pentagon kan ook het schip nog krijgen als ze dat willen. Het ligt op nog geen honderd meter diepte in de Iraanse wateren,' voegde hij er grijnzend aan toe.

65

Er blies een snijdende wind over de lagere hellingen van de Burkhan Khaldun en de talloze blauw-met-rode nationale vlaggen van Mongolië wapperden strak in de lucht. De grootste vlag, een reusachtige banier van minstens vijftien meter breed, hing flapperend boven een groot granieten mausoleum, waarvan de gebeeldhouwde voorkant de afgelopen dagen nog haastig door plaatselijke handwerkslieden was afgemaakt. Het lege mausoleum werd omringd door een menigte hoogwaardigheidsbekleders, speciale genodigden en verslaggevers, die in afwachting van de komst van de toekomstige bewoner rustig met elkaar stonden te praten.

Opeens trok er een spoor van opgewonden gefluister door de menigte tot iedereen stilviel toen het geluid van marcherende laarzen naderbij kwam. Tussen de dennenbomen verscheen een compagnie soldaten van het Mongoolse leger die doorliepen tot vlak voor de wachtende menigte. Ze waren de voorhoede van het lange militaire ere-escorte dat het stoffelijke overschot van Dzjengis Khan naar zijn laatste rustplaats begeleidde.

Dzjengis was tijdens een veldslag bij Yinchuan in het noordwesten van China van zijn paard gevallen en een paar dagen later aan de daarbij opgelopen verwondingen overleden. In een geheime begrafenisstoet was zijn lichaam naar Mongolië teruggebracht en in 1227 aan de voet van de Burkhan Khaldun begraven, maar in de annalen van de geschiedenis worden geen details van de lijkstoet vermeld. Omdat ze hun vijanden over zijn dood in het ongewisse wilden laten en de plaats van zijn graf voor eeuwig geheim moest blijven, lag het voor de hand dat zijn krijgskameraden zijn kist in een onopvallende, misschien zelfs heimelijke stoet hebben vervoerd om hem ergens op een niet-gemarkeerde plek te begraven. Bijna acht eeuwen later was er absoluut niets geheims meer aan zijn herbegrafenis.

Het lichaam van de Mongoolse krijgsheer had een week lang in Ulaanbaatar opgebaard gelegen en er waren ruim twee miljoen mensen langsgetrokken. Dat was meer dan tweederde van de totale bevolking van het land. Vanuit de verste uithoeken was het volk met duizenden tegelijk naar de hoofdstad gekomen om een blik op zijn kist te werpen. De drie dagen durende tocht naar zijn graf in het Chentejgebergte trok een minstens even indrukwekkende hoeveelheid belangstellenden die zich in dikke rijen zwaaiend met vlaggetjes en afbeeldingen van de oude heerser langs de route verdrongen. Vrouwen en kinderen hadden huilend naar de voorbijrijdende kist gezwaaid, alsof het een zojuist overleden, geliefd familielid betrof. De derde etappe van de lijkstoet was een dag van nationale rouw en zou in de toekomst een algemene herdenkingsdag zijn. Op deze dag beklom de stoet een geïmproviseerde weg naar een vredige plek aan de voet van de Burkhan Khaldun, waar de krijgsheer volgens de overlevering was geboren.

Pitt, Giordino en Gunn zaten samen met Theresa en Wofford op de eerste rij van de hoogwaardigheidsbekleders, slechts een paar plaatsen verwijderd van de Mongoolse president en regeringsleiders. Toen de begrafenisstoet naderde, draaide Pitt zich om en knipoogde naar een jongen die achter hem zat. Noyon en zijn ouders zaten daar als speciale genodigden van Pitt en keken vol ontzag naar alles wat er zich om hen heen afspeelde. Met wijd open ogen staarde de jongen gebiologeerd naar de kist van de Khan.

In een voor de grootste veroveraar die de wereld ooit heeft gekend passende pracht en praal lag het stoffelijk overschot van Dzjengis Khan in een reusachtige, felgeel geverfde houten kist. Een schitterend span van acht sneeuwwitte hengsten trok de lijkwagen in een ogenschijnlijk perfect synchrone tred. Op de wagen stond de granieten tombe die Pitt uit het water had gered en nu met een laag lotusbloemen was bedekt.

Een groep bejaarde lama's in felrode gewaden met hoge gele hoeden op het hoofd stelde zich in een plechtig stilzwijgen voor de graftombe op. Onder aan de heuvel blies een stel monniken op *radongs*, enorme telescopische hoorns die een zware, tot ver in het dal hoorbare baritontoon voortbrachten. Toen de lage trillingen in de wind waren weggestorven, zetten de lama's een lang doodsgebed in, dat ze met trommels, tamboerijnen en wierook begeleidden. Na afloop van de ceremonie maakten de lama's plaats voor een oude sjamaan die het podium betrad. In de tijd van Dzjengis Khan speelden mystiek en sjamanisme een belangrijke rol in het nomadische bestaan. De grijsharige, in kariboevellen gehulde en met een lange wapperende baard getooide sjamaan danste zingend rond een groot vuur van brandende schapenbotten. Met een schelle kreet zegende hij het stoffelijk overschot van de Khan, dat hij van het land van de eeuwige blauwe hemel naar een hiernamaals van hemelse veroveringen bevorderde.

Toen ook deze plechtigheid was afgelopen, werd de granieten sarcofaag het mausoleum ingereden, waarna de tombe werd verzegeld met een zes ton zware, gepolijste stenen plaat die er met behulp van een kraan werd neergezet. De toeschouwers zouden later allemaal zweren dat ze op het exacte moment dat de tombe werd gesloten in de verte een donderslag hoorden, ondanks dat er geen wolkje aan de lucht te zien was. Dzjengis Khan rustte weer in de door hem zo geliefde bergstreek waar hij vandaan kwam en zijn graf zou voorgoed een cultureel mekka zijn voor toeristen, historici en het hele Mongoolse volk.

Toen de menigte zich begon te verspreiden, kwamen Iwan Corsov en Alexander Sarghov, die in gezelschap van de Russische ambassadeur een paar rijen verder naar achteren hadden gezeten, naar voren toe.

'Ik begrijp dat je net zo vaardig bent met het ophalen van historische schatten uit de grond als uit de zee,' zei Sarghov lachend, terwijl hij Pitt en Giordino met een hartelijke omhelzing begroette.

'Ja, gewoon een bonus, omdat we wilden weten waarom iemand heeft geprobeerd de *Vereshchagin* tot zinken te brengen,' antwoordde Pitt.

'Inderdaad. Overigens moeten we dat gezamenlijke onderzoeksproject op het Bajkalmeer nog wel afmaken. Volgend seizoen zal de *Vereshchagin* gerepareerd en wel weer voor ons klaarliggen. Ik hoop dat jullie dan weer komen.'

'Doen we, Alexander.'

'Maar dan geen vloedgolven meer, alsjeblieft,' voegde Giordino eraan toe.

Corsov kwam schuchter met zijn vertrouwde oor-tot-oorgrijns een stapje dichterbij.

'Een knap staaltje geheimedienstwerk, vrienden,' zei hij. 'Kom bij de Russische Federale Inlichtingendienst, daar kunnen ze talenten zoals jullie heel goed gebruiken.'

'Ik vrees dat mijn baas daar het een en ander tegenin te brengen heeft,' reageerde Pitt lachend.

De president van Mongolië kwam met een klein gevolg op hen af. Sarghov nam haastig afscheid en Pitt zag dat Corsov ijlings in de hen omringende opgewonden menigte verdween. De president, een kleine, goed verzorgde man van vijfenveertig, sprak vrijwel vlekkeloos Engels.

'Meneer Pitt, namens het volk van Mongolië wil ik u en uw NUMA-team bedanken dat u Dzjengis voor het nageslacht hebt gered.'

'Een dergelijke historische reus verdient het om eeuwig voort te leven,' antwoordde Pitt met een knikje naar het mausoleum. 'Ook al is het een schande dat de rijkdommen uit het graf verloren zijn gegaan.'

'Ja, het is diep tragisch dat de schatten van Dzjengis bij verzamelaars over de hele wereld zijn terechtgekomen, enkel en alleen om de beurs van Borjin en zijn nazaten te spekken. Wellicht kan ons land van de revenuen van de ontdekte oliereserves een deel van de antiquiteiten terugkopen. Uiteraard is het zo dat de archeologen ervan uitgaan dat er een veel grotere schat bij het graf van Kublai Khan ligt, dat Borjin godzijdank niet heeft kunnen vinden. Kublai en zijn schat liggen tenminste nog ongestoord in Mongoolse grond begraven, hier ergens onder deze heuvels.'

'Kublai Khan,' mompelde Pitt, terwijl hij naar het mausoleum van Dzjengis staarde. Op de granieten voorkant ontdekte hij de uitgehakte beeltenis van een eenzame wolf, waarvan de omtrek met blauw was ingekleurd.

'Ja, zo luidt de legende. Meneer Pitt, ik wil u ook graag persoonlijk bedanken voor het aan het licht brengen van de corrupte activiteiten van de familie Borjin en uw bijdrage aan het beëindigen van hun onrechtmatige praktijken. Ik heb een onderzoek ingesteld naar de mate waarin hun invloed tot binnen de regeringskringen was doorgedrongen. Wat er nog van hun ondernemingen over is, zal met de heer Borjin begraven worden, dat beloof ik u.'

'Ik hoop dat Tatjana zich als een coöperatieve getuige zal opstellen.'

'Reken maar,' reageerde de president met een steelse grijns. Hij wist dat Tatjana zich in een allesbehalve comfortabele verzekerde bewaring bevond. 'Met haar hulp en in een voortgezette samenwerking met uw vrienden van de oliemaatschappij,' zei hij met een knikje naar Theresa en Wofford, 'zullen we de ontdekte oliereserves ten gunste van een nieuw Mongolië kunnen exploiteren.'

'En China zal niet terugkomen op hun belofte om Binnen-Mongolië af te staan?' vroeg Gunn.

'Dat is politiek veel te riskant voor hen, zowel internationaal als ook binnen de grenzen van Binnen-Mongolië, waar de bevolking in overgrote meerderheid voor een afscheiding van China is. Nee, de Chinezen zullen

al lang blij zijn dat we zijn overeengekomen hun de olie tegen een redelijke prijs te leveren. Dat wil zeggen, zolang de aanleg van onze pijpleiding
naar de Russische haven Nachodka nog niet is voltooid.' De president
glimlachte en zwaaide naar de Russische ambassadeur, die een paar meter
verderop met Sarghov stond te praten.

'Kunt u ervoor zorgen dat de olieopbrengsten ten goede komen aan de
mensen die dat het meeste nodig hebben?' vroeg Pitt.

'Zeker, aan uw eigen staat Alaska hebben we gezien hoe het niet moet.
Een deel van de opbrengst zal onder alle mannen, vrouwen en kinderen
van het land worden verdeeld. De rest zullen we gebruiken voor verbeteringen in de gezondheidszorg, het onderwijs en de infrastructuur. Van Borjin hebben we geleerd dat er geen cent van de winsten in de handen van
een particulier mag komen. Ik kan u verzekeren dat dat niet zal gebeuren.'

'Dat is goed om te weten. Meneer de president, ik heb nog één gunst
waar ik u om wil vragen. We hebben een neergestort vliegtuig ontdekt in
de Gobiwoestijn.'

'Mijn adviseur oudheden heeft me dat al verteld, ja. We zullen er onmiddellijk een onderzoeksploeg van de Nationale Universiteit van Mongolië
naartoe sturen om het toestel op te graven. De lichamen van de inzittenden
zullen voor een fatsoenlijke begrafenis naar hun moederland worden
teruggebracht.'

'Dat verdienen ze zeker.'

'Het was me een genoegen, meneer Pitt,' zei de president, die door een
assistent aan zijn mouw werd getrokken. Hij draaide zich om en wilde
weglopen, maar aarzelde.

'Dat was ik bijna vergeten,' zei hij tegen Pitt. 'Ik heb nog een cadeautje
van het Mongoolse volk voor u. Ik heb begrepen dat u een liefhebber van
dergelijk antiek bent.'

Hij wees omlaag naar een grote oplegger die de lijkstoet op discrete afstand was gevolgd en nu onder aan de heuvel stond. Er stond een groot ingepakt voorwerp op het laadvlak van de oplegger. Terwijl Pitt en de anderen nieuwsgierig toekeken, klommen er twee arbeiders op de vrachtwagen,
die vervolgens het verhullende dekzeil wegtrokken. Eronder kwam de nog
altijd stoffige Roll-Royce van Borjins landgoed tevoorschijn.

'Dat is leuk restauratiewerk voor de vrije weekenden,' zei Wofford toen
hij de aftandse auto zag.

'Dat zal mijn vrouw Loren fantastisch vinden,' reageerde Pitt met een
sluwe grijns.

'Ik zou haar graag een keer ontmoeten,' zei Theresa.

'Zodra je weer eens in Washington bent. Hoewel ik aanneem dat je voorlopig hier in Mongolië nog werk te doen hebt.'

'Van onze baas hebben we drie weken betaald verlof gekregen om van alle beproevingen bij te komen. We hopen allebei naar huis te kunnen gaan en zodra we daar klaar voor zijn, zullen we hier zeker terugkomen.'

Uit de blik waarmee ze Giordino aankeek en de toon waarop ze het zei, was het duidelijk dat ze met dat 'we' niet Wofford bedoelde.

'Ik neem aan dat ik je niet kan overhalen om in die tijd de verzorging van een energieke oude zeerob als Al op je te nemen,' vroeg Pitt.

'Eigenlijk had ik er wel op gerekend,' antwoordde ze quasi-verlegen.

Giordino, die met zijn onderbeen in een dik verband gewikkeld op een kruk leunde, glimlachte. 'Bedankt, baas. Ik heb altijd al Rotterdam een keer willen zien.'

Nadat het vriendengroepje uit elkaar was gegaan, slenterde Pitt de helling af naar de oplegger. Bij de oude Rolls gekomen voegde Gunn zich bij hem.

'De Mongoolse minister van Energie vertelde me zojuist dat de olieprijs vandaag weer tien dollar is gezakt,' zei hij. 'De markt heeft nu toch het bericht geaccepteerd dat het Avarga Oil Consortium definitief uit de handel is verdwenen en er een einde aan de verwoestende aardschokken is gekomen. Dat samen met het nieuws dat er oliereserves in Binnen-Mongolië zijn ontdekt, heeft de deskundigen ervan overtuigd dat de prijs spoedig zal zakken naar een niveau dat lager is dan vlak voor de verwoestingen in de Perzische Golf.'

'Dus de paniek op de oliemarkt is voorbij, waarmee het gevaar van een wereldwijde economische crisis is afgewend. Hopelijk hebben de mensen die het economisch voor het zeggen hebben, nu eindelijk hun lesje geleerd en richtten ze zich serieus op de ontwikkeling van alternatieve energiebronnen.'

'Dat doen ze pas als het echt niet anders kan,' zei Gunn. 'Toevallig heb ik gehoord dat het Pentagon helemaal niet zo blij was dat alle drie de seismische apparaten van Von Wachter zijn vernietigd nadat ook de laatste in de Perzische Golf verloren is gegaan.'

'Dat valt de NUMA niet te verwijten.'

'Klopt. Het was een gelukkige samenloop van omstandigheden dat Summer en Dirk in Hawaï op Borjins broer en het tweede apparaat zijn gestuit. Of hij op hen eigenlijk. Als dat schip naar Valdez was doorgevaren en daarmee zoals gepland de pijpleiding in Alaska was verwoest, was de hel pas goed losgebroken.'

'Dat kwam door het Chinese wrak dat Summer daar had gevonden. Dat heeft hen op de een of andere manier aangetrokken,' zei Pitt. Er verscheen een peinzende trek op zijn gezicht, terwijl hij zijn hersenen naar de onderliggende logica afpijnigde. Tot er opeens een glinstering van begrip in zijn ogen oplichtte.

Gunn had daarentegen heel andere zaken aan zijn hoofd en concentreerde zich op wat de regering nu van hem verlangde.

'Niet alleen alle seismische apparatuur is vernietigd, maar ook al het onderzoeksmateriaal van Von Wachter. Kennelijk had Borjin alle resultaten van het werk van de professor in het laboratoriumgebouw ondergebracht, waar alleen nog een stapel houtskool van over is. Er is werkelijk niets overgebleven waar iemand de technologie nog uit zou kunnen herleiden.'

'Is dat erg?'

'Ik neem aan van niet. Maar ik zou me een stuk beter voelen als ik wist dat die kennis in onze handen is en niet in die van lieden als Borjin.'

'Even tussen jou en mij en de auto,' zei Pitt, 'maar ik weet toevallig dat de bedieningshandleiding die jij uit het lab had meegenomen de overstroming en de brand heeft overleefd.'

'De handleiding is er nog? Dat ding zou een enorme steun in de rug zijn voor iemand die het werk van Von Wachter probeert te reconstrueren. Hij is veilig opgeborgen, hoop ik.'

'Dat kun je wel stellen, ja.'

'Weet je dat zeker?' vroeg Gunn.

Pitt liep naar de achterkant van de Rolls en opende een grote leren koffer, die op het bagagerek van de auto was bevestigd. Op de bodem lag de bedieningshandleiding van het seismische apparaat met de schacht van de pijl er nog in.

Gunn floot zachtjes tussen zijn tanden, deed zijn handen voor zijn ogen en wendde zich af.

'Dat heb ik nooit gezien,' zei hij.

Pitt gespte de koffer weer dicht en wierp een terloopse blik op de rest van de auto. Boven hen pakte zich in hoog tempo vanuit het westen een dik wolkendek samen. De overgebleven rouwenden die zich nog bij de tombe ophielden, begaven zich vluchtend voor de dreigende wolkbreuk ijlings naar hun onder aan de heuvel geparkeerde auto's.

'Ik geloof dat we maar beter kunnen opstappen,' zei Gunn, terwijl hij

468

Pitt naar hun gehuurde Jeep onder aan de helling dirigeerde. 'Dus we gaan terug naar Washington?'

Pitt bleef staan en wierp nog een laatste blik op het mausoleum van Dzjengis Khan. Hij schudde zijn hoofd.

'Nee, Rudi, ga jij maar vooruit. Ik volg je over een paar dagen.'

'Blijf je hier nog?'

'Nee,' antwoordde Pitt met een afwezige blik in zijn ogen. 'Ik ga op wolvenjacht.'

66

De tropische zon verwarmde het dek van de *Mariana Explorer,* die de als een vinger in zee priemende lavaformatie van Kahakahakea Point rondde. Bill Stenseth, de kapitein van het NUMA-schip, minderde vaart toen ze de monding van de onderhand vertrouwde inham in Keliuli Bay in voeren. Voor en links van hem zag hij een rode markeerboei op het water dobberen. Zo'n twintig meter eronder lagen de verbrijzelde restanten van het boorschip van het Avarga Oil Consortium, voor een deel verborgen onder een berg losse lavabrokken. Omdat het nu snel ondieper werd, voer Stenseth niet verder door en liet, nadat de motoren waren afgezet, het anker zakken.

'Keliuli Bay,' zei hij, terwijl hij zich naar de achterkant van de brug omdraaide.

Aan een mahoniehouten kaartentafel zat Pitt daar door een vergrootglas naar een kaart van de kustwateren van Hawaï te turen. Naast de kaart lag uitgerold het stuk luipaardvel dat hij uit Leigh Hunts neergestorte Fokker in de Gobiwoestijn had meegenomen. Pitts kinderen, Summer en Dirk, stonden achter hem en keken over zijn schouder nieuwsgierig met hem mee.

'Goed, dus dit is de plaats delict,' zei de oudere Pitt, terwijl hij van tafel opstond en uit het raam tuurde. Hij rekte zijn armen uit en geeuwde. De vlucht van Ulaanbaatar naar Honolulu, via Irkoetsk en Tokio, was vermoeiend geweest. De warme vochtige lucht voelde lekker aan op de huid, nadat hij Mongolië bij het aan boord gaan van zijn vliegtuig in de warrelende sneeuwvlokken van een laatzomerse kou-inval had verlaten.

Pitts terugkeer naar Hawaï ging met een zekere melancholie gepaard, die tijdens de tussenstop in Honolulu in alle hevigheid toesloeg. Omdat hij drie uur moest wachten op de lijnvlucht naar Hilo, huurde hij een auto en reed door het Koolaugebergte naar de oostkust van Oahu. Aan het einde van een zijweg in de buurt van Kailua Beach liep hij een begraafplaats op. Het was een kleine, maar goed onderhouden groenstrook omgeven door welige bosschages met aan de zeezijde een panoramisch uitzicht over de oceaan. Pitt slenterde langs de graven, die hij een voor een zorgvuldig bekeek tot hij onder de overhangende takken van een bloeiende plumeria, het graf van Summer Moran vond.

Summer Moran, zijn eerste en grootste liefde, en tevens de moeder van zijn kinderen, was nog niet zo lang geleden gestorven. Pitt had niet geweten dat ze een ongeluk, waar ze verminkt bij was geraakt, had overleefd en nog lange tijd een heel teruggetrokken leven had geleid. Al die jaren had hij de herinneringen aan haar uit zijn hoofd en hart proberen te bannen, tot zijn twee volwassen kinderen opeens bij hem op de stoep stonden. Hij werd door emoties overmand en hij vroeg zich af hoe anders zijn leven wel niet was geweest als hij had geweten dat ze nog leefde en in haar eentje hun tweeling grootbracht. Hij had een hechte band met zijn kinderen opgebouwd en kreeg alle liefde die hij maar wensen kon van zijn vrouw Loren. Maar het gevoel van een smartelijk verlies bleef, vermengd met een sluimerende woede over de verloren tijd die hij met haar had kunnen doorbrengen.

Met een bedrukt gemoed plukte hij een handvol sterk geurende plumeriabloemen en strooide ze over haar graf. In weemoedige gedachten verzonken stond hij lange tijd naast haar naar de zee te staren. De rustig rollende golven van zijn andere grote liefde, de zee, hielpen hem de pijn die hij voelde, te verdrijven. Ten slotte liep hij de begraafplaats af, moe en uitgeblust, maar met herwonnen hoop.

Nu hij hier met zijn kinderen op de brug stond, gaf de wetenschap dat een deel van Summer in hen voortleefde hem een warm gevoel vanbinnen. Met een hernieuwde avontuurlijke geestkracht concentreerde hij zich weer op het mysterieuze Chinese scheepswrak.

'De markeerboei geeft de plaats aan waar Summer het boorschip naar de kelder heeft geholpen.' Dirk wees de plek glimlachend door de ruit aan. 'Het Chinese wrak ligt vrijwel exact in het midden van de inham,' zei hij met een zwaai van zijn arm naar rechts.

'En de artefacten stammen allemaal uit de dertiende eeuw of daarvoor?' vroeg Pitt.

'Alles is zo geïdentificeerd,' antwoordde Summer. 'Het aardewerk stamt uit de late Song- of de vroege Yuan-dynastie. Het hout blijkt iep te zijn en

dateert van rond 1280. De beroemde Chinese werf van Longjiang gebruikte iep en andere houtsoorten voor de bouw van hun schepen.'

'De lokale geologische geschiedenis blijkt ook al geen spelbreker,' zei
Dirk. 'Omdat het wrak gedeeltelijk onder lavagesteente bedolven ligt, zijn
we in het vulkanische verleden van het Grote Eiland gedoken. Hoewel de
Kilauea de bekendste en actiefste vulkaan is, zijn ook de Hualalai en de
Mauna Loa nog actief. Van de Mauna Loa, die hier het dichtst bij ligt, zijn
in de afgelopen honderdvijftig jaar zesendertig uitbarstingen geregistreerd.
In de eeuwen daarvoor is het talloze malen tot lava-erupties gekomen.
Plaatselijke geologen hebben houtskoolmonsters, die ze onder de lavastromen hadden gevonden, met de radiokoolstofmethode kunnen dateren. Een
van deze onderzoeken, van een monster uit de hiernaast gelegen Pohue
Bay, heeft een datering van zo'n achthonderd jaar oud opgeleverd. We
weten niet zeker of de lavastroom die in deze inham tot over ons schip is
gestroomd, van diezelfde eruptie is, maar ik durf er al mijn geld op te zetten dat het zo is. En ja, dan zou ons schip hier al vóór 1300 moeten hebben gelegen.'

'Is er iets wat wijst op een connectie met jullie mysterieuze luipaardvel?' vroeg Summer.

'Daar is de ouderdom niet van vast te stellen, maar de reis die is afgebeeld vertoont opmerkelijke overeenkomsten,' antwoordde Pitt. 'Het belangrijkste schip is een gigantische jonk met vier masten en dat lijkt overeen te komen met de omvang van jullie wrak, gebaseerd op het roer dat
door Dirk en Jack is blootgelegd. Helaas is er geen verklarende tekst bij de
afbeeldingen. Er staan maar een paar woorden op het vel, die we hebben
kunnen ontcijferen als "Een lange reis naar het paradijs".'

Pitt ging zitten en bekeek de reeks tweedimensionale tekeningen op de
dierenhuid nog eens aandachtig. Er waren een jonk met vier masten en
twee kleinere schepen op zee afgebeeld. Op diverse plaatjes maakten ze
een lange zeereis tot de schepen een eilandengroep bereikten. Hoewel ze
vrij grof waren weergegeven, lagen ze in ongeveer dezelfde positie als de
grotere Hawaï-eilanden. Op een van de tekeningen lag de grote jonk voor
anker bij een holte in de voet van een hoog klif op het grootste eiland. Het
laatste plaatje intrigeerde Pitt het meest. Hier lag het schip afgemeerd bij
een stapel kisten aan de voet van het klif. Het schip en het omringende
landschap waren in vuur en rook gehuld. Pitt was vooral geïnteresseerd in
een aan de mast van het schip brandende vlag.

'De vulkaanuitbarsting klopt als een bus,' zei hij. 'Op de tekening lijkt

472

het alsof de vlammen van een bosbrand zijn, maar dat is het 'm nu juist. Het is helemaal geen brand, maar een vulkaanuitbarsting.'

'Die kisten,' zei Summer. 'Daar hebben waarschijnlijk kostbaarheden in gezeten. Tong, of Borjin zoals hij volgens jou eigenlijk heette, wist iets over de lading van het schip. Daarom hebben ze het lavagesteente met een gestuurde aardschok geprobeerd open te breken.'

'Ik denk dat ze dan op hun neus hadden gekeken,' zei Dirk. 'De schat, of wat het ook geweest mag zijn, bevond zich niet op het schip. Als de tekening juist is, is de lading aan land gebracht en door de lavastroom vernietigd.'

'Zou het?' vroeg Pitt met een lepe grijns.

'Hoe zou die aan de lavastroom zijn ontsnapt?' vroeg Summer. Ze pakte het vergrootglas op en bestudeerde het laatste plaatje. Met licht gefronste wenkbrauwen tuurde ze aandachtig naar de door zwart gesteente omgeven kisten. Op de tekening waren geen vlammen op of rond de kisten te zien.

'Op het plaatje staan ze niet in brand. Denk je echt dat ze misschien niet verloren zijn gegaan?'

'Ik denk dat het de moeite waard is om dat uit te zoeken. Even een nat pak en dan weten we het zeker.'

'Maar dan ligt 't toch onder de lava?' protesteerde Dirk.

'Heb nou maar vertrouwen in je oude vader,' zei Pitt glimlachend, waarna hij de brug af liep.

Met een flinke dosis scepsis volgden Dirk en Summer hun vader naar het achterdek, waar ze drie duikuitrustingen bij elkaar zochten. Nadat ze alles in een Zodiac hadden geladen, werden ze door Jack Dahlgren aan de zijkant van het schip te water gelaten.

'Ik heb een glas tequila klaarstaan voor de eerste die een Ming-vaas vindt,' schertste hij toen hij de rubberboot liet zakken.

'Vergeet het zout en het citroensap niet,' riep Summer terug.

Pitt stuurde de Zodiac naar de kust aan de zijkant van de inham en zette een paar meter voor ze de branding bereikten de motor uit. Dirk wierp een anker uit, waarna het drietal zich in hun duikuitrusting hees.

'We blijven evenwijdig aan de kust zo dicht mogelijk bij de branding,' instrueerde Pitt. 'Maar kijk uit voor brekers.'

'En waar zijn we nu precies naar op zoek?' vroeg Dirk.

'Een trap naar de hemel.' Zijn vader keek hem met een geheimzinnige glimlach aan, alvorens hij zijn duikmasker voor zijn gezicht trok. Hij ging op de rand van de boot zitten en liet zich achterover in het water vallen, waar hij onder een golf verdween. Nadat Dirk en Summer haastig hun maskers en ademautomaat hadden opgezet, duikelden ook zij achterover het water in.

Op de bodem kwamen ze bij elkaar. Het was er nog geen zes meter diep en het water was donker en troebel. De branding woelde schuim en slib op, wat het zicht tot een halve meter beperkte. Summer zag dat haar vader naar haar knikte, zich omdraaide en het duister in zwom. Ze ging ijlings achter hem aan in de wetenschap dat haar broer haar op zijn beurt zou volgen.

De bodem was een bedding van ruwe zwarte lava die aan haar linkerkant steil omhoogging. Zelfs onder water voelde ze van opzij de sterke druk van het opkomende water en herhaaldelijk draaide ze zich richting zee om met een paar stevige slagen van haar vinnen te voorkomen dat ze tegen de lavawand opbotste.

Een minuut of tien volgde ze de vinnen en het belletjesspoor van haar vader tot hij ten slotte in het donkere water voor haar uit het zicht verdween. Ze schatte dat ze ongeveer halverwege de kustlijn van de inham waren. Ze besloot nog tien minuten door te zwemmen en dan naar de oppervlakte te gaan om te kijken waar ze was.

Terwijl ze de branding bleef volgen, werd ze op een gegeven moment door een grote golf tot vlakbij het lavagesteente geduwd. Toen ze zich omdraaide om ervan weg te zwemmen, werd ze door een tweede, nog sterkere golf verrast die haar met veel kracht terugduwde. De golf was te sterk voor haar en ze sloeg met haar rug tegen de lavawand, waarbij de stalen persluchtfles over het steen schuurde.

Ongedeerd door de botsing wachtte ze tegen de lava gedrukt tot de golf voorbij was. Toen ze weg wilde zwemmen, zag ze een donkere plek in het gesteente boven haar hoofd. Ze trok zich er naartoe en tuurde in een zwarte buisvormige opening die in de richting van de kust schuin omhoogliep. In het troebele water kon ze niet zien of het meer was dan een holte in de rotswand. Dus pakte ze haar duiklamp en scheen naar binnen. De lichtstraal vervaagde in het water en weerkaatste niet tegen steen. Het gat was duidelijk behoorlijk diep.

Haar hart sloeg een slag over toen ze besefte dat dit was waar haar vader naar zocht. Ze hield zich bij de opening stevig vast toen er weer een golf over haar heen rolde. Daarna sloeg ze met de zaklamp tegen de duikfles op haar rug. Er echode een metaalachtige tik door het water.

Vrijwel onmiddellijk dook Dirk naast haar op, die haar vragend aankeek en vervolgens verbaasd de opening ontdekte die ze hem aanwees. Een minuut later kwam haar vader aanzwemmen, die Summer een speels klopje op haar hoofd gaf toen ook hij de tunnel zag. Nadat hij zijn eigen duiklamp had aangeklikt, zwom hij op de voet gevolgd door zijn kinderen de buis in.

Pitt herkende de opening onmiddellijk als een lavabuis. De wanden waren vrijwel perfect cilindrisch, rond en glad alsof ze door een machine waren gemaakt. Maar de gang was feitelijk ontstaan door de afkoeling van in zee stromende hete lava, waarbij aan de buitenkant korstvorming optreedt. De nog vloeibare kern stroomt er uiteindelijk uit weg, waardoor er een holle buis overblijft. Er zijn lavabuizen gevonden van wel vijftien meter breed en soms enkele kilometers lang. Summers buis was met een doorsnede van een meter tachtig relatief smal.

Pitt zwom een meter of tien de buis in en zag op zijn dieptemeter dat het geleidelijk omhoogging. Opeens waaierde de buis wijd uit en heel even zag hij een weerkaatsing van het licht van zijn duiklamp, vlak voordat zijn hoofd door het oppervlak van een kalme poel brak. Watertrappend scheen hij met de lamp om zich heen. Aan drie kanten rezen er zwarte lavamuren loodrecht uit het water op. Maar aan de vierde kant lag een brede rotsachtige open plek. Terwijl de lichten van Summer en Dirk naast hem aan de oppervlakte opdoken, zwom hij met trage slagen naar de plek waar ze aan land konden gaan. Bij de rotsen aangekomen klommen ze het water uit, waarna ze alle drie het mondstuk van hun ademautomaat uitspuugden.

'Wat raar!' zei Summer. 'Een ondergrondse grot die water krijgt door een ondergelopen lavabuis. Maar een luchtverversingssysteem is hier niet overbodig.' De lucht in de grot was vochtig en bedompt, en Summer overwoog om haar ademautomaat maar weer te gebruiken.

'Ooit was dit waarschijnlijk een veel diepere grot, totdat hij door de van de helling gutsende lavastroom is ingepakt,' zei Pitt. 'Het is stom toeval dat er precies aan de voorkant een lavabuis is ontstaan.'

Dirk deed zijn persluchtfles en loodgordel af, en tastte met de lichtbundel van zijn lamp de open plek af. Opeens zag hij iets in de rotsen.

'Summer, achter je!'

Ze draaide zich om en schrok van de man die op een paar meter achter haar stond. Ze onderdrukte een gil toen ze zag dat de man niet echt was.

'Een kleisoldaat?' vroeg Dirk.

Ook Summer scheen met haar lamp en ontdekte vlak bij haar nog een tweede figuur. Ze waren allebei levensgroot, droegen een op het beeld geschilderd gekleurd uniform en hadden een gebeeldhouwd zwaard. Summer kroop er naartoe om ze beter te kunnen bekijken. Het waren soldaten met

475

vlechten in het haar en een vlassige snor onder amandelvormige ogen.

'Terracottakrijgers van keizer Qin uit Xi'an?' zei Pitt. 'Of misschien dertiende-eeuwse replica's.'

Summer keek haar vader vragend aan. 'Dertiende eeuw? Wat doen ze dan hier?'

Pitt liep naar de twee beelden toe en zag dat er tussen hen in een smal pad in het gesteente was uitgehakt.

'Volgens mij leiden ze ons naar het antwoord,' zei hij, waarna hij tussen de kleisoldaten door stapte en gevolgd door Dirk en Summer het pad op liep. Het uitgesleten spoor kronkelde langs diverse lavawanden tot ze opeens in een grote, grotachtige ruimte stonden.

Pitt bleef met zijn twee kinderen op de drempel staan. Diep onder de indruk schenen ze met hun lampen om zich heen. In de reusachtige ruimte stond een heel leger van kleifiguren langs de wanden opgesteld. Ze droegen allemaal een zware gouden halsketting of een met edelstenen ingelegde amulet. Binnen de cirkel van kleisoldaten was een tweede ring van beelden, veelal schaalmodellen van dieren. Sommige waren uit jade of steen gehakt, terwijl andere met een goudlaag waren verguld. Herten graasden zonder angst naast enorme valken. En iets uit het midden van de ruimte stond een stel steigerende witte merries opgesteld.

Her en der tussen de sculpturen verspreid stonden tientallen gelakte kastjes en tafels onder een dikke laag stof. Op een grote teakhouten tafel zag Summer in het licht van haar een lamp een prachtige collectie tafelgerei glinsteren. De borden, bestek en bokalen, die op een zijden doek lagen, waren allemaal van goud. De tafel werd omgeven door een collectie zilveren en gouden ornamenten, waarvan sommige met Arabische letters en Chinese tekens waren versierd. Op andere tafels schitterden met edelstenen gedecoreerde spiegels, kistjes en kunstvoorwerpen. Summer liep naar het dichtstbijzijnde kastje, dat met diverse kleurrijke strijdtaferelen was beschilderd, en trok een la open. De met zijde beklede lade was gevuld met bakjes vol barnsteen, saffieren en robijnen.

De beelden en juwelen interesseerden Pitt niet. Hij keek langs de artefacten naar het middelpunt van de ruimte, waar op een stenen verhoging een langwerpige houten kist stond. Hij was felgeel geschilderd en alle panelen waren met fijnzinnig houtsnijwerk versierd. Pitt liep ernaartoe en scheen met zijn lamp boven de kist. Een opgezet luipaard leek Pitt met blikkerende tanden en een opgeheven uithalende klauw te willen afweren. Pitt liet zijn lamp zakken tot hij de bovenkant van de kist bescheen en moest glimlachen bij het zien van de afbeelding. Op het deksel was een grote, blauwe wolf geschilderd.

'Mag ik jullie voorstellen: de oud-keizer van het Yuan-rijk, Kublai Khan,' zei hij.

'Kublai Khan,' fluisterde Summer met wijd open ogen eerbiedig. 'Dat kan toch niet?'

'Ik dacht dat hij ergens in de buurt van Dzjengis Khan was begraven,' zei Dirk.

'Volgens de legende. Maar dat verhaal schijnt toch niet helemaal te kloppen. Borjin heeft met zijn seismische apparaat wel het graf van Dzjengis Khan kunnen vinden, maar niet dat van Kublai. Ze hadden bij elkaar in de buurt moeten liggen. Toen dook jouw dr. Tong hier op en zou hij zijn missie om de Alaska-pijplijn te verwoesten zomaar voor een bezoekje aan een scheepswrak hebben onderbroken? Er was kennelijk iets veel aantrekkelijkers, iets waar alleen de Borjins van op de hoogte waren. Ik neem aan dat ze in Mongolië een leeg graf voor Kublai hebben aangetroffen, of ze hebben een aanwijzing ontdekt dat hij ergens anders begraven zou zijn.'

'Ik zie nog altijd niet hoe hij dan hier terecht had moeten komen,' zei Summer.

'Dat verhaal staat op het luipaardvel. Dat is in Shang-tu gevonden, dus er was een oorspronkelijke band met Kublai. Van de keizer is bekend dat hij afgerichte luipaarden voor de jacht hield, dus deze huid kan zelfs van een van zijn huisdieren zijn. Belangrijker is dat het luipaardvel begraven was met een zijden doek waarop naar verluidt de locatie van het graf van Dzjengis Khan was aangegeven. Borjins vader bemachtigde de zijden doek en Borjin zelf heeft toegegeven dat hij daarmee het graf heeft kunnen vinden. Om de een of andere duistere reden heeft men na de vondst de betekenis van de afbeeldingen op het luipaardvel over het hoofd gezien. De blauwe wolf heeft mij aan het denken gezet.'

'Welke blauwe wolf?' vroeg Summer.

'Een gestileerd ontwerp,' zei hij, waarbij hij op de schildering op het deksel van de houten kist wees. 'Het was een bekend embleem van de keizerlijke khans, als eerste gebruikt door Dzjengis. Als je het luipaardvel goed bekijkt, zie je in het laatste plaatje een banier met een blauwe wolf aan de mast van de brandende jonk wapperen. Die zou daar niet hangen als er niet een khan aanwezig is. Van jullie wrak, dat overeenkomt met de afbeeldingen van een vorstelijk schip dat uit China vertrekt, is vastgesteld dat het vijftig jaar na de dood van Dzjengis is gebouwd. Als cruiseschip voor hemzelf is dat te laat. Nee, de ouderdom past in het tijdperk waarin Kublai heerste. En stierf. Het geheim van het luipaardvel is dat het de laatste reis van Kublai Khan beschrijft.'

'Maar waarom is hij naar Hawaï gebracht?' vroeg Summer, terwijl ze het licht van haar lamp over de sarcofaag liet gaan tot er in de lichtbundel een gedraaide houten staf verscheen die tegen het uiteinde van de kist geleund stond. Nieuwsgierig bekeek ze een halsketting van haaientanden die om de versleten knop hing.

'Zijn laatste jaren had hij het niet gemakkelijk. Misschien was zijn "reis naar het paradijs" een plan om het eeuwige leven aan een ver verwijderde kust te slijten.'

'Pa, hoe wist je dat zijn graf de vulkaanuitbarsting had overleefd en dat we hem zouden kunnen vinden?' vroeg Dirk.

'Degene die het luipaardvel heeft beschilderd, heeft de tombe en de schatten gezien en wist dat ze de lavastromen hadden overleefd. Anders had hij ze ook brandend afgebeeld. Wat de toegang betreft heb ik gegokt. Het zeeniveau is hoger dan achthonderd jaar geleden, dus ging ik ervan uit dat de ingang nu onder water zou liggen.'

'De schatten die hier liggen zijn dan waarschijnlijk de rijkdommen die hij gedurende zijn veroveringen heeft vergaard,' zei Dirk, onder de indruk van de onvoorstelbare omvang van de kostbaarheden die hij hier voor zich zag. 'Maar misschien is een deel van de spullen afkomstig uit de tijd dat Dzjengis nog heerste. Wat hier staat moet een ongekend fortuin waard zijn.'

'Het Mongoolse volk is de schat van Dzjengis Khan door de neus geboord. Het zou alleen maar uitermate passend zijn als zij zich over de rijkdommen van Kublai Khan ontfermen. En ik neem aan dat ze aan de voet van de Burkhan Khaldun een geschikte eeuwige rustplaats voor Kublai zullen vinden.'

De wonderbaarlijke pracht van het verborgen graf vervulde hen van diep ontzag en het trio bewoog zich fluisterend tussen de oude schatten. In het zwakke schijnsel van hun duiklampen voelden ze zich in het duistere vertrek overmand door de geheimzinnige sfeer van de middeleeuwen. Terwijl de lichtbundels over de glinsterende wanden gleden, moest Pitt aan het echte Xanadu denken en het spookachtige gedicht van Samuel Coleridge.

'*De schaduw van de koepel van plezier / Drijvend op de hoge golven,*' citeerde hij zachtjes. '*Waar de maat verstrengeld klonk / Van de grotten en fonteinen.*'

Summer kwam naar haar vader toe en kneep hem in zijn hand. 'Ma zei altijd al dat je een hopeloze romanticus was,' zei ze glimlachend.

De batterijen van hun lampen raakten op en Pitt en Summer liepen samen terug naar de ingang. Toen ze nog een laatste blik door de ruimte lieten gaan, voegde ook Dirk zich bij hen.

'Eerst heb je de tombe van Dzjengis gered en nu ontdek je Kublai Khan en de schatten van zijn rijk,' zei hij vol ontzag. 'Dat is goed voor eeuwige roem.'

Summer knikte. 'Pa, soms ben je gewoon een kanjer.'

Pitt spreidde zijn armen uit en sloot zijn kinderen in een warme omhelzing.

'Nee,' zei hij met een brede grijns. 'Soms heb ik gewoon geluk.'